2019
Manual para
proclamadores
de la **palabra**®

Raúl H. Lugo Rodríguez
y
Feliciano Tapia Bahena

LTP

RECURSOS
CATÓLICOS
EN ESPAÑOL

ÍNDICE

MANUAL PARA PROCLAMADORES DE LA PALABRA® 2019, © 2018 Arquidiócesis de Chicago. Todos los derechos reservados.

Liturgy Training Publications
3949 South Racine Avenue
Chicago, IL 60609
800-933-1800
fax: 800-933-7094
email: orders@ltp.org

Visítanos en www.LTP.org.

Editor: Ricardo López; cuidado de la edición: Víctor R. Pérez; corrección: Christian Rocha; tipografía: Juan Alberto Castillo; portada: Barbara Simcoe; diseño: Anna Manhart.

Impreso en los Estados Unidos de América.

978-1-61671-395-9

MP19

Nihil Obstat
Rev. Sr. Daniel G. Welter, JD
Canciller
Arquidiócesis de Chicago
3 de abril de 2018

Imprimatur
Reverendo Ronald A. Hicks
Vicario General
Arquidiócesis de Chicago
3 de abril de 2018

El *Nihil Obstat* e *Imprimatur* son declaraciones oficiales de que un libro está libre de errores doctrinales y morales. No existe ninguna implicación en estas declaraciones de que quienes han concedido el *Nihil Obstat* e *Imprimatur* estén de acuerdo con el contenido, opiniones o declaraciones expresas. Tampoco ellos asumen responsabilidad legal alguna asociada con la publicación.

El P. Raúl H. Lugo Rodríguez es sacerdote de la Arquidiócesis de Mérida, Yucatán, México, y licenciado por el Instituto Bíblico Pontificio, de Roma. Docente en diversas instituciones eclesiásticas, ha publicado libros y artículos sobre temas bíblicos y culturales de actualidad. Trabaja entre los indígenas mayas y es un apasionado de la Palabra de Dios. A él debemos notas y comentarios de Adviento, Navidad, Cuaresma y Pascua.

El Sr. Feliciano Tapia Bahena coordina la Red Católica del Campesino Migrante y es director de educación religiosa en la parroquia del Sagrado Corazón en Turlock, California. Bachiller en teología por el Seminario de Chilapa, Guerrero, México, ha participado en programas del Instituto de Estudios Latinos de la Universidad de Notre Dame en Indiana y diversas iniciativas pastorales. Entre otras publicaciones, ha escrito *Manual para proclamadores 2012* y *2018*. Las notas y comentarios del Tiempo Ordinario proceden de su pluma.

INTRODUCCIÓN

Con su palabra, Dios convoca, sostiene y modela continuamente a su pueblo, la Iglesia, para que sea testigo de la Palabra ante el mundo. La palabra de Dios no es algo periférico o aleatorio al modo de ser Iglesia, sino aquello que le da su principio y fundamento. Esta verdad sustantiva ha de plasmarse en todos y cada uno de los momentos de la vida de las comunidades eclesiales locales, y, desde luego, en todas y cada una de las celebraciones litúrgicas. Entendemos que, de la palabra de Dios, este pueblo obtiene su fuerza vital para caminar en la historia bajo el signo de la alianza y en pos de la comunión plena con Dios, Padre, Hijo y Espíritu Santo.

Decir "palabra de Dios" es decir relación y pertenencia; significa articular ideas y, necesariamente, diálogo y escucha. Toda "palabra" solicita alguien. Mejor todavía: toda palabra exige de dos. Al pueblo de Dios se pertenece mediante el bautismo, en el que la palabra confiere al agua una virtud inusitada, fruto de haber escuchado la voz del *lógos* de Dios, invitándonos a la comunión. Esa palabra recibida desata un proceso de conocimiento mutuo, que empuja a transformarnos en lo que percibimos de Dios, y que es nuestra respuesta al Verbo de la Vida (ver Juan 1:13–4; 1 Juan 1:1–4).

Ser pueblo de la palabra de Dios significa vivir atento a la voz de Dios, escucharla, discernirla. Sabemos bien que escuchar es mucho más que una percepción meramente auditiva; escuchar es la recepción cordial y total, empática de una voz articulada. La voz de Dios se percibe no solo en las proclamaciones y acciones litúrgicas, sino en otros espacios de revelación o de encuentro con él. Por eso, y de manera análoga, entendemos que Dios habla en la creación, a la que se le llama también primera revelación divina. Meditemos un poco en esto.

Por las Escrituras, el creyente sabe que lo que existe no es producto de la casualidad ciega, sino del amoroso designio divino. Con su palabra, Dios llama a la existencia a todas las cosas y las dispone ordenadamente; "Dios dice y hace", en el conocido relato catequético de Génesis 1. Su palabra convoca a la existencia y, por ser deliberativa lo lleva a actuar, venciendo el caos, la confusión y la oscuridad primordiales. Esa coherencia o lógica hace que su palabra no sea vana, sino poderosa y operante; ella convoca a la existencia y da su vocación más profunda a las creaturas. El orden del cosmos, su belleza y las leyes que lo rigen han sido generadas por la palabra del Ordenador, de la Hermosura y de la Omnipotencia, convocando a la comunión amorosa y dialogal con él (ver Hebreos 11:3).

Pero la creación entera fue herida por el pecado humano, con una transgresión del mandato divino que la abocó a la muerte. Dios, sin embargo, aprestó su restauración como una vida nueva, en el misterio pascual de la Palabra hecha carne, Cristo Jesús. En él, Dios recrea el cosmos entero cuando lo reorienta hacia Cristo (ver Colosenses 1:15–16; Romanos 8:18–25). Desde aquí, en su devenir continuo, la creación es como una grandiosa liturgia concertada por el Resucitado, y reorientada por su misterio de muerte y vida nueva. En él, todas las creaturas, y de modo especial el pueblo de Dios, toman parte con su corporeidad y espiritualidad total. En este concierto, todas las creaturas balbucean la Palabra de la vida nueva como respuesta a la Buena Nueva de Dios; esta Palabra las saca del caos y las tinieblas a la luz para conferir un sentido nuevo a su existencia: la nueva creación, en la que la muerte y su aguijón, el pecado, no tienen más cabida (ver 2 Pedro 3:13; Apocalipsis 21:1–2).

Ese destino de vida gloriosa halla eco en las acciones litúrgicas puntuales de este pueblo de bautizados que se congrega para alabar, bendecir y dar gracias a su Creador y a su Redentor en el Espíritu. Es la Palabra nueva la que nos convoca a caminar con toda creatura, en armonía connatural, ecológica y cósmica; esa armonía es la alabanza cósmica que responde, "desde la salida del sol hasta el ocaso", a la Palabra que convoca y regenera incesantemente con vida nueva.

La palabra de Dios dínamo de la salud

La palabra de Dios se deja oír también desde los acontecimientos de la historia humana, para pronunciar su sentido profundo y vitalizarlos como historia de salvación. En esta dinámica, la memoria tiene un lugar preponderante. Pensemos, por ejemplo, en el evento fundante del éxodo. En tierra extranjera, cuando los esclavizados hebreos claman, Dios recuerda su promesa o alianza con los antepasados y apresta la liberación para sus hijos (ver Éxodo 2:24–25). Esa coherencia entre lo que pasa en la historia y la memoria se logra mediante la palabra que se pronuncia una y otra vez, de una generación a otra. A los ojos profanos, aquel evento se produjo por otras fuerzas históricas en juego, pero el pueblo de Dios sabe y celebra que ha sido Dios quien lo "sacó de Egipto con mano poderosa y tenso brazo" (ver Sabiduría 10–19; Deuteronomio 5:15). Es la palabra de Dios lo que da fundamento a la condición de la salud humana.

La salvación que Dios realiza con su pueblo al sacarlo de la esclavitud no es un hecho aislado en el Sinaí, sino la constatación histórica de la continua fidelidad de Dios a su palabra; "Dice y hace". La promesa a los antepasados y culminada en Cristo constituye un proceso de memoria liberadora que transforma los eventos en historia de salvación, gracias a la articulación de fuerza y verdad que les da el Espíritu de Dios. Desde la oscuridad de cada jornada, desde la noche del éxodo a la noche de la resurrección, los fieles alimentan y transfiguran su identidad de pueblo cuando hacen la memoria de la salud. Ellos hacen realidad histórica su identidad irrevocable de ser "propiedad personal, [...] reino de sacerdotes, nación santa", conforme a la alianza. Por eso cada generación responde a esa palabra diciendo "haremos todo cuanto el Señor ha dicho" (ver Éxodo 19:5–8).

Consideremos, para ilustrar ese proceso continuo de ser pueblo de Dios, lo que sucede con las diez palabras de la alianza. Estas regulan el hacer del pueblo y todas sus relaciones: con Dios, con los demás pueblos y entre sus propios miembros. Sin embargo, cada una de esas palabras solo adquiere su cabal sentido en el contexto histórico de un pueblo llamado a ser levadura en la masa, es decir, fermento de palabra de Dios para la humanidad en su proceso de comunión con el Señor de la historia. Así, las palabras de la alianza desarrollan su función universal únicamente a partir de la constitución de un pueblo que camina en libertad, justicia y dignidad entre sus miembros y con los demás pueblos. Por eso, los mandamientos son letra muerta sin un pueblo que los haga vida. La vida en equidad y santidad es lo que convoca a todas las naciones al reconocimiento del único Dios y a la vida en justicia y paz (ver Pontificia Comisión Bíblica, *El pueblo judío y sus Escrituras sagradas en la Biblia cristiana*, 38).

En las Escrituras aprendemos que, al reflexionar en los acontecimientos de la historia, los sabios de la Biblia entendieron que las infidelidades del pueblo a la palabra empeñada en alianza, iniciando con aquélla al pie del monte mismo (ver Éxodo 32–34), les acarreaban calamidades y desgracias. Con creciente claridad podían ver que, ya instalados en la tierra de la promesa, los líderes postergaban el derecho y la equidad para favorecer a los ricos y poderosos, de manera que aquel proyecto de pueblo de Dios, generado en las duras jornadas del desierto, se abocaba a la ruina. Así se entiende que el pueblo faltara a la palabra empeñada, pero no Dios. Él mantiene inquebrantable su fidelidad y sigue modelando a su pueblo.

Se hicieron oír los reclamos de los profetas, pero fueron vanos; el lucro, la arrogancia y el afán de ser como las otras naciones, dieron al traste con la vocación originaria concebida en el desierto, de ser pueblo de Dios. Las palabras de los enviados allí están, en las Escrituras, como testimonio y espejo de la historia (ver PCB, *El pueblo judío*, 52). Unos cuantos de aquel pueblo habrían de sobrevivir a la catástrofe. Vino la ruina y la desolación. Sin tierra, templo, sin rey y sin instituciones que los guarnecieran, quedó apenas un puñado de fieles aferrados a la palabra; con esta, esos pocos fueron anudando las memorias ancestrales y construyendo la plataforma para proyectar el futuro, e igualmente, de esa palabra les venían las claves para comprender el presente. Allá, en tierra extranjera, el pueblo del exilio fue regenerando un proyecto en el que aquella palabra debía grabarse en el corazón para engendrar un pueblo nuevo, en comunión con su Dios en una nueva alianza de vida en libertad y digna equidad.

Los siglos previos a la llegada de Jesús de Nazaret se caracterizan por un dinamismo incesante de regeneración, catalizado al contacto de las voces de diferentes naciones y culturas. Ese impulso también encontró cauce hasta los escritos inspirados, judíos y griegos. No sin dificultades, el pueblo debió reorganizarse en busca de su distintiva identidad y voz que alimentaba desde la palabra revelada. Esta alimentaba también a los dispersos. La experiencia

Éste es mi mandamiento: que se amen los unos a los otros como yo les he amado.

Proclamemos la grandeza del Señor y alabemos todos juntos su poder.

de migración, forzada y voluntaria, del pueblo de Dios es tan fuerte y profunda que está presente y palpable en todos y cada uno de los libros sagrados; esa experiencia también se plasmó en la diversidad de sus miembros y componentes (ver PCB, *El pueblo judío*, 66). Es un pueblo "atípico", y en ese pueblo "fue dirigida la palabra de Dios a Juan, hijo de Zacarías, en el desierto" (Lucas 3:2), con quien arranca la era del cumplimiento de las promesas de la salvación pronunciadas por Dios a su pueblo y que culminan con Jesús, el mesías de Dios para salvar a su pueblo de todo lo que signifique pecado y muerte (ver Lucas 16:16; Hechos 13:23–33).

Con la muerte y resurrección de Cristo, Dios extiende la salud a todas las naciones y a todas las generaciones, gracias a que se ha tornado palabra de la nueva creación, Evangelio, Buena Nueva. Es la historia de Jesús de Nazaret, hecha y dicha, proclamada, por la verdad y fuerza del Espíritu de Dios, que articula la memoria discipular de cada generación. Cada discípulo de Cristo se integra en una comunidad de alianza, el pueblo de Dios que se regenera desde la oscuridad de todo aquello que lacera la dignidad humana, personal y social, para encaminarse en la paz y en la justicia, y ser pueblo de Dios gracias al Evangelio. Es la palabra de Dios la que da cauce y expresión a los anhelos profundos del corazón humano, y de la humanidad entera, tal como recuerda el magisterio de la Iglesia al anotar que "Dios habla e interviene en la historia en favor del hombre, y de su salvación integral" (*Verbum Domini*, 23).

Palabra que engendra la Iglesia

La Iglesia, comunidad de los bautizados en Cristo Jesús, se configura por la fe en Cristo Jesús, que es la que abre el paso a las aguas bautismales. Sin dicha fe, expresada en el deseo elemental de comunión con Cristo, no se llega a formar parte del pueblo de Dios, la Iglesia. Así, la pertenencia al Pueblo de los bautizados en Cristo Jesús está precedida por un camino en el que la obra y la fuerza de la Palabra de Dios se dejan percibir. A ese camino se le conoce como el Catecumenado o camino del Evangelio, cuyas prácticas tienen raíces añejas en la tradición y vida de la Iglesia, alimentadas con las Sagradas Escrituras.

La persona que se aproxima a la comunidad cristiana es alguien inquieto y movido por alguna razón que, al iniciar su camino de fe, quizá sea indescifrable todavía. Esa persona experimenta un poderoso anhelo de verdad, justicia, libertad y belleza, o bien, de luz, amor, seguridad y unión con otras personas. Se trata del anhelo de plenitud que Dios ha sembrado en el corazón humano, reconocido en la tradición de la Iglesia como "semillas del Verbo", y que orienta a la comunión de vida con Dios y con los demás, en Cristo Jesús (ver *Ad gentes*, 13). Así, Dios opera en el corazón humano y lo dispone para que resuene con las Sagradas Escrituras cuando son proclamadas en la acción litúrgica.

Cabe anotar, sin embargo, que, en la ruta hacia las aguas bautismales, hay muchos momentos y oportunidades en los que la Palabra de Dios va hallando camino hasta el corazón de cada individuo y de la comunidad que celebra a Cristo, Alfa y Omega de su caminar histórico.

Palabra que modela al pueblo de Dios

En el Símbolo Apostólico o Credo que el Pueblo de Dios profesa domingo a domingo en la celebración litúrgica, pronunciamos un artículo sobre la Iglesia, diciendo que "es una, santa, católica y apostólica". Estas características reciben su virtud cabal únicamente en relación con la Palabra de Dios, de manera eminente.

La palabra de Dios genera la unidad de todos los bautizados en Cristo. Dando por sabida la instrucción catequética que el *Catecismo de la Iglesia Católica* ofrece a partir del parágrafo 813, cabe pensar en tres manifestaciones de la unidad eclesial generada por la palabra del Dios vivo.

En primer término, es la palabra de Dios la que convoca a los bautizados en Cristo Jesús y así genera la Iglesia. A partir del nombre que fue pronunciado sobre nosotros al momento de nacer de las aguas bautismales, Dios nos convoca incesantemente a reunirnos. Por eso es que todas nuestras reuniones de fe las iniciamos en el nombre del Dios uno y trino: Padre, Hijo y Espíritu Santo. Unidad no es uniformidad, sino pluralidad y diversidad. Siendo personas diferentes todos y cada uno de los bautizados, acudimos al llamado del mismo nombre para reconocernos un solo pueblo de Dios.

Reunidos, escuchamos la misma palabra inspirada de Dios, la acogemos para vigorizar el andar de cada día, y aprendemos a pronunciarla, a repetirla. Ella es la pizca de levadura que nos fermenta la vida, nos hace crecer y producir frutos de vida verdadera. Solamente entonces esa palabra cumple su ciclo, como anota el profeta, con la imagen de la nieve y la lluvia que bajan del cielo, empapan la tierra y la hacen germinar para sustento del campesino (Isaías 55:10). Es la misma Palabra de Dios la que inspira y vigoriza todos y cada uno de los frutos de justicia que la industria y trabajo de los bautizados eleva a Dios como una ofrenda perpetua.

Finalmente, la Palabra genera la unidad eclesial porque ella crea puentes de comunicación entre los que buscan coherencia en el caminar de la vida, que estos son los discípulos (ver Juan 1:38–39). La Palabra definitiva de Dios es Cristo muerto y resucitado, y es ella la que modela todas las demás palabras nuestras que concurren a toda la verdad (ver Juan 14:13). El diálogo es el instrumento necesario para la unidad del pueblo de Dios y discípulo de Cristo.

Hoy más que nunca, es necesaria la aportación personal y colectiva de todos los creyentes para transformar la realidad en un espacio donde se verifique la experiencia del proyecto de Dios en Jesús de Nazaret. Dios se nos descubre en el diálogo (ver *Dei Verbum*, 2); de allí que, únicamente conversando, explorando las vías de la verdad multiforme, escuchando las diversas voces de la palabra, podremos conformar la gran sinfonía de la Palabra, en la que Jesús es el "solo", es decir, aquel que da sentido y de quien depende la obra entera, como anota el papa Benedicto XVI (*Verbum Domini* 7 y 13). A modo de apretado lema, cabe decir que dialogar con la Palabra, dialogar la Palabra y dialogar en la Palabra, es la manera de regenerar la unidad sustantiva del Pueblo de Dios, la Iglesia, conformado por todos los discípulos de Cristo. La Iglesia no solo es una, sino que está en proceso inacabado de unidad.

La Palabra de Dios hace del Pueblo de Dios, un pueblo santo. Cuando Dios habla a sus fieles congregados en alianza, provoca una transformación que es manifestativa, es decir, que se traduce en algo perceptible a partir de la recepción, asimilación y respuesta a esa palabra. La palabra que Dios dirige a la entera humanidad es el Evangelio: la muerte y resurrección de su Hijo, en quien Dios ha sellado una alianza nueva. A partir de aquí, el Evangelio genera la santidad que da identidad al pueblo de la nueva alianza, constituido por los discípulos de Cristo

Jesús. El *Catecismo de la Iglesia* expone los rasgos sustantivos de esta nota eclesial a partir del párrafo 823, donde nos inspiramos para considerar un par de puntos adyacentes.

El primero es que la santidad de la resurrección de Jesús se expresa en los libros del Nuevo Testamento, en términos de incorruptibilidad y de novedad. Lo contrario a la santidad es la corrupción, lo viejo o caduco cuyo signo mayor es la muerte (ver Hechos 2:22–36; Romanos 1:3–4; 6:1–4). Pero la resurrección no está limitada exclusivamente a Jesús, sino que trasciende el tiempo y el espacio puntuales para alcanzar el punto final de la historia y de la creación entera. Es un acontecimiento que jalona todos los impulsos vitales humanos y les impregna la fuerza del Espíritu de Santidad que ha sido derramado sobre toda la comunidad discipular. Es el Evangelio el que santifica al pueblo de Dios.

El segundo punto es un tanto paralelo al previo. La santidad se expresa en términos de pureza, y dado que la humanidad ha sido herida por el pecado, precisa de purificación purgación del pecado la efectúa la palabra revelada de Cristo (ver Juan 15:2–3; 13:10). Por supuesto que es una palabra pascual, es decir, que triunfa del pecado y de la muerte, y ese triunfo es constatado en la comunidad discipular. Los discípulos, aunque heridos por el pecado y la muerte, al recibir esa palabra son purificados (ver 1 Juan 1:8–10). No es una comunidad impecable, sino reconciliada. Esta comunidad no solamente ha recibido esa palabra, sino que se mira en ella para que le genere purificación y le santifique. El de Dios no solo es un pueblo santo sino en santificación creciente e ininterrumpida.

Siguiendo con las notas eclesiales, cabe decir que la Palabra de Dios origina el carácter católico en la comunidad discipular. Ser católico significa ser

Dichosos los pobres de espíritu, porque de ellos es el Reino de los cielos.

Sincera es la palabra del Señor y todas sus acciones son leales.

universal, y este carácter está expuesto en los parágrafos 830–856 del referido *Catecismo*. Cabe aquí solamente señalar un par de ingredientes laterales generados al pueblo de Dios por la Palabra, tocantes a su catolicidad.

La palabra de Dios asume los ingredientes históricos de la cultura de su pueblo, pero esto no significa que ese entorno histórico agote el sentido de dicha palabra. Dios dirige su palabra a los suyos, habla "por medio de hombres y en lenguaje humano", y comporta "la verdad profunda de Dios y de la salvación del hombre" (*Dei Verbum* 12 y 2). En esas frases de la Constitución Dogmática *Dei Verbum* del Concilio Ecuménico Vaticano Segundo se advierte la tensión dinámica entre lo particular y lo universal inherente a la palabra revelada. Esa tensión ha generado un proceso de actualización o regeneración de sentidos que se evidencia en las mismas Escrituras, pero que afina la relevancia de la palabra en cada paso del pueblo de Dios y al contacto con las diferentes culturas y naciones, a lo largo de la historia.

Vale la pena resaltar un par de aspectos de ese talante universalista de la palabra de Dios. Primeramente, es una palabra que coloca en igualdad de condiciones a todas las personas; no hay un grupo o un individuo que pueda colocarse ni por encima de ella, ni por encima de los demás. Todos y cada uno de los miembros del pueblo de Dios somos escuchas de esa palabra y sus servidores (ver *Dei Verbum*, 1). Servir esa palabra significa abrazarla con sus condicionamientos históricos para poder entender su sentido verdadero y reproyectarlo de generación en generación.

A la revelación divina escrita, el pueblo de Dios le reconoce su carácter inspirado, es decir, que ha sido plasmada por el Espíritu de Dios de donde recibe su aliento universal. En efecto, el dato de que la palabra se transforme en Escritura Sagrada y así se transmita, la vuelve accesible a generaciones ulterio-res. Esta apertura no significa indefinición ni indeterminación, sino la condición y dinamismo propios de las relecturas que exponen el sentido de la vida y el amor de Dios por la humanidad. Dado que es una palabra escrita la revelación que el pueblo de Dios acoge, se vuelve un imperativo universal leer y escribir. El de Dios es un pueblo que lee y escribe, por su indisoluble y necesaria vinculación con esa Palabra. Es la Palabra de Dios la que le da tales competencias a todo su pueblo, de ser lector y escriba privilegiado de su Palabra.

Finalmente, el pueblo de Dios, la Iglesia, es apostólico porque sus principios están constituidos por la predicación y el testimonio de los apóstoles y sus sucesores, como condensa el *Catecismo* (ver parágrafos 857–865). Apóstol significa enviado o embajador con un carácter oficial y oficioso. En la tradición cristiana, esta función remite a los enviados por Cristo a las naciones como ministros de la alianza nueva (ver 1 Corintios 3:6), es decir, testigos de la muerte y resurrección de Cristo; tal es la palabra hecha Evangelio de Dios para todos los hombres (ver Romanos 1:16). Justamente es ella la que instituye a aquellos elegidos en apóstoles, y, en correspondencia, el carácter apostólico de los enviados depende de su fidelidad a la palabra recibida. Un apóstol es tan genuino cuanta su fidelidad a la misión recibida.

El pueblo de Dios es uno, santo, católico y apostólico gracias a la palabra de Dios. Esta palabra es un don y una tarea para todos y cada uno de los bautizados en Cristo Jesús, convocados a celebrar la salvación del Señor en cada asamblea litúrgica.

Para concluir con esta meditación contemplativa de la Palabra de Dios, conviene retomar palabras del parágrafo 6 de las notas de la *Ordenación de las lecturas de la misa* (1981). Tras señalar que los componentes de la acción litúrgica no adquieren su significado de la mera experiencia humana sino también de la palabra de Dios y de la economía de la salvación, constata que "los fieles tanto más participan de la acción litúrgica, cuanto más se esfuerzan, al escuchar la palabra de Dios en ella proclamada, por adherirse íntimamente a la palabra de Dios en persona, Cristo encarnado, de modo que procuren que aquello que celebran en la Liturgia sea una realidad en su vida y costumbres, y a la inversa, que lo que hagan en su vida se refleje en la Liturgia". De ese dinámico reflujo participa todo lector y proclamador de la Palabra.

I DOMINGO DE ADVIENTO

I LECTURA Jeremías 33:14–16

Lectura del libro del profeta Jeremías

Esta profecía está cargada de esperanza. Transmite esa misma actitud a la reunión.

"Se **acercan** los días, dice el Señor,
  en que **cumpliré** la promesa que hice a la casa de Israel
  y a la casa de Judá.

En aquellos días y en aquella hora,
  yo haré **nacer** del tronco de David un vástago **santo**,
  que **ejercerá** la justicia y el derecho en la tierra.

Aminora la velocidad en estas líneas finales, pero no el tono de voz.

Entonces Judá estará a salvo, Jerusalén estará **segura**
  y la llamarán 'el Señor es **nuestra justicia**'".

Para meditar

SALMO RESPONSORIAL Salmo 25:4bc–5ab, 8–9, 10 y 14

R. A ti, Señor, levanto mi alma.

Señor, enséñame tus caminos,
  instrúyeme en tus sendas:
  haz que camine con lealtad;
  enséñame, porque tú eres mi Dios
  y Salvador. **R.**

El Señor es bueno y es recto,
  y enseña el camino a los pecadores;
  hace caminar a los humildes con rectitud,
  enseña su camino a los humildes. **R.**

Las sendas del Señor son misericordia
  y lealtad
para los que guardan su alianza y
  sus mandatos.
El Señor se confía con sus fieles,
  y les da a conocer su alianza. **R.**

I LECTURA Los capítulos 30–33 del libro de Jeremías agrupan una serie de oráculos de salvación en favor de Efraím, es decir, el reino del Norte, el Israel original. El foco de esos oráculos es la alianza nueva que Dios pactará con los suyos en un futuro próximo. En esas profecías fondea la convicción de que la desgraciada situación actual se debía a la falta de apego a la ley del Señor, principalmente de parte de los líderes y clases dirigentes, aunque también del pueblo en general. Se nota la necesidad de algo nuevo, de una regeneración que surgirá de las añejas promesas de salvación empeñadas a la dinastía davídica. Ese es el marco de la primera lectura.

El oráculo sobre el retoño de David habla de la situación desoladora de la nación. Lo poco que queda de la familia real es más bien lastimoso; no hay signos de vigor ni ramas que muestren la grandeza del árbol. Solo queda el tronco. Justo por eso, la obra de Dios quedará manifiesta, pues lo que se avizora no es producto de la industria humana, ni de alguna fuerza oculta en la propia dinastía monárquica; procederá de Dios.

El profeta califica de "santo" al vástago davídico. Esto dice relación con la alianza, pues la meta de la alianza era la santidad del pueblo entero. El representante del pueblo será santo. No será una santidad cultual, asegurada en una casta sacerdotal. Esta santidad no se asienta en los sacrificios ni en un culto pomposo y acompasado por las rúbricas precisas de las liturgias. La santidad de que habla el profeta tiene dos conceptos muy claros, indispensables para la sobrevivencia: justicia y derecho. Si la nación se ha ido deshilachando como faja de lino podrido, es porque la justicia ha sido menospreciada y los ricos y poderosos se la adueñaron. El derecho del extranjero, del

II LECTURA   1 Tesalonicenses 3:12—4:2

**Lectura de la primera carta del apóstol san Pablo
a los tesalonicenses**

Hermanos:
Que el Señor los llene y los haga **rebosar** de un amor **mutuo**
      y hacia todos los demás,
   como el que **yo** les tengo a ustedes,
   para que él conserve sus corazones **irreprochables**
      en la santidad ante Dios, nuestro **Padre**,
   hasta **el día** en que venga nuestro Señor **Jesús**, en compañía
      de **todos** sus santos.

Por lo demás, hermanos,
   les rogamos y los **exhortamos** en el nombre del Señor Jesús
      a que **vivan** como conviene,
   para **agradar** a Dios, según aprendieron **de nosotros**,
   a fin de que **sigan** ustedes progresando.
Ya conocen, en efecto,
   las **instrucciones** que les hemos dado de **parte** del Señor Jesús.

La bendición es entusiasta y esperanzadora. Infunde ánimo a tu proclamación.

Esta es la línea principal del párrafo. Luego ve preparando la salida.

EVANGELIO   Lucas 21:25–28, 34–36

Lectura del santo Evangelio según san Lucas

En aquel tiempo, Jesús dijo a sus discípulos:
   "Habrá señales **prodigiosas** en el sol, en la luna y en
      las estrellas.
En la tierra, las naciones se **llenarán** de angustia
      y de miedo por el **estruendo** de las olas del mar;
   la gente se **morirá** de terror y de **angustiosa** espera
      por las cosas **que vendrán** sobre el mundo,
   pues hasta las estrellas se **bambolearán**.

La descripción busca sacudir al oyente. Dale fuerza a tu voz en este párrafo primero.

Estas dos líneas déjalas como si estuvieran solas. Dales su propio peso.

huérfano y de la viuda ha caído en el olvido. El profeta va a la raíz de la santidad, la que Dios desea para los suyos.

La Iglesia quiere mirar la raíz de la santidad, para iniciar su año litúrgico, pues es el modo mejor de alimentar la esperanza. Esperamos la venida del Señor, porque él es nuestra justicia. Por eso hay que avivar el deseo por la justicia y el derecho. Más que nunca, nuestro compromiso por la santidad, es decir, por la justicia, ha de orientar cada uno de nuestros pasos.

II LECTURA Pablo tuvo que salir huyendo de Tesalónica (2:17), y fue Timoteo el que le llevó buenas nuevas al Apóstol, pues la comunidad se ha ido afianzando poco a poco y persevera entre muchas adversidades. Se ha conformado una comunidad incipiente y entusiasta pero necesitada de atención y cuidados. Ahora, al término de la primera parte de la carta, Pablo bendice a Dios, y anima a los creyentes a que fijen su mirada en la próxima venida del Señor Jesús.

En la bendición hay un elemento crucial en esto de ser cristiano: el amor, o la caridad. Allí se sustenta toda la vida cristiana y la misma comunidad. Sin amor, el cristiano no tiene nada que aportar a los demás, y la comunidad no pasa de ser un buen club, hasta filantrópico quizá, pero nada cristiano. Lo cristiano rebasa a la propia comunidad: amar a los de fuera.

Los de fuera son los que atosigan, acosan y vilipendian a los cristianos, lo sabemos por otras partes de la carta. Por esa razón, amarlos no es mera utopía ni idealismo inconsecuente. Pablo aduce el núcleo más genuino de la fe en Cristo, lo que el propio Jesús demanda a los suyos: amar a

Aquí están los elementos centrales de este anuncio. Anuncia con entusiasmo y haz contacto visual con la asamblea.

Entonces **verán venir** al Hijo del hombre en una nube,
　　con **gran** poder y majestad.

Cuando estas cosas comiencen a suceder,
　　pongan atención y **levanten** la cabeza,
　　porque **se acerca** la hora de su liberación.

Estén **alerta**, para que los vicios, con el libertinaje,
　　la embriaguez y las preocupaciones de **esta vida**
　　　　no **entorpezcan** su mente y aquel día los sorprenda
　　desprevenidos;
　　porque caerá **de repente** como una trampa
　　sobre **todos** los habitantes de la tierra.

Velen, pues, y hagan oración continuamente,
　　para que puedan escapar de todo lo que ha de suceder
　　y comparecer **seguros** ante el Hijo del hombre".

los enemigos. Pablo no les dice que se amen como los ama Cristo, porque el parangón les resultaría irreconocible. Conocen a Pablo, y él les ha mostrado cómo se ama al estilo de Cristo, por eso puede pedirles que ejerzan ese amor en la misma medida: "como el que yo les tengo a ustedes". Así han conocido el Evangelio.

EVANGELIO Jesús invita a mirar al futuro. San Lucas supo de las terribles crisis que llevaron a la destrucción de Jerusalén, y a la quemazón y demolición del templo a manos romanas. Pero cuando escribe, hacia el año 80, la crisis mayor no se abatía sobre Jerusalén, sino los cristianos. San Lucas quiere sacudir a los cristianos nuevos que se desaniman y caen en la tibieza. Hay que levantar la cabeza y aguardar la llegada liberadora del Hijo del Hombre. Los verdaderos peligros son el libertinaje, la embriaguez y los afanes de esta vida, que esclavizan al corazón humano y lo ciegan al futuro.

El Adviento es el tiempo para levantar la cabeza en vigilia y oración, buscando al Señor de la historia. La invitación de Jesús es a no vivir sumergidos en los intereses de este mundo, sino a tener un horizonte de vida más amplio y más profundo, en el que el Hijo del Hombre, Jesús, sea el fiel de la balanza. Este es un tiempo de oración y de sobriedad.

LA INMACULADA CONCEPCIÓN DE LA VIRGEN MARÍA

I LECTURA   Génesis 3:9–15, 20

Lectura del libro del Génesis

Tienes el reto de no achatar este relato tan dramático. No lo hagas pesado, pero no lo aligeres como algo trivial.

Después de que el hombre y la mujer
   comieron del fruto del árbol **prohibido**,
   el Señor Dios **llamó** al hombre y le preguntó:
   "¿Dónde estás?"
Éste le respondió:
   "**Oí** tus pasos en el jardín; y **tuve miedo**,
   porque estoy **desnudo**, y me **escondí**".
Entonces le dijo Dios:
   "¿Y **quién** te ha dicho que estabas **desnudo**?
   ¡**Has comido** acaso del árbol del que te **prohibí** comer?"
Respondió Adán:
   "**La mujer** que **me diste** por compañera
   me **ofreció** del fruto del árbol **y comí**".
El Señor Dios dijo a **la mujer**:
"¿**Por qué** has hecho esto?"
Repuso la mujer:
"La serpiente **me engañó** y comí".

Endurece un tanto el tono, pero no eleves el tono de voz.

Entonces dijo el Señor Dios a la serpiente:
   "Porque has hecho **esto**,
   serás **maldita** entre **todos** los animales
   y entre **todas** las bestias salvajes.
Te **arrastrarás** sobre tu vientre
y **comerás polvo**
   todos los días de tu vida.

I LECTURA   En los capítulos 1–11 del libro del Génesis encontramos las historias recopiladas por los sabios del pueblo de Dios, donde plasman su visión de la humanidad, del mundo, de las relaciones entre los humanos y con Dios. Son historias que poseen la fuerza acumulada de las experiencias de la vida de muchas generaciones y la atracción irresistible de lo nuevo; son catequesis simples y profundas. El fragmento de hoy es la segunda parte del relato de la caída de los primeros padres, Adán y Eva, cuando el Dueño del Jardín los confronta como por casualidad, una vez consumada la transgresión. Entonces surge el diálogo que escuchamos.

Dios llama a Adán para platicar con él, como era costumbre, solamente que, ahora Adán anda en vergüenzas, se escondió. Eran como compañeros, más que Amo y siervo, pero aquella transparencia y apertura en la relación se perdió con la transgresión. Traicionar la palabra de su Señor le descubre a Adán su desnudez; ha sido infiel al mandato de su Señor. Es infantil todavía en su responsabilidad, por eso busca culpables de su decisión. Eva, también compañera, se ve traicionada por Adán, con quien era uno.

Las traiciones se suman. Eva se dice traicionada también por la serpiente. Es una cadena de traiciones sostenida por la muerte. Esa sería la sentencia por transgredir el mandato del Señor. En su lugar, la palabra de Dios siembra la esperanza de vida para la humanidad.

Al hablar de la descendencia de la mujer, los creyentes entendieron bien que Dios estaba prometiendo a su Mesías, aquel que habría de aplastar la cabeza del mal, el mal personificado en la serpiente, cuando esta quisiera envenenarle la vida con su mordedura. De esa victoria en ciernes, pro-

Pondré **enemistad** entre ti y la mujer,
   entre tu descendencia y **la suya**;
   y su descendencia **te aplastará** la cabeza,
   mientras tú **tratarás** de morder su talón".

El hombre le puso a su mujer el nombre de "Eva",
   porque ella fue la madre de **todos** los vivientes.

Separa un tanto las dos líneas finales, dándoles el sentido de verdadero colofón narrativo.

Para meditar

SALMO RESPONSORIAL   Salmo 98:1, 2–3ab, 3c–4

R. Canten al Señor un cántico nuevo, porque ha hecho maravillas.

Canten al Señor un cántico nuevo,
   porque ha hecho maravillas:
   su diestra le ha dado la victoria,
   su santo brazo. **R.**

El Señor da a conocer su victoria,
   revela a las naciones su justicia:

se acordó de su misericordia y su fidelidad
   en favor de la casa de Israel. **R.**

Los confines de la tierra han contemplado
   la victoria de nuestro Dios.
Aclama al Señor, tierra entera;
   griten, vitoreen, toquen. **R.**

II LECTURA   Efesios 1:3–6, 11–12

Lectura de la carta del apóstol san Pablo a los efesios

Bendito sea Dios,
   Padre de nuestro Señor **Jesucristo**,
   que nos ha bendecido **en él**
      con **toda** clase de bienes espirituales y celestiales.
Él nos **eligió** en Cristo, **antes** de crear el mundo,
   para que fuéramos **santos**
   e irreprochables a sus ojos, por **el amor**,
   y **determinó**, porque **así** lo quiso,
   que, por medio de Jesucristo, **fuéramos** sus hijos,
   para que **alabemos y glorifiquemos** la gracia
      con que nos **ha favorecido** por medio de su Hijo amado.

Arropa el tono exultante y gozoso de la bendición. Rejuvenece tu voz, pero nada de falsas impostaciones, hazla surgir desde tu propia adopción.

---

metida por Dios, pende la humanidad entera. En cierta manera también, pues, los que albergan esa promesa de victoria sobre el mal son los vivientes.

La Santísima Virgen María, nueva Eva, es en quien aquella palabra de Dios cobró realidad de modo eminente. De su seno nació el Mesías, y para tal efecto, Dios la protegió de toda insidia del mal. Por eso le llamamos Inmaculada Concepción, porque en su mismo seno tomó carne la Palabra de Dios. Ella es madre de la humanidad nueva, de los que perpetúan la enemistad con el mal y su descendencia. Esa es la marca dis-

tintiva de todos los que creen en Cristo Jesús, la Palabra hecha carne por nosotros.

| II LECTURA | Tras saludar a la comunidad, el autor inicia la carta con una amplia bendición a Dios motivada por la admirable obra realizada en Cristo Jesús. La bendición es una forma de alabanza pública de un benefactor, que es como una respuesta a los bienes recibidos; en cierta medida va integrada en un movimiento de cierta reciprocidad. La bendición de esta carta expone lo realizado en Cristo Jesús

dentro de un plan de salvación designado por Dios desde toda la eternidad y que trae a culminación en la Iglesia presente. Varios de los conceptos que encontramos aquí son desarrollos pospaulinos. La bendición va de 1:3 a 1:14, aunque nuestra lectura litúrgica dispuesta en dos estrofas, pasa en silencio los versos 7-10 y 13–14.

La obra de Dios en favor de los cristianos tiene como eje central la persona de Cristo. Dos puntos destacan. El primero es la elección que Dios ha hecho de los creyentes en Cristo. Es una elección diseñada desde la eternidad. El creyente, puesto que

Con aplomo, haz breve contacto visual con la asamblea al terminar esta línea.

Con Cristo somos herederos también nosotros.
Para **esto** estábamos destinados,
     por **decisión** del que lo hace todo **según** su voluntad:
     para que **fuéramos** una alabanza **continua** de su gloria,
     nosotros, los que ya antes **esperábamos** en Cristo.

EVANGELIO   Lucas 1:26–38

Lectura del santo Evangelio según san Lucas

Dale viveza al diálogo, pero sin fingimiento en el tono; no acarameles la voz.

En aquel tiempo,
     el **ángel** Gabriel fue enviado por Dios
     a una ciudad de Galilea, llamada **Nazaret**,
     a una **virgen** desposada con un varón de la estirpe de David,
     llamado **José**. La virgen se llamaba **María**.

Entró el ángel a donde ella estaba y le dijo:
     "**Alégrate**, **llena** de gracia, el Señor **está** contigo".
Al oír **estas** palabras,
     ella se preocupó **mucho**
     y se preguntaba **qué querría decir** semejante saludo.

La respuesta del ángel debe tener aplomo e infundir confianza. No precipites el discurso, más bien llévalo con pausas.

El ángel le dijo:
     "**No temas**, María, porque **has hallado** gracia ante Dios.
     Vas **a concebir** y a dar a luz **un hijo**
     y le pondrás por nombre **Jesús**.
Él será **grande** y será llamado **Hijo** del Altísimo;
     el Señor Dios le dará el trono de David, **su padre**,
     y él **reinará** sobre la casa de Jacob **por los siglos**
     y su reinado **no tendrá fin**".

---

tiene un propósito en el plan divino, ha de abocarse a llevar a término su vocación, la de ser hijo de Dios en Cristo Jesús. No es un dato para guardarse en el corazón sino para manifestarlo en una vida santa y motivada por el amor.

El segundo elemento a resaltar es consecuencia del primero: "Y si hijos, también herederos" (Romanos 8:17). La herencia es aquello que corresponde disfrutar a los hijos de casa. Los cristianos son herederos en Cristo. Por tanto, lo que les compete propiamente dicho es, en palabras textuales de la bendición, ser "alabanza continua de su glo-

ria". Con esto, el autor refiere a que cuantos rodean a los cristianos pueden notar la excelencia de su vida y conducta, la santidad, de modo que no pueden sino referir a Dios, por un lado. Por el otro, que el cristiano vive empeñado en formas de vida que corresponden a las bendiciones recibidas en Cristo.

Los bienes celestes y espirituales que Dios derrama sobre los cristianos han venido por un canal de gracia y virtud, que es la Virgen María. En ella, La Inmaculada, Dios nos da un motivo grande para alabarlo, y bendecirlo siempre.

EVANGELIO   El anuncio del nacimiento de Jesús que escuchamos hoy pertenece a ese género de relatos que surgen en torno a los grandes héroes, cuando las gentes se preguntan por el origen de su héroe que debió ser tan extraordinario como sus hazañas. En las Escrituras, los portentos de todos los líderes tienen que ver con la salvación que Dios oferta a su pueblo. En efecto, se anuncia el nacimiento de un héroe cuando las condiciones de vida del pueblo son tan deplorables que ponen en riesgo las promesas de Dios a los antepasados. Cuando la desolación es inmi-

Al llegar a esta línea, haz breve contacto visual con la asamblea. Isabel es la garantía de que lo anunciado es verdad. El auditorio debe notar esto.

María le dijo entonces al ángel:

"¿**Cómo** podrá ser esto, puesto que yo **permanezco virgen**?"

El ángel le contestó:

"El Espíritu Santo **descenderá** sobre ti
y el **poder** del Altísimo te cubrirá con su sombra.

Por eso, **el Santo**, que va a nacer **de ti**,
será llamado **Hijo de Dios**.

Ahí tienes a tu parienta Isabel,
que a pesar **de su vejez**, **ha concebido** un hijo
y ya va en el **sexto** mes la que llamaban **estéril**,
porque no hay **nada imposible** para Dios".

María contestó:

"**Yo soy** la esclava del Señor;
cúmplase en mí lo que me has dicho".

Y el ángel **se retiró** de su presencia.

nente y el futuro está clausurado, Dios interviene haciendo surgir un liberador para sus fieles. En esa estela de relatos de anunciación que testifican la fidelidad de Dios, las madres juegan un papel fundamental. Esa tradición la recoge san Lucas y nos la convierte en Evangelio.

Este relato de anunciación, el segundo de este evangelio, cuenta el diálogo entre un mensajero celeste y una jovencita que aguarda su traslado a casa de su marido para integrarse a su nueva familia. Era una circunstancia nada favorable para el proyecto divino. El saludo del ángel la declara

"llena de gracia", es decir, en todo punto grata a Dios. La turbación de ella es comprensible porque no resulta habitual que el estatus de una muchachita se tenga en tan alta consideración. Esto es inusitado, pero más lo sigue.

Gabriel le anuncia a María su futura maternidad. Será madre del futuro y sempiterno heredero del trono davídico. Pero no estará sola, pues le promete la protección divina más poderosa; el Espíritu Santo es la fuerza de Dios, su sombra protectora y santificadora. Ella acepta ser parte de ese proyecto que Dios ha fraguado para su pueblo.

La celebración de la Inmaculada Concepción nos revive la memoria de los hechos prodigiosos de Dios por su pueblo, cuando se encuentra asfixiado por la adversidad. Ella es señal que Dios le da a la Iglesia para rejuvenecer su vocación originaria: acoger el Evangelio del Mesías y hacerse esclava de la palabra del Altísimo.

II DOMINGO DE ADVIENTO

La lectura inicia intensamente. Háblale a la asamblea como el profeta a la ciudad.

I LECTURA   Baruc 5:1–9

Lectura del libro del profeta Baruc

Jerusalén, **despójate** de tus vestidos de luto y aflicción,
   y vístete para siempre con el **esplendor** de la gloria
      que Dios te da;
   envuélvete en el manto de la justicia de Dios
   y **adorna** tu cabeza con la diadema de **la gloria** del Eterno,
   porque Dios **mostrará** tu grandeza
      a cuantos **viven** bajo el cielo.
Dios te dará un nombre **para siempre**:
   "Paz en la justicia y **gloria** en la piedad".

Eleva un poco el entusiasmo en el tono de voz, como animando a alguien abatido.

Ponte de pie, Jerusalén, sube a la altura,
   levanta los ojos y **contempla** a tus hijos,
   reunidos de oriente y de occidente,
   a **la voz** del espíritu,
   gozosos porque Dios se **acordó** de ellos.
Salieron **a pie**, llevados por los enemigos;
   pero Dios te los devuelve **llenos** de gloria,
   como **príncipes** reales.

La visión alcanza a la naturaleza. Amplia tu mirada más allá de la asamblea al llegar a esta parte. Baja la velocidad de la lectura al acercarte a las líneas finales.

Dios ha ordenado que se abajen
   todas las montañas y **todas** las colinas,
   que se **rellenen** todos los valles hasta **aplanar** la tierra,
   para que Israel camine **seguro** bajo la **gloria** de Dios.
Los bosques y los árboles **fragantes**
   le darán **sombra** por orden de Dios.

I LECTURA El poeta invita a la ciudad desolada a vestirse de gala y a alegrarse por el retorno de sus hijos exiliados. Nada hay que alegre más a una madre que la vuelta de sus hijos a casa. Este retorno de los hijos que el profeta anuncia está envuelto en un esplendoroso manto que no conoce precedentes. Es una visión de ensueño. En efecto, Jerusalén ha de revestirse con la justicia y la gloria de Dios. La justicia deriva en paz y la gloria en piedad.

Las notas que el profeta anuncia a la ciudad son distintivas de la presencia de Dios. Una sociedad que vive en paz es por-

que tiene a la justicia reinando; cuando los habitantes rebosan piedad es porque se han dejado tocar por la gloria o esplendor de su Dios. Justicia y paz son como vasos comunicantes e inseparables. La piedad sin justicia hace vano todo género de culto, porque esto queda reducido a un mero rito idólatra. La justicia sin culto despoja al humano de su conciencia de trascendencia creatural. Por eso el nombre sempiterno de la ciudad de Dios tiene tan profundo significado: "Paz en la justicia y gloria en la piedad".

La gloria de Dios es su visibilidad, no otra cosa. El hombre de la Biblia sabe que

Dios es invisible, pero que el humano puede percibir su gloria, en la medida en la que se honra su voluntad y soberanía. La rebeldía a la voluntad de Dios es pecado, y esto es lo que ofusca la visión. Si no hay paz en la justicia, Dios no será reconocido ni honrado.

Este Adviento, la Iglesia nos encamina a buscar la gloria de Dios por ese camino que él ya hizo hacia nosotros, y que es su justicia.

II LECTURA Al comienzo de la carta a los cristianos de Filipo, Pablo hace una eucaristía o acción de gra-

Porque el Señor **guiará** a Israel en medio de **la alegría**
   y a la **luz** de su gloria,
     escoltándolo con **su misericordia y su justicia.**

Para meditar

SALMO RESPONSORIAL   Salmo 126:1–2ab, 2cd–3, 4–5, 6

R. El Señor ha estado grande con nosotros, y estamos alegres.

Cuando el Señor cambió la suerte de Sión,
   nos parecía soñar:
   la boca se nos llenaba de risas,
   la lengua de cantares. **R.**

Hasta los gentiles decían:
   "El Señor ha estado grande con ellos".
El Señor ha estado grande con nosotros,
   y estamos alegres. **R.**

Que el Señor cambie nuestra suerte,
   como los torrentes de Negueb.
Los que sembraban con lágrimas
   cosechan entre cantares. **R.**

Al ir, iba llorando,
   llevando la semilla;
   al volver, vuelve cantando,
   trayendo sus gavillas. **R.**

II LECTURA   Filipenses 1:4–6, 8–11

Lectura de la carta del apóstol san Pablo a los filipenses

Hermanos:
Cada vez que me acuerdo de **ustedes**,
   le doy **gracias** a mi Dios
   y **siempre** que pido por ustedes, lo hago con **gran alegría**,
   porque han **colaborado** conmigo en la **causa** del Evangelio,
     desde el primer día **hasta ahora**.
Estoy **convencido** de que aquel que comenzó en ustedes esta obra,
   la irá perfeccionando **siempre** hasta el día **de la venida**
     de Cristo Jesús.

Dios es testigo de cuánto los amo a todos ustedes
   con el amor **entrañable** con que los ama Cristo Jesús.
Y **esta** es mi oración por ustedes:
   Que su amor siga creciendo **más y más**
   y se traduzca en un **mayor** conocimiento
   y sensibilidad **espiritual**.

El primer párrafo es claro y directo, y sirve de preparación a los dos siguientes, menos simples. No quieras terminar pronto. Mantén un tono sereno y tranquilo.

Haz contacto visual con la asamblea, en esta parte. Transmite con cariño el amor de Dios.

---

cias a Dios, en favor de esa comunidad. Al aceptar la Buena Nueva, el creyente en Cristo Jesús se transforma en un evangelizador. Esto ocurre no necesariamente porque el fiel se lance como pregonero de doctrinas y relatos sobre Jesús, sino más bien, por el nuevo género de vida que adopta, y que se nota en las actitudes nuevas ante la realidad que lo rodea. Uno de esos ingredientes nuevos en su forma de vivir es el interés por la progresión de su fe.

La fe se entiende con frecuencia como algo estático, como un bien a poseer y a conservar. Esta es una concepción roma de la vida cristiana. Por el contrario, la fe es un dinamismo vital, al modo de una corriente de agua, que por momentos puede ser tranquila o burbujeante o cantarina, o subterránea… pero que nunca cesa en su dinámica. En el trozo que leemos de san Pablo podemos percibir tres expresiones del dinamismo de la fe de los filipenses.

El primer elemento que habla de la vitalidad de la fe de los filipenses es su colaboración con el Evangelio. La colaboración es continua y doble, pues sabemos que Pablo recibió dinero de ellos (Filipenses 4:15s), e igualmente han sido capaces de comportarse conforme a la Palabra que han acogido. Otro elemento es el progreso que han estado haciendo en el conocimiento de Cristo Jesús y la experiencia espiritual que esto les ha traído, a partir del amor de unos con otros. Si bien esto es lo que Pablo solicita a Dios para los fieles, estos no han cejado en lo fundamental del cristiano: la caridad. Finalmente, fruto también del amor mutuo, es la opción por la justicia. La justicia tiene su primera verificación en la comunidad creyente. Allí se constata la fe.

No eleves el tono, aunque estas líneas invitan a hacerlo.

Así podrán escoger siempre **lo mejor**
   y llegarán limpios e **irreprochables**
     al día de la venida de Cristo,
llenos de los frutos de la justicia,
   que nos viene de **Cristo Jesús**,
   para **gloria** y alabanza de Dios.

EVANGELIO   Lucas 3:1–6

Lectura del santo Evangelio según san Lucas

Este párrafo no es fácil de seguir para la asamblea. Es necesario frasear muy bien; apóyate en la puntuación y coloca el acento en la línea del verbo principal.

En el año **décimo quinto** del reinado del César Tiberio,
   siendo **Poncio Pilato** procurador de Judea;
   Herodes, tetrarca de Galilea;
   su hermano **Filipo**, tetrarca de las regiones
     de Iturea y Traconítide;
   y **Lisanias**, tetrarca de Abilene;
   bajo el pontificado de los sumos sacerdotes **Anás y Caifás**,
   vino la **palabra de Dios** en el desierto sobre **Juan**,
   hijo de Zacarías.

Nota el ligamen con el párrafo previo. Acentúa el objetivo del quehacer de Juan.

Entonces comenzó a recorrer toda la comarca del Jordán,
   predicando un bautismo **de penitencia**
     para el **perdón** de los pecados,
   como está **escrito** en el libro de las predicciones
     del profeta **Isaías**:

Dale pausa y ritmo poético a este párrafo. Apoya la voz al pronunciar los resultados de las acciones.

Ha resonado una **voz** *en el desierto:*
   Preparen *el camino del Señor,*
   hagan **rectos** *sus senderos.*
Todo valle será **rellenado**,
   toda montaña y colina, **rebajada**;
   lo tortuoso se hará **derecho**,
   los caminos ásperos serán **allanados**
   y **todos** *los hombres verán la salvación de Dios.*

EVANGELIO   Este evangelio hace ver que la fe cristiana tiene sus raíces en la historia, y que esa historia necesita transformación. Lo que hace el cambio es la palabra de Dios. San Lucas nota las coordenadas históricas de emperadores y reyes que marcan un orden admirable y una organización tan sólida como una pirámide, en cuya cúspide se encuentra el emperador, Tiberio; en la línea inferior de autoridades está la familia sacerdotal, saducea, que administra el templo de Jerusalén. La palabra de Dios, sin embargo, halla un camino muy diferente, el del desierto. Allí viene a un hombre, Juan, cuyo nombre significa "Dios agracia" o "Dios se compadece"; él es hijo de un sacerdote, Zacarías, cuyo nombre significa "Dios se acuerda". La transformación nace del recuerdo y compasión de Dios.

La palabra de Dios irrumpe en la historia humana llamando a la penitencia. Juan le da voz y forma a la penitencia: un bautismo de regeneración. La zona del Jordán debe despertar en los oyentes la epopeya de la salvación con la entrada en posesión de la tierra prometida, en los orígenes del pueblo de Dios. Juan convoca a un comienzo nuevo, a refundar la sociedad sobre los valores de la justicia de la alianza.

La obra de penitencia que Juan anuncia es un proyecto de justicia. Es lo que evocan las palabras poéticas de Isaías. Los caminos rectos, los hoyancos rellenados y las cuestas empinadas rebajadas son imágenes de la igualdad que la ley de Dios buscaba. La equidad es la gran transformación que la Palabra de Dios promueve en la sociedad humana y en su historia. Esta es la convicción que mueve también a la Iglesia en estas semanas de Adviento.

NUESTRA SEÑORA DE GUADALUPE

Sin exagerar, proclama con entusiasmo la invitación a la alegría.

I LECTURA   Zacarías 2:14–17

Lectura del libro del profeta Zacarías

"Canta de gozo y regocíjate, Jerusalén,
    pues vengo a vivir **en medio de ti**, dice el Señor.
Muchas naciones se unirán al Señor en aquel día;
    ellas también serán **mi pueblo**
y yo habitaré **en medio** de ti
y sabrás que el Señor de los ejércitos
    me ha enviado **a ti**.
El Señor tomará nuevamente a Judá
    como su **propiedad personal** en la tierra santa
y Jerusalén volverá a ser la ciudad elegida".

¡Que todos guarden silencio ante el Señor,
    pues **él se levanta** ya de su santa morada!

O bien:

Después de una breve pausa, cierra con determinación. No olvides el silencio antes de la fórmula conclusiva, ni dejes el ambón antes de la respuesta de la asamblea.

I LECTURA   Apocalipsis 11:19; 12:1–6, 10ab

Lectura del libro del Apocalipsis del apóstol san Juan

Se **abrió** el templo de Dios en el cielo
    y **dentro** de él se vio el **arca de la alianza**.

Con prestancia y garbo abre esta lectura para desplegar una revelación poderosa y llena de signos.

I LECTURA El profeta Zacarías ("Dios recuerda") animó la restauración del templo de Jerusalén, y la restauración escatológica, hacia el año 518 a. C., unos dieciocho años después de la llegada del primer grupo de repatriados. A medio construir están la ciudad y la esperanza del pueblo. En este oráculo (Zacarías 2:5–17), el profeta retoma líneas de Isaías y anticipa cómo habrá de reconstruirse todo.

La lectura invita a festejar con alegría la presencia del Señor. Es un gozo que desborda la visión anterior, pues ya no se habla de castigar a las naciones que han oprimido a Judá, sino de reunirlas en Jerusalén ante el Señor. Este es uno de los primeros destellos universalistas del profeta. Anuncia que todas las naciones pasarán a convertirse en "pueblo de Dios". Ahora bien, ese proyecto visionario implica dos elementos más: El lugar especial que ocupa el pueblo a quien el Señor ha elegido como propiedad personal, parcela suya, y la contemplación (silencio solemne) de todos ante la presencia del único soberano: Dios.

El hecho guadalupano encaja muy bien en esa visión. María de Guadalupe es la madre de un pueblo en el que deben ser abolidas todas las barreras culturales y sociales. Nuestra madre tiene especial predilección por los humildes y los pobres, de modo que ese debe ser el motor de toda transformación de la realidad que emprendamos con la gracia de Dios.

I LECTURA **Apocalipsis.** I modo de proceder en la serie de los siete sellos es idéntico al que encontramos ahora con el sonido de siete trompetas, que describen las aflicciones escatológicas en esa visión del juicio y la salvación definitivos. Junto al Santo de los Santos aparece

Apareció entonces **en el cielo** una figura **prodigiosa**:
una mujer **envuelta** por el sol,
con la luna **bajo sus pies**
y con una corona de **doce** estrellas en la cabeza.
Estaba **encinta** y a punto de **dar a luz**
y **gemía** con los dolores del parto.

Pero apareció también en el cielo otra figura:
un **enorme** dragón, color de fuego,
con **siete** cabezas y **diez** cuernos,
y una corona en **cada una** de sus siete cabezas.
Con su cola
barrió la tercera parte de las estrellas del cielo
y las **arrojó** sobre la tierra.
Después se detuvo **delante** de la mujer que iba a dar a luz,
para **devorar** a su hijo, en cuanto éste **naciera**.
La mujer dio a luz un **hijo varón**,
destinado a gobernar **todas** las naciones
con cetro **de hierro**;
y su hijo fue llevado **hasta Dios** y hasta su trono.
Y la mujer **huyó** al desierto, a un lugar **preparado** por Dios.

Entonces oí en el cielo una voz poderosa, que decía:
"**Ha sonado** la hora de la victoria de nuestro Dios,
de su dominio y de su reinado, y **del poder** de su Mesías".

Haz la pausa del parágrafo antes de describir la aparición impetuosa del dragón.

Únete al júbilo por la victoria del Mesías.

Para meditar

SALMO RESPONSORIAL   Salmo 66:2–3, 5, 6 y 8
R. Que te alaben, Señor, todos los pueblos.

Ten piedad de nosotros y bendícenos;
vuelve, Señor, tus ojos a nosotros.
Que conozca la tierra tu bondad
y los pueblos tu obra salvadora. **R.**

Las naciones con júbilo te canten,
porque juzgas al mundo con justicia;
con equidad tú juzgas a los pueblos
y riges en la tierra a las naciones. **R.**

Que te alaben, Señor, todos los pueblos,
que los pueblos te aclamen todos juntos.
Que nos bendiga Dios
y que le rinda honor el mundo entero. **R.**

---

también la figura prodigiosa de la mujer vestida de luz.
La interpretación popular identifica a esta mujer con María, la madre de Jesús, aunque la referencia del texto sería a la Jerusalén celeste, cabe también pensar en la sabiduría personificada o incluso en la Iglesia, pueblo mesiánico y comunidad de fieles. Juan no distingue entre el pueblo fiel de Israel y la comunidad creyente, así, todas las aflicciones de este único pueblo de Dios están representadas en los dolores de parto por la llegada del Mesías.

Ella y el Mesías enfrentan el mal, simbolizado en la bestia y su caos, que se opone a Dios. Dicha bestia que también es identificada con el Diablo o Satanás barre con todo (las estrellas) y acecha. Corrían mitos griegos que algunos emperadores como Nerón, hacían suyos con la pretensión mesiánica, identificándose con Apolo, hijo de Zeus. Quizá Juan reelabora dicho relato oponiéndose a la propaganda imperial, y ofreciendo la visión del verdadero Mesías, hijo del verdadero Dios con quien inicia una nueva era en la historia de salvación.

A pesar de los embates violentos, el pueblo de Dios no debe vivir bajo el miedo del imperio del mal. En Santa María de Guadalupe, los fieles vencen las barreras de la división y nace un pueblo nuevo bajo el signo de Jesús.

EVANGELIO   María, madre y discípula es modelo de fe para toda la Iglesia. María, quien da un sí definitivo a Dios, va solícita a cuidar de su pariente Isabel, y su encuentro culmina en una doble alabanza: la de Isabel a María y la de María a Dios. Las líneas iniciales afirman lo funda-

EVANGELIO   Lucas 1:39–47

Lectura del santo Evangelio según san Lucas

En aquellos días,
  María se encaminó **presurosa** a un pueblo
    de las montañas de Judea,
  y entrando en la casa de Zacarías, saludó a **Isabel**.
En cuanto ésta **oyó** el saludo de María, la creatura **saltó** en su seno.

Entonces Isabel **quedó llena** del Espíritu Santo, y levantando
    la voz, exclamó: "¡**Bendita tú** entre las mujeres y **bendito
    el fruto** de tu vientre!
¿Quién soy yo, para que la madre de mi Señor venga a verme?
Apenas llegó **tu saludo** a mis oídos,
    el niño saltó **de gozo** en mi seno.
Dichosa tú, que has creído,
    porque **se cumplirá** cuanto te fue anunciado
    de parte del Señor".

Entonces dijo María:
    "Mi alma **glorifica** al Señor
    y mi espíritu se llena **de júbilo** *en Dios, mi salvador*".

O bien: *Lucas 1:26–38*

Sin apresuramiento, imprime gusto y ritmo alegre a la lectura.

Eleva un poco tu tono de voz para esta inspirada alabanza de Isabel.

Lo de María es música, un canto, busca los mejores acentos para este par de líneas.

mental, que podemos trasvasar a la celebración de Santa María de Guadalupe: que hay que estar alegres porque Dios visita a su pueblo para salvarlo.

El asentimiento de María es como el ansia de toda la humanidad por la novedad del Mesías de Dios. Desde el seno materno, el Mesías será portavoz de Dios (ver Jeremías 1:5; Isaías 49:1), o mejor todavía, Palabra de Dios (Juan 1:14). Ya desde antes de nacer, esa Palabra viene al encuentro de nosotros, y esto es lo que causa la alegría en el Espíritu Santo. La obra de la salvación está realizándose. El saludo de María propi-cia las palabras inspiradas de Isabel. En ellas, se derraman bendiciones. A la bendición sigue la felicitación, porque la fe es la respuesta humana a la palabra de Dios, que solicita de alguien para hacer posible su cumplimiento. María es la creyente en la palabra divina.

Es un tiempo nuevo el tiempo mesiánico, el de la presencia de Dios con los suyos. De ahí que el "salto de gozo" que sintió Isabel se vea relacionado con el "salto de alegría" que dan los pobres ante los tiempos mesiánicos (ver Isaías 35:6; Salmo 114:6). En el mismo texto se dice que el espíritu de María se llenó de júbilo. Esto habla de la plenitud mesiánica (ver 1 Crónicas 16:4–5, Salmo 66:1; Isaías 40:9). El Mesías nos trae alegría a todos y en todas partes.

Por ser María "bendita entre todas las mujeres", ella es como Yael, en labios de Débora y Barac (Jueces 5:24), y como Judit en labios de Ozías (Judit 13:18), por cuya mano Dios trajo liberación a su pueblo oprimido. Ella ha cumplido cabalmente la voluntad de Dios.

III DOMINGO DE ADVIENTO

Con verdadero entusiasmo invita a la asamblea a alegrarse por la venida del Señor.

Alarga las frases que invitan al trabajo y a complacerse en Dios.

I LECTURA   Sofonías 3:14–18

Lectura del libro del profeta Sofonías

Canta, hija de Sión,
   da gritos de júbilo, Israel,
   gózate y regocíjate **de todo corazón**, Jerusalén.

El Señor **ha levantado** su sentencia contra ti,
   ha expulsado **a todos** tus enemigos.
El Señor será el rey de Israel **en medio de ti**
   y ya no temerás **ningún** mal.

Aquel día dirán a Jerusalén:
   "**No temas**, Sión,
   que **no desfallezcan** tus manos.
El Señor, tu Dios, tu **poderoso** salvador,
   está **en medio** de ti.
Él se goza y se complace **en ti**;
   él te ama y se **llenará** de júbilo por tu causa,
   como en los **días** de fiesta".

I LECTURA Escuchamos la reiterada invitación de Dios, por medio del profeta Sofonías, a que Jerusalén rebose de contento, pues Dios la ha perdonado, le ha levantado la sentencia condenatoria que la tenía postrada. El perdón de Dios se expresa como la expulsión de los enemigos, y en una condición en la que priva la seguridad y el derecho. Es decir, que la situación parece más la del final del exilio y la restauración de Jerusalén que la que antecedía a la catástrofe del 587, año de su caída.

El motivo principal para alegrarse es el reinado de Dios. Con esto se dice que la alianza está vigente y Dios se encarga de su establecimiento en los distintos órdenes de la vida del pueblo. La presencia de Dios en medio de su pueblo, no es otra cosa que el resultado del estado de derecho, no la presencia de un extraño o de alguien ajeno a la ciudad. Esta presencia de Dios con los suyos denota familiaridad, y es lo que empalma con la preparación de la Navidad. Hay dos notas más que nos sirven de reflexión.

La primera nota es la de trabajar con ánimo. Las manos desfallecen cuando no hay esperanza. Ahora es tiempo de reconstrucción y de entusiasmo, no de abatimiento. Hay que trabajar con ardor en favor del derecho y la justicia. El profeta, además, comunica la convicción de que Dios ama a su pueblo, y responde a sus esfuerzos con su propia alegría. Trabajar por el derecho y la justicia causa la alegría de Dios, lo que no deja de ser sorprendente. Esta seguridad debe fondear en el corazón de cada uno de los fieles, y ensancharse en un ambiente alegre. El pueblo de Dios adquiere así una identidad fincada en el amor de Dios, y en una tarea que tiene por delante: construir el de-

Para meditar

SALMO RESPONSORIAL   Isaías 12:2–3, 4bcd, 5–6

R. Griten jubilosos, porque Dios de Israel ha sido grande con ustedes.

El Señor es mi Dios y salvador,
  con él estoy seguro y nada temo.
El Señor es mi protección y mi fuerza
  y ha sido mi salvación. **R.**

Den gracias al Señor,
  invoquen su nombre,
  cuenten a los pueblos sus hazañas,
  proclamen que su nombre es sublime. **R.**

Alaben al Señor por sus proezas,
  anúncienlas a toda la tierra.
Griten jubilosos, habitantes de Sión,
  porque Dios de Israel
  ha sido grande con ustedes. **R.**

II LECTURA   Filipenses 4:4–7

Lectura de la carta del apóstol san Pablo a los filipenses

Hermanos míos:
Alégrense **siempre** en el Señor;
se lo repito: ¡**alégrense**!
Que la benevolencia de ustedes sea conocida **por todos**.
El Señor está **cerca**.
No se inquieten **por nada**;
  más bien presenten en **toda ocasión** sus peticiones a Dios
    en la oración y la súplica, **llenos** de gratitud.
Y que la **paz** de Dios, que sobrepasa **toda** inteligencia,
  custodie sus corazones y sus pensamientos en **Cristo** Jesús.

La lectura es breve y entusiasta, pero no desbordante. Dale una serena disminución a tu tono que acabe en un remanso de paz interior.

recho que da seguridad y paz a todos. Este es motivo de profunda alegría para todos.

II LECTURA Este domingo de Adviento se conoce como "Gaudete", es decir, de invitación a alegrarse. También en la segunda lectura de nuestra liturgia aparece como el tema dominante, ante la inminente venida del Señor. Pablo escribe desde las cadenas de su prisión y busca apaciguar a una comunidad que corre el riesgo de deprimirse, de abandonar la fe y desistir de la ética que el Evangelio demanda.

"Alegrarse en el Señor" es el estilo de vida que mejor compete al creyente en Cristo Jesús. Ese estilo de vida se caracteriza por la benevolencia. Las malas intenciones o la maldad no tienen cabida en la ética cristiana. La buena voluntad se concreta en obras de bien, en darle cauce a la caridad, en hacer realidad el mandato del amor, recibido del Señor. Pero Pablo resalta la oración como la atmósfera vital para la vida del creyente. Cuando el cristiano se adentra en la oración, nada sino la gratitud permea su día a día. Esto es el presupuesto o la tierra fértil para que florezca la paz.

La cercanía de la Navidad nos va colocando en esa atmósfera de paz y de benevolencia que tiene sus raíces no en la algarabía del consumismo, sino en la presencia del Señor. La Iglesia, la entera comunidad de creyentes, está llamada a ser espacio de la alegría del Señor para toda la humanidad.

EVANGELIO La llegada inminente del juicio de Dios es lo que mueve a la gente a actuar. El trabajo de Juan Bautista no consiste tan solo en hacer pasar a la gente por el baño en el Jordán. Esto es

Nota cómo las preguntas llevan el ritmo de cada segmento. Haz que la asamblea note esto.

Alarga a tres tiempos la pausa antes de iniciar este parágrafo. Esto servirá para que los contenidos previos decanten un poco más. Luego avanza como acelerando un poco más en cada línea. Distingue las tres oraciones. Puedes terminar como empujando al entusiasmo.

EVANGELIO   Lucas 3:10–18

Lectura del santo Evangelio según san Lucas

En aquel tiempo, la gente le **preguntaba** a Juan el Bautista:
    "**¿Qué** debemos hacer?"
Él contestó:
    "Quien tenga **dos túnicas**,
        que dé una al que no tiene **ninguna**,
    y quien tenga comida, que haga **lo mismo**".

También acudían a él los publicanos para que los bautizara,
        y le preguntaban:
    "**Maestro**, ¿qué tenemos que hacer **nosotros**?"
Él les decía:
    "**No cobren más** de lo establecido".
Unos soldados le preguntaron:
    "**Y nosotros**, ¿qué tenemos que hacer?"
Él les dijo:
    "**No extorsionen** a nadie, ni denuncien a nadie **falsamente**,
        sino **conténtense** con su salario".

Como el pueblo estaba en expectación
    y todos pensaban que quizá Juan era el Mesías,
    Juan los **sacó** de dudas, diciéndoles:
    "**Es cierto** que yo bautizo con agua,
        pero ya viene otro **más poderoso** que yo,
    a quien **no merezco** desatarle las correas de sus sandalias.
Él los bautizará con el Espíritu Santo **y con fuego**.
Él tiene el bieldo en la mano para **separar** el trigo de la paja;
    guardará el trigo en su granero **y quemará** la paja
        en un fuego **que no se extingue**".

Con éstas y otras muchas exhortaciones
    anunciaba al pueblo la buena nueva.

apenas el signo de una conversión que debe tener soporte social, como se nota en las respuestas concretas para librarse de la ira de Dios.

Por lo que Juan demanda a cada grupo, es claro que la visita de Dios tiene que ver con la ética personal y social. Vestido y comida son necesidades básicas que cada miembro del pueblo de Dios debe tener cubiertas. La avaricia tributaria debe desaparecer, lo mismo que el clima de terror impuesto por los que portan legalmente armas. El mensaje del Profeta del desierto busca restablecer el tejido social del pueblo mediante la solidaridad, la legalidad y una atmósfera de respeto y paz para todos los componentes de la sociedad. Todo esto hace soñar a la gente que espera al Mesías, en cumplimiento a las promesas de la salvación de Dios.

Conforme se acerca la Navidad, nos ilusiona el gozo de la presencia del Cristo entre nosotros, pero no olvidemos que su presencia es también purificatoria. "Y nosotros, ¿qué debemos de hacer?", cabe preguntarnos. Escuchar con el corazón la Buena Nueva de Dios pronunciada por boca del Precursor del Mesías, y hacerla realidad con nuestras manos, es el modo mejor de aguardar al Señor.

IV DOMINGO DE ADVIENTO

I LECTURA   Miqueas 5:1–4

Lectura del libro del profeta Miqueas

Esto dice el Señor:
   "**De ti**, Belén Efrata,
   pequeña entre las aldeas de Judá,
   de ti saldrá **el jefe de Israel**,
cuyos orígenes se remontan a tiempos **pasados**,
   a los días **más antiguos**.

Por eso, el Señor abandonará a Israel,
   mientras no dé a luz la que ha de dar a luz.
Entonces el resto de sus hermanos
   se unirá a los hijos de Israel.
Él se levantará para **pastorear** a su pueblo
   con la fuerza **y la majestad** del Señor, su Dios.
Ellos habitarán **tranquilos**,
   porque la grandeza del que ha de nacer **llenará** la tierra
   y **él mismo** será la paz".

Haz sonar estas líneas con claridad. La audiencia debe captar que es una profecía sobre Jesús, el Mesías.

Con parsimonia avanza por estas líneas. Termina en tono alto, como haciendo una promesa que será cumplida.

I LECTURA Esta profecía de Miqueas identifica el terruño de origen del Mesías prometido. Belén era un caserío de Judá, al sureste de Jerusalén, asomándose al desierto. El nombre puede significar "casa de pan", pero también "lugar o casa de lucha"; no es imposible que, en tiempos antiguos, albergara algún santuario dedicado a alguna divinidad distinta a Yahveh. De ese pueblo era la familia del rey David, el modelo de rey de Israel para las generaciones venideras. Y esto alude el oráculo que va de la insignificancia de Belén a la grandeza del caudillo de Israel.

Miqueas le da voz a un anhelo del pueblo que se mira sin apoyo para el futuro; no hay un heredero que conduzca sus destinos con seguridad ante la potencia asiria. El profeta recurre a la promesa de Dios a la casa davídica, de que no le faltaría un soberano que velara por los intereses de su pueblo. Ahora, un embarazo alienta la esperanza. Habrá un pastor para cuidar del pueblo entero. Allí está la novedad: todas las tribus serán reunidas en torno al heredero davídico.

La profecía alienta la esperanza cristiana durante esta semana última del Advien-

to. Aguardamos al Pastor que apacentará a todo el pueblo con el vigor y la dignidad del Señor. El resultado es una vida tranquila, con la familia completa. El anhelo profético está en el horizonte y llama a sumar esfuerzos para que la paz llene la tierra entera.

II LECTURA La lectura nos coloca en una perspectiva sacrificial de la salvación. Recordemos que la Epístola o Carta a los Hebreos es un complejo discurso sobre el sacerdocio de Cristo Jesús para armonizarlo con el sistema salvífico que tenía verificación en el santuario de

Para meditar

SALMO RESPONSORIAL   Salmo 80:2ac y 3b, 15–16, 18–19

R. Oh Dios, restáuranos, que brille tu rostro y nos salve.

Pastor de Israel, escucha,
   tú que te sientas sobre querubines,
      resplandece.
Despierta tu poder y ven a salvarnos. **R.**

Dios de los ejércitos, vuélvete:
   mira desde el cielo, fíjate,
   ven a visitar tu viña,
   la cepa que tu diestra plantó
   y que tú hiciste vigorosa. **R.**

Que tu mano proteja a tu escogido,
   al hombre que tú fortaleciste.
No nos alejaremos de ti:
   danos vida, para que invoquemos
      tu nombre. **R.**

II LECTURA   Hebreos 10:5–10

Lectura de la carta a los hebreos

Hermanos:
Al **entrar** al mundo, Cristo dijo, conforme al salmo:
   No quisiste **víctimas** *ni ofrendas;*
      en cambio, me has dado un **cuerpo.**
No te agradan los **holocaustos** *ni los sacrificios por el pecado;*
      entonces dije —porque **a mí** *se refiere la Escritura—:*
   "Aquí estoy, Dios mío; **vengo** *para hacer tu voluntad".*

Comienza por decir: *"No quisiste* **víctimas** *ni ofrendas,*
   no te agradaron los **holocaustos**
      ni los **sacrificios** *por el pecado",*
   —siendo así que **eso** es lo que pedía la ley—;
   y luego añade:
   "Aquí **estoy,** *Dios mío; vengo para hacer tu voluntad".*

Ubica las formas verbales que llevan el peso del argumento. Apóyate en ellas para la correcta entonación.

Jerusalén. Es muy probable que sus receptores procedieran de esos círculos piadosos, y que echaran de menos los ritos cultuales del templo. Esto haría comprensible el tenor de la exposición.

La venida de Cristo al mundo representa una novedad sacerdotal. El horizonte es el de la muerte de Jesús. Cristo viene como víctima sacrificial, no como sacerdote oferente. Su cuerpo, es decir su persona, es la ofrenda del sacrificio. Para esta atrevida afirmación, el autor recurre al Salmo 40, en su forma griega. Las palabras del Salmo validarían el culto que agrada a Dios; ni ofren-

das ni víctimas sobre el altar, le agradan, sino el corazón del fiel empeñado en seguir su ley y sus preceptos.

El sacrificio de Cristo no se reduce al momento de su muerte en cruz, sino que se extiende a su vida entera. Cristo asume la humanidad en entera libertad y con una prospectiva de obediencia absoluta a Dios, y esa es la novedad de su sacrificio, del que la crucifixión es parte y culmen. No es un sacrificio conforme a la ley, sino a la voluntad de Dios. El cuerpo de Cristo es toda su persona, y su obediencia a la voluntad de Dios nos santifica de una sola vez.

No porque la lectura refiera al misterio pascual de Cristo está ausente su nacimiento. En el misterio pascual se coagulan todos los eventos de salvación, pues de él toman su cabal sentido. En el pesebre alborea la cruz, de otra manera, el nacimiento del Redentor no aprovecharía a la fe. En cada liturgia florece esta convicción de fe, y la Iglesia nos invita a celebrarla.

EVANGELIO En este episodio tan querido de la Visitación, dos mujeres que participan en el proyecto de Dios se encuentran y comparten su gusto

Esta es la conclusión. Llévala sin prisas.

Con esto, Cristo suprime los antiguos sacrificios,
        para establecer el nuevo.
Y en virtud de **esta voluntad**,
        todos quedamos **santificados** por la ofrenda
        del cuerpo de Jesucristo, hecha una vez **por todas**.

EVANGELIO   Lucas 1:39–45

Lectura del santo Evangelio según san Lucas

Esta lectura reclama entusiasmo. Dispón tu espíritu para hacer una proclamación gozosa.

En aquellos días,
        María se encaminó **presurosa** a un pueblo
        de las montañas de Judea,
        y entrando en la casa de Zacarías, saludó a **Isabel**.
En cuanto ésta **oyó** el saludo de María, la criatura **saltó** en su seno.

Entonces Isabel quedó llena del Espíritu Santo,
        y levantando la voz, **exclamó**:
        "**¡Bendita** tú entre las mujeres **y bendito** el fruto de tu vientre!
¿**Quién** soy yo, para que la madre **de mi Señor** venga a verme?
Apenas llegó tu saludo a mis oídos,
        el niño **saltó** de gozo en mi seno.
Dichosa tú, que has creído,
        porque **se cumplirá** cuanto te fue anunciado
        de parte del Señor".

Eleva la voz un poco en la bienaventuranza final, pero luego desciende en las siguientes frases para salir de la lectura con un tono firme y sosegado.

por la maternidad tan inesperada como milagrosa que les ha tocado en suerte. Hoy, estamos frente a la reacción de Isabel, al escuchar el saludo de María.

Isabel había estado como recluida (Lucas 1:24) tras quedar mudo Zacarías, su esposo. Sabemos que hacia el quinto mes de embarazo, la madre puede percibir con claridad los movimientos de su bebé. Pero aquí, la alegría de Isabel se vuelve incontenible, porque al sonido de la voz de María como que el Espíritu Santo la llena, antes incluso del beso pacífico, pues así se salu-

dan los familiares. Isabel prorrumpe en exclamaciones extraordinarias.

Los gritos alegres de Isabel contienen una bendición, una pregunta admirativa, una descripción de su propia experiencia y una bienaventuranza. Todas son expresiones del Espíritu de Dios que hacen patente cómo la salvación de Dios comienza a realizarse en favor de su pueblo fiel.

Las bendiciones de Isabel ensalzan tanto a María como a Jesús. La fertilidad es la bendición más patente entre los judíos. Los hijos son esperanza y garantía de futuro. Pero esta maternidad es grande porque el

hijo es "mi Señor". Igualmente, Isabel resalta la fe de María que cree que lo que está sucediendo va más allá de lo anecdótico. María ve confirmado el anuncio del ángel.

Las promesas de Dios a su pueblo de hacerlo vivir en paz y seguridad, se están verificando. Gracias a María y a Isabel, dejan de ser promesas para convertirse en realidades que transforman la vida de los fieles. Este es el motivo más grande para alegrarse.

NATIVIDAD DEL SEÑOR, MISA DE LA VIGILIA

I LECTURA   Isaías 62:1–5

Lectura del libro del profeta Isaías

Por amor a Sión no me callaré
y por **amor** a Jerusalén no me daré **reposo**,
hasta que **surja** en ella esplendoroso el justo
y **brille** su salvación como una antorcha.

Entonces las naciones verán tu justicia,
y tu gloria **todos** los reyes.
Te llamarán con un nombre **nuevo**,
pronunciado por **la boca** del Señor.
Serás corona de gloria en la **mano** del Señor
y **diadema** real en la palma de su mano.

Ya no te llamarán "Abandonada",
ni a tu tierra, "**Desolada**";
a ti te llamarán "**Mi complacencia**"
y a tu tierra, "**Desposada**",
porque el Señor se ha complacido **en ti**
y se **ha desposado** con tu tierra.

Como un joven se desposa con una doncella,
se desposará **contigo** tu hacedor;
como el esposo **se alegra** con la esposa,
así **se alegrará** tu Dios contigo.

El anuncio de algo maravilloso debe hallar consonancia en tu voz y tu expresión corporal. Impulsa tu voz con ese anhelo de justicia que alienta desde las líneas iniciales.

El cambio es drástico; hazlo sentir así, apoyándote en el balance de la imagen y la puntuación.

Toma nuevo entusiasmo para proclamar estas líneas de alegría contagiosa.

I LECTURA La imagen que el profeta despliega ante los escuchas es un sueño prodigioso: las bodas de Dios con su pueblo. Se trata de una visión muy poderosa, que busca sacar de la abulia y asedia a los destinatarios. Los que escuchan este evangelio del profeta forman una comunidad que arrastra la decepción y la pesadez de la realidad ominosa. La comunidad no halla manera de sobreponerse a las deplorables condiciones de la ciudad, a la corrupción rampante de los líderes, a los abusos de los poderosos y a la violencia entre los pobres. No era esto lo que soña-

ban los que emprendieron la vuelta desde el destierro; no lo dejaron todo para venir a padecer esto. Ellos traían el vigor para impulsar una sociedad cobijada por la justicia, y en la que resplandeciera la gloria de Dios. Las dificultades, sin embargo, se han acumulado hasta sofocar el ánimo. Cuando nada hay que aliente a la esperanza, el profeta anuncia lo inesperado.

Jerusalén es la imagen de la comunidad. Ella añora un líder, un caudillo que haga de la justicia la ruta del día a día. Esa ruta tendrá las huellas de la salvación y de la luz, gracias al caudillo que viene a hacer reali-

dad el ideal de la restauración de la ciudad. Él será como el lugarteniente de Dios, que viene a desposar al pueblo. Con la imagen de las bodas se quiere establecer una realidad nueva, "un nombre nuevo" para la ciudad que no es otra cosa que el lugar de la comunidad que experimenta la alegría y la felicidad cabales. El porvenir es de ilusión y de búsqueda amorosa por establecer la ley del Señor en el seno de la comunidad. Se necesita un líder que se empeñe en hacer brillar la antorcha de la justicia, en medio de la noche, y la voz profética "no callará" hasta que esto suceda.

Para meditar

SALMO RESPONSORIAL   Salmo 89:4–5, 16–17, 27 y 29

R. Cantaré eternamente las misericordias del Señor.

Sellé una alianza con mi elegido,
    jurando a David, mi siervo:
"Te fundaré un linaje perpetuo,
    edificaré tu trono para todas las
        edades". **R.**

Dichoso el pueblo que sabe aclamarte:
    caminará, oh Señor, a la luz de tu rostro;
    tu nombre es su gozo cada día. **R.**

Él me invocará: "Tú eres mi padre,
    mi Dios, mi Roca salvadora".
Le mantendré eternamente mi favor,
    y mi alianza con él será estable. **R.**

II LECTURA   Hechos 13:16–17, 22–25

Lectura del libro de los Hechos de los Apóstoles

Al llegar Pablo a Antioquía de Pisidia,
    se puso **de pie** en la sinagoga
    y haciendo una señal **para que se callaran**, dijo:

"Israelitas y cuantos temen a Dios, escuchen:
    el Dios del pueblo de Israel **eligió** a nuestros padres
    y **engrandeció** al pueblo,
    cuando éste vivía como **forastero** en Egipto.
Después los sacó de ahí con todo poder.
Les dio por rey a David, de quien hizo **esta alabanza**:
He hallado a **David**, *hijo de Jesé,*
    hombre *según mi corazón,*
    quien realizará **todos** *mis designios.*

Del linaje de David, conforme a la promesa,
    Dios hizo nacer para Israel **un salvador:** Jesús.
Juan **preparó** su venida,
    predicando **a todo el pueblo** de Israel
        un bautismo **de penitencia**,
    y hacia **el final** de su vida,
Juan decía:
    'Yo **no soy** el que ustedes piensan.
Después de mí
        viene uno a quien **no merezco** desatarle las sandalias' ".

La lectura va subiendo de intensidad de una parte a la siguiente. Procura distinguirlas y modular tu voz consecuentemente.

Ahora inicia la parte más elevada de la lectura. Sin estridencia ni aumento de velocidad, eleva el tono de voz un tanto.

La Navidad es la noche del silencio, cuando la voz profética que clamaba por el justo puede reposar. El nacimiento de Jesús significa para los cristianos esa anunciada boda entre cielo y tierra, es decir, entre Dios y la comunidad de sus fieles. De este maridaje todos los pueblos dan testimonio porque contemplan la justicia divina ejerciéndose en la comunidad de los fieles. Ellos son la "corona de gloria" en la palma de la mano del Señor. Hoy nos nace el Justo de Dios.

II LECTURA La lectura cuenta la predicación que Pablo y Bernabé van diseminando en el itinerario del primer envío que avala la Iglesia de Antioquía de Siria. Se encuentran en la región de Pisidia, una zona montañosa de la actual Turquía; la ciudad lleva el nombre de uno de los sucesores de Alejandro el Grande, Antíoco. A la sinagoga acuden judíos, emigrantes de varias generaciones, pero también no judíos, los "temerosos de Dios". Todos escuchan lo que estos enviados desde la importante Antioquía, junto al Orontes, vienen a decir. Pablo inicia tendiendo puentes con el auditorio, recurriendo a la historia común, a las raíces del pueblo.

Dos puntos sobresalen en los trozos de la lectura litúrgica. El primero es la extranjería. Pablo subraya en su discurso que la salvación de Dios vino en socorro de su pueblo, cuando éste era forastero en Egipto. Pablo es sensible a la situación de estos israelitas. Siendo forasteros, no tienen las libertades de los ciudadanos, ni sus derechos. La visita de Dios es para engrandecerlos, no para sojuzgarlos.

El otro punto es la promesa que Dios hizo de darles un redentor de la casa

---

EVANGELIO   Mateo 1:1–25

Lectura del santo Evangelio según san Mateo

Genealogía de Jesucristo,
   hijo de David, hijo de Abraham:
Abraham **engendró** a Isaac, Isaac a Jacob,
   Jacob a Judá y **a sus hermanos**;
     Judá **engendró** de Tamar a Fares y a Zará;
   Fares a Esrom, Esrom a Aram, Aram a Aminadab,
   Aminadab a Naasón, Naasón a Salmón,
   Salmón engendró **de Rajab** a Booz;
   Booz engendró de Rut a Obed,
   Obed a Jesé, y Jesé **al rey David**.

David engendró de la mujer de Urías a Salomón,
   Salomón a Roboam, Roboam a Abiá, Abiá a Asaf,
   Asaf a Josafat, Josafat a Joram, Joram a Ozías,
   Ozías a Joatam, Joatam a Acaz, Acaz a Ezequías,
   Ezequías a Manasés, Manasés a Amón, Amón a Josías,
   Josías engendró a Jeconías y a sus hermanos,
   durante **el destierro** en Babilonia.

Después del destierro en Babilonia,
   Jeconías **engendró** a Salatiel, Salatiel a Zorobabel,
   Zorobabel a Abiud, Abiud a Eliaquim,
   Eliaquim a Azor, Azor a Sadoc, Sadoc a Aquim,
   Aquim a Eliud, Eliud a Eleazar, Eleazar a Matán,
   Matán a Jacob, y Jacob engendró **a José**,
   el esposo de María, de la cual nació **Jesús**, llamado Cristo.

De modo que el total de generaciones
   desde Abraham hasta David, es de **catorce**;
   desde David **hasta la deportación** a Babilonia, es **de catorce**,
   y de la deportación a Babilonia **hasta Cristo**, es de **catorce**.

Los nombres pueden ser desconocidos y difíciles, pero empatiza internamente como abriendo tu casa a un huésped.

No alargues la última frase del párrafo. Haz una pausa de dos tiempos, que note continuidad.

---

davídica, es decir, un rey que lleve a cabo los deseos del corazón divino, expresados en la ley y el derecho. Aunque las tradiciones mesiánicas guardan diversas coloraturas, mismas que se traslucen en partes del Nuevo Testamento, la línea davídica es dominante. Pablo dice que esa promesa Dios la ha cumplido en Jesús, y que este cumplimiento no es algo inesperado o inadvertido, sino cuidadosamente preparado por una etapa de penitencia o purgación del corazón del pueblo, a fin de que éste pudiera reconocer al prometido: Jesús, no Juan el Bautista, es el esperado redentor.

El tiempo de preparación culmina con el nacimiento de nuestro Redentor. Dios aporta su salvación por vías insospechadas. Las raíces profundas de esa salvación no son nuestras, son forasteras, porque nacen de las promesas de Dios y de su fidelidad. Dios, un forastero en nuestra historia, viene vivir con nosotros. Este es el misterio que hoy celebramos en silenciosa contemplación del Dios con nosotros.

EVANGELIO San Mateo comienza dándonos el certificado de nacimiento del Mesías. Avanza tres series de catorce generaciones sucesivas que arrancan con Abraham, alcanzan a David, cruzan el abismo del destierro y desembocan en Jacob, el padre de José, quien será el padre de Jesús, el Ungido o Cristo. Luego, ya en forma de relato, Mateo cuenta cómo Jesús vino a ser introducido en la familia del rey David, gracias a José.

Si David y Abraham son los puntales de la generación del Mesías, no hay que relegar el eslabón que Mateo teje con los nombres de Jacob y José. José, el patriarca, había sido un soñador e intérprete de sueños, y vino a salvar no sólo a los egipcios sino a su

Hay un comienzo nuevo. Renueva tu aliento y aligera la velocidad en este párrafo.

Cristo vino al mundo de la siguiente manera:
Estando María, su madre, **desposada** con José,
    y **antes** de que vivieran juntos,
    sucedió que ella, **por obra** del Espíritu Santo,
    estaba **esperando** un hijo.
José, su esposo, que era hombre **justo**,
    no queriendo ponerla **en evidencia**,
    pensó dejarla **en secreto**.

Mientras pensaba en estas cosas,
    un ángel del Señor le dijo **en sueños**:
    "José, **hijo** de David,
    no dudes en recibir en tu casa a María, tu esposa,
    porque ella ha concebido **por obra** del Espíritu Santo.
Dará a luz un hijo
    y **tú** le pondrás el nombre de **Jesús**,
    porque él **salvará** a su pueblo de sus pecados".

Todo esto sucedió
    para que **se cumpliera** lo que había **dicho** el Señor
        por boca del profeta **Isaías**:
*He aquí que la **virgen** concebirá y dará a luz un hijo,*
    *a quien pondrán el nombre de **Emmanuel**,*
    *que quiere decir **Dios-con-nosotros**.*

Cuando José despertó de aquel sueño,
    hizo lo que **le había mandado** el ángel del Señor
    y **recibió** a su esposa.
Y sin que él **hubiera tenido** relaciones con ella,
    María dio a luz un hijo
    y él le puso por nombre **Jesús**.

Abreviada: *Mateo 1:18–25*

Dale un tono más profundo a las palabras de las Escrituras. La audiencia debe notar el cambio.

propia familia hebrea que había renegado de él. Esa dinámica nos hace ver que Dios salva justamente mediante aquello que ha sido legítimamente rechazado.

En las estrecheces étnicas y culturales del judío, las mujeres extranjeras abren al universalismo que Dios busca. Pensemos en Tamar. Ella es una mujer virtuosa, lo contrario de Judá. Al verse condenada a muerte, ella muestra el revés de la historia, lo que se vio obligada a hacer para darle hijos a su difunto esposo; la condenada a muerte se convierte en salvación de la semilla mesiánica. En la misma dinámica está Rajab, re-

pudiable por ser extranjera y meretriz; ella salvó la vida de los exploradores hebreos e hizo posible la entrada en la tierra de la promesa. De Rut, la moabita, cabe decir otro tanto. Marginada por aquel a quien le competía el derecho de rescate, se convirtió en salvación del propio Booz, para hacerlo abuelo de David. De Betsabé ni su nombre se menciona; es "la mujer de Urías". Esta hitita vino a ser la salvación de David y su casa, a quienes correspondía ser aniquilados por sus crímenes. Dios otorga su salvación por aquel mismo medio que ha sido repudiado.

El sueño de la salvación de Dios para los suyos viene a ser realidad en el nacimiento de Jesús de Nazaret. Hay que estar vigilantes.

NATIVIDAD DEL SEÑOR, MISA DE LA NOCHE

Es un anuncio gozoso, pero arranca como en tono menor. En el párrafo siguiente incrementa el volumen de tu voz.

I LECTURA   Isaías 9:1–3, 5–6

Lectura del libro del profeta Isaías

El pueblo que caminaba **en tinieblas**
　　vio **una gran luz;**
　sobre los que vivían en tierra **de sombras**,
　una luz **resplandeció.**

Engrandeciste a tu pueblo
　e hiciste grande su alegría.
Se gozan **en tu presencia** como gozan al **cosechar**,
　como se **alegran** al repartirse el botín.
Porque tú **quebrantaste** su pesado yugo,
　la barra que **oprimía** sus hombros y el cetro de su tirano,
　como en el día de Madián.

Este párrafo es el culminante de la lectura. Impregna de calidez tu mensaje y deja que tu rostro transmita la esperanza de las líneas conforme lo proclamas. Separa la línea final, como si fuera otro párrafo, pero en una pausa de dos tiempos.

Porque un niño nos ha nacido, un hijo se nos ha dado;
　lleva sobre sus hombros el signo **del imperio** y su nombre será:
　"Consejero **admirable**", "Dios **poderoso**",
　"Padre **sempiterno**", "**Príncipe** de la paz";
　para **extender** el principado con una paz **sin límites**
　　sobre el **trono** de David y sobre **su reino**;
　para establecerlo y **consolidarlo**
　　con la justicia y el derecho,
　desde ahora y **para siempre**.
El **celo** del Señor lo **realizará**.

I LECTURA　La lectura de esta noche está tomada del llamado "libro del Emmanuel". Se anuncia el nacimiento y la entronización de un rey bueno, para un pueblo que mira sólo oscuros nubarrones en su actual derrotero. Por eso el profeta toma la imagen de la luz. Es una luz que resplandece entre tanta oscuridad.

La luz causa alegría. El oráculo habla de alegrarse delante de Dios, como en una fiesta de cosecha o de una victoria conseguida en la guerra. La causa de esta alegría es la inesperada retirada de los opresores, los que asediaban la ciudad y se estaban

llevando al destierro a sus habitantes. La revuelta en la capital asirio, obligó la retirada. Es la victoria que causa alegría de todo el pueblo; es la victoria de Dios. Esa victoria le reporta una ganancia al pueblo: el nacimiento del heredero del trono. Lo que se avizora para el porvenir no puede ser más inspirador.

El heredero es alguien que encarna los valores más elevados a los que se pudiera aspirar. Sus cualidades se reflejan en los cuatro nombres que le adjudica el profeta. Esos nombres forjan las esperanzas del pueblo en su gobernante. Dotado de prudencia,

consolidará un reino duradero en paz. Su fuerza está en la justicia y el derecho, es decir, en la correcta interpretación de la voluntad del Señor, expresada en su Ley. Pero el profeta no quiere que las expectativas se cifren en ese singular heredero que levanta tanta inspiración.

La frase del verso final de nuestra lectura establece la causa de toda esa anhelada prosperidad que se avecina. Es el celo de Dios el que obra el portento de la paz y justicia sempiternas; nadie más. El celo del Señor es su fidelidad a la palabra empeñada en alianza con su pueblo. No son los méritos del

Para meditar

SALMO RESPONSORIAL   Salmo 96:1–2a, 2b–3, 11–12, 13

R. Hoy nos ha nacido el Salvador: que es Cristo el Señor.

Canten al Señor un cántico nuevo,
    canten al Señor, toda la tierra;
    canten al Señor, bendigan su nombre. **R.**

Proclamen día tras día su victoria.
Cuenten a los pueblos su gloria,
    sus maravillas a todas las naciones. **R.**

Alégrese el cielo, goce la tierra,
    retumbe el mar y cuanto lo llena;
    vitoreen los campos y cuanto hay en ellos,
    aclamen los árboles del bosque. **R.**

Delante del Señor, que ya llega,
    ya llega a regir la tierra:
    regirá el orbe con justicia
    y los pueblos con fidelidad. **R.**

II LECTURA   Tito 2:11–14

Lectura de la carta del apóstol san Pablo a Tito

Querido hermano:
La **gracia** de Dios se ha manifestado
    para **salvar** a todos los hombres
    y nos ha enseñado a **renunciar** a la irreligiosidad
    y a los deseos mundanos,
    para que vivamos, **ya desde ahora**,
    de una manera **sobria**, justa y **fiel a Dios**,
    en espera de la **gloriosa venida**
    del gran Dios y Salvador, Cristo Jesús, **nuestra esperanza.**
Él se entregó **por nosotros**
    para **redimirnos** de todo pecado y **purificarnos**,
    a fin de convertirnos en **pueblo suyo**,
    fervorosamente entregado a practicar **el bien.**

Enfatiza las frases en primera persona de plural; siéntete involucrado en esta Buena Nueva, a la vez que miembro de la asamblea litúrgica.

Aumenta un tanto la intensidad en esta parte que reseña la redención nuestra.

pueblo los que condicionan el quehacer del Señor. Es su propia fidelidad; su celo, el honor de su nombre, su gloria, ese quedar bien que implica la honorabilidad de una persona, para no dejar perder en la desgracia a su pueblo infiel. Ahora le llamamos ética o principios morales. Ese celo de Dios es lo que, a final de cuentas, nos reporta el beneficio del nacimiento de Cristo Jesús. Él es quien hace grande a su pueblo y lo llena de regocijo.

II LECTURA Una de las características más relevantes de la vida de los cristianos de la primera y segunda

generación fue la convicción de la pronta venida del Señor; esa fe que impregnaba el quehacer civil o ciudadano, se nutría de los mismos misterios celebrados a partir del bautismo y la eucaristía. Estos sacramentos constituían el poderoso resorte de la ética tan particular y distintiva de los creyentes y bautizados en Cristo Jesús. Pronto, sin embargo, se fue perdiendo la tensión que empujaba a modos de vida intachables, porque la añorada parusía no se cumplía. De allí, la tibieza se impuso al ardor primero y la relajación se acomodó entre los discípulos de Jesús. Por eso la enseñanza del

Apóstol en este fragmento de la Carta a Tito, viene a reposicionar la tensión escatológica, justamente la noche de la Natividad.

El nacimiento de Cristo Jesús, enseña el Apóstol, manifiesta la gracia divina que beneficia a la humanidad entera. Se manifiesta no en la fastuosidad de palacios ni en el espectáculo de las multitudes, sino en la humildad, en el abajamiento y en la pobreza de la misma humanidad. Así es la gracia de Dios: su Hijo. Dios se nos agracia pobre. Decir gracia es decir gratuidad, donación, regalo, beneficio. Decir pobre es olvidarse de lo fatuo y superfluo para acudir a lo indispensable.

EVANGELIO   Lucas 2:1–14

Lectura del santo Evangelio según san Lucas

Por aquellos días, **se promulgó** un edicto de César Augusto,
que **ordenaba** un censo **de todo** el imperio.
Este **primer** censo se hizo cuando Quirino era gobernador
de Siria.
Todos iban a empadronarse, cada uno en su propia ciudad;
así es que también José,
perteneciente a la casa y familia de David,
se **dirigió** desde la ciudad de Nazaret, en Galilea,
a la ciudad de David, llamada Belén, para **empadronarse**,
juntamente con María, su esposa, que **estaba encinta**.

Mientras estaban ahí, le llegó a María el tiempo de dar a luz
y tuvo a su hijo **primogénito**;
lo envolvió en pañales y lo recostó **en un pesebre**,
porque **no hubo lugar** para ellos en la posada.

En aquella región había unos pastores
que pasaban la noche en el campo,
vigilando **por turno** sus rebaños.
Un **ángel** del Señor se les apareció
y **la gloria** de Dios los **envolvió** con su luz
y se llenaron **de temor**.
El ángel les dijo:
"**No teman**. Les traigo una **buena** noticia,
que **causará** gran alegría a **todo** el pueblo:
hoy les ha nacido, en la ciudad de David,
un **Salvador**, que es el Mesías, **el Señor**.
Esto les servirá de señal:
encontrarán **al niño** envuelto en pañales
y **recostado** en un pesebre".

Es el marco de la historia mundial. Frasea con cuidado para que no se pierda la información.

Baja un tanto la velocidad de lectura como dando un aire contemplativo al cuadro.

Por eso Pablo habla de que, en su regalo, Dios nos enseña a dejar la impiedad, es decir, a volvernos a él, lo indispensable para la salvación. Este es el núcleo del Evangelio.

Recibir el don es decidirse a ser sobrios, justos y fieles a Dios; lo que significa que ese don es así: un don pobre que entabla recta relación con Dios y con los demás, y que implica el compromiso apasionado de la fidelidad. La sobriedad exige vigilancia, templanza y dominio de sí. Nada de autocomplacencias ni disipaciones. La justicia habla de vivir de cara a Dios y a los hermanos. En tanto que la fidelidad pide cultivar el

bien "mientras esperamos su venida gloriosa", como proclamamos en la misa.

Al recibir el Don supremo que Dios nos hace en su Hijo, no podemos sino corresponder con nuestra entrega apasionada en hacer el bien, pues esto es lo que Dios nos ha hecho.

EVANGELIO Estos días vamos a estar escuchando y meditando el relato del nacimiento de Jesús en tres celebraciones diferentes; la de esta noche, la de la misa de la aurora y la de la solemnidad de Santa María, Madre de Dios, con la que ini-

ciará el año. El nacimiento del niño Jesús es la manifestación puntual, histórica y circunstanciada de la fidelidad de Dios a la alianza sellada con los antepasados de la fe. Ese Niño es la cifra de Dios y de la humanidad.

San Lucas cuenta que el nacimiento de Jesús ocurrió en el marco de un empadronamiento ordenado por el César de Roma, que era también la autoridad suprema del lejano país de los judíos. Los padres de Jesús vivían en Nazaret, una insignificante población de la montaña galilea. Los habitantes de aquella población eran pobres, sus tierras no eran buenas para el cultivo,

Avanza con estas líneas con entusiasmo creciente. Haz contacto visual con la asamblea al terminar.

De pronto se le unió al ángel
una multitud del ejército celestial,
que **alababa** a Dios, diciendo:
"¡**Gloria** a Dios en el cielo,
y en la tierra **paz** a los hombres **de buena voluntad**!"

y las mujeres y los más pequeños se dedicaban a cuidar algún chinchorro para ir malpasando los días; los varones se irían a buscar trabajo en las tierras del llano y en la construcción de la esplendorosa ciudad en la que se iba convirtiendo Séforis.

El nacimiento de Jesús, descendiente de la casa de David, ocurrió bajo el yugo del Imperio Romano. Esto nos hace ver que el cumplimiento de las promesas de Dios parece como plegándose a la voluntad imperial y sin dictar condición alguna. Sin embargo, el lector sabe que, por encima de los eventos históricos, o mejor dicho, mediante ellos, Dios va cumpliendo lo anunciado, y asegurando la fe de los suyos; la de María primero, cuando se le cumplan los días del alumbramiento y mire entre sus brazos al que el ángel le había anunciado. Pero también la fe de los pastores cuando corroboren la señal que el ángel les anuncia: un niño envuelto en pañales y recostado en un pesebre.

La señal que Dios da en el nacimiento de tal Niño es doblemente poderosa. Por una parte, que las tristezas y trabajos del pueblo que se ve bajo el yugo imperial, se verán revertidos en "gran alegría para todo el pueblo". La fuerza propia del Evangelio consiste en causar alegría a todos los desfavorecidos. Por otra parte, en la pobreza del nacimiento del Mesías, Dios indica dónde radica su fuerza. La pobreza y la debilidad humanas es lo que abre el espacio a la gloria de Dios y a vivir en paz. Y esto es lo que este Niño nos trae.

NATIVIDAD DEL SEÑOR,
MISA DE LA AURORA

El oráculo tiene tono majestuoso. Lee con seguridad, proclamando una buena notica.

I LECTURA   Isaías 62:11–12

Lectura del libro del profeta Isaías

Escuchen lo que el Señor hace oír
    hasta el **último** rincón de la tierra:

"Digan a la hija de Sión:
    Mira que **ya llega** tu salvador.
El **premio** de su victoria lo acompaña
    y **su recompensa** lo precede.
Tus hijos serán llamados '**Pueblo santo**',
    '**Redimidos** del Señor',
    y **a ti** te llamarán
    'Ciudad **deseada**, Ciudad **no abandonada**'".

Los nombres de los hijos de Sión encierran el anuncio principal. Léelos con solemne claridad.

Para meditar

SALMO RESPONSORIAL   Salmo 97:1 y 6, 11–12
R. **Hoy brillará una luz sobre nosotros, porque nos ha nacido el Señor.**

El Señor reina, la tierra goza,
    se alegran las islas innumerables.
Los cielos pregonan su justicia,
    y todos los pueblos contemplan su gloria. **R.**

Amanece la luz para el justo,
    y la alegría para los rectos de corazón.
Alégrense, justos, con el Señor,
    celebren su santo nombre. **R.**

I LECTURA Hoy celebramos el nacimiento de nuestro Redentor. A partir del siglo VII se estableció la celebración de tres misas: la de medianoche, la de la aurora y la del día de Navidad propiamente dicho, el 25 de diciembre. La misa de la aurora subraya la aparición victoriosa del Sol de Justicia, Jesucristo, que disipa las tinieblas. Él es el "sol que nace de lo alto" (Lucas 2:78). Por eso, esta celebración de la aurora sigue siendo la más importante en algunos países de Europa del Norte.

La lectura de Isaías es la sección final de una serie de poemas (60–62) dedicados a la ciudad de Jerusalén anunciándole, con gozo, su restauración definitiva. El elemento crucial de nuestro párrafo es, justamente, el anuncio de la llegada del salvador victorioso, a quien se le prepara una entrada triunfal. El poeta invita a todos los pueblos de la tierra, porque el espectáculo salvador que van a presenciar es de tal magnitud, que tiene resonancia para todas las naciones sin distinción.

Isaías acentúa la acción de Dios que rescata y consagra a quienes regresan a Je-

rusalén desde el exilio. Ellos serán llamados "pueblo santo" y "redimidos del Señor". La consecuencia más grande de la Encarnación del Hijo de Dios es que nos constituye a nosotros, quienes hoy nos alegramos de su nacimiento, como un pueblo de hijos e hijas de Dios, consagrados a su Nombre, propiedad suya. Somos hijos en el Hijo. No hay anuncio navideño más gozoso que este.

El poema de Isaías usa claves nupciales. Dios es el marido y su pueblo es la esposa engalanada. Jerusalén, símbolo del pueblo-esposa, será perpetuamente cortejada por Dios y nunca más volverá a experi-

II LECTURA   Tito 3:4–7

Lectura de la carta del apóstol san Pablo a Tito

Hermano:
Al **manifestarse** la bondad de Dios, nuestro salvador,
  y su amor **a los hombres**, él **nos salvó**,
  no porque nosotros hubiéramos hecho algo **digno**
    de merecerlo,
  sino por **su misericordia**.
Lo hizo mediante **el bautismo**, que nos **regenera** y nos renueva,
  por **la acción** del Espíritu Santo,
  a quien Dios derramó **abundantemente** sobre nosotros,
  por Cristo, nuestro **salvador**.
Así, **justificados** por su gracia,
  nos convertiremos en **herederos**,
  cuando se realice **la esperanza** de la vida eterna.

El misterio de la gratuidad de Dios está concentrado en estos tres renglones. Dales especial entonación.

Como embudo, el texto desemboca en este párrafo final. Hazlo notar en tu lectura.

EVANGELIO   Lucas 2:15–20

Lectura del santo Evangelio según san Lucas

Cuando los ángeles los dejaron para **volver** al cielo,
  los pastores se dijeron unos a otros:
  "**Vayamos** hasta Belén,
  para ver **eso** que el Señor nos ha **anunciado**".

Se fueron, pues, a toda prisa y encontraron a María,
  a José **y al niño**, recostado en el pesebre.
Después de verlo, **contaron** lo que se les había dicho
    de aquel niño,
  y cuantos los oían quedaban **maravillados**.

Los pastores anuncian su peregrinación a Belén. Proclama su acuerdo con alegría.

Transmitir lo descubierto es una dimensión misionera. Hazlo notar en tu lectura.

---

mentar el abandono. La Navidad tiene que producir en nosotros esa interna seguridad de la fe: somos el pueblo amado de Dios y siempre contaremos con su presencia misericordiosa en nuestra vida personal y comunitaria.

II LECTURA La misa de la aurora es una continuación de la misa de medianoche. Esto queda de manifiesto en esta segunda lectura y en el evangelio, que son textos que continúan aquellos que fueron proclamados la noche anterior. Este párrafo de la Carta a Tito subraya uno de los

contenidos básicos de la predicación de Pablo: la gratuidad de la acción salvadora de Dios, que nos ama con un amor benevolente, gratuito, misericordioso, incondicional.

Por eso insiste el texto en que la manifestación de la bondad de nuestro Dios, que nosotros reconocemos de manera singular en el nacimiento de su Hijo, procede de la misericordia de Dios y no de lo que nosotros hubiéramos conseguido por nuestros propios esfuerzos.

Hemos vivido durante mucho tiempo una religión de intercambio meritorio. Pensamos que con nuestras obras nos "gana-

mos" la mirada complaciente del Señor. Y, a veces, hasta caemos en la tentación de comerciar con él, es decir, yo te doy (mi rezo, mis obras buenas, mis veladoras) y tú estás obligado a darme. Nada más lejos de la gratuidad misericordiosa de Dios. Él nos ha amado primero.

El bautismo, nuevo nacimiento, nos infunde el Espíritu Santo y nos hace participar de la salvación que hoy celebramos. Hijos e hijas de Dios, somos también nosotros herederos de vida eterna.

María, por su parte,
    guardaba todas estas cosas y las **meditaba** en su corazón.
Los pastores se volvieron a sus campos,
    alabando y **glorificando** a Dios
        por **todo** cuanto habían visto y oído,
    según lo que se les había **anunciado.**

EVANGELIO En continuidad con el anuncio a los pastores, proclamado en la misa de medianoche, leemos la visita de los pastores al pesebre de Belén. La alegría de la Navidad es algo que los pastores quieren vivir en carne propia. Por eso corren a ver con sus propios ojos lo que les ha sido anunciado por los ángeles. La Navidad nos invita a una experiencia intransferible. El Salvador nace para que podamos mirar con nuestros propios ojos la salvación que Dios nos trae. Es por eso que san Francisco de Asís insistía tanto en representar el nacimiento como medio para que todos hiciéramos esa misma experiencia de los pastores.

Lo que los pastores encuentran les sorprende. El anuncio angélico no se verifica en un palacio real, sino en un humilde comedero de bestias. La creatividad de Dios ha llevado por caminos insospechados su intervención definitiva en la historia. Dos actitudes brotan de esta experiencia. La primera es la meditación orante de María, que quiere profundizar en el misterio y lo guarda en su corazón, porque sabe que nuestra comprensión es limitada y, por tanto, progresiva. La segunda actitud es el ímpetu misionero de los pastores, que regresan glorificando a Dios para compartir su experiencia de fe con sus amigos y conocidos. Vivir la experiencia de salvación de primera mano, contemplar para comprenderla cada vez mejor y comunicarla con gozo a los demás. ¿Habrá una definición mejor de lo que nos toca hacer a nosotros en este tiempo de Navidad?

NATIVIDAD DEL SEÑOR, MISA DEL DÍA

I LECTURA   Isaías 52:7–10

Lectura del libro del profeta Isaías

¡**Qué hermoso** es ver correr sobre los montes
    al mensajero que **anuncia** la paz,
    al mensajero que trae **la buena nueva**,
    que **pregona** la salvación,
    que dice a Sión: "Tu Dios **es rey**"!

Escucha: Tus centinelas alzan la voz
    y todos a una gritan alborozados,
    porque ven **con sus propios ojos** al Señor,
    que retorna a Sión.

Prorrumpan en gritos de alegría, ruinas de Jerusalén,
    porque el Señor **rescata** a su pueblo, **consuela** a Jerusalén.
Descubre el Señor su santo brazo
    a la vista **de todas** las naciones.
Verá la tierra **entera**
    la salvación que viene de **nuestro** Dios.

El proclamador toma el papel del profeta. Que tu lectura se impregne de gozo por el anuncio que comunica.

Las frases finales concluyen el mensaje del texto. Léelas con claridad y firmeza.

I LECTURA   El profeta conocido como el Segundo Isaías, es un profeta de esperanza.

En medio de la humillación más grande por la que tuvo que pasar el reino de Judá y de la orfandad que significó la destrucción de Jerusalén y del templo, la ausencia de culto sacrificial y el exilio de los sacerdotes y gente sabia y culta, la voz del Segundo Isaías se levanta para anunciar al pueblo la esperanza, que Dios no los ha abandonado sino que prepara un nuevo éxodo, un retorno glorioso y triunfal de su pueblo a la tierra que él les dio por herencia.

En este pasaje, el profeta se dirige a Jerusalén, símbolo de la comunidad de hombres y mujeres que fueron exiliados y que muy pronto, bajo el imperio más tolerante de Ciro, rey de los persas, ha de regresar a su tierra, como antes, después de los cuarenta años de vagar por el desierto, el Israel antiguo entró a la Tierra Prometida.

La voz del profeta es osada: el anunciador de la Buena Nueva del Reino no la restringe al pueblo de Israel, llamado a regresar del exilio, sino que la extiende a todos los pueblos, hasta los confines de la tierra. La universalidad de la salvación, desde la ciudad santa, resplandece frente a todas las naciones.

Esta nota de universalidad continúa en el Salmo 97, que acompaña nuestra respuesta orante a la palabra. En efecto, el Señor se ha acordado de su misericordia al concedernos contemplar con nuestros ojos la plenitud de su salvación: el Verbo eterno que toma carne de nuestra carne y pone su tienda entre nosotros, asumiendo nuestra naturaleza humana, nuestra diversidad cultural. Por eso, el cántico que se solaza en el favor divino realizado a la casa de Israel, se extiende a los confines de la tierra, porque

Para meditar

SALMO RESPONSORIAL   Salmo 98:1, 2–3ab, 3cd–4, 5–6

R. Los confines de la tierra han contemplado la victoria de nuestro Dios.

Canten al Señor un cántico nuevo,
    porque ha hecho maravillas:
    su diestra le ha dado la victoria,
    su santo brazo. **R.**

El ha Señor da a conocer su victoria,
    revela a las naciones su justicia:
    se acordó de su misericordia y su fidelidad
    en favor de la casa de Israel. **R.**

Los confines de la tierra han contemplado
    la victoria de nuestro Dios.
Aclama al Señor, tierra entera;
    griten, vitoreen, toquen. **R.**

Tañen la cítara para el Señor,
    suenen los instrumentos:
    con clarines y al son de trompetas,
    aclamen al Rey y Señor. **R.**

II LECTURA   Hebreos 1:1–6

Lectura de la carta a los hebreos

En **distintas** ocasiones y **de muchas** maneras
    habló Dios en el pasado a nuestros padres,
  por **boca de los profetas.**
Ahora, **en estos** tiempos,
    nos ha hablado **por medio de su Hijo,**
    a quien constituyó **heredero** de todas las cosas
    y por medio del cual **hizo** el universo.

El Hijo es el resplandor de la gloria de Dios,
    la imagen **fiel** de su ser
    y el sostén **de todas las cosas** con su palabra **poderosa.**
Él mismo, después de efectuar la **purificación** de los pecados,
    se sentó **a la diestra** de la majestad de Dios, en **las alturas,**
    tanto **más encumbrado** sobre los ángeles,
    cuanto **más excelso** es el nombre que, **como herencia,**
    le corresponde.

Lee varias veces el párrafo con anterioridad
para comprenderlo bien y poder darle la
entonación necesaria.

Estos renglones definen a Jesús. Proclámalos
lenta y firmemente.

el designio misterioso de Dios realizado en la Encarnación de su Hijo, ha de suscitar la alabanza de la tierra entera.

II LECTURA   El inicio de la Carta a los Hebreos, un creativo sermón sobre el sacerdocio de Cristo que fue muy popular entre la primera y segunda generación de cristianos y que fue recogido finalmente en la lista de libros reconocidos como inspirados por las primeras comunidades, nos da una clave importante para profundizar en el significado de la fiesta de Navidad.

La salvación es progresiva. En su infinita misericordia, Dios se nos revela en el tiempo y en el espacio, en la historia, a través de etapas que el autor de la Carta a los Hebreos sintetiza en la frase "En distintas ocasiones y de muchas maneras habló Dios antiguamente a nuestros padres…". La invitación es, pues, a echar la mirada al conjunto de la historia salvífica, con especial relevancia en el anuncio de los profetas, para descubrir que ha llegado un momento culminante, esta etapa final, esta plenitud de los tiempos.

Creer y confiar en un Dios que revela su rostro es patrimonio de muchas religiones. Contemplar su presencia privilegiada y definitiva en la persona de Jesús es una peculiaridad de la tradición cristiana. Por eso el autor de Hebreos se extiende en la descripción de su misión reveladora: Jesús es el heredero de todo, el revelador definitivo de la gloria divina, el sostenedor del universo, el sentado a la derecha de Dios y superior a las legiones angélicas.

Aunque la pobreza del pesebre y la aparente insignificancia del nacimiento de un niño en las márgenes del poder y del di-

Porque ¿a cuál de los **ángeles** le dijo Dios:
Tú eres mi **Hijo**; *yo te he engendrado hoy?*
¿O de **qué** ángel dijo Dios: *Yo seré para él* **un padre**
y él será para mí **un hijo**?
Además, en **otro** pasaje,
cuando introduce en el mundo a **su primogénito**, dice:
Adórenlo *todos los ángeles de Dios.*

EVANGELIO   Juan 1:1–18

Lectura del santo Evangelio según san Juan

En el principio **ya existía** aquel que es la Palabra,
y aquel que es **la Palabra** estaba con Dios y **era Dios**.
Ya en el principio él estaba **con Dios**.
Todas las cosas vinieron a la existencia **por él**
y sin él **nada** empezó de cuanto existe.
Él era **la vida**, y la vida era **la luz** de los hombres.
La luz **brilla** en las tinieblas
y las tinieblas **no la recibieron**.

Hubo un hombre enviado por Dios, que se llamaba Juan.
Este vino como **testigo**, para dar **testimonio** de la luz,
para que todos creyeran **por medio de él**.
Él no era la luz, sino **testigo** de la luz.

Aquel que es la Palabra era la luz verdadera,
que ilumina **a todo hombre** que viene a este mundo.
En el mundo **estaba**;
el mundo había sido hecho **por él**
y, sin embargo, el mundo **no lo conoció**.

El poema es de una belleza extraordinaria. Lee pausadamente, sin correr, dando el peso adecuado a cada renglón.

Hay dos secciones en el poema dedicadas a Juan Bautista (este párrafo 2 y el párrafo 6). Cambia en ellos la entonación, para que los oyentes distingan el núcleo del poema dedicado a Jesús.

nero vele nuestros ojos, esta lectura nos reafirma lo que proclamamos en uno de los prefacios de la Navidad: que en Cristo Dios nos ha llevado, a través de lo visible, al amor de lo invisible. En la plenitud de la humanidad del Hijo eterno del Padre, queda, al mismo tiempo, velado y *re-velado* el misterio de la salvación. Dios ha decidido manifestar la plenitud de su voluntad, la hondura de su proyecto de vida para la comunidad humana y cósmica, a través de la sencillez y fragilidad de este Hombre, cuyo nacimiento contemplamos y cuyo camino nos comprometemos a seguir.

EVANGELIO El Prólogo de san Juan es, quizá, uno de los más hermosos poemas del Nuevo Testamento. Si en las misas de medianoche y de la aurora se contemplaba el misterio del nacimiento del Dios niño en el pesebre, contemplación gozosa en medio de una realidad de fragilidad humana, en la misa del día el prólogo de san Juan nos acerca a la dimensión más honda de este misterio. No es casual que el lenguaje sea, precisamente, un lenguaje poético. Acaso solamente la poesía nos permite atisbar la profundidad del misterio de la encarnación del Hijo de Dios. La solidari-

dad del Dios humanado, que se revela en la identificación del Hijo de Dios con los niños pobres y migrantes que nacen en todo el mundo, no opaca en absoluto este otro ángulo de la verdad revelada. Que es el mismo Verbo de Dios el que se ha hecho de nuestra propia familia y ha puesto su morada entre nosotros.

Con los símbolos de la luz y la oscuridad, el poeta describe el misterio navideño, es decir, la luz brilla en las tinieblas, aunque las tinieblas no quieran reconocerla. El drama de la vida entera de Jesús, que culminará en su pasión y muerte, es anunciada

El drama de rechazo/aceptación de Jesús se concentra en este párrafo. Lee con gozo lo que sucede a quienes sí lo aceptan.

Vino a los suyos y los suyos **no lo recibieron**;
  pero **a todos** los que lo recibieron
    les **concedió** poder llegar a ser **hijos** de Dios,
  a los que **creen** en su nombre,
  los cuales **no nacieron** de la sangre,
  ni del deseo de la carne, ni por voluntad **del hombre**,
  sino que nacieron **de Dios**.

Esta es la frase central que aborda el misterio de la Encarnación, que celebramos hoy. Proclámala lenta y claramente.

Y aquel que es la Palabra se hizo hombre
  y **habitó** entre nosotros.
Hemos visto **su gloria**,
  gloria que le corresponde como a **Unigénito** del Padre,
  lleno de gracia y **de verdad**.

Juan el Bautista dio testimonio de él, clamando:
  "**A éste** me refería cuando dije:
  'El que viene **después** de mí, tiene **precedencia** sobre mí,
  porque **ya existía** antes que yo'".

De su plenitud hemos recibido todos gracia sobre gracia.
Porque **la ley** fue dada por medio de Moisés,
  mientras que la gracia y la verdad vinieron **por Jesucristo**.
A Dios **nadie** lo ha visto **jamás**.
  El Hijo **unigénito**, que está en el seno del Padre,
  es quien lo **ha revelado**.

Abreviado: *Juan 1:1–5, 9–14*

bajo esta metáfora. Aquel que es la luz verdadera vino a su casa, pero los suyos no la recibieron. No se equivocan, pues, algunos villancicos tradicionales cuando tienden un puente en el tiempo entre el nacimiento y la muerte de Jesús, entre la madera de la cuna y la de la cruz. Ante el pesebre de Belén, la mirada del poeta alcanza a atisbar el glorioso intercambio, mencionado por la hermosa oración colecta de este día (atribuida por algunos a san León Magno) y que ha dado origen al intercambio de regalos que muchas familias realizan en estas fechas: que nosotros podamos compartir la vida divina

de Aquel que quiso compartir nuestra condición humana. Este maravilloso intercambio que quedaba descrito en una antigua canción popular latinoamericana: "Nuestro hermano Jesucristo es nuestro Salvador. Dios se acerca y se hace hombre, y el hombre se hace Dios".

Una nota relevante de este evangelio es que, a la contemplación del misterio de la Encarnación, añade la consecuencia salvífica de que nosotros, débiles seres humanos, frágiles y falibles, podamos ser llamados con propiedad hijas e hijos de Dios. Injertados en el misterio de la encar-

nación del Hijo de Dios, también nosotros recibimos, como herencia gratuita, el regalo de ser auténticos hijos de Dios, pueblo llamado a dar testimonio de otra manera de vivir. Y todo esto gracias, no a una religión de cumplimiento, como la religión mosaica, sino a la gracia y a la misericordia del Dios anunciado por Jesucristo, el único y definitivo revelador del rostro del Padre, quien nos lo ha dado a conocer.

LA SAGRADA FAMILIA DE JESÚS, MARÍA Y JOSÉ

I LECTURA   1 Samuel 1:20–22, 24–28

Lectura del primer libro de Samuel

En aquellos días,
Ana **concibió**, dio a luz un hijo
 y le puso por nombre **Samuel**, diciendo:
"Al **Señor** se lo pedí".
Después de **un año**, Elcaná, su marido,
 subió con toda la **familia**
  para hacer el sacrificio anual para **honrar** al Señor
 y para cumplir la **promesa** que habían hecho,
 pero **Ana** se quedó en su casa.

Un tiempo después, Ana **llevó** a Samuel,
 que todavía era muy pequeño,
 a la **casa** del Señor, en Siló,
 y llevó también un **novillo** de tres años,
 un **costal** de harina y un **odre** de vino.

Una vez sacrificado el novillo,
Ana **presentó** el niño a Elí y le dijo:
"**Escúchame**, señor:
 te juro **por mi vida** que yo soy aquella mujer
  que estuvo **junto a ti**, en este lugar, **orando** al Señor.
Éste es el niño que yo le pedía al Señor
 y que **él** me ha **concedido**.

El relato llega a un momento culminante. Ana entra en escena. Lee despacio y claramente.

La oración de Ana es un juramento. Subraya la frase: "te juro por mi vida…".

I LECTURA El relato resalta la especial intervención de Dios en el nacimiento del niño. Como en otros lugares de la Biblia, el nacimiento se sitúa en medio de una competencia entre las dos mujeres de un mismo marido. En este caso se trata de Elcaná y de sus dos esposas, Feniná y Ana. La maternidad, uno de los pocos prestigios reconocidos para la mujer en una sociedad patriarcal, estaba a favor de Feniná, que tenía hijos, y en contra de Ana, que no podía tenerlos. Fecundidad y esterilidad serán componentes fundamentales en el nacimiento de Samuel.

El nacimiento de Samuel es la respuesta a la oración de Ana. Después de su nacimiento, Elcaná y Ana ofrecerán un sacrificio para agradecerle al Señor por el nacimiento del niño. El texto subraya, pues, el ambiente sagrado y de oración en el que Samuel va a vivir su infancia. No habría posibilidad de garantizar la continuidad de la fe, de la experiencia religiosa, si no mediara para nosotros un proceso de crecimiento espiritual en el seno de nuestras familias.

Otro aspecto relevante es la decisión de Ana de entregar al hijo de por vida al servicio de Dios como respuesta generosa por el don recibido. Esta es quizá la característica que da sentido auténtico a la maternidad y la convierte en símbolo del actuar mismo de Dios. Mientras el deseo de tener un hijo tenga solo por finalidad la satisfacción de la propia madre, la maternidad sufre de esterilidad. Únicamente cuando se comprende que, como decía el poeta libanés, "Nuestros hijos no son nuestros", entonces se hace pleno el milagro de la maternidad, que es esencialmente entrega de esfuerzos y cuidados a una vida que no nos pertenece, la del hijo, sino que nos ha sido temporalmente prestada para

Por eso, ahora **yo** se lo **ofrezco** al Señor,
para que le quede **consagrado** de por vida".
Y adoraron al Señor.

Lectura alternativa: *Sirácide 3:3–7, 14–17*

SALMO RESPONSORIAL   Salmo 84:2–3, 5–6, 9–10

R. Señor, dichosos los que viven en tu casa.

¡Qué deseables son tus moradas,
Señor de los ejércitos!
Mi alma se consume y anhela
los atrios del Señor,
mi corazón y mi carne
retozan por el Dios vivo. **R.**

Dichosos los que viven en tu casa,
alabándote siempre.
Dichosos los que encuentran en ti su fuerza
al preparar su peregrinación. **R.**

Señor de los ejércitos, escucha mi súplica;
atiéndeme, Dios de Jacob.
Fíjate, oh Dios, en nuestro Escudo,
mira el rostro de tu Ungido. **R.**

II LECTURA   1 Juan 3:1–2, 21–24

Lectura de la primera carta del apóstol san Juan

Queridos hijos:
Miren **cuánto** amor nos ha tenido el Padre,
pues no sólo **nos llamamos** hijos de Dios,
sino que **lo somos**.
Si el mundo no **nos reconoce**,
es porque tampoco lo ha reconocido **a él**.

Hermanos míos,
ahora somos **hijos de Dios**,
pero aún no se ha **manifestado**
cómo **seremos** al fin.

Y ya sabemos que, **cuando** él se manifieste,
vamos a ser **semejantes** a él,
porque lo **veremos** tal cual es.

---

alentarla y ofrecerle nuestra colaboración para que llegue a su plenitud.

Es muy conveniente leer completo todo el capítulo 1 del primer libro de Samuel para conocer la historia en su conjunto.

II LECTURA Íntimamente conectada con el cuarto evangelio, la Primera Carta de Juan obra como una espiral que, anclada en un eje inicial, va ampliando cada vez más su radio de acción. Se parte de la fe en la encarnación del Hijo de Dios, misterio que celebramos de manera especial en este tiempo litúrgico, y

de su consecuencia primordial que es el amor fraterno.

En un contexto polémico, porque desde 2:18 se ha venido alertando sobre algunos miembros de la comunidad que se están separando del conjunto al negar que el Mesías glorioso sea el mismo Jesús de Nazaret, el autor de la carta nos anuncia una buena noticia: el fruto mayor de la encarnación del Hijo de Dios es que también nosotros podemos ser llamados hijos e hijas de Dios… pero lo somos en proceso, es decir, alcanzaremos la plenitud de nuestra

existencia cuando, el día de la venida del Señor, seamos semejantes a él.

Para nuestras familias es también esta buena noticia: el mandamiento del Señor, nuestro ADN de cristianos, es ofrecer nuestra adhesión a la persona y mensaje de Jesús y vivir amándonos los unos a los otros. Es de este misterio trascendente que puede brotar un nuevo tipo de relaciones entre los miembros de nuestras familias. Nuestras familias tendrían que ser un lugar de amor incondicional, donde pudiera experimentarse la calidad del amor con el que Dios nos ama.

Lee pausadamente. El único mandamiento cristiano se refleja en estas frases. Dale entonación solemne.

Si nuestra conciencia no nos **remuerde**,
    entonces, hermanos míos,
    nuestra **confianza** en Dios es total.
Puesto que cumplimos los **mandamientos** de Dios
    y hacemos lo que le **agrada**,
    ciertamente obtendremos de él
    todo lo que le pidamos.

Ahora bien, **éste** es su mandamiento:
    que **creamos** en la persona de Jesucristo, su Hijo,
    y nos **amemos** los unos a los otros,
    conforme al **precepto** que nos dio.
Quien **cumple** sus mandamientos
    permanece en Dios y Dios en él.
En esto **conocemos**,
    por el **Espíritu** que él nos ha dado,
    que **él** permanece **en nosotros**.

Lectura alternativa: *Colosenses 3:12–21*

EVANGELIO   Lucas 2:41–52

Lectura del santo Evangelio según san Lucas

Los padres de Jesús
    solían ir **cada año** a Jerusalén para las festividades
    de la Pascua.
Cuando el niño cumplió **doce** años,
    fueron a la fiesta, **según** la costumbre.
Pasados aquellos días, se volvieron,
    pero el niño Jesús **se quedó** en Jerusalén,
    sin que sus padres lo supieran.
Creyendo que iba en la caravana, hicieron **un día** de camino;
    entonces lo buscaron, y al **no encontrarlo**,
    regresaron a Jerusalén **en su busca**.

La lectura comienza como una narración del pasado. Se lee como relato de algo que pasó.

La historia da un vuelco que inicia con la búsqueda. Que el sentimiento de preocupación se note en la lectura.

EVANGELIO Nuestro relato, conocido por la tradición popular en los misterios del rosario, como el relato del "niño perdido y hallado en el templo", es de una riqueza extraordinaria porque constituye el vínculo del evangelio de la infancia (Lucas 1–2) con el resto de la composición y con la vida adulta de Jesús.

Todo sucede en la peregrinación anual a la ciudad santa, mandada para todos los varones judíos una vez al año (Deuteronomio 16:16) y que, en esta ocasión, coincide con la llegada de Jesús a la edad adulta, su presentación oficial como miembro del pueblo de Israel, como "hijo del mandamiento". En esa celebración, que marcaba el paso de la infancia al inicio de la madurez, el jovencito leía por primera vez la Ley de Moisés en presencia de toda la asamblea litúrgica. Un relato que muestra también a Jesús como encaminado a una misión que sobrepasa, por mucho, el círculo propiamente familiar: su tarea como enviado de Dios pasará por la conformación de un nuevo tipo de familia, sus discípulos y discípulas, con lazos más fuertes que los de la sangre.

Celebramos la fiesta litúrgica de la Sagrada Familia, una fiesta de reciente creación y destinada a evocar las virtudes domésticas que reinaban en el hogar de Jesús, nos fijaremos sobre todo en el diálogo entre Jesús y sus padres, contenido en la sección final del pasaje. Tras haber estado dialogando con los especialistas de la Ley de Moisés, escuchándoles y haciéndoles preguntas, María y José encuentran a Jesús después de tres días de andarlo buscando.

Un ambiente de falta de comprensión rodea todo el relato. María y José no entienden la razón por la que Jesús ha decidido quedarse en Jerusalén a dialogar con los sabios conocedores de las Escrituras. No

La respuesta de Jesús es cariñosa, pero firme. Así revela su nueva misión, más allá de los confines de su familia. Léela de manera que no suene a regaño.

La frase conclusiva resume veinte años de la vida de Jesús. Léela separada del resto del relato.

Al tercer día lo encontraron en el templo,
    sentado en medio de los doctores,
    escuchándolos y haciéndoles **preguntas**.
Todos los que lo oían **se admiraban** de su inteligencia
    y de **sus respuestas**.
Al verlo, sus padres se quedaron **atónitos** y su madre le dijo:
    "Hijo mío, **¿por qué** te has portado así con nosotros?
Tu padre y yo te hemos estado buscando, llenos de angustia".
Él les respondió: "¿Por qué me andaban buscando?
    ¿No sabían que **debo ocuparme** en las cosas **de mi Padre?**"
Ellos **no entendieron** la respuesta que les dio.
Entonces **volvió** con ellos a Nazaret
    y siguió sujeto **a su autoridad**.
Su madre **conservaba** en su corazón **todas** aquellas cosas.

Jesús iba creciendo en saber, en estatura
    y en **el favor** de Dios y de los hombres.

entienden tampoco las palabras del hijo recién encontrado a su dolorida pregunta "¿Por qué nos has hecho esto?".

La respuesta de Jesús es, al mismo tiempo, una proclamación de la filiación divina de Jesús (llama Padre a Dios en las primeras palabras que de su boca recoge el evangelio de la infancia lucano) y un anuncio de lo que será su vida de ahora en adelante: dedicarse a los asuntos de su Padre.

El texto tiene muchas resonancias para nuestra vida de familia. Por ejemplo, la adolescencia como parteaguas de la vida de una persona; el joven que, basado en lo que ha aprendido en su familia, tiene que buscar su propio camino, a veces ante la incomprensión de sus padres que han montado en sus mentes y corazones expectativas a las que el hijo no responderá necesariamente.

Finalmente, nos fijamos en la actitud contemplativa de María, mostrada por el Evangelio según san Lucas como modelo de discípula dócil, que guarda en su corazón los acontecimientos para leerlos, procesalmente, a la luz de la fe y encontrarles su verdadero y más hondo sentido. Así es nuestra familia, una semilla cuyos frutos están en las manos de Dios.

SANTA MARÍA, MADRE DE DIOS

I LECTURA Números 6:22–27

Lectura del libro de los Números

Es una de las bendiciones más antiguas de la Biblia. El tono de lectura debe reflejar el gozo de contar con la presencia de Dios.

En aquel tiempo, **el Señor** habló a Moisés y le dijo:
"Di a Aarón y a **sus hijos**:
'De **esta manera** bendecirán a los israelitas:
El Señor **te bendiga** y te proteja,
haga **resplandecer** su rostro **sobre** ti y te conceda su favor.
Que el Señor te mire **con benevolencia**
y te conceda **la paz**'.

Haz que la asamblea sienta que esta frase final está dirigida a cada uno de los oyentes.

Así invocarán mi nombre sobre los israelitas
y yo los bendeciré".

Para meditar

SALMO RESPONSORIAL Salmo 67:2–3, 5, 6 y 8

R. El Señor tenga piedad y nos bendiga.

El Señor tenga piedad y nos bendiga,
ilumine su rostro sobre nosotros;
conozca la tierra tus caminos,
todos los pueblos tu salvación. **R.**

Que canten de alegría las naciones,
porque riges el mundo con justicia,
riges los pueblos con rectitud,
y gobiernas las naciones de la tierra. **R.**

Oh Dios, que te alaben los pueblos,
que todos los pueblos te alaben.
Que Dios nos bendiga; que le teman
hasta los confines del orbe. **R.**

I LECTURA Como parte de la llamada "corriente sacerdotal", que junto con otras corrientes entró en la redacción del Pentateuco, la lectura de hoy nos presenta una de las más antiguas bendiciones que nos trae la Biblia. La bendición es una de las funciones sacerdotales, aunque en casos aislados el rey también podía bendecir (ver 2 Samuel 6:18). El lenguaje de esta bendición encuentra muchos ecos en el Salmo 67, que hoy se nos propone como salmo de alabanza entre las dos lecturas.

Se trata de una petición de benevolencia de Dios hacia nosotros y nuestros traba-jos, que combina muy bien con el inicio de un año civil. Esta benevolencia pedida a Dios se manifiesta, sobre todo, en dos expresiones. Primero, el rostro radiante de Dios que, en las distintas traducciones va desde el comedido 'rostro luminoso' hasta el atrevido 'rostro sonriente', y que expresa el favor divino que la bendición misma anuncia en la triple mención del nombre de Dios (el impronunciable *Yhwh*) y, segundo, hacia el final del texto, en la promesa del *shalom*, la paz, que no significa solamente ausencia de conflicto, sino el más alto nivel de bienestar individual, comunitario y cósmico po-sible. Es por eso que el Salmo 67, con un lenguaje asociado a la primera lectura, habla de prosperidad en las cosechas, justicia en las relaciones interhumanas, plenitud de alegría.

Este deseo universal de paz ha inspirado a la Iglesia para colocar, en este día, la Jornada Mundial de la Paz a la que cada año el Papa invita a reflexionar y actuar a todos los hombres y mujeres de buena voluntad.

II LECTURA San Pablo hace en la Carta a los Gálatas una amplia exposición de cómo el plan revelador de

II LECTURA Gálatas 4:4–7

Lectura de la carta del apóstol san Pablo a los gálatas

Hermanos:
Al llegar **la plenitud** de los tiempos,
    envió Dios **a su Hijo**, nacido de una mujer, nacido **bajo la ley**,
    para **rescatar** a los que estábamos bajo la ley,
    a fin de hacernos **hijos suyos**.

Puesto que ya son ustedes hijos,
Dios **envió** a sus corazones el Espíritu **de su Hijo**,
    que clama "¡**Abbá**!", es decir, ¡**Padre**!
Así que **ya no eres siervo**, sino hijo;
    y siendo **hijo**, eres también **heredero** por voluntad de Dios.

La frase "nacido de una mujer" debe ser enfatizada para conectar con la fiesta de hoy.

La sentencia final está dirigida a los oyentes. Si puedes, lee esta frase mirando a la asamblea.

EVANGELIO Lucas 2:16–21

Lectura del santo Evangelio según san Lucas

En aquel tiempo,
    los pastores fueron **a toda prisa** hacia Belén
    y encontraron a María, a José y al niño,
        recostado en el pesebre.
Después de verlo,
    contaron lo que se les había dicho **de aquel niño**
    y cuantos los oían, quedaban **maravillados**.
María, por su parte, **guardaba** todas estas cosas
    y las meditaba **en su corazón**.

Los pastores se volvieron a sus campos,
    alabando y **glorificando a Dios**
        por todo cuanto habían **visto y oído**,
    según lo que se les había **anunciado**.

Contemplación y testimonio se alternan en este párrafo. Lee de manera que las dos dimensiones sean captadas por el auditorio.

Dale entonación de gozo misionero a la frase conclusiva.

Dios ha llegado a su culminación en la encarnación del Hijo de Dios. La ley antigua de Moisés ha sido el camino para llegar hasta esta nueva realidad, pero ha quedado superada por ella. A eso se refiere nuestro texto cuando habla de la llegada de la "plenitud de los tiempos" en la persona de Jesús, nacido de una mujer. Por el Espíritu de Jesús, que hemos recibido, también nosotros hemos recibido, asociados al Hijo Único, la categoría de hijos adoptivos, herederos de la vida eterna.

Esta consecuencia de la encarnación del Hijo de Dios tiene connotaciones éticas.

A ello se ha referido el apóstol apenas unos versículos antes cuando ha declarado que, por el bautismo, han quedado abolidas todas las divisiones que atravesaban la experiencia social del pueblo judío: división étnica (ya no hay judío ni extranjero), división social (esclavos o libres) y división de género (hombre o mujer). En la encarnación del Verbo ha dado inicio una nueva economía de salvación, un nuevo tipo de trato entre las personas y de ellas con la naturaleza y con Dios. Sí, la Navidad nos recuerda el nacimiento de ese otro mundo posible.

La mención de Jesús como "nacido de una mujer", se inserta de manera luminosa en la celebración de María, Madre de Dios, uno de los motivos litúrgicos que confluyen en esta primera celebración del año y primero y más importante de los títulos que en la Iglesia Católica referimos a María Santísima.

EVANGELIO Un motivo más que ingresa en nuestra celebración de hoy es la circuncisión del Señor. En efecto, esta misa celebra la Octava de la Natividad del Señor, fecha que recuerda el ingreso de

Cumplidos los ocho días, circuncidaron al niño
y le pusieron el nombre **de Jesús**,
aquel **mismo** que había dicho el ángel,
antes de que el niño fuera **concebido**.

Jesús niño a la comunidad de los hijos de Israel gracias a la circuncisión, rito que se realizaba a los ocho días y que iba acompañado con la imposición del nombre que el niño habría de llevar, en este caso Jesús, "Yahveh salva". Nombre como signo del designio divino, de la función salvífica que habría de cumplir en su vida. Era la imposición del nombre la que garantizaba la continuidad de la estirpe, la seguridad de los bienes en manos de la familia amplia, el aseguramiento de la permanencia en la memoria colectiva, de que uno no desaparecía del todo. Lo mismo sucede, en el nivel espiritual, por el sacramento del bautismo. Esto constituye un punto de contacto entre el evangelio y la segunda lectura, cuando dice: "y si somos hijos, somos también herederos". El nombre de cristianos, que nos ha sido impuesto en el bautismo, nos recuerda el misterio de la misericordia de Dios, que nos hace hijos en el Hijo, pero también la enorme responsabilidad que tenemos de ser testimonio vivo de la presencia de Jesús en el mundo.

A eso se refiere el texto de Lucas que nos presenta a los pastores, después de haber recibido el anuncio angélico mientras cuidaban sus rebaños, llegando al encuentro con el Mesías recién nacido. El pasaje recuerda la doble dimensión de la vida cristiana, es decir, el encuentro íntimo con el Señor, que sólo alcanzará su plena comprensión tras un esfuerzo de oración y meditación contemplativa como el de María, y el anuncio gozoso de los pastores por todo lo que habían visto y oído. Esa doble dimensión que los obispos de nuestras Américas han bautizado llamándola "discípulos y misioneros".

LA EPIFANÍA DEL SEÑOR

Son palabras dirigidas por el profeta para animar a un pueblo sumido en el desánimo. Subraya en tu lectura los contrastes entre luz y tinieblas.

I LECTURA   Isaías 60:1–6

Lectura del libro del profeta Isaías

Levántate y resplandece, Jerusalén,
 porque **ha llegado** tu luz
 y la gloria del Señor **alborea** sobre ti.
Mira: **las tinieblas** cubren la tierra
 y espesa niebla **envuelve** a los pueblos;
 pero sobre ti **resplandece** el Señor
 y en ti **se manifiesta** su gloria.
Caminarán los pueblos **a tu luz**
 y los reyes, **al resplandor** de tu aurora.

El profeta contempla la llegada de los desterrados. Tú también, al leer, siente que estás presenciando esta caravana gozosa de los retornados y sus dones.

Levanta los ojos y **mira** alrededor:
 todos se reúnen y vienen **a ti**;
 tus hijos llegan **de lejos**, a tus hijas las traen **en brazos**.
Entonces verás esto **radiante** de alegría;
 tu corazón se **alegrará**, y se **ensanchará**,
 cuando se **vuelquen** sobre ti los tesoros del mar
 y te traigan **las riquezas** de los pueblos.
Te **inundará** una multitud de camellos y dromedarios,
 procedentes de Madián y de Efá.

La mención del incienso y el oro debe ser clara y enfática. Son el vínculo con el regalo de los Magos.

Vendrán **todos** los de Sabá
 trayendo **incienso y oro**
 y **proclamando** las alabanzas del Señor.

I LECTURA La primera lectura de hoy es un himno en el que la luz juega un papel muy importante: la gloria del Señor se compara con un amanecer. Ha llegado el tiempo de un nuevo comienzo y se inaugura una nueva etapa en la vida del Pueblo de Dios.

Nuestro texto celebra la llegada de los desterrados de Babilonia. Los babilonios han sido vencidos por Persia, la nueva potencia en ascenso. Ciro, rey de Persia, toma la decisión de permitir el regreso de los judíos exiliados a su tierra. No solamente les ofrece la posibilidad de la vuelta a casa, sino

que los ayudó con medios económicos para que el retorno fuera posible y el templo pudiera ser reconstruido (Esdras 1:1–10). A pesar de las dificultades con las que se encontraron los desterrados que regresaban, el himno contempla más bien la confluencia de la generosa ayuda de los persas (Esdras 7:21–22), que llega desde muchas partes hasta la ciudad santa e insinúa el reconocimiento de un pueblo extranjero a la ciudad que es morada del Altísimo.

Esta lectura da el tono adecuado a la celebración de la fiesta de la Epifanía del Señor. Aunque identificamos esta fiesta en

la iglesia latina con la visita de los Magos de Oriente a Belén, donde nació el Mesías, el término griego con el que se denomina la fiesta litúrgica sobrepasa por mucho ese evento. El significado original del término hacía referencia a la entrada solemne de un rey que llegaba a la ciudad o a la manifestación de alguna divinidad que realizaba algún acto prodigioso. Fue en el siglo IV cuando surgió esta fiesta en las iglesias de Oriente, mientras en Occidente nacía también la fiesta de la Natividad del Señor. Finalmente, las dos fiestas fueron asumidas por el mundo cristiano en su totalidad, aunque con acen-

Para meditar

SALMO RESPONSORIAL   Salmo 72:1–2, 7–8, 10–11, 12–13

R. Se postrarán ante ti, Señor, todos los pueblos de la tierra.

Dios mío, confía tu juicio al rey,
  tu justicia al hijo de reyes,
  para que rija a tu pueblo con justicia,
  a tus humildes con rectitud. **R.**

Que en sus días florezca la justicia
  y la paz hasta que falte la luna;
  que domine de mar a mar,
  del Gran Río al confín de la tierra. **R.**

Que los reyes de Tarsis y de las islas
  le paguen tributo.
Que los reyes de Saba y de Arabia
  le ofrezcan sus dones;
  que se postren ante él todos los reyes,
  y que todos los pueblos le sirvan. **R.**

El librará al pobre que clamaba,
  al afligido que no tenía protector;
  él se apiadará del pobre y del indigente,
  y salvará la vida de los pobres. **R.**

II LECTURA   Efesios 3:2–3, 5–6

Lectura de la carta del apóstol san Pablo a los efesios

Hermanos:
Han oído hablar de la **distribución** de la gracia de Dios,
  que se me ha confiado **en favor** de ustedes.
Por revelación se me dio a conocer **este misterio**,
  que no había sido **manifestado** a los hombres
    en **otros** tiempos,
  pero que ha sido revelado **ahora** por el Espíritu a sus santos
    apóstoles y profetas:
  es decir, que por el Evangelio,
  también los paganos son **coherederos** de la **misma** herencia,
  miembros del **mismo** cuerpo
  y **partícipes** de la misma promesa en Jesucristo.

El pasaje tiene una construcción compleja. Más que nunca, haz caso a los puntos y comas en la lectura.

Después de la frase "es decir", haz un silencio de separación de lo que sigue, que es la triple consecuencia de la obra de Jesús: coherederos, miembros y partícipes.

---

tos diversos. Fue entonces cuando las iglesias occidentales decidieron unir esta solemnidad a la visita de los Magos de Oriente, llegada de los primeros paganos a los pies del Mesías y manifestación de Jesús como salvador de todos los pueblos y no solo de Israel.

Una extensión del mismo mensaje aparece en el salmo responsorial (Salmo 71:1–13). El sometimiento de todas las naciones al monarca es el símbolo de la reverencia que todos los pueblos ofrecerán al Mesías, cuya misión fundamental es cuidar de la vida de los pobres, socorrer a los des-

validos y ser ocasión de abundancia para todas las gentes.

La mención de los camellos, del oro y el incienso, establecen entre esta lectura y el evangelio una conexión que salta a la vista y que ha iluminado la memoria creativa de la comunidad cristiana. Seguramente también el redactor del relato de la visita de los Magos tenía en mente este pasaje de Isaías.

II LECTURA Este fragmento de la Carta a los Efesios condensa el llamado "evangelio de Pablo". En el designio

divino que se desarrolla a lo largo de los tiempos, Pablo descubre en la venida del Mesías, la revelación de un secreto que Dios había escondido y que, en Jesús, ha sido por fin revelado: la participación en la salvación de todas las naciones, llamadas también, como Israel, a conformar la familia de los santos y a recibir la herencia de la vida eterna.

La participación de los paganos en la salvación que Dios ofrece tiene, en este pasaje, una de sus expresiones más hermosas. En ella culmina un largo camino de progresiva apertura hacia los no judíos, apertura

EVANGELIO   Mateo 2:1–12

Lectura del santo Evangelio según san Mateo

En el pasaje hay varias voces y hay preguntas y respuestas. Dale la entonación adecuada a cada uno de estos matices.

Jesús nació en **Belén de Judá**, en tiempos del rey Herodes.
Unos **magos** de Oriente llegaron entonces a Jerusalén
      y preguntaron:
"**¿Dónde está** el rey de los judíos que acaba **de nacer**?
   Porque vimos **surgir** su estrella y hemos venido **a adorarlo**".

Al enterarse de esto, el rey Herodes se **sobresaltó** y **toda**
      Jerusalén con él.
Convocó entonces a los **sumos sacerdotes**
      y a los escribas del pueblo
      y les preguntó **dónde** tenía que nacer el Mesías.
Ellos le contestaron:

El pasaje del Antiguo Testamento aparece en cursivas. Léelo solemnemente porque es el anuncio de que Dios hace cosas grandes a partir de lo pequeño.

   "En **Belén de Judá**, porque así lo ha escrito el profeta:
   Y tú, Belén, tierra de Judá,
   no eres en manera alguna
   la menor entre las ciudades ilustres de Judá,
   pues de ti saldrá un jefe,
   que será el pastor de mi pueblo, Israel".

Entonces Herodes llamó **en secreto** a los magos,
      para que le **precisaran** el tiempo en que se les había **aparecido**
      la estrella y los mandó a Belén, diciéndoles:
   "**Vayan** a averiguar cuidadosamente **qué hay** de ese niño,
   y cuando lo encuentren, **avísenme** para que yo también vaya
      a adorarlo".

Un tono de alegre sorpresa debe resonar en la reaparición de la estrella.

Después de oír al rey, los magos se pusieron en camino,
      y **de pronto** la estrella que habían visto surgir,
         comenzó **a guiarlos**,
      hasta que se detuvo **encima** de donde estaba el niño.
Al ver de nuevo la estrella, **se llenaron** de inmensa alegría.

A partir de la llegada a la casa hay que leer de manera que toda la asamblea se sienta invitada a inclinarse ante el Niño junto con los Magos del relato.

---

que estuvo a punto de provocar una ruptura en las primitivas comunidades cristianas, tal como lo refiere el capítulo 15 del libro de los Hechos, pero que, gracias a la iluminación del Espíritu Santo, terminó en la conformación de comunidades cada vez más mixtas, en las que la consagración bautismal se puso por encima de los orígenes étnicos. Pablo se siente llamado a ser un gozoso anunciador de esta verdad salvadora.

| EVANGELIO | Este texto del evangelio de Mateo es de los pasajes que mayor fortuna han tenido en la historia

de los creyentes, porque ha convocado a artistas de toda clase (pintores, escultores, poetas, dramaturgos) en torno al homenaje ofrecido por estos extraños personajes, venidos de tierras extranjeras y símbolos del alcance universal de la salvación que Dios nos regala en el Mesías recién nacido.

La luz anunciada por la primera lectura toma aquí cuerpo en una estrella. El estudio de las estrellas es, en los pueblos antiguos, resultado de la fascinación que la contemplación de los astros ejerce sobre nosotros: anuncian acontecimientos importantes, marcan el destino de los seres humanos,

profetizan nacimientos decisivos. El Antiguo Testamento no escapa a esta fascinación (Números 24:17). Tal es el trasfondo de nuestro relato, en el que una estrella es la gran anunciadora del nacimiento del Mesías. Es la estrella la que guía a los Magos, que no conocían la revelación de Dios a Israel y por eso tienen que preguntar en la ciudad santa por el lugar del nacimiento del nuevo Rey.

El pasaje muestra a dos grupos opuestos. Por un lado, están los sacerdotes y letrados, sabios en el conocimiento de las Escrituras; por el otro lado están estos

Entraron en la casa y **vieron al niño** con María, su madre, y postrándose, **lo adoraron**.
Después, **abriendo sus cofres**, le ofrecieron regalos: oro, **incienso** y mirra.
Advertidos durante el sueño de que **no volvieran** a Herodes, regresaron a su tierra **por otro camino**.

extranjeros, provenientes de culturas y religiones distintas a la de Israel. Es la representación, en pequeño, del drama que rodeará la vida de Jesús, o sea el rechazo de los suyos y la aceptación, en cambio, de los de fuera. Los sabios a quienes se consulta se saben la Biblia de memoria, pero están del lado de Herodes y no se dirigen al lugar del nacimiento. Los Magos, en cambio, guiados solamente por un fenómeno natural, entran en el misterio de la presencia de Dios que se hace presente en la humildad de un niño recién nacido.

Advertidos en sueños, no regresarán a Jerusalén, donde el poder imperial busca la muerte del Mesías, sino que escogerán un camino distinto para salvaguardar la integridad del niño. Es sólo cuestión de tiempo: en su vida adulta, el Mesías tendrá que confrontarse con estas fuerzas de muerte y las vencerá con una fidelidad a toda prueba a la misión que le ha sido encomendada. A nosotros, en tanto, esta visita nos revela la indeclinable decisión de Dios de conformar su pueblo con gente venida de todas las latitudes. No es la sangre o el pueblo de procedencia lo que cuenta, sino el deseo de buscar a Dios con un corazón sincero y sencillo.

EL BAUTISMO DEL SEÑOR

I LECTURA   Isaías 40:1–5, 9–11

Lectura del libro del profeta Isaías

"**Consuelen**, consuelen a mi pueblo,
   dice nuestro Dios.
Hablen al **corazón** de Jerusalén
   y díganle **a gritos** que ya **terminó** el tiempo de su servidumbre
   y que ya ha **satisfecho** por sus iniquidades,
   porque ya ha **recibido** de manos del Señor
      castigo **doble** por todos sus pecados".

Una voz **clama**:
   "**Preparen** el camino del Señor en el desierto,
   construyan en el páramo
      una **calzada** para nuestro Dios.
Que **todo** valle se eleve,
   que **todo** monte y colina se rebajen;
   que lo torcido se **enderece** y lo **escabroso** se allane.
Entonces se revelará la **gloria** del Señor
   y **todos** los hombres la verán".
Así ha **hablado** la boca del Señor.

Sube a lo **alto** del monte,
   mensajero de **buenas nuevas** para Sión;
   alza con **fuerza** la voz,
      tú que anuncias **noticias alegres** a Jerusalén.
Alza la voz y no temas;
   anuncia a los ciudadanos de Judá:
"**Aquí** está su Dios.

El mensaje de consolación es gozoso y proclamado con la autoridad que da el hablar en nombre de Dios. Eso debe sentirse en tu lectura.

Hay un juego de comparaciones en el relato: lo abajado se eleva, lo elevado se rebaja… que estos elementos contrarios se resalten en la proclamación.

Este último párrafo lo dirige Dios a su Siervo, no a todo el pueblo. Jesús será este mensajero de buenas nuevas anunciado por Dios. Distingue eso en tu lectura.

| I LECTURA | El bautismo del Señor es la fiesta que cierra el ciclo de la Navidad y da paso a la presentación del Jesús adulto. Cerca de treinta años de vida oculta, sencilla, de trabajador ordinario, se cierran con este acontecimiento. Es, por ello, un momento esencial de la vida de Jesús y marca su desprendimiento del movimiento de conversión, suscitado por Juan el Bautista, para inaugurar sus recorridos por Palestina, anunciando el evangelio del Reino de Dios.

Este oráculo es como la introducción hímnica del Segundo Isaías (40–55), un profeta anónimo que desempeñó su ministerio profético entre los desterrados de Babilonia, mientras Ciro, rey de los persas, ascendía velozmente en el panorama político de su época. Será Ciro, con un edicto, quien permitirá que los judíos regresen a su tierra. Con palabras poéticas, el Segundo Isaías narrará el regreso de los exiliados como si fuera un nuevo éxodo. En nuestro texto, Jerusalén es presentada como una figura femenina a quien Dios le habla al corazón, como cortejándola. El tiempo del castigo ha terminado y Dios mismo les prepara el retorno. El Señor es el gran consolador, pero en su tarea de consolación no deja de llamar al pueblo a poner de su parte, que es allanar los caminos, nivelar lo escabroso, enderezar lo torcido. La vuelta del destierro es al mismo tiempo una demostración de gracia amorosa de parte de Dios, pero también un reto para que el pueblo que retorna esté a la altura de esta gracia. Estas palabras serán aplicadas en el Nuevo Testamento a Juan Bautista.

| II LECTURA | Las dos cartas a Timoteo y la carta a Tito son conocidas como "cartas pastorales". Son cartas

Aquí llega el Señor, lleno de poder,
el que con su **brazo** lo domina todo.
El premio de su **victoria** lo acompaña
y sus **trofeos** lo anteceden.
Como **pastor** apacentará su rebaño;
llevará en sus brazos a los corderitos recién nacidos
y **atenderá** solícito a sus madres".

Para meditar

SALMO RESPONSORIAL   Salmo 104:1–2a, 2b–4, 24–25, 27–28, 29–30

R. Bendice, alma mía, al Señor: ¡Dios mío, que grande eres!

Bendice, alma mía, al Señor:
¡Dios mío, qué grande eres!
Te vistes de belleza y majestad,
la luz te envuelve como un manto. **R.**

Extiendes los cielos como una tienda,
construyes tu morada sobre las aguas;
las nubes te sirven de carroza,
avanzas en las alas del viento;
los vientos de sirven de mensajeros;
el fuego llameante, de ministro. **R.**

Cuántas son tus obras, Señor,
y todas las hiciste con sabiduría;
la tierra está llena de tus criaturas.
Ahí está el mar: ancho y dilatado,
en él bullen, sin número,
animales pequeños y grandes. **R.**

Todos ellos aguardan
a que les eches comida a su tiempo:
se la echas, y la atrapan;
abres tu mano, y se sacian de bienes. **R.**

Escondes tu rostro, y se espantan;
les retiras el aliento, y expiran
y vuelven a ser polvo;
envías tu aliento, y los creas,
y repueblas la faz de la tierra. **R.**

II LECTURA   Tito 2:11–14; 3:4–7

Lectura de la carta del apóstol san Pablo a Tito

Querido hermano:
La gracia de Dios se ha **manifestado**
para salvar a **todos** los hombres
y nos ha enseñado a **renunciar**
a la vida **sin religión** y a los deseos **mundanos**,
para que **vivamos**, ya desde ahora,
de una manera **sobria**, **justa** y **fiel** a Dios,
en **espera** de la gloriosa venida
del gran **Dios y salvador**, Cristo Jesús, nuestra esperanza.

El pasaje marca un contraste entre la vida anterior y la vida nueva en Cristo. Que en la lectura se subraya aquello a lo que somos llamados, más que lo negativo que tenemos que dejar.

dirigidas, precisamente, a colaboradores de san Pablo que están encargados de la conducción de algunas comunidades. El texto que nos corresponde leer en esta fiesta del Bautismo del Señor, compuesto por dos fragmentos relacionados temáticamente, es, quizá, el pasaje teológicamente más rico de esta carta.

En la primera parte (2:11–14) se insiste en las consecuencias de la gracia de Dios que opera en la comunidad cristiana. Los seguidores de Jesús deberán dar testimonio de los más altos valores (templanza, justicia, piedad) de su época. El horizonte de su pra-

xis es la esperada manifestación de la gloria de Dios, realizada en la obra salvífica de Cristo, pero que aquí es objeto de esperanza escatológica. El pueblo de Dios está llamado a ser un pueblo dedicado a las buenas obras. Vivimos, pues, la tensión entre dos grandes manifestaciones, la de la encarnación del Hijo de Dios y la de su segunda venida gloriosa.

En la segunda parte (3:4–7) sobresale la bondad de Dios que, no por méritos nuestros, sino por gracia suya, nos ha redimido en Cristo. El signo mayor de esta gracia es el bautismo, que transforma la vida de quie-

nes lo reciben. Se trata de un baño que purifica y que nos regenera, nos renueva interiormente, nos hace herederos de la vida eterna.

EVANGELIO En este ciclo nos corresponde leer el pasaje del bautismo de Jesús en la versión de san Lucas. En la primera parte (3:15–16) Juan Bautista anuncia que no es él el Mesías. Despeja así las dudas del pueblo y prepara la aparición de Jesús, aquél que bautizará con Espíritu Santo y fuego. La segunda parte (3:21–22) muestra a Jesús incorporándose al

Esta síntesis del misterio pascual y sus consecuencias es oro molido. Lee clara y pausadamente cada frase.

Él se **entregó** por nosotros para **redimirnos** de todo pecado
     y **purificarnos**, a fin de convertirnos en **pueblo suyo**,
     fervorosamente entregado a practicar el **bien**.

Al manifestarse la **bondad** de Dios, nuestro Salvador,
     y su amor a los hombres, **él nos salvó**,
     no porque nosotros hubiéramos hecho algo **digno** de
          merecerlo,
     sino por su **misericordia**.

La mención del bautismo conecta a la asamblea con la fiesta de hoy. Dale tono esperanzado a este párrafo final.

Lo hizo mediante el **bautismo**, que nos regenera y nos renueva,
     por la **acción** del Espíritu Santo,
     a quien Dios **derramó** abundantemente sobre nosotros,
     por Cristo, nuestro Salvador.

Así, **justificados** por su gracia,
     nos convertiremos en **herederos**,
     cuando se realice la **esperanza** de la vida eterna.

EVANGELIO   Lucas 3:15–16, 21–22

Lectura del santo Evangelio según san Lucas

En aquel tiempo,
     como **el pueblo** estaba en expectación
     y **todos pensaban** que quizá Juan el Bautista era **el Mesías**,
     Juan los sacó de dudas, **diciéndoles:**
     "Es cierto que **yo** bautizo **con agua**,
     pero ya viene **otro más poderoso** que yo,
     a quien **no merezco** desatarle
          las correas de **sus sandalias**.

La proclamación de Juan acabará con las dudas sobre la mesianidad del Bautista. Subraya en tu lectura las palabras con las que se refiere a Jesús.

Él **los bautizará** con el **Espíritu Santo** y con **fuego**".

Sucedió que **entre la gente** que se bautizaba,
     también **Jesús** fue **bautizado**.

Mientras éste oraba, **se abrió el cielo** y el **Espíritu Santo**
     bajó sobre él en forma sensible, como de una paloma,
     y del **cielo** llegó **una voz** que decía:
     "**Tú eres mi Hijo**, el predilecto; en ti me **complazco**".

Este es el centro del pasaje y de la fiesta de hoy. Lee con solemnidad la teofanía.

movimiento de renovación espiritual encabezado por el Bautista. Aquí no hay diálogo alguno entre Jesús y el Bautista, como en la versión matena del evento. El acontecimiento importante para Lucas no es el bautismo en sí mismo, sino la manifestación de Dios que ocurre mientras Jesús oraba después de haberlo recibido.

Se trata de la solemne presentación oficial de Jesús, su confirmación como Hijo predilecto del Padre y como modelo de humanidad ofrecido por las palabras del Padre celestial y la presencia sensible del Espíritu Santo. Jesús es aquél totalmente identifica-

do con el querer de Dios. El proyecto divino llega a su culminación en este hombre, manifestación suprema de Dios entre nosotros. La vida de Jesús (sus pensamientos, sus afectos, sus palabras, sus preferencias) es para los seres humanos el camino seguro para complacer al Padre. La vida entera de Jesús, que irá a desplegándose a lo largo de todo el evangelio, encuentra aquí una aprobación pública de parte de Dios. Jesús vivirá y morirá en el esfuerzo de ser fiel y consecuente con esta confirmación del Padre.

La fiesta del Bautismo del Señor es también fiesta de nuestro propio bautismo.

También nosotros, admitidos a la vida de Dios por el bautismo, deberemos empeñar todas nuestras fuerzas en mantenernos fieles al don que en el bautismo hemos recibido. Como Jesús, también nuestra vida deberá complacer al Padre.

II DOMINGO DEL TIEMPO ORDINARIO

I LECTURA   Isaías 62:1–5

Lectura del libro del profeta Isaías

Por amor a Sión **no me callaré**
   y por amor **a Jerusalén** no me daré reposo,
   hasta que **surja** en ella esplendoroso el justo
   y **brille** su salvación como una **antorcha**.

Entonces las naciones **verán** tu justicia,
   y tu gloria **todos** los reyes.
Te llamarán con un nombre **nuevo**,
   pronunciado por la **boca** del Señor.
Serás **corona** de gloria en la **mano** del Señor
   y **diadema** real en la palma de su mano.

Ya no te llamarán "**Abandonada**",
   ni a tu tierra, "**Desolada**";
   a ti te llamarán "Mi complacencia"
   y a tu tierra, "**Desposada**",
   porque el Señor se ha complacido **en ti**
   y se ha **desposado** con tu tierra.

Como un joven se desposa con una doncella,
   se desposará **contigo** tu hacedor;
   como el esposo se **alegra** con la esposa,
   así se alegrará tu Dios contigo.

Aprópiate las palabras del profeta y nota la hermosura de Dios presente en la asamblea de su pueblo.

Contempla a la asamblea, porque Dios le dirige su palabra.

Acentúa los atributos positivos más que los negativos.

Intercambia miradas al texto y a la asamblea como identificando a la novia con los presentes.

I LECTURA Este texto es del tiempo posterior al exilio, cuando se reúnen esfuerzos para reconstruir al pueblo de Dios. La tarea es desafiante en cuanto a unificar las distintas mentalidades de los judíos, pues unos nunca fueron al exilio, pero otros sí, y han regresado con ánimo de comenzar todo de nuevo. El camino para la integración es complejo.

El poema completo se extiende hasta el verso 12, y prolonga la terna iniciada en los dos capítulos previos (caps. 60–61), en los que una verdad se va condensando. A pesar de todo, el pueblo será por siempre propiedad del Señor (vv. 1–6), y él nunca permitirá que sus enemigos se apoderen de la ciudad y opriman a este su pueblo (vv. 8–9). El amor de Dios por su pueblo es extraordinario y no va a callarse hasta implantar su justicia y asegurarse de que la salvación se manifieste de manera ejemplar en todo Israel (v. 1).

El poema quiere animar al pueblo, de manera especial, a los que habían regresado. Una cosa queda muy clara: que la salvación no viene de fuera, sino que depende de trabajar todos con el Señor.

La tarea del profeta consiste en anunciar sin tregua hasta que ese anuncio se haga realidad. Se necesitan cambios, pero esos cambios, que podrían sonar pequeños, tendrán repercusiones internacionales pues lo verán y sentirán todas las demás naciones y sus reyes. De tal modo que Jerusalén se convertirá en "corona de gloria" en la mano del Señor (v. 3). Los nombres van acompañando a la realidad y ahora la ciudad ya no será llamada la "Desamparada" o "Desolada" (v. 4) sino "Mi deleite" y "Desposada", dice el Señor.

Para meditar

SALMO RESPONSORIAL Salmo 96:1–2a, 2b–3, 7–8a, 9–10a y c

R. Cuenten las maravillas del Señor a todas las naciones.

Canten al Señor un cántico nuevo,
   canten al Señor, toda la tierra;
   canten al Señor, bendigan su nombre. **R.**

Proclamen día tras día su victoria,
   cuenten a los pueblos su gloria,
   sus maravillas a todas las naciones. **R.**

Familias de los pueblos, aclamen al Señor,
   aclamen la gloria y el poder del Señor,
   aclamen la gloria del nombre del Señor. **R.**

Póstrense ante el Señor en el atrio sagrado,
   tiemble en su presencia la tierra toda.
Digan a los pueblos: "El Señor es rey,
   él gobierna a los pueblos rectamente". **R.**

II LECTURA   1 Corintios 12:4–11

Lectura de la primera carta del apóstol san Pablo a los corintios

Hermanos:
Hay **diferentes** dones, pero el Espíritu es **el mismo**.
Hay **diferentes** servicios, pero **el Señor** es el mismo.
Hay **diferentes** actividades, pero Dios,
   que hace **todo** en todos, **es el mismo**.

En **cada uno** se manifiesta el Espíritu para el **bien común**.
Uno recibe el don de la **sabiduría**;
   otro, el **don** de la ciencia.
A uno se le concede el don **de la fe**;
   a otro, la gracia de **hacer curaciones**,
   y a otro más, **poderes milagrosos**.
Uno recibe el don **de profecía**,
   y otro, el de **discernir** los espíritus.
A uno se le concede el don **de lenguas**,
   y a otro, el de **interpretarlas**.
Pero es uno **solo** y el **mismo** Espíritu el que hace **todo eso**,
   distribuyendo **a cada uno** sus dones, según su voluntad.

Nota el ritmo y el equilibrio entre la diversidad y la unidad de cada frase "hay diferentes… pero".

Procura matizar cada uno de los dones, pero sin perder el hilo. A ritmo menor, enfatiza el don mayor de todos, el Espíritu.

La renovación de la alianza de Dios con su pueblo es garantía de la liberación de un pueblo. Pero no solo en relación a la opresión externa de otros pueblos sino en un dinamismo interior a cada persona, comunidad y al pueblo elegido en su totalidad. Por muchos años el pueblo judío trabajará en esta tarea y recurrirá a este texto como memoria de la promesa de Dios y el compromiso propio.

II LECTURA La diversidad, no la desigualdad, es el don más preciado en la Iglesia y en la humanidad. Sin embargo, cuando la inmadurez, la envidia y el egoísmo comienzan a prevalecer, como sucedía entre los cristianos de Corinto, toda esa riqueza se torna en encarnizada lucha y división.

San Pablo responde a la compleja situación enunciada desarrollando un argumento doble. El del origen y el de la función de la diversidad de dones y carismas. Todo don y carisma viene del único Espíritu y eso es garantía de la unidad de procedencia. No hay pues contradicción en dicha diversidad. Respecto a la finalidad o función, señala que toda esta pluralidad de dones está al servicio de la comunidad y, en cuanto tal, tiende necesariamente a la unidad.

Al hablar de esta unidad-diversidad se tiene el horizonte de la fe trinitaria, pues, aunque no se use directamente una terminología explícita (Espíritu, Señor, Dios) sí es patente tal visión, pues todos los carismas, ministerios y actividades tienen como única fuente a Dios. No estamos hablando simplemente de cualidades personales. El don o carisma está presente en la cualidad de cada creyente, ciertamente, pero se manifiesta en cuanto surge una necesidad, que es la manera como Dios llama a su servicio.

EVANGELIO   Juan 2:1–11

Lectura del santo Evangelio según san Juan

En aquel tiempo, hubo una boda en **Caná** de Galilea,
    a la cual **asistió** la madre de Jesús.
Éste y sus discípulos **también** fueron invitados.
Como llegara a faltar **el vino**, **María** le dijo a Jesús:
    "Ya no tienen vino".
Jesús le contestó:
    "**Mujer**, ¿qué podemos hacer tú y yo?
    Todavía no llega mi hora".
Pero ella dijo a los que servían:
    "**Hagan** lo que él les diga".

Había allí seis tinajas de piedra,
    de unos **cien** litros cada una,
    que servían para las **purificaciones** de los judíos.
Jesús dijo a los que servían:
    "**Llenen** de agua esas tinajas".
Y las llenaron **hasta el borde**.
Entonces les dijo:
    "**Saquen** ahora un poco y llévenselo al mayordomo".

Así lo hicieron,
    y en cuanto el encargado de la fiesta **probó** el agua convertida
        en vino,
    sin saber su procedencia,
    porque **sólo** los sirvientes la sabían,
    llamó al novio y le dijo:
"**Todo** el mundo sirve **primero** el vino mejor,
    y cuando los invitados ya han bebido **bastante**,
        se sirve el **corriente**.
Tú, en cambio, has guardado el vino **mejor** hasta ahora".

Distingue cuadros y escenas, de modo que tenga viveza el relato.

Como con cierta admiración distingue la voz de Jesús con la de María que es serena y confiada.

Se marca un momento nuevo en la escena; crea cierto suspenso para las palabras del mayordomo.

Al no ser una simple serie de cualidades personales, tampoco es resultado de los propios esfuerzos, ni mérito ni privilegio propio, sino don de Dios.

La enumeración de dones de nuestra lectura no tiene el propósito de ser completa o precisa. En primer lugar, valga decir que todos pertenecen al ámbito de la fe y de los milagros. También hay que notar que los dones referentes a la organización y beneficencia no están en esta lista. El don de glosalia o hablar en lenguas, el más apetecido por algunos de los de Corinto se menciona con discreción y emparentado con el don de la interpretación, pues todo carisma es para comunicar no para ocultar, todo don es para el bien común y no para otros fines.

Todos debemos estar muy atentos a la generosidad del Espíritu Santo y a los dones que suscita en la comunidad y que deben llevarnos al encuentro verdadero con Jesús, no a ignorarle como sucedería con esta comunidad (ver 2 Corintios 5:15).

EVANGELIO Escuchamos el primer milagro de Jesús, que san Juan reconoce como el primer signo de la manifestación de la gloria de Dios, que lleva a los discípulos a la fe en Jesús (ver Juan 2:11).

La boda misma es, en el contexto judío, un acontecimiento que sustenta y unifica muchos símbolos. Es probable, por ejemplo, que el evangelista tenga en mente dos imágenes de fondo cuanto nos relata las bodas de Caná. Quizá tenga en mente la imagen del vino como parte del banquete divino (Isaías 54:4–8; 62:4–5) que sustituye el agua de los rituales de purificación judía. También cabe ver este milagro como una variante de los milagros de "dar alimento" que encontramos en el ciclo de Elías-Eliseo (2 Reyes

En la última línea separa las dos frases, para que la audiencia haga la conexión.

Esto que Jesús hizo en Caná de Galilea
  fue la **primera** de sus señales milagrosas.
Así mostró **su gloria** y sus discípulos **creyeron** en él.

4:42–44; 1 Reyes 19:1–16; 2 Reyes 4:1–7). Sean estos u otros los orígenes de esta narración de Juan, lo más importante aquí es el valor simbólico del relato en relación a la persona de Jesús. Dios se manifiesta definitivamente en Jesús, iniciando una nueva etapa en la historia. Aquí está la primera "señal" o signo.

Aunque "aún no ha llegado la hora" con esta acción simbólica de Jesús se inicia este tiempo nuevo que ira manifestando poco a poco en la vida de Jesús a través de todo el evangelio. La boda en sí es una convergencia de símbolos que hacen sentido en la vida y religión del pueblo judío. En el Antiguo Testamento, el matrimonio es figura del amor de Dios por su pueblo; basta ver los relatos de Oseas 2; Isaías 1:21–26; Ezequiel 16, y en el Nuevo representa la unión del Mesías con la Iglesia (Efesios 5:21–23; Mateo 22:1–14; 2 Corintios 11:1–4). Incluso el vino debe ser entendido como un don de amor (Cantar de los Cantares 1:2, 4; 2:4; 4:10), como don mesiánico (Amós 9:13–14; Oseas 14:7; Jeremías 31:12) y también como símbolo de la presencia del Espíritu (Hechos 2:15–16).

Recordemos que la indicación explícita del evangelista al final de la lectura dice que este es el "primer signo". Esta clave indica que allí da inicio un proceso de revelación de su persona y de la fe de los discípulos. El Hijo único del Padre (1:14) está presente e irá manifestando el sentido de su presencia hasta retornar al Padre. Todos estamos llamados al discipulado, con María, desde el principio de las señales hasta el final (ver Juan 19:25).

III DOMINGO DEL TIEMPO ORDINARIO

I LECTURA   Nehemías 8:2–4, 5–6, 8–10

Lectura del libro de Nehemías

En aquellos días, **Esdras**, el sacerdote,
    trajo el libro **de la ley** ante la asamblea,
    formada por los hombres, las mujeres
    y **todos** los que tenían uso de razón.

Era el día **primero** del mes séptimo,
    y Esdras leyó **desde** el amanecer **hasta** el mediodía,
    en la plaza que está frente a la puerta del Agua,
    en **presencia** de los hombres, las mujeres
    y **todos** los que tenían uso de razón.
Todo el pueblo estaba **atento** a la lectura del libro de la ley.
Esdras estaba **de pie** sobre un estrado de madera,
    levantado para esta ocasión.
Esdras abrió el libro **a la vista** del pueblo,
    pues estaba en un sitio **más alto** que todos,
    y cuando lo abrió, el pueblo **entero** se puso de pie.
Esdras **bendijo** entonces al Señor, el **gran** Dios,
    y **todo** el pueblo, levantando las manos,
    respondió: "¡**Amén**!", e inclinándose,
    se postraron **rostro** en tierra.
Los levitas leían el libro de la ley de Dios **con claridad**
    y **explicaban** el sentido,
    de suerte que el pueblo **comprendía** la lectura.

Mira a la asamblea y cobra conciencia de tu presencia y función de proclamador de la palabra.

Describe pausadamente los detalles de esta liturgia antigua.

Ayuda a que la comunidad visualice la liturgia descrita; eleva un poco el tono.

I LECTURA La historia de Israel expuesta por el Cronista está representada en los libros de Esdras, Nehemías, 1 y 2 de Crónicas. Ellos narran los acontecimientos más importantes de la historia del pueblo judío a partir del edicto de Ciro rey de los persas en el año 538 a. C. Nuestra lectura omite los nombres de personas (v. 4b, 7) para mantener el enfoque en el acontecimiento central que es la lectura pública de la Ley de Moisés. Es una lectura solemne siguiendo el proceder acostumbrado: convocación del pueblo, preparación de los presentes para que escuchen con atención y la proclamación de la Ley, ministerio para el cual se invita a Esdras, el sacerdote principal en turno.

La proclamación o lectura pública es el momento culminante de un proceso cuyo interés es más dramático o simbólico que cronológico. Se realiza después de haber pasado por la restauración del templo, la purificación del pueblo y la reconstrucción de las murallas de Jerusalén.

El enfoque central es el acto litúrgico de la proclamación pública y solemne de la Ley que es explicada al pueblo. Muy posiblemente, además de explicar su sentido, también se traducía al idioma común del pueblo (arameo). La dedicación y consagración del tiempo (sábado) al Señor siempre habrá de tener consecuencias a favor de la vida. Ninguna liturgia es más digna cuando causa temor o infunde miedo, mucho menos cuando fomenta el sentimiento de individualismo. Desde este tiempo del Antiguo Testamento hasta las comunidades de Pablo la proclamación de la Palabra de Dios es para infundir esperanza y solidaridad entre la comunidad. Ahí está la fuerza.

Invita a la alegría con un tono acorde.

Entonces **Nehemías**, el gobernador,
   Esdras, el sacerdote y escriba,
   y los levitas que **instruían** a la gente,
   dijeron a **todo** el pueblo:
"Éste es un día **consagrado** al Señor, nuestro Dios.
  No estén ustedes tristes **ni lloren**
     (porque **todos** lloraban **al escuchar** las palabras de la ley).
   Vayan a comer **espléndidamente**,
   tomen bebidas **dulces** y manden algo a los que **nada** tienen,
   pues **hoy** es un día **consagrado** al Señor, nuestro Dios.
  No estén tristes,
   porque **celebrar** al Señor es **nuestra** fuerza".

Para meditar

SALMO RESPONSORIAL   Salmo 19:8, 9, 10, 15

R. Tus palabras, Señor, son espíritu y vida.

La ley del Señor es perfecta
  y es descanso del alma;
  el precepto del Señor es fiel
  e instruye al ignorante. **R.**

Los mandatos del Señor son rectos
  y alegran el corazón;
  la norma del Señor es límpida
  y da luz a los ojos. **R.**

La voluntad del Señor es pura
  y eternamente estable;
  los mandamientos del Señor
    son verdaderos
  y eternamente justos. **R.**

Que te agraden las palabras de mi boca,
  y llegue a tu presencia el meditar de mi
    corazón,
  Señor, roca mía, redentor mío. **R.**

II LECTURA   1 Corintios 12:12–30

Lectura de la primera carta del apóstol san Pablo a los corintios

Hermanos:
  Así como el cuerpo **es uno** y tiene **muchos** miembros
  y **todos** ellos, a pesar de ser **muchos**,
  forman un **solo** cuerpo,
  así **también** es Cristo.

El párrafo primero da el tono del resto. Asegúrate de frasear bien, para no perder el hilo.

II LECTURA El Espíritu Santo provee a su pueblo con todos los dones que necesita para llegar a ser lo que Dios le ha llamado a ser. Al parecer, la Iglesia de Corinto era bendecida en una gran abundancia de dones. Esto puede sonar, por decir, "lógico" en una comunidad tan diversa y conformada por una pluralidad de culturas. Este tipo de comunidad tan rica demanda de sus líderes una responsabilidad especial para no perder el piso, ni reducir el sentido profundo de Iglesia a los límites de alguno de sus dones, dimensiones o expresiones. Pablo por ser fundador y padre de esa comunidad eclesial, siente y conoce sus problemas y ofrece una reflexión con ciertos criterios para que estos cristianos no queden atrapados en sus propias fronteras.

Al parecer, el problema de esta Iglesia no es la diversidad y abundancia de dones sino las actitudes derivadas de tanta riqueza y el uso que les dan. El problema se inicia justamente en aquellos que poseen el don pero se desconciertan, se desconectan o se desubican. Siempre depende de quién lo diga y, desde Corinto hasta nuestros días, sabemos de esta tensión entre el carisma y los modos de entender la institución en la Iglesia. De cualquier modo, los criterios o principios que san Pablo ofrece para los de Corinto han de servir para toda comunidad cristiana. Se trata de tres criterios.

Primero, todo don o carisma es bueno por la sencilla razón de que proviene de Dios; y es una fuerza de transformación al interior de la comunidad. *Bueno* no quiere decir *cómodo*, hay que advertir. Segundo, todo don y carisma debe tender a construir y edificar la unidad de todos. La unidad en Dios, la unidad en la diversidad, no la unidad en torno a unos cuantos y menos la uniformidad de todos. Tercero, un criterio clave

Todos sabemos de estas divisiones, pero subraya el llamado a la unidad cristiana.

Porque **todos** nosotros, seamos judíos **o no** judíos,
   esclavos **o libres**,
hemos sido **bautizados** en un **mismo** Espíritu,
para formar un **solo** cuerpo,
y a **todos** se nos ha dado a beber del **mismo** Espíritu.

Haz notar las relaciones de solidaridad y el cuidado de unos por otros.

El cuerpo **no** se compone de un **solo** miembro, sino **de muchos**.
Si el **pie** dijera:
   "**No soy** mano, entonces **no formo** parte del cuerpo",
   ¿**dejaría** por eso de **ser parte** del cuerpo?
Y si el oído **dijera**:
   "Puesto que no soy ojo, **no soy** del cuerpo",
   ¿dejaría **por eso** de ser parte del cuerpo?
Si **todo** el cuerpo fuera ojo, ¿**con qué** oiríamos?
Y si **todo** el cuerpo fuera oído, ¿**con qué** oleríamos?
Ahora bien,
Dios **ha puesto** los miembros del cuerpo
   cada uno en su lugar, **según lo quiso**.
Si todos fueran un **solo** miembro, ¿**dónde** estaría el cuerpo?

No arrastres la lectura. Renueva el entusiasmo en la voz al atender a lo pequeño.

Cierto que los miembros **son muchos**,
   pero el cuerpo **es uno solo**.
El ojo **no puede** decirle a la mano: "**No** te necesito";
   ni la cabeza, a los pies: "Ustedes **no me hacen falta**".
Por el **contrario**,
   los miembros que parecen **más débiles** son los **más necesarios**.
Y a los **más íntimos** los tratamos con **mayor** decoro,
   porque los demás **no lo necesitan**.
Así formó Dios el cuerpo,
   dando **más honor** a los miembros que **carecían** de él,
   para que no haya **división** en el cuerpo
   y para que **cada miembro** se preocupe **de los demás**.
Cuando un miembro **sufre**, **todos** sufren con él;
   y cuando recibe **honores**, **todos** se alegran con él.

en todo don y carisma es que no ha de ser empleado en beneficio propio, sino para el bien de la comunidad y en especial de los más necesitados.

Junto a los criterios mencionados, hay que considerar la prioridad del apostolado sobre los demás carismas. La autoridad, el don de lenguas y el resto de los carismas están al servicio de la misión apostólica de la Iglesia, o sea la del anuncio vivo del Evangelio. Recordar continuamente estos criterios podría ser de utilidad para el diálogo y discernimiento en nuestras comunidades tan ricas en carismas y tan diversas. Tenga-

mos a la vista la experiencia de la comunidad de Corinto.

EVANGELIO San Lucas compone con mucho cuidado un prólogo al estilo retórico de la época donde explicita la razón por la que escribe asuntos que ya han sido contados por otros escritores, y donde dice cuál es su método de estudio y exposición. Sabemos que el conjunto de su trabajo lo tenemos en dos partes: el evangelio y el libro de los Hechos de los Apóstoles.

San Lucas no ha sido un testigo ocular de los hechos que narra por lo cual se está ateniendo a la tradición anterior de todos los que han estado al servicio de la palabra y el mensaje del Evangelio. Como buen escritor, él va a proceder remontándose a los orígenes o al principio de lo que trata y tiene la expresa intención de contar y exponer todo en cierto orden que no necesariamente es el cronológico. Lucas es consciente de que está dando una enseñanza real y creíble pues en todos estos sucesos se ha cumplido el designio de Dios.

Pues bien, ustedes **son** el cuerpo de Cristo
    y **cada uno** es un miembro de él.
En la Iglesia,
    Dios ha puesto en **primer** lugar a los **apóstoles**;
    en **segundo** lugar, a **los profetas**;
    en **tercer** lugar, a los **maestros**;
    luego, a los que hacen **milagros**,
    a los que tienen el don **de curar** a los enfermos,
    a los que **ayudan**, a los que **administran**,
    a los que tienen el don de lenguas y el **de interpretarlas**.
¿**Acaso** son **todos** apóstoles? ¿Son **todos** profetas?
¿Son todos maestros? ¿Hacen todos milagros?
¿Tienen **todos** el don de curar?
¿Tienen **todos** el don de lenguas y todos **las interpretan**?
Abreviada: *1 Corintios 12:12–14, 27*

> Las preguntas marcan la diversidad y la unidad, el tono clave de la lectura. Termina elevando la voz.

EVANGELIO   Lucas 1:1–4; 4:14–21

Lectura del santo Evangelio según san Lucas

Muchos han tratado de escribir la historia
    de las cosas **que pasaron** entre nosotros, tal y como
    nos las trasmitieron los que las vieron **desde el principio**
    y que ayudaron en la predicación.
Yo **también**, ilustre Teófilo,
    después de haberme informado **minuciosamente** de todo,
    desde sus principios, pensé escribírtelo **por orden**,
    para que **veas** la verdad de lo que se te **ha enseñado**.

> Únete al espíritu del evangelista, y considera a la audiencia como "amada por Dios".

El evangelista nos presenta a Jesús iniciando su ministerio en Galilea, en Nazaret, más específicamente en la liturgia sinagogal del sábado. Es una liturgia que, a diferencia de la liturgia sacrificial que solo se llevaba a cabo en el templo de Jerusalén, está centrada en la proclamación y explicación de las Escrituras. Se lee una parte de la Torá y un trozo de alguno de los profetas.

Tocaba la lectura de Isaías (61:1–2) y Jesús, haciendo uso de su derecho de lector y comentador pues ya tenía la edad, se pone de pie para leer y comentar. Seguramente leyó en hebreo y comentó en arameo para la comprensión de los escuchas. Ahora sabemos por Lucas que no era cualquier lectura sino "su lectura". Hace suyo el mensaje y después de proclamarlo con autenticidad lo comenta en modo sorpresivo y desconcertante. Lo que habían escuchado y comentado por tantos años tiene ahora cumplimiento en la persona de Jesús. Él anuncia el principio de una época nueva, de una nueva realidad.

El texto del profeta se centra en la actividad consoladora de Dios, solo que Lucas hace un pequeño retoque al original para centrar la atención en la persona de Jesús y su mensaje liberador de "llevar la buena noticia a los pobres". Ellos y no otros son y serán los que están siempre en la mirada.

El paréntesis pide un poco de distancia en el tono, pero no permitas distracciones en el hilo narrativo.

(Después de que Jesús fue **tentado** por el demonio
    en el desierto),
  impulsado por el Espíritu, **volvió** a Galilea.
Iba enseñando en las sinagogas;
  todos lo alababan y su fama se **extendió** por toda la región.
Fue también **a Nazaret**, donde se había criado.
Entró en la sinagoga, como era **su costumbre** hacerlo los sábados,
  y se levantó para hacer la lectura.
Se le dio el volumen del profeta **Isaías**,
  lo desenrolló y **encontró** el pasaje en que estaba escrito:

Proyecta tu voz desde el abdomen, con profundidad en todas las líneas de la cita.

El espíritu del Señor está sobre mí,
  porque me ha ungido para llevar a los pobres la buena nueva,
  para anunciar la liberación a los cautivos
  y la curación a los ciegos, para dar libertad a los oprimidos
  y proclamar el año de gracia del Señor.

Prepara la salida de la lectura. Baja el ritmo, pero no el tono.

Enrolló el volumen, lo devolvió al encargado y se sentó.
Los ojos de **todos** los asistentes a la sinagoga estaban **fijos** en él.
Entonces comenzó a hablar, diciendo:
  "**Hoy mismo** se **ha cumplido** este pasaje de la Escritura
    que **acaban** de oír".

IV DOMINGO
DEL TIEMPO ORDINARIO

Abraza tu vocación de profeta y revístete del espíritu de Jeremías para proclamar esta lectura.

Invita, con tu mirada y fortaleza, a los oyentes a la confianza y compromiso por las cosas de Dios.

I LECTURA   Jeremías 1:4–5, 17–19

Lectura del libro del profeta Jeremías

En tiempo de **Josías**, el Señor me dirigió **estas** palabras:
   "Desde **antes** de formarte en el seno materno, te **conozco**;
   desde **antes** de que nacieras,
   te **consagré** como profeta para las naciones.
Cíñete y prepárate;
   ponte en pie y diles lo que **yo** te mando.
No temas, no titubees **delante** de ellos,
   para que yo **no te quebrante**.

Mira: **hoy** te hago ciudad **fortificada**,
   columna **de hierro** y muralla **de bronce**,
   frente **a toda** esta tierra,
   así se trate de los **reyes** de Judá,
   como de sus **jefes**, de sus **sacerdotes**
      o de la gente **del campo**.
Te harán la guerra, pero **no podrán** contigo,
   porque yo estoy **a tu lado** para salvarte".

I LECTURA Al profeta Jeremías le tocó en suerte acompañar a los suyos en la caída de Jerusalén y el destierro a Babilonia, uno de los tiempos más aciagos de la historia del pueblo hebreo. De él aprendemos lo que significa verdaderamente "caminar con el pueblo". En su vocación se nos muestra cómo la intervención de Dios siempre es algo inesperado y diferente, aunque en realidad haya estado él presente en la vida del profeta. Nuestra lectura incorpora el relato breve de la vocación de Jeremías y la visión que le revela su complicada misión.

¿Qué profeta verdadero no ha sentido miedo o desánimo ante la encomienda? Por eso viene la orden clara de ceñirse la túnica para el trabajo (Salmo 65; 2 Reyes 1:8), o más probablemente, para la pelea (Job 38:3), como sabemos que efectivamente sucedió con Jeremías. Los profetas enfrentan persecución, incertidumbres y desafíos por el mensaje que deben entregar; el miedo es el peor de los enemigos, pues los puede llevar a disimular o hasta paralizarlos y hacerlos desfallecer. La única fuerza, y es su bastión, es la confianza en Dios y la certeza de que él está detrás y junto. La postura del profeta es estar de pie y frente a todos. Si la confianza falla, falla todo. El profeta no lo sabe todo ni alcanza a ver todo. Está en un proceso en el que Dios será el guía y protagonista. Solo hay que mantenerse firme y dócil a la vez.

Viendo a Jeremías, nos viene la pregunta de muchos del porqué de la gran escasez de profetas en nuestro tiempo si hay tanta necesidad de ellos aquí y ahora. Estamos convencidos de que el Espíritu los multiplica, solo que puede topar con el miedo al compromiso total, en el que Dios lleve la batuta.

Para meditar

SALMO RESPONSORIAL   Salmo 71:1–2, 3–4a, 5–6ab, 15ab y 17

R. Mi boca anunciará tu salvación, Señor.

A ti, Señor, me acojo:
  no quede yo derrotado para siempre;
  tú que eres justo, líbrame y ponme a salvo,
  inclina a mí tu oído, y sálvame. **R.**

Se tú mi roca de refugio,
  el alcázar donde me salve,
  porque mi peña y mi alcázar eres tú.
Dios mío, líbrame de la mano perversa. **R.**

Porque tú, Dios mío, fuiste mi esperanza
  y mi confianza, Señor, desde mi juventud.
En el vientre materno ya me apoyaba en ti,
  en el seno tú me sostenías. **R.**

Mi boca contará tu auxilio,
  y todo el día tu salvación.
Dios mío, me instruiste desde mi juventud,
  y hasta hoy relato tus maravillas. **R.**

II LECTURA   1 Corintios 12:31—13:13

Lectura de la primera carta del apóstol san Pablo a los corintios

Hermanos:

Aspiren a los dones de Dios **más** excelentes.
Voy a mostrarles el camino **mejor** de todos.
Aunque yo hablara las lenguas de los hombres y **de los ángeles**,
  si no tengo **amor**, no soy más que **una campana** que resuena
    o unos platillos que **aturden**.
Aunque yo tuviera el don de **profecía**
  y **penetrara** todos los misterios,
  aunque yo **poseyera** en grado sublime el don de ciencia
  y mi **fe** fuera tan grande como para **cambiar** de sitio
    las montañas,
  si no tengo **amor**, nada **soy**.
Aunque yo repartiera en **limosna** todos mi bienes
  y aunque me dejara quemar **vivo**,
  si no **tengo amor** de nada me sirve.

Apóyate en la puntuación y procura avivar las frases para evitar la monotonía. El tema es grandioso.

Asume esta generosa realidad y pronuncia estas líneas desde el corazón del apóstol.

II LECTURA   A mi entender, una de las reflexiones más profundas e importantes de Pablo. Sirve para los profetas, los mártires, los teólogos, predicadores, carismáticos extraordinarios, piadosos ordinarios y toda persona de fe. Pablo al abordar el problema de la discordia por causa de quienes poseen ciertos dones y carismas ofreció unos criterios-guía para el discernimiento y la acción. Ahora, al inicio de la lectura hace una invitación y un aviso. Con ello concluye lo dicho y anticipa lo que viene. A fin de cuentas, no se trata de un carisma u otro sino de aspirar a lo mejor. No

hay súper dones, aunque esa impresión se cree muchas veces. En todo caso, el "camino mejor", el que incluye y supera todos los dones y carismas es el amor. En este bellísimo y ya tan machacado sermón Pablo no se refiere ni al amor de los amigos (philia) ni al de los amantes (eros); se refiere al amor más grande, al ágape cristiano, que es el amor de Cristo infundido a los cristianos a través del Espíritu Santo.

El canto de Pablo al más genuinamente cristiano de los carismas se puede subdividir en tres partes: En la primera (vv. 1–3), se muestra su superioridad, pues sin el amor

todo se reduce a nada, hasta las mejores cosas carecen de sentido. Segunda (vv. 4–7), el amor es el manantial de todos los bienes, de tal modo que, mediante este manantial, todo puede adquirir la calidad de ser vehículo y expresión de la gracia (sentido original del carisma) y, tercera, su permanencia y duración. El amor es desde ahora y lo será siempre. En cambio, los dones nacen y perecen, evolucionan, se transforman y hasta maduran, pero nunca alcanzarán la estatura del amor a quien deben su razón de ser. ¡Qué estrecha la visión del que achata la vida cristiana a un ministerio o a un carisma!

Las tres frases cortas concluyen el párrafo e invitan a una pausita antes de continuar.

El amor es **comprensivo**, el amor es **servicial**
   y **no** tiene envidia;
   el amor no es **presumido** ni se envanece;
   no es grosero ni egoísta;
   no se irrita **ni guarda** rencor;
   no se alegra con la injusticia,
   sino que **goza** con la verdad.
El amor disculpa **sin límites**,
   confía sin límites,
   espera sin límites,
   soporta sin límites.

El amor dura **por siempre**;
   en cambio, el don de profecía **se acabará**;
   el don de lenguas **desaparecerá**
   y el don de ciencia **dejará de existir**,
   porque nuestros dones de ciencia y de profecía
      son **imperfectos**.
Pero cuando **llegue** la consumación,
   todo lo imperfecto **desaparecerá**.

Haz notar la primera persona de singular, y luego la del plural para conectar con las tres virtudes teologales.

Cuando yo era **niño**, hablaba **como niño**,
   sentía como niño y **pensaba** como niño;
   pero cuando **llegué** a ser hombre,
   hice **a un lado** las cosas de niño.
Ahora vemos como en un espejo y **oscuramente**,
   pero después será **cara a cara**.
Ahora sólo conozco de una manera **imperfecta**,
   pero entonces **conoceré** a Dios como **él** me conoce **a mí**.
Ahora tenemos estas **tres** virtudes:
   la fe, la esperanza y el amor;
   pero el amor es **la mayor** de las tres.

Abreviada: *1 Corintios 13:4–13*

Pablo nos recuerda en el fondo una serie de sentencias de Jesús (la fe que mueve montañas, la generosidad con los pobres, dar la vida por los amigos) templadas por el amor. El amor no excluye ninguna otra forma de amor (Eclesiástico 40:18–27) sino que les da sentido, los asume y supera. Nos recuerda de Proverbios (10:12) que el amor "disimula ofensas", que "el reflexivo sabe aguantar" (Proverbios 14:17), que "los labios honrados saben de afabilidad" (Proverbios 10:32). En suma, Pablo no invalida nada (entrega, conocimiento, generosidad, pasión), sólo profundiza en lo esencial ayu-

dando a los cristianos a mantener la mirada en lo señalado por Jesús mismo.

EVANGELIO Para entender mejor nuestro trozo del evangelio es oportuno visitar los versos que le anteceden, versos 16–20. El evangelista hace debutar a Jesús en su manifestación pública en la sinagoga, en la liturgia sabatina. Jesús cuenta ya con unos 30 años (ver Lucas 3:23) y hace suyo el derecho que le corresponde de levantarse para leer y comentar la lectura. Se lee de pie y se comenta sentado. El Maestro se ajusta al ritual de su pueblo y

recibe el rollo del profeta Isaías que le pasa el responsable de la sinagoga. Así, el evangelio de san Lucas nos coloca frente al primer discurso público de Jesús, que es justamente una homilía de la liturgia sinagogal. El relato de san Lucas tiene un sumario introductorio (vv. 4–15), y pasa a la proclamación misma (vv. 16–20), al que sigue la reacción de aquellos asistentes que, indignados y enfurecidos, se levantaron e intentaron desbarrancarlo, sin éxito.

La cita del profeta Isaías pone la actividad de Jesús en íntima relación con la iniciativa salvadora de Dios, la actividad

EVANGELIO   Lucas 4:21–30

Lectura del santo Evangelio según san Lucas

En aquel tiempo,
  después de que Jesús leyó en la sinagoga
    un pasaje del libro de **Isaías**, dijo:
  "**Hoy mismo** se **ha cumplido** este pasaje de la Escritura
    que ustedes **acaban** de oír".
Todos le daban su aprobación y **admiraban** la sabiduría
    de las palabras que **salían** de sus labios,
    y se preguntaban: "¿No es **éste** el hijo de José?"

Jesús les dijo: "**Seguramente** me dirán aquel refrán:
  'Médico, **cúrate** a ti mismo'
    y haz **aquí**, en tu **propia** tierra, todos esos prodigios
      que hemos oído que has hecho **en Cafarnaúm**".
Y añadió: "Yo les **aseguro** que **nadie** es profeta **en su tierra**.
Había **ciertamente** en Israel **muchas** viudas
    en los tiempos de Elías, cuando **faltó** la lluvia
      durante tres años y medio,
    y hubo un hambre **terrible** en todo el país;
    sin embargo, a **ninguna** de ellas fue enviado Elías,
      sino a una viuda que vivía en **Sarepta**, ciudad de Sidón.
Había **muchos** leprosos en Israel, en tiempos del profeta **Eliseo**;
    sin embargo, **ninguno** de ellos fue curado sino **Naamán**,
      que era **de Siria**".

Al oír **esto**,
  todos los que estaban en la sinagoga se llenaron **de ira**,
    y levantándose, lo **sacaron** de la ciudad
    y lo llevaron hasta un **barranco** del monte,
      sobre el que estaba construida la ciudad, para **despeñarlo**.
Pero él, pasando por en medio de ellos, se **alejó** de ahí.

Inicia con firme suavidad las palabras de Jesús y nota el cambio de acento a la admiración y duda de los presentes.

Este párrafo tiene un sabor a reclamo.

Acelera en estas líneas, pero nota que la última oración sabe a desolación.

---

liberadora de Jesús. Era un joven judío que asumió con sinceridad la fe y las tradiciones más respetables de Israel, su pueblo, y que también estuvo siempre dispuesto a superarlo todo anunciando el reinado y la supremacía de Dios.

El evangelista presenta la reacción de los presentes en términos ambiguos al principio. Se puede estar a favor o en contra. Por un lado, está la reacción inmediata de admiración y aprobación por "las gracias" del texto leído y que tanta esperanza representaba para el pueblo. Pero también está presente la duda de los paisanos que piden la prueba de un milagro, pues no se trata más que de un vecino, el hijo del carpintero. La incredulidad se va imponiendo en la propia casa. Este ambiente provoca una reacción de parte de Jesús, quien alude a los profetas Elías y Eliseo como taumaturgos al servicio de los paganos (1 Reyes 17:1–7; 2 Reyes 5:1–27) causando el enojo y hasta la rabia de los presentes, al grado que quieren darle muerte por no acreditar su pretensión.

Es muy conveniente hacer una actualización de este escenario a nuestra realidad actual. Dado que si lo vemos a larga distancia quedamos inmunes a su mensaje poderoso y desafiante. La persona de Jesús y su mensaje de liberación ponen a prueba la profundidad de nuestra fe y la prioridad de nuestros ministerios. Hay que optar por los pobres desde el corazón de Dios, como reiteradamente nos invita el papa Francisco.

V DOMINGO DEL TIEMPO ORDINARIO

I LECTURA   Isaías 6:1–2, 3–8

Lectura del libro del profeta Isaías

La visión es imponente y dramática.
Despliégala con reverencia y respeto.

El año de la muerte del rey Ozías,
   vi al Señor, sentado sobre un trono muy alto y **magnífico**.
La orla de su manto **llenaba** el templo.
Había **dos** serafines junto a él, con **seis** alas cada uno,
   que se gritaban el uno al otro:

   "**Santo, santo, santo** es el Señor, Dios de los ejércitos;
   su gloria llena **toda** la tierra".

Temblaban las puertas al clamor de su voz
   y el templo **se llenaba** de humo.
Entonces exclamé:

Pon gravedad en esta descripción.

"**¡Ay de mí**!, estoy perdido,
   porque soy un hombre de labios **impuros**,
   que **habito** en medio de un pueblo de labios impuros,
   porque he visto **con mis ojos** al **Rey y Señor** de los ejércitos".

Después **voló** hacia mí uno de los serafines.
Llevaba en la mano **una brasa**,
   que había tomado del altar con unas tenazas.
Con la brasa **me tocó** la boca, diciéndome:

   "Mira: Esto ha tocado **tus labios**.
Tu iniquidad **ha sido quitada**
   y tus pecados **están perdonados**".

I LECTURA La vocación del profeta (Isaías) como la vocación del discípulo (Pedro) es el resultado de una experiencia profunda que pasa por el reconocimiento de la propia condición de fragilidad y pecado. Experiencia que se expande y atraviesa toda la vida aumentando la conciencia de haber sido llamado y enviado. El texto pretende dejar bien claro lo excepcional de la vocación del profeta. En primer lugar, describe la grandeza y solemnidad de Dios, que es "tres veces santo", es decir, el superlativo. El lenguaje simbólico es intenso y colorido, e invita a vislumbrar el misterio.

Ante tanta belleza y plenitud se estremece toda la realidad, la del templo y la del profeta. En la conciencia de Isaías retumba su limitación ética, limitación que lo hermana con la realidad de todo el pueblo, pero la purificación solemnemente realizada en la boca de profeta (órgano de predicación) es tanto eficaz purificación como capacitación para la tarea.

A diferencia de otros llamados, como Moisés o Jeremías (Éxodo 3–4; Jeremías 1), Isaías abraza la pregunta como dirigida a él. Es desafío e invitación al mismo tiempo; el llamado muestra su disponibilidad sin reservas, aunque no sepa lo que esto signifique cabalmente "Aquí estoy yo, envíame"

El pecado no aniquila la capacidad de responder al llamado de Dios, ni anula la posibilidad de que Dios nos llame a participar de la misión en la realidad histórica de su pueblo. Los discípulos y profetas de hoy deben liberar la misión de la estrechez de los proyectos personales o intimistas o del propio grupito. En el año de la muerte del rey Ozías, Dios llama a Isaías; en tiempos del Imperio Romano Jesús llama a los primeros cristianos. ¿En qué coyuntura histórica nos llama el Señor a nosotros?

Al decir "mira" contacta visualmente con el auditorio como purificado por la palabra escuchada.

Escuché entonces la voz del Señor que decía:
"¿A quién **enviaré**? ¿**Quién** irá **de parte mía**?"
Yo le respondí: "**Aquí** estoy, Señor, **envíame**".

Para meditar

SALMO RESPONSORIAL   Salmo 138:1–2a, 2bc–3, 4–5, 7c–8

R. Delante de los ángeles tañeré para ti, Señor.

Te doy gracias, Señor, de todo corazón;
    porque cuando te hablaba, me escuchaste.
Delante de los ángeles tañeré para ti,
    me postraré hacia tu santuario. **R.**

Daré gracias a tu nombre:
    por tu misericordia y tu lealtad,
    porque tu promesa supera tu fama.
Cuando te hablaba, me escuchaste.
Acreciste el valor en mi alma. **R.**

Que te den gracias, Señor, los reyes
    de la tierra,
al escuchar el oráculo de tu boca;
canten los caminos del Señor,
porque la gloria del Señor es grande. **R.**

Extiendes tu brazo y tu derecha me salva.
El Señor, completará sus favores conmigo:
Señor, tu misericordia es eterna,
    no abandones la obra de tus manos. **R.**

II LECTURA   1 Corintios 15:1–11

Lectura de la primera carta del apóstol san Pablo a los corintios

Con seguridad y confianza haz esta lectura; evita el reclamo pues es un exhorto.

Hermanos:
Les **recuerdo** el Evangelio que yo les prediqué
    y que ustedes **aceptaron** y en el cual están **firmes**.
Este Evangelio **los salvará**,
    si lo cumplen **tal y como** yo lo prediqué.
De otro modo, habrán creído **en vano**.

Este es el eje de la fe de la Iglesia. Adopta un tono confesional.

Les transmití, **ante todo**, lo **que yo mismo** recibí:
    que Cristo murió **por nuestros pecados**,
    como dicen **las Escrituras**;
    que fue sepultado y que **resucitó** al tercer día,
        según estaba **escrito**;
    que se le apareció **a Pedro** y luego a los Doce;
    después se apareció a más **de quinientos** hermanos reunidos,
    la mayoría de los cuales **vive aún** y otros ya murieron.

II LECTURA San Pablo hace una exposición sobre la resurrección de Cristo y la de los muertos en todo el capítulo 15 de esta Carta a los Corintios. Nuestra lectura se enfoca en la primera parte, la fundamental para la fe cristiana: la resurrección de Cristo como primicia y garantía de la resurrección de los creyentes. Este es el contenido central de la fe cristiana, es decir, la muerte y resurrección de Cristo, a lo que también llamamos misterio pascual. El contraste que viven los de Corinto es que por un lado sí creen en la resurrección de Cristo, pero les cuesta mucho aceptar la resurrec-

ción de los muertos. Al negar esa posibilidad para el creyente distorsionan la fe y la esperanza cristiana. El argumento de Pablo es contundente, pero ellos también tienen sus razones y vale la pena considerarlas.

El cristiano, dicen, disfruta ya en esta vida de los beneficios de la resurrección de Cristo. Esto es cierto en parte. Se trata de la escatología realizada, pero, en el caso de los corintios, llevada al extremo pues van más allá en su interpretación. Aducen que el cristiano debe vivir sin ataduras del cuerpo (1 Corintios 7:1b; 6:12–13), pues está dotado de un conocimiento superior al de los

demás (1 Corintios 8:1–12; 10:23), como se manifiesta en el éxtasis espiritual, producido por carismas especiales y extraordinarios (14:2–19). Pablo considera esto una exageración y desviación de la auténtica fe transmitida desde el principio. Por eso Pablo arguye con la base central de nuestra lectura, la resurrección de Cristo y los testigos autorizados por cantidad y por calidad. Los quinientos hermanos, los apóstoles y él mismo a pesar de todo.

No hay esperanza verdadera si lo que creemos de Cristo no incluye toda nuestra existencia y más allá de esta vida. Su misterio

Con agradecimiento profundo por el don de la fe, haz que suenen genuinas las palabras del apóstol.

Más tarde se le apareció **a Santiago**
y luego **a todos** los apóstoles.

Finalmente, se me apareció **también a mí**,
que soy como un aborto.
Porque **yo perseguí** a la Iglesia de Dios
y por eso soy el **último** de los apóstoles
e **indigno** de llamarme apóstol.
Sin embargo, por la gracia de Dios, **soy** lo que soy,
y su gracia no ha sido **estéril** en mí;
al contrario, he trabajado **más** que todos ellos,
aunque no he sido **yo**,
sino la **gracia** de Dios, que está **conmigo**.
De **cualquier** manera, sea yo, sean ellos,
esto es lo que nosotros **predicamos**
y **esto mismo** lo que ustedes **han creído**.

Abreviada: *1 Corintios 15:3–8, 11*

EVANGELIO   Lucas 5:1–11

Lectura del santo Evangelio según san Lucas

Nota las partes del relato. A la hora de los diálogos dale vida a cada personaje.

En aquel tiempo,
Jesús estaba a orillas del lago de Genesaret
y la gente **se agolpaba** en torno suyo
para **oír** la palabra de Dios.
Jesús vio **dos barcas** que estaban junto a la orilla.
Los pescadores habían desembarcado
y estaban **lavando** las redes.
Subió Jesús a una de las barcas, la de **Simón**,
le pidió que la alejara un poco de tierra,
y sentado en la barca, **enseñaba** a la multitud.

---

pascual desafía y supera toda lógica humana y creyente.

EVANGELIO La narración de san Lucas sigue muy de cerca a la de san Marcos en los relatos sobre el quehacer de Jesús en Galilea, con ligerísimos cambios, como en el episodio de hoy. Por ejemplo, Lucas no sitúa la vocación de Pedro antes de la conocida "Jornada de Cafarnaúm", como hace Marcos. La vocación de los discípulos de la que trata nuestra lectura de hoy tiene cierto orden muy intencional por parte de Lucas. Esta preocupa-

ción ha quedado aclarada desde el principio de su evangelio (1:3). El evangelista pretende que el lector del evangelio quede bien convencido de por qué los discípulos responden con prontitud a la llamada de Jesús.

El relato del episodio tiene una estructura básica. Abre con una introducción narrativa donde podemos visualizar a Jesús y el gentío a la orilla del lago (v. 1) hilvanando con la predicación a todos desde la barca (vv. 2–3). Sin cortar la narración pasa inmediatamente a describir el milagro de la pesca, la confesión de Pedro y el llamado a ser pescador de hombres (vv. 4–10), conclu-

yendo con extrema claridad narrativa en el verso 11.

"Pescar" es una imagen de apostolado como más tarde lo será también la imagen de "pastorear" y la abundancia de la pesca podría indicar la expansión y crecimiento iniciales de la Iglesia. En la misión de la Iglesia Pedro es el primero (de ahí el "primado de Pedro") que obedece a Jesús, literalmente "cae a los pies" de su maestro. En la parte final del texto se añaden otros discípulos y así se va formando una pequeña comunidad de seguidores "íntimos" de Jesús.

Este diálogo es relevante; no dejes que te domine su familiaridad e imprímele fuerza.

Cuando acabó de hablar, dijo a Simón:
"**Lleva** la barca mar adentro y **echen** sus redes para pescar".
Simón **replicó:**
"**Maestro**, hemos trabajado **toda** la noche
y no hemos pescado **nada**; pero, **confiado** en tu palabra,
echaré las redes".
Así lo hizo y cogieron **tal cantidad** de pescados,
que las redes **se rompían**.
Entonces **hicieron señas** a sus compañeros,
que estaban en la **otra** barca,
para que vinieran a ayudarlos.
Vinieron ellos y **llenaron** tanto las dos **barcas**,
que casi se **hundían**.

Al ver esto,
Simón Pedro se **arrojó a** los pies **de Jesús** y le dijo:
"**¡Apártate** de mí, Señor, porque soy un **pecador!**"
Porque tanto él como sus **compañeros**
estaban llenos de **asombro** al ver la **pesca**
que habían **conseguido**.
Lo **mismo** les pasaba a **Santiago** y a **Juan**,
hijos de **Zebedeo**, que eran **compañeros** de Simón.

Entonces Jesús **le dijo** a Simón:
"No temas; desde ahora serás **pescador de hombres**".
Luego **llevaron** las barcas a tierra,
y **dejándolo** todo, lo **siguieron**.

Pedro es grande, humilde y arrojado. Dale volumen a tu voz en la confesión de Pedro.

Hay aplomo y confianza en las palabras del Maestro. Luego acelera la lectura, pero baja el volumen, como alejando en el horizonte al grupo tras Jesús.

En lo de Pedro encontramos elementos claves del discipulado. Por ejemplo, Dios nos encuentra en la realidad de la vida (el oficio empírico), y desde allí se inicia el caminar tras él o seguimiento. Pero, como en el caso de Pedro, será quizá necesario enfrentar el fracaso humano, en evidente contraste con el éxito que supone obedecer o seguir a Jesús. Por supuesto que aquí "fracaso" y "éxito" tienen connotaciones muy diferentes a las de la cultura nuestra, y hasta podrían significar justamente lo contrario. La condición pecadora de Pedro queda al desnudo frente a Jesús. San Lucas coloca esto como el telón de fondo de la llamada de Pedro que, por su conciencia de pecador, siente que Jesús debe alejarse de su contacto; pero la llamada es mucho más poderosa, e inicia un profundo camino a la reconciliación total.

VI DOMINGO
DEL TIEMPO ORDINARIO

I LECTURA   Jeremías 17:5–8

Lectura del libro del profeta Jeremías

La maldición es contundente y amenazante. Las palabras pesan; no bajes el tono, pero tampoco lo exaltes.

Esto dice el Señor:
"Maldito el hombre **que confía** en el hombre,
    que en él pone su fuerza y **aparta del Señor** su corazón.
Será como **un cardo** en la estepa,
    que **nunca disfrutará** de la lluvia.
Vivirá en **la aridez** del desierto,
    en una tierra **salobre e inhabitable**.

La primera línea hazla pausadamente. Infunde seguridad y confianza. La imagen es elocuente.

Bendito el hombre **que confía en el Señor** y en él pone su
    esperanza.
Será como un árbol plantado **junto al agua**,
    que hunde **en la corriente** sus raíces;
    cuando llegue el calor, **no lo sentirá**
    y sus hojas se conservarán **siempre verdes**;
    en año de sequía no se marchitará ni **dejará de dar frutos**".

I LECTURA Anticipando el evangelio de Lucas, el profeta Jeremías comparte un oráculo de corte sapiencial que parece retomar ideas del Salmo 1. El salmo, aunque habla de la confianza en el Señor, pone dicha confianza en el estudio y la observancia de la Ley, en tanto que Jeremías habla de poner la confianza como esperar únicamente en Dios. Esas cualidades bíblicas contrastan con lo que el hombre ordinario, común hace, o sea confía en su propio saber y riqueza que terminan por ser inestables y engañosos.

Al centro queda el mensaje que nos transmite esta lectura que hace contraste hacia atrás y hacia delante. Hacia atrás (vv. 1–4) se desglosa el pecado del pueblo de Judá que ha endurecido su corazón ante Dios poniendo en riesgo su propia herencia y destino. Hacia adelante (vv. 8–11) está la intimidad de Dios que penetra en el corazón del hombre para impregnarlo, y orientar su misión profética.

La lectura invita a discernir lo superficial de lo esencial, lo bueno de lo malo, poniendo siempre los ojos en la santidad y la plenitud de Dios.

II LECTURA Profesar la fe en la resurrección de Cristo es incompatible con las opciones o modos de vivir que algunos corintios adoptan. Posiblemente estarían influenciados por esa idea platónica del pensamiento griego que desvincula alma inmortal y el cuerpo perecedero, y que termina menospreciando lo carnal y terreno. Con esta manera de ver la vida, algunos de Corinto argumentaban que el "alma" se libera del cuerpo al morir, no habiendo ya necesidad de "volver" a encerrarse en dicho cuerpo en el futuro. La palabra "cuerpo" (soma), de hecho, puede llegar a significar

Para meditar

SALMO RESPONSORIAL   Salmo 1: 1–2, 3, 4 y 6

R. Dichoso el hombre que ha puesto su confianza en el Señor.

Dichoso el hombre que no sigue el consejo
   de los impíos,
ni entra por la senda de los pecadores,
ni se sienta en la reunión de los cínicos;
sino que su gozo es la ley del Señor,
y medita su ley día y noche. **R.**

Será como un árbol
   plantado al borde de la acequia:

da fruto en su sazón
y no se marchitan sus hojas;
y cuanto emprende tiene buen fin. **R.**

No así los impíos, no así;
   serán paja que arrebata el viento.
Porque el Señor protege el camino de los
   justos,
pero el camino de los impíos acaba mal. **R.**

II LECTURA   1 Corintios 15:12, 16–20

Lectura de la primera carta del apóstol san Pablo a los corintios

Hermanos:
Si hemos predicado que **Cristo resucitó** de entre los muertos,
   ¿cómo es que algunos de ustedes **andan diciendo**
    que los **muertos no resucitan**?
Porque si los muertos no resucitan, **tampoco Cristo** resucitó.
Y si Cristo no resucitó, **es vana la fe** de ustedes;
   y por lo tanto, aún viven ustedes **en pecado**,
   y los que murieron en Cristo, **perecieron**.
Si nuestra **esperanza en Cristo** se redujera tan sólo
   a las cosas de esta vida,
   seríamos los **más infelices** de todos los hombres.
Pero no es así, porque **Cristo resucitó**,
   y resucitó como **la primicia de todos** los muertos.

Nota la secuencia de las afirmaciones y la ocasión que plantea la pregunta. Dicha pregunta debe quedar muy clara. Es casi un reproche.

Tras la breve pausa, prepara la línea final con la que corona todo el desarrollo.

también "tumba". No se trata de entrar en la discusión filosófica de la inmortalidad del alma y la mortalidad del cuerpo. No es al asunto que Pablo quiere abordar aquí, ni parece tampoco el problema directo de los corintios. El punto es la verdad de la fe en la resurrección de Cristo y su alcance para todo creyente. La resurrección de Cristo es un evento único y particular. Él murió y resucitó verdaderamente, si no se acepta esto a cabalidad, como se ha creído y enseñado desde el principio, la fe es incompleta y vana, como incompleto y vano serían también nuestro destino y nuestra esperanza.

El argumento de Pablo se puede entender bajo el principio de correlatividad, es decir, que la resurrección de Cristo está en orden a la nuestra y, si la nuestra no se dará, tampoco la de Cristo se dio, y, en consecuencia, nuestra fe y nuestra predicación son pura falsedad. Con todos los escritos sapienciales, san Pablo piensa que el cristiano que vea su vida y su fe limitadas a la vida presente estará viviendo en una ilusión llena de tragedia.

Resulta muy saludable inyectar esta fuerza de la fe cristiana en toda nuestra existencia, no solo al final de nuestros días donde, casi por obligación, ampliamos la fe en la resurrección con Cristo.

EVANGELIO San Lucas pone un gran énfasis en la justicia divina a partir del contraste entre los pobres y desventurados que son llamados dichosos y los ricos y satisfechos para quienes no hay más que lamentación. ¡Pobres de ustedes!

El evangelista presenta a Jesús bajando y deteniéndose en el llano (v. 7a) pasando casi inmediatamente a describir la audiencia, en la que nos deja ver su interés universalista (v. 17b) pues había gente de todas

Disponte como primer escucha de esta proclama tan actual para la vida discipular.

EVANGELIO   Lucas 6:17, 20–26

Lectura del santo Evangelio según san Lucas

En aquel tiempo,
Jesús **descendió del monte** con sus discípulos y sus apóstoles
    y se detuvo en **un llano**.
Allí se encontraba **mucha gente**,
    que había venido **tanto de** Judea y de Jerusalén,
    como de la costa de Tiro y de Sidón.

Mirando entonces **a sus discípulos**, Jesús les dijo:
    "Dichosos **ustedes los pobres**,
    porque de ustedes es el Reino de Dios.
Dichosos **ustedes los que ahora tienen hambre**,
    porque serán saciados.
Dichosos **ustedes los que lloran** ahora,
    porque al fin reirán.

Con gozo inmenso declara esta bienaventuranza con la que se cierra la primera parte.

Dichosos serán ustedes cuando **los hombres los aborrezcan**
    y los expulsen de entre ellos,
    y cuando **los insulten** y maldigan
        por causa del Hijo del hombre.
Alégrense ese día y salten de gozo,
    porque su recompensa **será grande** en el cielo.
Pues así trataron sus padres **a los profetas**.

Los Ayes son tremendos, y buscan incentivar a tomar una buena decisión. No son maldiciones sino lamentos.

Pero, ¡ay de ustedes, **los ricos**,
    porque ya tienen ahora su consuelo!
¡Ay de ustedes, **los que se hartan** ahora,
    porque después tendrán hambre!
¡Ay de ustedes, **los que ríen ahora**,
    porque llorarán de pena!
¡Ay de ustedes, **cuando todo el mundo** los alabe,
    porque de ese modo trataron sus padres **a los falsos profetas!**"

partes, a las que alcanza el efecto salvador de sus palabras y obras (vv. 18–19). El discurso de Jesús no solo consiste en una exposición de bienaventuranzas y lamentos (vv. 20–26), lo que hoy leemos, sino que abarca también el precepto del amor (vv. 27–38), con otras parábolas y comparaciones (vv. 39–49).

Este discurso pone al centro la justicia de Dios a los pobres y hambrientos, cuando los declara felices, en contraste con la desgracia de los ricos y satisfechos que ríen, aunque son alabados por el mundo.

Vale la pena destacar la urgencia escatológica en el *hoy* como tiempo de plenitud. De modo que el establecimiento de una nueva era, la del reinado de Dios, está siendo inaugurada en la persona de Jesús que cumple la misión encomendada por Dios, tal como declara el evangelista al inicio de su escrito (4:16–31). Notemos también que la pobreza aquí no está calificada como una realidad "espiritual" o "interior" sino que tiene un carácter real e histórico-social. Esta es una vena irrenunciable del Evangelio.

VII DOMINGO
DEL TIEMPO ORDINARIO

El relato está lleno de detalles populares. Úsalos para lustrar a David.

I LECTURA   I Sam 26:2, 7–9, 12–13, 22–23

Lectura del primer libro de Samuel

En aquellos días,
Saúl se puso en camino con **tres mil soldados** israelitas,
    bajó al desierto de Zif **en persecución de** David y acampó
        en Jakilá.

David y Abisay **fueron de noche** al campamento enemigo
    y encontraron a **Saúl durmiendo** entre los carros;
    su lanza estaba **clavada en tierra**, junto a su cabecera,
    y en torno a él **dormían Abner** y su ejército.
Abisay dijo entonces a David:
"Dios te está poniendo al enemigo al **alcance de tu mano.**
Deja que lo clave ahora en tierra con un solo golpe **de su
        misma lanza.**
No hará falta repetirlo".
Pero David replicó: "**No lo moates.**
¿Quién puede atentar **contra el ungido** del Señor y quedar
        sin pecado?"

Entonces cogió David la lanza y **el jarro de agua** de la cabecera
    de Saúl
    y **se marchó** con Abisay.
Nadie los vio, **nadie se enteró** y nadie despertó; todos
    siguieron durmiendo,
        porque el Señor les había enviado **un sueño profundo.**

David cruzó **de nuevo el valle** y se detuvo en lo alto del monte,

Eleva un poco el tono en las palabras de Abisay.

I LECTURA Un dato de fondo en el relato de hoy. De ser ejecutado Saúl con su propia lanza, ello le representaría una infamia imborrable, pero a David una gran hazaña, como en el caso de la muerte del filisteo degollado con su propia espada. El narrador recuerda que con esta lanza Saúl intentó matar a David, y el lector podrá recordar que con esta misma lanza Saúl será rematado. La lanza del rey debía ser simbólica, pues era también extensión y valor del guerrero nacional y de su persona. Pero lo sustancial es que Saúl es el ungido del Señor y merece vivir, incluso si alimenta la maldad.

De tres maneras es posible la muerte de Saúl por parte del Señor. La primera será una enfermedad mortal, la segunda, dejando que le llegue la hora o, finalmente, que caiga en la guerra. El relato va preparando el desenlace de que David le perdona la vida. En esta y en otras lecturas habrá un hilo conductor que busca resaltar la persona de David y sus hazañas, pues se trata del elegido del Señor. Notemos al respecto que el perdón de David a Saúl se ve señalado por el escritor sagrado como ocasionado por una intervención especial de Dios.

Esta narración, junto con la del capítulo 24 de 1 Samuel son dos versiones de lo que podría ser un relato antiguo mediante el cual se pretendía mostrar el buen comportamiento de David con Saúl como signo de su filial respeto por el ungido de Dios.

II LECTURA San Pablo argumenta y desmantela el absurdo en que viven los cristianos de Corinto al no creer en le resurrección de los muertos al plantear que la muerte y resurrección de Cristo es el

a gran distancia **del campamento** de Saúl.
Desde ahí gritó:
  "Rey Saúl, **aquí está tu lanza**, manda a alguno de tus criados
      a recogerla.
El Señor le dará a cada uno **según su justicia** y su lealtad,
      pues él **te puso hoy** en mis manos,
      pero yo no quise atentar **contra el ungido** del Señor".

Prepara la salida de la lectura, pero alarga la frase de la retribución individual.

Para meditar

SALMO RESPONSORIAL   Salmo 103 (102):1–2, 3–4, 8 y 10, 12–13

R. El Señor es compasivo y misericordioso.

Bendice, alma mía, al Señor,
  oy todo mi ser a su santo nombre.
Bendice, alma mía, al Señor,
  y no olvides sus beneficios. **R.**

Él perdona todas tus culpas
  y cura todas tus enfermedades;
  el rescata tu vida de la fosa,
  y te colma de gracia y de ternura. **R.**

El Señor es compasivo y misericordioso,
  lento a la ira y rico en clemencia;
  no nos trata como merecen nuestros
      pecados
  ni nos paga según nuestras culpas. **R.**

Como dista el oriente del ocaso,
  así aleja de nosotros nuestros delitos;
Como un padre siente ternura por sus hijos,
  siente el Señor ternura por sus fieles. **R.**

II LECTURA   I Corintios 15:45–49

Lectura de la primera carta del apóstol san Pablo a los corintios

Hermanos:
La Escritura dice que *el primer hombre, Adán, fue un ser que
      tuvo vida;*
  el último Adán es **espíritu que da** la vida.
Sin embargo, no existe primero lo **vivificado por el** Espíritu,
  sino lo puramente humano; lo **vivificado por el** Espíritu viene
      después.

El primer hombre, hecho de tierra, **es terreno**; el segundo **viene
      del cielo.**
Como fue el hombre terreno, así son **los hombres terrenos;**
  como es el hombre celestial, así serán **los celestiales.**
Y del mismo modo que fuimos semejantes al **hombre terreno,**
  seremos también semejantes al **hombre celestial.**

El párrafo es único. Nota las frases contrastante y procura balancear en las frases terminales de cada razonamiento.

fundamento y razón de la resurrección de todos.

Los cuatro versos que componen la lectura litúrgica pertenecen a un desarrollo más extenso (15:35–57) en el cual el Apóstol busca responder el cómo de la resurrección. En diversos modos ya ha venido explicando que la resurrección es plenitud y novedad de toda la realidad histórica, que lo vigoriza todo, comenzando por el bautizado. En su argumento, Pablo contrapone a la realidad de Adán la realidad novedosa de Cristo, de modo que relaciona, por distinción, lo humano (Adán) y lo divino (Cristo). Pablo refie-

re así a la más profunda realidad que es novedad y de plenitud.

Tanto en el caso de los cristianos de Corinto como en el nuestro, creer en la resurrección de los muertos no es un ejercicio intelectual, sino una actitud de fe y plena certeza en el misterio pascual de Cristo. Podría ser que, como algunos de estos hermanos de Corinto, haya quienes alberguen y cultiven una chispa de duda en la resurrección corporal propia junto a Cristo en la hora final. El pensamiento dual y dicotómico de alma y cuerpo, puede llevar al menosprecio de uno en detrimento de otro, y a causarnos

esquizofrenias, o una separación dolorosa y enfermiza. En esto, la fe de los sencillos y humildes es, por su profundidad y autenticidad, una luz de esperanza para todos nosotros hoy.

EVANGELIO Lucas ha puesto con claridad las cartas sobre la mesa respecto a los valores del Reino de Dios en el discurso del llano; ahora desgrana los imperativos del evangelio y sus exigencias éticas más exigentes.

La primera serie de imperativos tiene un estilo legal o nomístico (ver Deuterono-

---

EVANGELIO   Lucas 6:27–38

Lectura del santo Evangelio según san Lucas

En aquel tiempo, Jesús dijo a sus discípulos:
"**Amen a sus enemigos**, hagan el bien a los que los aborrecen,
  bendigan a quienes los maldicen y oren por quienes
    los difaman.
Al que te golpee en una mejilla, **preséntale la otra**;
  al que te quite el manto, **déjalo llevarse también** la túnica.
Al que **te pida**, dale; y al que se lleve lo tuyo, no se lo reclames.

Traten a los demás como quieran que los traten a ustedes;
  porque si aman **sólo a los que los** aman, ¿qué hacen
    de extraordinario?

También los pecadores aman a quienes los aman.
Si hacen el bien **sólo a los que les** hacen el bien, ¿qué tiene
    de extraordinario?
Lo mismo hacen los pecadores.
Si prestan **solamente cuando esperan** cobrar, ¿qué hacen
    de extraordinario?
También los pecadores prestan a otros pecadores,
  con la intención de cobrárselo después.

Ustedes, en cambio, **amen a sus enemigos**,
  hagan el bien y presten sin esperar recompensa.
Así tendrán un gran premio y **serán hijos del Altísimo**,
  porque **él es bueno hasta** con los malos y los ingratos.
Sean misericordiosos, como su Padre es misericordioso.

No juzguen y no serán juzgados; no condenen y no
    serán condenados;
  perdonen y serán perdonados.
Den y se les dará: recibirán una medida buena,
  bien sacudida, **apretada y rebosante** en los pliegues de su túnica.
Porque con la misma medida **con que midan**, serán medidos".

---

mio 12–26) y no debe quedar reducido a recomendaciones opcionales, por ejemplo, eso del amor auténtico y activo hacia el enemigo. Aunque alguien pudiera considerar los siguientes versos lucanos como de oratoria poética (vv. 29–30), son en realidad un extensión y aplicación ejemplar del precepto anterior. La historia da testimonio de los discípulos de Jesús que han impactado al mundo orientado su vida por esta máxima del amor.

La primera parte de nuestra lectura es la "regla de oro", hacer a otro lo que quieres para ti; dicho criterio, sin duda anterior a Lucas, es considerado un verdadero patrimonio de la ética universal.

La segunda partecita (vv. 32–36) se desarrolla en forma de preguntas retóricas seguidas de una contraposición ("pero", "en cambio") terminando con una motivación al discípulo para que trate al máximo de asemejar su comportamiento el de Dios mismo.

Finaliza con dos pares de sentencias paralelas, dos negativas y dos positivas, que son extensivas a todo el comportamiento cristiano, pues los ejemplos que se anotan no se reducen al campo que señalan (el forense) y están regidas por el criterio del bien mayor. El discípulo no se ha de erigir en juez del prójimo, mucho menos condenar sin razón. Semejante criterio no es justificación de sistemas injustos para promover cristianos acríticos y apáticos, sino que busca impulsar aquello que Ignacio de Loyola diría, "Salvar la proporción del prójimo".

VIII DOMINGO
DEL TIEMPO ORDINARIO

Lectura sabia y sustanciosa, como los consejos de un padre o una madre. Busca el ritmo como de un poema en prosa.

I LECTURA   Eclesiástico 27:5–8

Lectura del libro del Eclesiástico (Sirácide)

Al agitar **el cernidor**, aparecen las basuras;
   en la discusión aparecen los defectos del hombre.
En el horno se prueba la vasija del alfarero;
   la prueba del hombre está **en su razonamiento**.
El fruto muestra cómo ha sido **el cultivo de un** árbol;
   la palabra muestra **la mentalidad** del hombre.
Nunca alabes **a nadie antes de** que hable,
   porque ésa **es la prueba** del hombre.

Para meditar

SALMO RESPONSORIAL   Salmo 92 (91):2–3, 13–14, 15–16

R. Es bueno darte gracias, Señor.

Es bueno dar gracias al Señor
   y tocar para tu nombre, oh Altísimo,
   proclamar por la mañana tu misericordia
   y de noche tu fidelidad. **R.**

El justo crecerá como una palmera,
   se alzará como un cedro del Líbano;
   plantado en la casa del Señor,
   crecerá en los atrios de nuestro Dios. **R.**

En la vejez seguirá dando fruto
   y estará lozano y frondoso,
   para proclamar que el Señor es justo,
   que en mi Roca no existe la maldad. **R.**

I LECTURA El libro del Eclesiástico, conocido también como el de la "Sabiduría de Jesús Ben Sirá", toma mucho en cuenta el estudio y la enseñanza de la sabiduría o sensatez, la prudencia. Aquilata la experiencia de vida que debe orientarse por el respeto a Dios a través del cumplimiento de sus mandatos.

Los versos que hoy leemos del capítulo 7 nos ponen frente al ser humano y su realidad. Para conocer verdaderamente al hombre es necesario ponerlo en una situación decisiva, en la que revele lo que hay en su interior, lo más auténtico y profundo. Hay que notar los tres tipos de prueba que el Eclesiástico propone para juzgar lo valedero. La criba en la discusión es la primera prueba. No se refiere en primera instancia al discernimiento personal interior sino a la exposición de uno mismo ante los demás por las propias palabras o comportamiento. El segundo instrumento es el razonamiento, que con la imagen del fuego reafirma la función de la propia palabra en la determinación de lo que uno es. Al parecer, los tipos de prueba sobre la persona avanzan en forma concéntrica, desde el interior (palabras, temas de conversación) hasta la realidad misma en la que ya no queda lugar a duda sobre el valor de la persona ante Dios y la comunidad, o sea su hablar.

Se entiende que la palabra revela lo que hay dentro del hombre. El buen hablar, discutir, razonar y convencer, eran las pruebas enunciadas que calibran el valor de la persona.

II LECTURA Lo que escuchamos se ubica en el clímax del capítulo 15, en donde el Apóstol de los gentiles retoma y combina dos textos del Antiguo Testamento, Isaías 25:8 y Oseas 13:14, para

SEGUNDA LECTURA   1 Corintios 15:54–58

Lectura de la primera carta del apóstol san Pablo a los corintios

Hermanos:
Cuando nuestro ser **corruptible** y mortal
   se revista **de incorruptibilidad** e inmortalidad,
   entonces se cumplirá la palabra de la Escritura:
*La muerte **ha sido aniquilada** por la victoria.*
*¿**Dónde está**, muerte, tu victoria?*
*¿**Dónde está**, muerte, tu aguijón?*
El aguijón de la muerte **es el pecado** y la fuerza del pecado
   es la ley.
Gracias a Dios, que nos ha dado **la victoria por** nuestro
   Señor Jesucristo.

Así pues, hermanos míos **muy amados**,
   estén firmes y **permanezcan constantes**,
   trabajando siempre con fervor **en la obra** de Cristo,
   puesto que ustedes saben
     que sus fatigas **no quedarán** sin recompensa
     por parte del Señor.

EVANGELIO   Lucas 6:39–45

Lectura del santo Evangelio según san Lucas

En aquel tiempo, Jesús propuso **a sus discípulos** este ejemplo:
"¿Puede acaso un ciego **guiar a otro** ciego? ¿No caerán los dos en
   un hoyo?
El discípulo **no es superior** a su maestro;
   pero cuando termine su aprendizaje, **será como su** maestro.

Recuerda que al proclamar eres servidor de la asamblea. Sirve la palabra con mucho cariño por tus hermanos.

Imprime entusiasmo a tu voz, como alentando a todos desde el inicio de la semana y luchar día a día.

La pregunta es un recurso que prepara la afirmación. Busca un tono didáctico, pero no altivo. Recuerda que hay un movimiento de lo externo a lo interno en los ejemplos.

---

hacer una relectura o adaptación a la luz de su argumento principal que es la resurrección de Cristo. Menciona Pablo el aguijón y la fuerza de la muerte, así como el pecado y la Ley respectivamente, pero sin ampliar ni profundizar en estos conceptos. Por otro lado, la fuerza del argumento hace hincapié en que nuestra victoria sobre la muerte tiene como única fuente los méritos de la pasión de Cristo.

La lectura cierra con la exhortación a "permanecer firmes". La firmeza en la fe es la recomendación más apropiada para los creyentes; la firmeza es contraria a la debi-lidad y debe entenderse como apegarse a la cruz de Cristo, muerto y resucitado, para no sucumbir ante las tentaciones y los desafíos que salen al paso cada día. La firmeza es también profundidad en la comprensión y experiencia de la fe. Hay que ser creativos para mantenernos "firmes en la fe", con los cristianos de todas las generaciones. Como en la segunda carta a los Tesalonicenses, la "firmeza" a la que invita san Pablo no tiene nada que ver con intransigencia o pasividad, sino con progresar en la tarea evangelizado-ra que Dios nos ha encomendado, pues estamos convencidos verdaderamente de que solo caminando se afianza la fe en Jesús nuestra salvación.

Nuestra resurrección en Cristo, aunque no sepamos detalles de cómo se haya de efectuar, es a fin de cuentas el don más grande de la fe, que nos hace vivir ya con sentido de plenitud. Así se nota que vive Pablo, y así hay que vivir en la Iglesia también.

EVANGELIO Para ilustrar la enseñanza previa sobre el verdadero amor (Lucas 6:27–36), especialmente en cuanto a una actitud que ronda por todos

Hay una nueva sección con la pregunta. Haz pausa entre las dos preguntas.

¿Por qué ves la paja **en el ojo de tu** hermano y no la viga que
    llevas en el tuyo? ¿Cómo te atreves a **decirle a tu** hermano:
'Déjame quitarte **la paja que** llevas en el ojo',
    si no adviertes **la viga que** llevas en el tuyo? ¡Hipócrita!
Saca primero **la viga** que llevas en tu ojo
    y entonces podrás ver, para sacar **la paja del ojo** de tu hermano.

No hay árbol bueno que produzca **frutos malos**,
    ni árbol malo que produzca **frutos buenos**.
Cada árbol se conoce **por sus frutos**.
No se recogen higos de las zarzas, ni se cortan **uvas de
    los espinos**.

Con la imagen del hombre bueno se llega al clímax en las comparaciones.

El hombre bueno dice cosas buenas, porque el bien está
    en su corazón,
    y el hombre malo dice cosas malas, porque el mal está
    en su corazón,
    pues la boca habla de lo que está **lleno el corazón"**.

lados, el evangelista pone la comparación de pretender ocupar el lugar de Dios en el juicio sobre los demás (ver Lucas 6:37–38). Tenemos aquí una serie de sentencias en varios estilos, pero es lapidaria la frase "Cada árbol se reconoce por sus frutos", con la que termina esta seguidilla.

Si en el evangelio de Mateo (ver Mateo 15:14) estas enseñanzas aparecen dirigidas a los "escribas y fariseos", en Lucas son los discípulos los interlocutores de Jesús. El grupo debe ejercitarse en la autocrítica teniendo como referente el ejemplo de su Maestro. En el seguimiento de Jesús el dis-

cípulo permanece discípulo siempre; nunca ocupa el lugar de Jesús.

Que los que enseñan no deben ser ciegos es una máxima proverbial muy común en el mundo grecorromano y que el cristiano debe tener muy clara en la conciencia. En la misma línea va la imagen de la "paja" en el ojo ajeno y la "viga" en el propio. Jesús denuncia el absurdo de predicar sin vivir lo que se predica, y andar siempre midiendo los desperfectos de todos sin siquiera haber comenzado por uno mismo.

La autocrítica, o el examen de conciencia es algo indispensable para mantenerse

saludable y productivo. Lucas ajusta el principio de los frutos al grupo de discípulos, pero cabe especialmente a aquellos que tienen el servicio del liderazgo en la comunidad. El ver bien, y el hablar bien son carismas más necesarios a los que conducen a otros y mantienen autoridad entre los hermanos. Hay que llenarse de cosas buenas y esclarecernos la mirada para seguir a Jesús como se debe.

MIÉRCOLES DE CENIZA

Nota el tono de exhorto casi suplicante de la lectura y apodérate de él. Pero no tiene que ser lastimero ni meloso.

El párrafo es complejo, pero procura hacerlo inteligible fraseando bien.

I LECTURA   Joel 2:12–18

Lectura del libro del profeta Joel

Esto dice el Señor:
   "**Todavía** es tiempo.
Vuélvanse a mí de todo corazón,
   con ayunos, con **lágrimas** y llanto;
   enluten su corazón **y no** sus vestidos.

Vuélvanse al Señor Dios nuestro,
   porque es compasivo y **misericordioso**,
   lento a la cólera, rico en clemencia,
   y **se conmueve** ante la desgracia.

Quizá se arrepienta, **se compadezca** de nosotros
   y nos deje **una bendición**,
   que haga posibles las ofrendas y libaciones
      al Señor, nuestro Dios.

Toquen la trompeta en Sión, **promulguen** un ayuno,
   convoquen la asamblea, reúnan al pueblo,
   santifiquen la reunión, junten a los ancianos,
   convoquen a los niños, aun a los niños de pecho.
Que el recién casado **deje su alcoba**
   y su tálamo la recién casada.

I LECTURA La Cuaresma es el tiempo para avivar la identidad más profunda y la vocación más transformadora de los cristianos, la bautismal. Por eso la Iglesia inicia este tiempo con la voz del profeta Joel.

El nombre de Joel significa "Yahveh es Dios". Cundía el desconcierto y la desolación, porque el pueblo perdió el rumbo y se olvidó de su Hacedor. Entonces el profeta llama al pueblo a la penitencia. "Todavía es tiempo". Dios abre la puerta de la misericordia a los suyos.

Estas líneas describen toda una liturgia penitencial comunitaria, generalizada; grandes y chicos han de tomar parte de ella, y tiene que ser penitencia del corazón.

Primero, hay que volverse a Dios. Sin mirar a Dios, la penitencia es perversión. La penitencia nace de mirar a Dios y su misericordia, entonces el penitente podrá mirarse indigno de ella. La misericordia es gracia, regalo del Señor, nunca merecimiento humano. Por eso surge la súplica.

La plegaria se eleva ante el Señor y apela a su honor, a su celo. Las penurias del pueblo le deben doler a Dios, porque otras gentes miran la penitencia de sus fieles, que sería estéril, si Dios no responde. Las burlas duelen. Por eso ruegan a Dios que reaccione con gracias, levante el castigo y se compadezca.

La penitencia es una práctica espiritual en desuso, por considerarla degradante, como si fuera deprecio al cuerpo humano. No es ése su sentido. Ayunos y mortificaciones, lágrimas y lamentos indican el luto por una pérdida irreparable, y eso es lo que sucede, porque el pecado causa una pérdida irreparable en la relación o alianza que el fiel tiene con Dios. Su destino sería la

Al ir cerrando la lectura haz una pausa de dos tiempos entre las líneas. Separa las dos líneas finales porque no son parte del discurso directo.

Entre el vestíbulo y el altar **lloren** los sacerdotes,
   ministros del Señor, diciendo:
     '**Perdona,** Señor, **perdona** a tu pueblo.
No entregues tu heredad **a la burla** de las naciones.
Que no digan los paganos: ¿**Dónde está** el Dios de Israel?'"
Y el Señor **se llenó** de celo por su tierra
   y **tuvo piedad** de su pueblo.

Para meditar

SALMO RESPONSORIAL   Salmo 51:3–4, 5–6a, 12–13, 14, 17
R. Misericordia, Señor, hemos pecado.

Por tu inmensa compasión y misericordia,
  Señor, apiádate de mí y olvida mis ofensas.
Lávame bien de todos mis delitos
  y purifícame de mis pecados. **R.**

Puesto que reconozco mis culpas,
  tengo siempre presentes mis pecados.
Contra ti solo pequé, Señor,
  haciendo lo que a tus ojos era malo. **R.**

Crea en mí, Señor, un corazón puro,
  un espíritu nuevo para cumplir tus
    mandamientos.
No me arrojes, Señor, lejos de ti,
  ni retires de mí tu santo espíritu. **R.**

Devuélveme tu salvación, que regocija,
  y mantén en mí un alma generosa.
Señor, abre mis labios
  y cantará mi boca tu alabanza. **R.**

II LECTURA   2 Corintios 5:20—6:2

Lectura de la segunda carta del apóstol san Pablo a los corintios

Hermanos:
   Somos **embajadores** de Cristo,
   y por nuestro medio, es **Dios mismo** el que los exhorta
     a ustedes.
En **nombre** de Cristo les pedimos que se **reconcilien** con Dios.
   Al que **nunca** cometió pecado,
     Dios lo hizo "**pecado**" por nosotros,
     para que, **unidos a él,** recibamos la salvación de Dios
     y nos volvamos **justos** y santos.

Identifica las palabras que tienen mayor carga o peso y alárgalas al proclamar.

muerte, pero el fiel apela a la misericordia y suplica perdón.

II LECTURA La comunidad cristiana de Corinto padecía de "grupismo", un mal que amenaza a la misma raíz de la fe cristiana, porque termina negando el sentido de unidad y de comunidad. Resulta que cada quien se adhería a alguno de los diferentes líderes, lo que era habitual en aquel medio social, y lo proyectan al reunirse a celebrar los misterios de la salvación en Cristo. Pablo les había escrito para confrontarlos con el Evangelio de la cruz de

Cristo; la sabiduría de la cruz de Cristo es lo que cohesiona la comunidad de fieles. También los había visitado, con resultados enojosos, pues ocurrió un incidente con alguno de los corintios, al que quizá respaldara cierta facción de la congregación. En fin, que en aquella congregación el resentimiento y las querellas parecían prolongarse, y esto obliga al Apóstol a exhortar a la reconciliación (ver 2 Corintios 5:11—6:10). En el segmento de la lectura de hoy, podemos identificar un par de principios que nos pueden orientar en esta Cuaresma.

Lo fundamental es reconciliarse con Dios. El hombre natural busca satisfacer sus apetitos y ansias que terminan poniéndolo por encima de los demás; la experiencia dice que esto provoca pugnas permanentes, violencia, la imposición de la fuerza y la fractura de la comunidad. El remedio al egoísmo exacerbado es la sensatez. La razón es la inteligencia que se requiere para vivir en armonía y en paz unos con otros, para crear comunidad. Esta se consigue a partir del consenso en asuntos y valores comunes que hagan la vida armoniosa, equilibrada y grata. A esta vida es a la que Dios

Como **colaboradores** que somos de Dios,
los exhortamos a **no echar** su gracia en saco roto.
Porque el Señor dice:
En el tiempo favorable te escuché
y en el día de la salvación te socorrí.
Pues bien,
ahora es el tiempo favorable;
ahora es el día de la salvación.

EVANGELIO   Mateo 6:1–6, 16–18

Lectura del santo Evangelio según san Mateo

En aquel tiempo, Jesús dijo a sus discípulos:
"Tengan cuidado de **no practicar** sus obras de piedad
delante de los hombres para que **los vean.**
De lo contrario, **no tendrán** recompensa con su Padre celestial.

Por lo tanto, cuando des limosna,
no lo anuncies con trompeta,
como hacen **los hipócritas** en las sinagogas y por las calles,
para que los **alaben** los hombres.
Yo les **aseguro** que **ya recibieron** su recompensa.
Tú, **en cambio,** cuando des limosna,
que **no sepa** tu mano izquierda **lo que hace** la derecha,
para que tu limosna quede **en secreto;**
y tu Padre, que **ve** lo secreto, **te recompensará.**

Estas líneas de la Escritura haz que resalten, como si estuvieran aisladas. Luego afirma lo que está en negrillas.

No pronuncies esta lectura como un fardo pesado que cargar, sino con voz jovial y con presteza.

Afirma las frases siguientes. Baja la velocidad y luego ve elevando el tono en cada parágrafo.

---

llama a sus hijos. Si empecinarse en los propios intereses egoístas ahonda la separación, moverse por intereses comunes crea la reconciliación. Pablo no refiere sólo a la reconciliación entre los miembros de la comunidad, sino a la reconciliación con Dios, que prima sobre la fraterna, pero al modo de vasos comunicantes: no se da una sin otra. Un bautizado que no está reconciliado con Dios, niega la gracia de la salvación, vacía la obra de Cristo, no es cristiano.

Ahora es el tiempo de la gracia. La salvación de Dios es para hoy, no cabe postergarla. Este hoy, del que habla la lectura es el tiempo que Dios ha inaugurado en Cristo Jesús, de una manera dramática, al "hacerlo pecado por nosotros". Pablo se refiere así a la muerte de Cristo, pues la muerte es el pago por el pecado. El cristiano ha quedado unido a Cristo por el bautismo, que lo hace partícipe de la muerte y resurrección de su Señor. Ahora es una creatura reconciliada, no enemistada con Dios. Esta realidad nueva es la que debe resplandecer ahora en la comunidad de los cristianos.

EVANGELIO El evangelio se compone de tres parágrafos que tratan sobre las obras de justicia que el discípulo de Jesús ha de realizar para sostener sana su relación con Dios; se trata de dar limosna, orar y ayunar, obras de santificación. Estas obras son pilares distintivos también del israelita, no actos ni gestos particulares, sino la expresión pública de su fe. Cuando Jesús reprueba la exhibición de esas obras de justicia, va a contrapelo de lo consensuado, porque quiere que la piedad de sus discípulos sea "superior a la de los escribas y fariseos" (Mateo 5:20), es decir, de aquellos piadosos judíos que eran ejemplo para todo el pueblo de Dios. El seguidor de Jesús ha de

Cuando ustedes hagan oración,
  no sean como los hipócritas,
  a quienes **les gusta** orar de pie
    en las sinagogas y en **las esquinas** de las plazas,
  para que **los vea** la gente.
Yo les **aseguro** que **ya recibieron** su recompensa.
Tú, **en cambio**, cuando vayas a orar,
  entra en tu cuarto, **cierra** la puerta y ora ante tu Padre,
  que está **allí**, en lo **secreto**;
  y **tu Padre**, que **ve** lo secreto, te **recompensará**.

Cuando ustedes ayunen, **no pongan** cara triste,
  como esos **hipócritas** que **descuidan** la apariencia de su rostro,
  para que la gente **note** que están **ayunando**.
Yo **les aseguro** que **ya recibieron** su recompensa.
Tú, en cambio, cuando ayunes,
  perfúmate la cabeza y **lávate** la cara,
  para que **no sepa** la gente que estás ayunando,
  sino **tu Padre**, que está en lo secreto;
  y tu Padre, **que ve** lo secreto, te **recompensará**".

Retoma el ritmo del párrafo previo.

Recalca los actos festivos y luego ve bajando la velocidad para salir de la lectura.

buscar la recompensa del Padre celeste, no el social.

La limosna es la reacción compasiva del fiel ante la situación de desgracia de un semejante. La miseria del hermano es vía para encontrar la propia humanidad, y optar por la comunión. Dar dinero al necesitado es una de las formas más apreciadas de solidaridad, pero si la dádiva no sale de haber encontrado la imagen de Dios en aquel hermano caído en desgracia, la limosna no transforma al donante en santidad y justicia. También en tiempos de Jesús había instituciones de caridad y de solidaridad social. No

la suma deducible de impuestos es lo que caracteriza a Jesús, sino el encuentro secreto con el Padre que nos transforma en hijos.

Orar es la acción del fiel al volverse a Dios, sea para alabarlo por sus bondades, sea para suplicar alguna gracia, la mayor de todas, la vida. Por supuesto que la recompensa que el Padre otorga a sus hijos es vivir en la casa paterna. A esto le llamamos vida eterna. Jesús indica lo que hay que buscar al orar, la recompensa del Padre.

El ayuno era también una obra pública de piedad. Se trataba de manifestar el dolor por una pérdida sensible. Los rabinos reco-

mendaban ayunar para dedicarse al estudio de la Ley, y también el ayuno disponía al fiel a encontrarse con Dios. Las señales de luto y dolor no están a tono con la era mesiánica. Jesús habla de disponerse como para una fiesta, cuando se está ayunando.

El camino de la Cuaresma está marcado por esas prácticas de comunión con Dios y con los hermanos. Es la ruta de nuestra vocación bautismal, para recuperarnos como hermanos en la recompensa común.

I DOMINGO DE CUARESMA

Visualiza lo que la lectura describe para que ocurra lo mismo con la asamblea. Aprópiate de la escena.

I LECTURA   Deuteronomio 26:4–10

Lectura del libro del Deuteronomio

En aquel tiempo, dijo Moisés al pueblo:
"Cuando presentes **las primicias** de tus cosechas,
el sacerdote **tomará** el cesto de tus manos
y lo pondrá **ante el altar** del Señor, tu Dios.
Entonces tú dirás **estas palabras** ante el Señor, tu Dios:

'Mi **padre** fue un arameo errante, que bajó a Egipto
y se estableció **allí** con muy pocas personas;
pero luego **creció**
hasta convertirse en una **gran nación**,
potente y **numerosa**.

Acentúa las líneas de la servidumbre. Luego haz una pausa de dos tiempos y ve incrementando el volumen de tu voz con cada acción que implique la obra de Dios.

Los egipcios nos **maltrataron**, nos oprimieron
y nos **impusieron** una dura esclavitud.
Entonces **clamamos** al Señor, Dios **de nuestros padres**,
y el Señor **escuchó** nuestra voz,
miró nuestra humillación, nuestros trabajos y nuestra angustia.
El Señor **nos sacó** de Egipto con mano **poderosa** y
brazo protector,
con un terror **muy** grande, entre señales y **portentos**;
nos trajo a **este país** y nos dio **esta tierra**,
que mana leche y miel.
Por eso ahora yo traigo aquí **las primicias** de la tierra
que **tú**, Señor, me has dado'.

Baja la velocidad de lectura para ir saliendo de la narración.

Una vez que hayas dejado tus primicias ante el Señor,
te **postrarás** ante él para adorarlo".

I LECTURA   Esta lectura habla de un rito agrícola, que antes se efectuaba en cualquiera de los santuarios tribales, pero que tras la reforma de Josías en el año 622 a.C., se entendió del único templo de la capital judía: la presentación de las primicias.

El rito describe al israelita que lleva como ofrenda al sacerdote los primeros frutos de la cosecha añal. Los gestos son simples. Entregar la ofrenda, profesar la fe y postrarse. El mandato señala también que el fiel ha de "alegrarse" con una fiesta en su casa, a la que invita a los desposeídos (el levita y los extranjeros), aunque este

verso no aparece en la lectura litúrgica (Deuteronomio 26:11).

El altar evoca a Dios, ante quien el fiel pronuncia su identidad profunda de oferente. Este no dice su nombre propio sino aquello que lo liga a su comunidad de vida. El fiel es hijo o heredero de las promesas de Dios a los patriarcas, Abraham, Isaac y Jacob, y él mira esas promesas cumpliéndose en este rito de ofrendas. El israelita es un terrateniente, cultiva su propia tierra, pero sabe que esa tierra le pertenece a Dios. Por eso, hace justicia a la alianza con Dios al entregarle al Dueño de la tierra una parte de

sus frutos. De esos frutos participan también los desposeídos, como anotamos antes. Esa es la justicia de la alianza con Dios. Vemos que en el centro del rito está la posesión de la tierra.

La tierra representa lo seguro, el ideal de vivir con libertad y dignidad, en un espacio comunitario donde el hombre se puede alegrar con vecinos y desposeídos, frente al disfrute egoísta y esterilizante de lo producido.

Al comenzar la Cuaresma, es necesario plantear nuestra relación con las promesas

Para meditar

SALMO RESPONSORIAL   Salmo 91:1–2, 10–11, 12–13, 14–15

R. Está conmigo, Señor, en la tribulación.

Tú que habitas al amparo del Altísimo,
que vives a la sombra del Omnipotente,
di al Señor: "Refugio mío, alcázar mío,
Dios mío, confío en Ti". **R.**

No se acercará la desgracia,
ni la plaga llegará hasta tu tienda,
porque a sus ángeles ha dado órdenes
para que te guarden en tus caminos. **R.**

Te llevará en sus palmas,
para que tu pie no tropiece en la piedra;
caminarás sobre áspides y víboras,
pisotearás leones y dragones. **R.**

"Se puso junto a mí: lo libraré;
lo protegeré porque conoce mi nombre,
me invocará y lo escucharé.
Con él estaré en la tribulación,
lo defenderé, lo glorificaré". **R.**

II LECTURA   Romanos 10:8–13

Lectura de la carta del apóstol san Pablo a los romanos

Hermanos:
La Escritura **afirma**:
Muy a tu alcance, en tu boca y en tu corazón,
se encuentra la salvación,
esto es, el asunto de la fe que predicamos.
Porque **basta** que cada uno **declare** con su boca
que Jesús es **el Señor** y que **crea** en su corazón
que Dios **lo resucitó** de entre los muertos,
para que **pueda** salvarse.

En efecto, hay que **creer** con el corazón
para **alcanzar** la santidad y **declarar** con la boca
para alcanzar **la salvación**.
Por eso dice la Escritura:
Ninguno que crea en él quedará defraudado,
porque **no existe** diferencia entre judío y no judío,
ya que uno mismo es el Señor **de todos**,
espléndido **con todos** los que lo invocan,
pues *todo el que invoque al Señor como a su Dios,*
será salvado por él.

Es un fragmento argumentativo. Nota los enlaces para que no se pierda el hilo.

Nota que es una sola unidad toda la oración. Haz una pausa en el punto que la encierra.

Busca la manera de que la asamblea pueda distinguir lo que son palabras de las Escrituras y las que no. Dale unidad a las palabras en cursivas.

de la vida con Dios, ¿cuáles hemos hecho nuestras?

II LECTURA En las líneas escuchadas hoy, Pablo espiga textos de las Escrituras que interpreta en el sentido de que Dios ya había dispuesto que la salvación por la fe en Cristo Jesús fuera accesible a todos, a Israel primero y a los gentiles también. Las Escrituras revelan ese designio de la salvación dispuesta por Dios.

Dos elementos interdependientes sobresalen en lo escuchado: confesar el señorío de Jesús y abrazar el Evangelio de su resurrección de entre los muertos. Boca y corazón designan al creyente en su totalidad, lo externo y lo interno son indivisibles en la fe. Pero Pablo no está dando una fórmula mágica para colocarse del lado de los salvados, sino que ambos datos remiten al bautismo, la manera de hacerse cristiano. La confesión del señorío de Cristo era una condición para acceder al bautismo (ver 1 Corintios 12:3), lo mismo que adherirse a la Buena Nueva de su resurrección. El creyente era bautizado en el nombre del Señor Jesús, es decir, era colocado ritualmente bajo su patrocinio, sellando el compromiso

de vivir en fidelidad absoluta al Evangelio, o sea dejar morir al hombre viejo para vivir en Cristo, el nuevo Adán. Sólo entonces podía invocar el nombre de Cristo. Esto que ocurría en el rito bautismal, no era sino el inicio de un camino de santidad, camino de la justicia nueva, apegado al Espíritu de Dios.

La fe en Cristo exige el compromiso de vivir como Jesús vivió. No es un asunto de recitar unas fórmulas del credo, sino de permitir que esa palabra de salvación habite en el creyente para informar todo lo que habla y hace. El señorío universal de Cristo coloca a todos los hombres en condiciones de

EVANGELIO   Lucas 4:1–13

Lectura del santo Evangelio según san Lucas

En aquel tiempo,
Jesús, **lleno** del Espíritu Santo, regresó del Jordán
y conducido por **el mismo** Espíritu,
se **internó** en el desierto,
donde permaneció durante **cuarenta** días
y fue **tentado** por el demonio.

No comió **nada** en aquellos días, y cuando se completaron,
sintió **hambre**.
Entonces el diablo le dijo:
"Si eres el Hijo de Dios, **dile** a esta piedra
que se **convierta** en pan".
Jesús le contestó:
"**Está** escrito: *No sólo de pan vive el hombre*".

Después lo llevó el diablo a un monte **elevado** y en un instante
le hizo ver **todos** los reinos de la tierra y le dijo:
"A **mí** me ha sido entregado
todo el poder y la gloria de estos reinos,
y yo los doy **a quien quiero**.
Todo esto será **tuyo**, si te arrodillas y me **adoras**".
Jesús le respondió:
"**Está** escrito: *Adorarás al Señor, tu Dios, y a él sólo servirás*".

Entonces lo llevó a Jerusalén,
lo puso en la parte **más** alta del templo y le dijo:
"Si eres el Hijo de Dios, **arrójate** desde aquí,
porque **está** escrito:
Los ángeles del Señor tienen órdenes de cuidarte
y de sostenerte en sus manos,
para que tus pies no tropiecen con las piedras".

Es un relato dramático y lleno de tensión, pero necesita una voz vivaz que no lo deje caer en lo insípido.

Fíjate que la aparición del Tentador es normal; no hay sobresaltos ni sorpresas. No la hagas aparatosa.

---

igualdad, todos estamos necesitados de la salvación. No hay de qué jactarse ni engreírse o sentirse más que nadie. Es esa necesidad la que espolea invocarlo, con la certeza de que él nos responderá.

La Cuaresma nos hace ahondar en la fe profesada cada domingo, para hacerla operante. Es el tiempo de buscar al Señor, de invocarlo y de confiar en que nos dará la salvación.

EVANGELIO El relato de las tentaciones de Jesús viene al inicio de su vida pública, justo después de su expe-riencia bautismal, donde quedó manifiesta su identidad de ser Hijo de Dios. Entonces, Jesús es conducido por el Espíritu en el desierto por cuarenta días, es decir una etapa completa de preparación para llevar a cabo su encomienda mesiánica, y termi-nada allí su preparación se aparece el Tentador o Diablo, para ponerlo a prueba. San Marcos proporciona una breve noticia sobre esa experiencia espiritual, en tanto que san Mateo y san Lucas hacen un relato catequético en tres anécdotas de ella.

La primera prueba versa sobre el pan. Jesús tiene el hambre acumulada de cuaren-ta días en el desierto, donde la vida está en riesgo permanente. Y el Diablo, el enemigo de Dios, le propone una solución simple y directa que mostrará a las claras que es el Mesías de Dios: ordenarle a una piedra que se vuelva pan. El pan es como una cifra o signo que representa lo necesario para la sobrevivencia humana. "Pan" es todo aque-llo que se necesita para mantenerse con vida. La proposición del Maligno es econó-mica y contundente, pero no va con la iden-tidad profunda de ser hijo de Dios. Padre es el que da el pan, y Dios les da a sus hijos su palabra. Esta no sustituye al pan cotidiano,

Dale fuerza y solemnidad a las palabras finales de Jesús. Nota que el final no es definitivo. Cierra con tono elevado.

Pero Jesús le respondió:
"También está escrito: *No tentarás al Señor, tu Dios*".

Concluidas las tentaciones, el diablo se retiró de él, hasta que llegara la hora.

sino que le da identidad al hijo. Hijo es el que obedece a su padre, no la voz del enemigo. Dios engendra hijos con su palabra, y esa palabra está inscrita en la ley. El hijo de Dios no se mueve por el pan que consume, sino por la palabra que le da vida.

La segunda prueba es sobre la autoridad y la gloria que son cifras del poder. Se esperaba que el mesías de Dios sometiera a todas las naciones con cetro de hierro bajo la ley del Señor. Esta sería una de las notas para reconocer la presencia del reino de Dios. La propuesta del Tentador es deslumbrante. Propone traspasar al mando del Mesías, el sometimiento de todas las naciones paganas, con la condición de que le rinda culto. La identidad del hijo de Dios no se define sino en relación con Dios, su padre. Esta identidad es la que le da autoridad y gloria, y la que asienta su entera dignidad. El hijo de Dios sólo a Dios sirve y adora, y por esa exclusividad absoluta que no tiene precio, no se postra ante ningún otro poder.

La tercera prueba es la prueba de la santidad invulnerable. En el sitio más sacro sobre la tierra, el templo de Jerusalén, donde el cielo se comunicaba con la tierra, y con palabras de los Salmos, el Tentador le propone al Mesías que ponga a prueba la protección que Dios le garantiza al justo, al hombre que se ajusta a cumplir su voluntad. La justicia es lo que asemeja al hombre más a Dios. El Mesías de Dios habría de ser el justo por antonomasia, y por eso se apega a la palabra de la Ley para alejar toda tentación.

En la Cuaresma el cristiano redescubre su identidad profunda de hijo de Dios conforme se acerca a la Pascua.

II DOMINGO DE CUARESMA

I LECTURA   Génesis 15:5–12, 17–18

Lectura del libro del Génesis

En aquellos días, Dios **sacó** a Abram de su casa y le dijo:
  "**Mira** el cielo y **cuenta** las estrellas, si puedes".
Luego **añadió**: "Así **será** tu descendencia".

Abram **creyó** lo que el Señor le decía
  y, por **esa fe**, el Señor lo tuvo **por justo**.
Entonces le dijo: "**Yo soy** el Señor, el que **te sacó** de Ur,
  ciudad de los caldeos, para **entregarte** en posesión **esta tierra**".
Abram **replicó**: "Señor Dios, ¿**cómo** sabré que voy a poseerla?"
Dios le dijo:
  "**Tráeme** una ternera, una cabra y un carnero,
    todos **de tres años**; una tórtola y un pichón".

Tomó Abram aquellos animales, los partió **por la mitad**
  y puso las mitades una **enfrente** de la otra,
    pero **no partió** las aves.
Pronto comenzaron los buitres a **descender** sobre los cadáveres
  y Abram los **ahuyentaba**.

Estando ya para ponerse el sol,
  Abram cayó en un **profundo** letargo,
  y un **terror** intenso y misterioso se **apoderó** de él.
Cuando se puso el sol, hubo **densa** oscuridad
  y sucedió que un brasero **humeante** y una antorcha **encendida**,
    pasaron por entre aquellos animales partidos.

La lectura es fascinante. Transmite el vigor de las promesas divinas y el compromiso humano con prestancia y afabilidad. Aminora la velocidad en las primeras líneas del párrafo segundo.

Avanza con rapidez y diligencia en esta parte. La obediencia de Abram debe notarse.

Disminuye la velocidad, y ve preparando la salida de la lectura. El último párrafo pronúncialo como desligado del resto.

I LECTURA   En los relatos patriarcales fundantes, uno de los episodios centrales en el imaginario del pueblo histórico de Dios, es el de la alianza con Abraham, el padre del pueblo. El episodio tiene por marco un sueño (ver Génesis 15:1), que era un medio muy común de revelación, no sólo en la Biblia sino en las culturas circunvecinas. En la lectura litúrgica han sido omitidos los versos alusivos a la experiencia de la deportación (Génesis 15:13–16). Destacan, en cambio, las líneas dedicadas a las promesas hechas por Dios y el rito con el que sella sus palabras.

La primera promesa es ratificación, o mejor quizá, especificación de lo que Dios anticipó al patriarca cuando lo sacó de Ur, o sea una descendencia numerosa (Génesis 12:15). Aquí su número se compara a las incontables estrellas del firmamento. El padre en la fe acepta esa palabra y Dios se la cuenta como justicia, como garantía del compromiso patriarcal. ¿Qué significa esto? La pura gratuidad con la que Dios garantiza el futuro del patriarca.

La segunda promesa concierne a la posesión de la tierra y tiene certificación en un rito de alianza. La extensión del terreno es inmensa, correspondiente a la descendencia numerosa, aunque nunca el pueblo de la Biblia ocupó todo ese territorio. El fondo de la imagen es la de una tierra espaciosa donde el pastoreo pudiera hacerse sin molestia alguna; todos tienen cabida en el país de Abraham. Con todo, la promesa parece desmesurada, y es por lo que Abraham duda y solicita una señal garante de lo dicho. Dios se la da.

La alianza se hace al modo de un compromiso entre seminómadas, pero por triplicado, porque una sola víctima habría bastado. Se sella el compromiso con el

De **esta** manera hizo el Señor, aquel día,
  una alianza con Abram, diciendo:
  "A tus descendientes doy **esta tierra**,
  desde el río de Egipto
    hasta el gran río Eufrates".

Para meditar

SALMO RESPONSORIAL   Salmo 27:1, 7–8a, 8b–9abc, 13–14

R. El Señor es mi luz y mi salvación.

El Señor es mi luz y mi salvación,
  ¿a quién temeré?
El Señor es la defensa de mi vida,
  ¿quién me hará temblar? **R.**

Escúchame, Señor, que te llamo;
  ten piedad, respóndeme.
Oigo en mi corazón:
  "Busca mi rostro". **R.**

Tu rostro buscaré, Señor,
  no me escondas tu rostro.
No rechaces con ira a tu siervo,
  que tú eres mi auxilio. **R.**

Espero gozar de la dicha del Señor
  en el país de la vida.
Espera en el Señor, sé valiente,
  ten ánimo, espera en el Señor. **R.**

II LECTURA   Filipenses 3:17—4:1

Lectura de la carta del apóstol san Pablo a los filipenses

Hermanos:
Sean todos ustedes **imitadores** míos
  y **observen** la conducta de aquellos
    que **siguen** el ejemplo que les he dado **a ustedes**.
Porque, como **muchas** veces se lo he dicho a ustedes,
  y **ahora** se lo repito llorando,
    hay **muchos** que viven como **enemigos** de la cruz de Cristo.
Esos tales acabarán en **la perdición**, porque su dios **es el vientre**,
  se enorgullecen de lo que **deberían** avergonzarse
  y **sólo** piensan en cosas **de la tierra**.

La actitud debe ser de mucha autenticidad ante la asamblea. Nada de tonos alambicados ni acentos fingidos. La austeridad es lo mejor.

símbolo de que quien falte a su palabra sufrirá una muerte violenta, la suerte que corren las víctimas. Pero sorprende que Abram no pasa, porque solo Dios se compromete al pasar, como bracero y antorcha, entre las víctimas desjarretadas. Este es otro signo profundo de la gratuidad del futuro que Dios garantiza a su fiel.

La Cuaresma nos coloca frente a las inconmensurables promesas que Dios ha cumplido en Cristo. Él es la garantía de futuro.

II LECTURA La fidelidad al Señor no se mantiene sin la cruz de Cristo. Esta es una verdad profunda que Pablo inculca en los cristianos de Filipos, una colonia romana de veteranos del ejército en Macedonia. Era una ciudad pujante, que, aunque alejada de la capital, tenía muchas ventajas sobre sus vecinas, justamente por tener a la base de su constitución ciudadanos romanos. Allí debían concurrir bienes inaccesibles en otras partes, pero también predicadores de todo tipo. Pablo advierte a la comunidad cristiana que no acepte indiscriminadamente a

cuanto predicador se acerca, sino que observe si se atienen a los criterios del Evangelio que él les ha predicado de palabra y de obra. Pablo no afirma que tales predicadores anuncien falsedades o mentiras, sino que son incoherentes con la verdad predicada. Dice de ellos que "viven como enemigos de la cruz de Cristo". Se trata de un criterio sustancial, que los creyentes deben hacer valer. Ellos conocen el proceder de Pablo, y su imagen de evangelizador es lo que deben tener como paradigma.

"La cruz de Cristo" es una expresión que habla de la dimensión dolorosa que

Con vigor haz notar el contraste. Haz contacto visual con la asamblea al término de esta línea. Para muchos la ciudadanía es punto sensible.

Nosotros, en cambio, somos **ciudadanos** del cielo,
de donde **esperamos** que venga nuestro salvador, **Jesucristo**.
Él **transformará** nuestro cuerpo miserable
en un cuerpo **glorioso**, **semejante** al suyo,
en virtud del poder que tiene para **someter** a su dominio
todas las cosas.

Baja la velocidad de la lectura conforme avanzas hacia el final.

Hermanos **míos**, a quienes **tanto** quiero y extraño:
ustedes, hermanos míos **amadísimos**,
que son mi **alegría** y mi corona, **manténganse** fieles al Señor.
Abreviada: *Filipenses 3:20—4:1*

EVANGELIO   Lucas 9:28–36

Lectura del santo Evangelio según san Lucas

El relato del contexto es la oración. Proclama con un tono reverencial; nada de tonos exaltados, ni de plomiza gravedad.

En aquel tiempo,
Jesús se hizo **acompañar** de Pedro, Santiago y Juan,
y **subió** a un monte para hacer oración.
Mientras oraba, su rostro **cambió** de aspecto
y sus vestiduras se hicieron blancas y **relampagueantes**.
De pronto aparecieron conversando con él dos personajes,
rodeados de **esplendor**: eran **Moisés** y **Elías**.
Y hablaban de la muerte que le esperaba **en Jerusalén**.

Acelera en esta parte dándole viveza a la intervención del apóstol.

Pedro y sus compañeros estaban **rendidos** de sueño;
pero, **despertándose**, vieron **la gloria** de Jesús
y de los que estaban **con él**.
Cuando éstos se retiraban, **Pedro** le dijo a Jesús:
"**Maestro**, sería bueno que nos quedáramos **aquí**
y que hiciéramos **tres** chozas:
una **para ti**, una **para Moisés** y otra **para Elías**",
sin saber lo que decía.

comporta el misterio pascual cristiano. No es un asunto intimista, o de mera piedad espiritual. Por el contrario, es el verificativo de la fe en Cristo resucitado. Si la fe no es manifestativa, si no se nota, no importa más lo que se crea. Pablo advierte que entre los predicadores hay quienes tienen el vientre como su dios, es decir, sólo cuidan de su provecho y de pasarla bien. Los creyentes auténticamente cristianos, por el contrario, tienen una altura de miras que nace de su profunda condición bautismal.

"Somos ciudadanos del cielo". A los cristianos que poseían la ciudadanía impe-

rial, les debió chocar una afirmación como esta, pero Pablo no busca quedar bien con ellos. A la ciudadanía romana correspondían privilegios como el acceso al trigo subsidiado. Pablo señala que lo fundamental será la transformación del cuerpo de carne, en uno de gloria, un cuerpo resucitado. Hasta allá alcanza el misterio pascual. El sustento o la comida, la prestancia social y la profesión de fe, aunque parecen muy distintas unas de otras, en realidad deben estar marcadas por la fidelidad a Cristo.

EVANGELIO A tres de sus discípulos, Jesús les concede una revelación. Ellos contemplan a su Maestro en gloria, en conversación con Elías y Moisés. El marco en el que se entrega esta visión seductora, como de un sueño, es la oración. El evangelista, sin embargo, entrega una clave más para adentrarse en el significado de la visión, cuando da el tema de la conversación. Hablan de la salida o migración de Jesús, que ocurrirá en Jerusalén. El traductor litúrgico ha optado por la palabra *muerte*, pero el texto griego dice *éxodo*, que es un eufemismo para

Haz relevante la voz celeste, es el culmen de la escena. Marca una pausa alargada antes.

No había **terminado** de hablar,
    cuando se formó una nube que **los cubrió**;
    y ellos, al verse **envueltos** por la nube, se llenaron **de miedo**.
De la nube salió **una voz** que decía:
    "**Éste** es mi Hijo, mi escogido; **escúchenlo**".
Cuando **cesó** la voz, se quedó Jesús **solo**.

Los discípulos guardaron **silencio**
    y por entonces no dijeron **a nadie** nada de lo que habían visto.

hablar de la muerte. Así, en la salida del Mesías quedarán fundidas gloria y muerte, de una manera incomprensible si no se recurre a los escritos sagrados, avalados por Elías y Moisés.

La visión de los discípulos es de Jesús en gloria. Su rostro resplandece y sus vestiduras deslumbran de blancura. A esto llamamos transfiguración. No es algo, sin embargo, de lo que se pueda hablar abiertamente sino para ser meditado. Se trata de una invitación a sumergirse en las Escrituras en busca del sentido de la muerte mesiánica, la del Hijo amado.

La voz celeste exhorta a escuchar a Jesús. Lo que Jesús dice pudiera sonar novedoso, pero sólo es comprensible en sintonía con la voz de Moisés y la de Elías, transmitidas en las Escrituras de Israel y en la vida del pueblo. Lo que Jesús nos revela de Dios también perdura en las letras sagradas y en las historias que sus discípulos cuentan. *Escucharlo* en esta Cuaresma significa introducirnos en su camino y destino mesiánico; camino de muerte, destino de gloria.

III DOMINGO DE CUARESMA, AÑO C

I LECTURA Éxodo 3:1–8, 13–15

Lectura del libro del Éxodo

En aquellos días,
    Moisés **pastoreaba** el rebaño de su suegro, Jetró,
      sacerdote de Madián.
En cierta ocasión llevó el rebaño **más allá** del desierto,
    hasta el **Horeb**, el monte de Dios,
    y el Señor se le apareció en **una llama** que salía de un zarzal.
Moisés observo con **gran** asombro
    que la zarza ardía **sin consumirse** y se dijo:
    "Voy a ver **de cerca** esa cosa **tan extraña**,
    por qué la zarza no se quema".

Viendo el Señor que Moisés se había desviado **para mirar**,
    lo **llamó** desde la zarza:
    "¡Moisés, **Moisés**!"
Él respondió:
"Aquí estoy".
Le dijo Dios:
"**¡No** te acerques!
Quítate las sandalias,
    porque el lugar que pisas es tierra **sagrada**".
Y añadió:
"**Yo soy** el Dios de tus padres, el Dios de Abraham,
    el Dios de Isaac y el Dios de Jacob".

Entonces Moisés se **tapó** la cara,
    porque tuvo **miedo** de mirar a Dios.

El relato es anecdótico, pero no ligero. Calcula la velocidad en cada sección.

En esta parte alarga con firmeza las indicaciones de Dios.

I LECTURA El episodio de la lectura de hoy tiene como marco el desierto, a donde Moisés tuvo que huir para sobrevivir a la persecución de la justicia egipcia. Había defendido a un hebreo matando al egipcio que lo agredía. No tuvo otra opción para salvar su vida, y se debió dedicar a cuidar rebaños en una tierra extraña, algo detestable para los educados egipcios.

El encuentro con Dios sucede más allá de Madián, "en el Horeb, el monte de Dios", hasta donde el Moisés inadvertidamente se adentró. Asombrado, observa una zarza ardiendo sin consumirse. Más sorprendente resulta que de aquella zarza surge una voz que da órdenes y tiene nombre propio. Descalzarse es volverse vulnerable y humilde ante el otro. Esto es lo sagrado. La voz se identifica con el Dios de los antepasados del propio Moisés. La revelación divina ancla al fugitivo a su familia tribal, y con ella a las añejas promesas de descendencia numerosa y tierra espaciosa. La zarza ardiente le recupera al solitario pastor sus relaciones fundantes, le revela su propia identidad. Por otra parte, aquella palabra empeñada no ha muerto, y adoptará a Moisés como su enviado, aunque el extracto para la lectura litúrgica omite los versos de la comisión (Éxodo 3:8b–12). No sin resistencias, Moisés acepta servir de caudillo a la liberación que Dios se propone llevar a cabo.

Conocer el nombre de quien envía es necesario para la credibilidad del enviado. Dios le dice a Moisés que es "Yo soy". El significado es enigmático; el griego lo entendió como *el que es*, pero estudios recientes buscan derivarlo de *inflamar*, *enardecer* y *resoplar*. Esto parece afín a la experiencia de la opresión y a la manera como Dios responde al sufrimiento de su pueblo.

No apresures la descripción de lo que dice Dios. Aquí está el programa completo del éxodo.

Pero el Señor le dijo:
"**He visto** la opresión de mi pueblo en Egipto,
he oído sus quejas contra los opresores
y conozco **bien** sus sufrimientos.
He descendido para **librar** a mi pueblo de la **opresión**
de los egipcios,
para **sacarlo** de aquellas tierras
y **llevarlo** a una tierra buena y espaciosa,
una tierra que mana **leche y miel**".

Moisés le dijo a Dios:
"**Está bien**. Me presentaré a los hijos de Israel y **les diré**:
'El Dios de sus padres **me envía** a ustedes';
pero cuando me pregunten **cuál** es su nombre,
¿**qué** les voy a responder?"

Haz contacto visual con la asamblea y con reverente solemnidad pronuncia las líneas del nombre divino. Luego, aminora la velocidad para ir saliendo del relato.

Dios le contestó a Moisés: "Mi nombre es **Yo-soy**"; y añadió:
"**Esto** les dirás a los israelitas: 'Yo-soy me envía a ustedes'.
También les dirás: '**El Señor**, el Dios de sus padres,
el Dios de Abraham, el Dios de Isaac, el Dios de Jacob,
me envía **a ustedes**'.
Éste es mi nombre **para siempre**.
Con **este** nombre me han de recordar
de generación en generación."

Para meditar

SALMO RESPONSORIAL   Salmo 103:1–2, 3–4, 6–7, 8 y 11
R. El Señor es compasivo y misericordioso.

Bendice, alma mía, al Señor,
y todo mi ser a su santo nombre.
Bendice, alma mía, al Señor,
y no olvides sus beneficios. **R.**

Él perdona todas tus culpas
y cura todas tus enfermedades;
el rescata tu vida de la fosa,
y te colma de gracia y de ternura. **R.**

El Señor hace justicia
y defiende a todos los oprimidos;
enseñó sus caminos a Moisés
y sus hazañas a los hijos de Israel. **R.**

El Señor es compasivo y misericordioso,
lento a la ira y rico en clemencia;
como se levanta el cielo sobre la tierra,
se levanta su bondad sobre sus fieles. **R.**

Esta Cuaresma la Iglesia nos encamina en la ruta de la liberación definitiva en Cristo Jesús. Para esto, es necesario descubrir lo que nos oprime y clamar a Dios por libertad y dignidad.

| II LECTURA | En las comunidades cristianas primeras surgieron tensiones entre sus miembros, debido a que algunos procedían del judaísmo y tenían una manera de comprender las enseñanzas apostólicas y los rituales cristianos que no era la de aquellos que estaban enraizados en el paganismo. Si a esto sumamos las diferencias sociales que afloraban al reunirse los creyentes, tendremos un panorama menos idílico de lo que fue la experiencia comunitaria y de los lineamientos que Pablo ofrece en sus escritos, en busca de una comprensión común y unificada de la fe en Cristo Jesús.

En la lectura de este día, Pablo hace una catequesis de algunos hitos fundantes del pueblo de Dios, para que los no judíos disciernan los puntos de identidad y de diferenciación en esa historia común de la que tienen mucho que aprender. Notemos que la lectura litúrgica ha dejado fuera los versos sobre la idolatría, la prostitución y las tentaciones del pueblo en el desierto (1 Corintios 10:7–9) en la lectura de hoy. En esta sección, el Apóstol deja caer aquí y allá advertencias para que aquellos creyentes ilustrados o que poseen un conocimiento de las Escrituras más sólido, no se vean superiores a los demás, ni vivan pagados de sí mismos. Coloca a la comunidad cristiana entera frente al espejo de las Escrituras.

Aunque el exhorto es más amplio, la lectura litúrgica sostiene dos puntales de la vida cristiana, en un argumento paralelo; el bautismo es el primer puntal. Pablo no

II LECTURA   1 Corintios 10:1–6, 10–12

Lectura de la primera carta del apóstol san Pablo a los corintios

Hermanos:
No quiero que **olviden** que en el **desierto**
    nuestros padres estuvieron **todos** bajo la nube,
    todos cruzaron el mar Rojo
    y todos se **sometieron** a Moisés,
    por una especie de **bautismo** en la nube y en el mar.
Todos comieron el **mismo** alimento milagroso
    y **todos** bebieron de la **misma** bebida espiritual,
    porque **bebían** de una roca **espiritual** que los acompañaba,
    y la roca **era Cristo.**
Sin embargo, la **mayoría** de ellos **desagradaron** a Dios
    y **murieron** en el desierto.

Todo esto sucedió como **advertencia** para nosotros,
    a fin de que **no** codiciemos cosas malas como **ellos** lo hicieron.
No murmuren ustedes
    como algunos de ellos **murmuraron**
    y **perecieron** a manos del ángel exterminador.
Todas estas cosas les sucedieron a nuestros **antepasados**
    como un ejemplo para **nosotros**
    y fueron puestas en las Escrituras como **advertencia**
    para los que vivimos en los **últimos** tiempos.
Así pues, el que **crea** estar firme, tenga cuidado de **no caer.**

El tono debe ser tranquilo, nada de señalamientos que pudieran sonar a acusaciones a la asamblea.

Siéntete aludido en este párrafo.

---

ahonda en el sentido del bautismo sino que argumenta con este para sustentar la autoridad. Anota que todos los antepasados en esa especie de bautismo "en la nube y en el mar" se sometieron a Moisés. Sin ese liderazgo aquel figurado bautismo nunca hubiera acontecido. Pero aquello no fue suficiente para que gozaran del cumplimiento de las promesas. El punto segundo es el del alimento y la bebida milagrosos. Esto lo amplía recalcando la bebida, diciendo que la roca espiritual que abrevaba al pueblo era Cristo. Es inevitable la referencia eucarística, y los abusos que en esas reuniones se daban res-

pecto a la bebida. Empero, el telón de fondo también lo representa la controversia sobre los *idolotitos*, es decir, sobre la licitud de comer carne sacrificada a los ídolos. Mientras que los más ilustrados asumían la libertad de comer sin ninguna restricción dietética, a otros les parecía aquello un acto de idolatría. De momento, Pablo establece el principio fundamental. Hay que vivir agradando a Dios.

En el segmento de las murmuraciones el Apóstol exhorta a no codiciar cosas malas, de donde pende la conclusión de ex-

traer lo provechoso de esos ejemplos legados para los actuales creyentes.

La fidelidad del creyente en el cumplimiento de la voluntad de Dios es el punto crucial. No por haber recibido el bautismo, ni por participar del alimento espiritual, el cristiano tiene asegurada la vida verdadera, es decir, la que Dios da con sus promesas. De no cultivar una búsqueda auténtica y continua de vivir agradando a Dios, moriremos en el desierto. La Cuaresma nos da la oportunidad para regenerar esa búsqueda y volvernos a las promesas de Dios.

EVANGELIO   Lucas 13:1–9

Lectura del santo Evangelio según san Lucas

Siéntete tocado por la urgencia a la conversión. Pon apremio en las preguntas de Jesús.

En aquel tiempo,
    algunos hombres fueron a ver a Jesús
    y le contaron que Pilato había **mandado** matar a unos galileos,
    mientras estaban **ofreciendo** sus sacrificios.
Jesús les hizo este comentario:
    "**¿Piensan** ustedes que aquellos galileos,
    porque les sucedió **esto**,
    eran **más** pecadores que todos **los demás** galileos?
Ciertamente **que no**;
    y si ustedes no se arrepienten, **perecerán** de manera semejante.
Y aquellos dieciocho que murieron **aplastados**
        por la torre de Siloé,
    ¿piensan **acaso** que eran más culpables
    que **todos** los demás habitantes de Jerusalén?
Ciertamente **que no**;
    y si ustedes **no se arrepienten**,
    perecerán de manera semejante".

Marca el cambio de género con la pausa, pero sobre todo alargando la palabra parábola.

Entonces les dijo esta **parábola**:
    "Un hombre tenía una **higuera** plantada en su viñedo;
    fue a buscar higos y **no los encontró**.
Dijo entonces al viñador:
    'Mira, durante **tres años** seguidos
        he venido a **buscar** higos en esta higuera
    y **no** los he encontrado. Córtala.
¿Para qué ocupa la tierra inútilmente?'
El viñador le contestó:

Dale cierto tono suplicante pero no meloso a la intercesión del viñador. Nota la frase decidida con la que concluye.

    'Señor, déjala todavía **este año**;
    voy a **aflojar** la tierra alrededor
    y a echarle abono, para **ver** si da fruto.
Si no, el año que viene **la cortaré**'".

EVANGELIO   En la narrativa del Evangelio de san Lucas, Jesús se encuentra en camino a Jerusalén acompañado de sus discípulas y discípulos. En ese recorrido el Maestro va enseñar sobre diferentes asuntos. Se entiende que es una peregrinación en la que gentes de diferentes procedencias se congregan. En la lectura de hoy, sin embargo, el grupo de hombres que se acerca a Jesús para ofrecerle información que debía perturbarles, lo que Jesús comenta en una dirección inesperada. En lugar de reprobar el crimen impío de Pilatos por asesinar a unos galileos mientras cumplían una obra de piedad (nótense los paralelismos con la suerte de Jesús), el Maestro acentúa la necesidad de convertirse a Dios antes de que sea demasiado tarde.

La enseñanza de Jesús mina el principio de que el tipo de muerte de cada persona está determinado por sus pecados. La muerte repentina no dice nada de los pecados de sus víctimas. Se pensaría que una vida piadosa es garantía de una vida prolongada y dichosa. Ya el libro de Sabiduría había desmontado esa falacia. Por su parte, Jesús lleva la atención a la necesidad de convertirse a Dios cuanto antes.

En el hilo narrativo, la parábola puede responder a la necesaria pregunta que los presentes se harían. Si todos son pecadores y pueden morir súbitamente, ¿por qué siguen vivos y por cuánto tiempo?

La conversión es inaplazable. Dios espera encontrar frutos en la higuera; el mediador procura alargar los plazos y que su trabajo no sea estéril. ¿Vale la pena aplazar el arrepentimiento para volverse al Señor? La Cuaresma es la oportunidad para que la Iglesia se vuelva a su Señor.

III DOMINGO DE CUARESMA, AÑO A

I LECTURA   Éxodo 17:3–7

Lectura del libro del Éxodo

Hay preocupación y hasta cierto sentido de urgencia en las líneas. Dale viveza a la lectura.

En aquellos días, el pueblo, **torturado** por la sed,
    fue a protestar **contra Moisés,** diciéndole:
    "¿Nos has hecho **salir** de Egipto
        para **hacernos morir** de sed a nosotros,
    a nuestros hijos y a nuestro ganado?"
Moisés **clamó** al Señor y le dijo:
    "¿**Qué puedo hacer** con este pueblo?
Sólo falta que me **apedreen**".
Respondió el Señor a Moisés:

La respuesta del Señor da confianza y seguridad. Proclama con fuerza y claridad.

    "**Preséntate** al pueblo, llevando contigo
        a algunos de los ancianos de Israel,
    toma en tu mano el cayado con que golpeaste el Nilo y **vete.**
Yo estaré **ante ti,** sobre la peña, en Horeb.
Golpea la peña y saldrá de ella **agua** para que beba el pueblo".

Así lo hizo Moisés a la vista de los ancianos de Israel
    y puso por nombre a aquel lugar **Masá y Meribá,**
    por la **rebelión** de los hijos de Israel

La pregunta final es una especie de afirmación. La asamblea la responde desde su interior.

    y porque habían **tentado** al Señor, diciendo:
    "¿**Está** o **no está** el Señor en medio de nosotros?"

I LECTURA La situación a la que nos refiere este relato del libro del Éxodo, con paralelo en Números 20:2–13, se ajusta en una dinámica muy sencilla y repetitiva. Surge una situación crítica que provoca que el pueblo proteste contra Moisés, este suplica a Dios y él responde. El esquema se cierra verificando la ejecución y cumplimiento de lo dictaminado por Dios.

En el episodio encontramos la etimología popular de dos topónimos y que aparecen con frecuencia en las Escrituras hebreas: Meribá ("el pueblo se ha enemistado con Moisés") y Masá ("el pueblo ha tentado al Señor"). También se sabe de una leyenda judía que asegura que la roca de donde Moisés hizo brotar el agua fue acompañando a los israelitas por el desierto. Tal vez a ella esté haciendo referencia san Pablo en 1 Corintios 10:15, cuando dice que dicha roca era una representación anticipada de Cristo mismo. El centro del mensaje del episodio que escuchamos es el de la presencia de Dios que escucha el clamor de su pueblo y tiene siempre una respuesta eficaz, a través de Moisés, en este caso.

Ningún proceso de liberación está exento de sacrificios. Ni el del pueblo de Israel, ni el del pueblo de Dios hoy, mucho menos el proceso personal. Cultivemos incansablemente la fe en el proyecto histórico de salvación y enfrentemos las consecuencias de este camino en el que Dios nunca está ausente y siempre hace sentir su eficaz cercanía y escucha.

II LECTURA Siempre que leemos o escuchamos "romanos" o "Roma" nos llega a la mente el imperio de aquel tiempo, la carta y la actual ciudad donde se ubica la sede del obispo de Roma. El Imperio Romano en tiempos de Jesús y

Para meditar

SALMO RESPONSORIAL   Salmo 95:1–2, 6–7, 8–9

R. Ojalá escuchen hoy la voz del Señor: "No endurezcan el corazón".

Vengan, aclamemos al Señor,
   demos vítores a la Roca que nos salva;
   entremos a su presencia dándole gracias,
   aclamándolo con cantos. **R.**

Entren, postrémonos por tierra,
   bendiciendo al Señor, creador nuestro.
Porque él es nuestro Dios,
   y nosotros su pueblo,
   él rebaño que él guía. **R.**

Ojalá escuchen hoy su voz:
   "No endurezcan el corazón como
      en Meribá,
   como el día de Masá en el desierto;
   cuando vuestros padres me pusieron
      a prueba
   y me tentaron, aunque habían visto
      mis obras". **R.**

II LECTURA   Romanos   5:1–2, 5–8

Lectura de la carta del apóstol san Pablo a los romanos

Nota la certeza y tranquilidad del Apóstol.

Hermanos:
Ya que hemos sido justificados **por la fe**,
   mantengámonos **en paz** con Dios,
   por mediación de nuestro Señor **Jesucristo**.
Por él hemos obtenido, con **la fe**,
   la **entrada** al mundo de la gracia,
   en el cual nos **encontramos**;
   por él, podemos **gloriarnos**
      de tener la **esperanza** de participar en **la gloria** de Dios.

Enfatiza la primera frase y no la separes de lo siguiente.

La esperanza **no defrauda**,
   porque Dios ha **infundido** su amor en **nuestros corazones**
      por medio del **Espíritu Santo,** que **él mismo** nos ha dado.
En efecto, cuando **todavía** no teníamos fuerzas
      para **salir** del pecado,
   Cristo murió **por los pecadores** en el tiempo **señalado**.

del cristianismo naciente es un imperio sin precedentes. Se ha estudiado y aun se sigue estudiando este centro de un mundo que se creía el mundo mismo. Se sabe más del imperio que de los cristianos de Roma. A ellos, a una comunidad que ni fundó ni conocía personalmente, dirige Pablo esta carta. Esta es una carta llena de doctrina, amplia y profunda. Tal vez el más importante de sus escritos, teológicamente hablando. El Apóstol de los paganos afina su mejor legado escrito sobre el tema de la salvación por la fe en Cristo como vocación de todos.

Estamos al inicio de una amplia sección (Romanos 5:1—8:39) en la que Pablo va a exponer el contenido de la salvación de Dios. El punto de partida es la nueva realidad a partir de Cristo. Esta novedad es, en términos jurídicos, "una nueva justicia" y en términos ético teológicos se la entiende como "el amor de Dios".

Por la fe, por Cristo, todos tienen libre acceso a esta condición. Esta nueva realidad en Cristo supera todo el pasado. Las justicias que administran haciendo distinción entre judíos y griegos y romanos ya no tienen vigencia en esta nueva justicia

de Dios en Cristo. Esta es para todos. Las éticas de cumplimiento de preceptos y contabilidad de obras también quedan superadas por esta nueva realidad salvífica por el amor de Dios, el amor de Cristo que murió por todos.

Reconciliados todos por Dios mediante la fe en Cristo, "nuestro orgullo" no es el mérito de las obras que pudiéramos realizar sino recibir el don de la salvación que Dios mismo nos ha hecho en Cristo.

EVANGELIO   El diálogo de este encuentro entre Jesús y la mujer

La muerte de Cristo por nosotros es sustancial para todo creyente. Nota que el argumento no es tan fácil de seguir.

Difícilmente habrá alguien que **quiera morir** por un justo,
aunque puede haber **alguno**
   que esté **dispuesto** a morir por una persona
   sumamente buena.
Y **la prueba** de que Dios nos ama
   está en que Cristo murió **por nosotros**,
cuando aún éramos pecadores.

EVANGELIO   Juan 4:5–42

Lectura del santo Evangelio según san Juan

Ninguna proclamación de la Palabra se improvisa. Tu voz irá guiando a la asamblea, así que identifica los momentos clave, los cambios de escenario, entonación, espacios, énfasis y pausas.

En aquel tiempo,
   llegó **Jesús** a un pueblo de Samaria, llamado **Sicar**,
   cerca del campo que dio Jacob a su hijo José.
Ahí estaba **el pozo de Jacob**.
   Jesús, que venía **cansado** del camino,
   se **sentó** sin más en el brocal del pozo.
Era cerca del mediodía.

Lleva el diálogo con sus tres voces.

Entonces llegó una mujer de Samaria a **sacar agua** y Jesús le dijo:
   "**Dame** de beber".
(Sus discípulos habían ido al pueblo
   a comprar comida).
La samaritana le **contestó**:
   "¿**Cómo** es que tú, **siendo judío**, me pides de beber **a mi**,
      que soy **samaritana**?"
(Porque los judíos **no tratan** a los samaritanos).
Jesús le dijo:
"Si conocieras **el don de Dios** y **quién es** el que te pide de beber,
   tú le pedirías **a él**, y él te daría **agua viva**".

---

de Samaria tiene la forma literaria conocida como literario "los encuentros del revelador". El foco del encuentro es la revelación del Mesías, Jesús. Cuatro momentos de diálogo cargan la estructura básica del relato: sobre el agua viva (vv. 6–15), sobre el Mesías-profeta (vv. 16–26), sobre la cosecha (vv. 27–38) y sobre la fe de los samaritanos (vv. 39–42).

El evangelista pone una nota al inicio del relato para indicar al lector la intención evangelizadora: Jesús "tenía que pasar por Samaria". Notemos además un giro en el tema de la evangelización. Antes se han ve-nido describiendo escenarios de conversión de individuos que se hacen discípulos de Jesús. Aquí en cambio se nos presenta a una mujer como la primera misionera. El que sea mujer y samaritana expresa directamente la superación y traspaso de los límites de la cultura del pueblo elegido, Israel.

El escenario del primer diálogo sobre el agua viva tiene el dato del pozo de Jacob. Dicha mención puede referir a un doble valor simbólico. La importancia que tienen los pozos, y de este en particular, para el pueblo rural, para pastores seminómadas, da el contexto en el que Jesús habrá de de-mostrar que es más grande que Jacob. La mujer por su parte interpreta a Jesús en un sentido literal. De hecho, en sus palabras se respira de fondo el conflicto ya existente entre judíos y samaritanos. Casi todos saben entonces y ahora de esta enemistad entre judíos y samaritanos. Lucas (9:51–55) refiere en varias ocasiones sobre esta enemistad manifestada, por ejemplo, en la falta de hospitalidad de unos con otros (Lucas 9: 51–55). Un historiador de este tiempo (Flavo Josefo) refiere incluso a un grave enfrentamiento entre judíos y samaritanos en año 52 d. C. Este contexto no es ajeno ni al

Las palabras de Jesús suenan seguras
y profundas.

La mujer le respondió:
"Señor, **ni siquiera** tienes con qué sacar agua
y el pozo es **profundo,**
¿**cómo** vas a darme **agua viva?**
¿**Acaso** eres tú **más** que nuestro padre Jacob,
que nos dio **este pozo,** del que bebieron él,
sus hijos y sus ganados?"
Jesús le contestó: "El que bebe de esta agua **vuelve** a tener sed.
Pero el que beba del agua que yo le daré, **nunca más** tendrá sed;
el agua que **yo le daré** se convertirá **dentro de él**
en un **manantial** capaz de dar **la vida eterna**".

La mujer le dijo:
"Señor, dame de esa agua para que no vuelva a tener sed
ni tenga que venir hasta aquí a sacarla".
Él le dijo:
"Ve a llamar a tu marido y vuelve".
La mujer le contestó:
"No tengo marido".
Jesús le dijo:
"Tienes razón en decir: 'No tengo marido'.
Has tenido cinco, y el de ahora no es tu marido.
En eso has dicho la verdad".

Recuerda no endurecer el tono ni dar asomo
de altivez. Es un diálogo respetuoso y afable.

La mujer le dijo:
"Señor, ya veo que eres **profeta.**
Nuestros padres dieron culto **en este monte**
y ustedes **dicen** que el sitio donde
se debe dar culto está **en Jerusalén**".
Jesús le dijo: "**Créeme,** mujer, que se acerca la hora
en que **ni en este monte** ni en Jerusalén adorarán al Padre.
Ustedes adoran **lo que no conocen;**
nosotros adoramos **lo que conocemos.**
Porque la salvación **viene** de los judíos.

evangelista, ni a Jesús ni a la mujer ni a los apóstoles.

Por otro lado, que Jesús se presente como "don de Dios" y "agua viva" nos lleva a la primera deducción cristológica de que Jesús es más grande que Jacob. No es la primera vez que el evangelista Juan pone la visión cristiana de Jesús como superación y plenitud. En otra ocasión pondrá en boca de judíos un asunto semejante, cuando se cuestiona a Jesús si él se considera más grande que Abraham (Juan 8:53). Notemos también que el poseer el "agua viva" era una afirmación fuerte para el pueblo judío,

pues únicamente Dios es la fuente de agua viva (ver Jeremías 2:13) y se da a beber a quienes le rinden culto (Salmo 36:8); la misma Sabiduría afirma de sí: "Quien me coma tendrá más hambre, quien me beba, tendrá más sed" (Eclesiástico 24:21). En este contexto se entiende mejor el poder y la fuerza de la afirmación de Jesús, no solo de poseer sino de ser el Dador de agua viva.

En el segundo diálogo sobre Jesús como el Mesías y profeta se avanza en profundidad en cuanto a la vida y al culto verdadero. El asunto de los cinco maridos no ha encontrado una explicación satisfactoria

y, aunque parece indicarse al pasado de la mujer, lo más importante aquí es recordar lo que el mismo evangelista ha destacado de Jesús. O sea, la gran capacidad de este para penetrar el interior de sus interlocutores, porque Dios conoce los corazones humanos (ver Juan 1:42, 48; 2:24–25). Además de que, al ser el pozo un lugar de noviazgo, Juan indica que Jesús viene a sustituir a los numerosos "maridos" en la vida de esta mujer. Sin duda es mucho más relevante la autoproclamación de Jesús como el Mesías esperado. En su persona se inicia una nueva etapa en la historia de salvación. Todo privi-

La mujer responde a Jesús convencida de su fe. Dale cierta velocidad a sus palabras. Pero a las palabras de Jesús hazlas afirmativas.

Pero se acerca la hora, **y ya está aquí**,
    en que los que quieran dar culto **verdadero**
        adorarán al Padre **en espíritu y en verdad**,
    porque **así es** como el Padre **quiere** que se le dé culto.
Dios es **espíritu**, y los que lo adoran
    deben hacerlo en espíritu **y en verdad**".

La mujer le dijo: "**Ya sé** que va a venir el Mesías
        (es decir, **Cristo**).
Cuando venga, **él nos dará razón de todo**".
Jesús le dijo: "**Soy yo**, el que habla contigo".

En esto **llegaron** los discípulos
    y se **sorprendieron** de que estuvieran conversando **con
        una mujer**;
    sin embargo, **ninguno** le dijo:
    '**¿Qué** le preguntas o **de qué** hablas con ella?'
Entonces la mujer dejó su cántaro,
    se fue **al pueblo** y comenzó a decir a la gente:
    "**Vengan** a ver a un hombre que me ha dicho
        todo lo que he hecho.
¿No será éste **el Mesías**?"
Salieron del pueblo y se pusieron **en camino** hacia donde él estaba.

Eleva un poco el tono de voz y acelera la acción de la mujer.

Mientras tanto, sus discípulos le **insistían**:
    "Maestro, **come**".
Él les dijo:
    "Yo **tengo** por comida, un **alimento** que ustedes **no conocen**".
Los discípulos comentaban **entre sí**:
    "¿Le habrá traído alguien **de comer**?"
Jesús les dijo:
    "Mi **alimento** es hacer la voluntad del que **me envió**
        y llevar a **término** su obra.
¿**Acaso** no dicen ustedes que **todavía** faltan
        cuatro meses para la siega?

legio en el culto asociado a tiempos y lugares especiales queda relativizado por parte de Jesús al establecer la fe en él como el único criterio para un culto verdadero, en Espíritu y en verdad.

El diálogo va llegando a la conclusión cuando la mujer sugiere que Jesús es el profeta mesiánico y Jesús lo acepta afirmando, "Yo soy". Afirmación que en la teología juánica suena a ratificación de su identidad divina. Concluyendo así que, para la comunidad cristiana (juánica) creer firmemente en Jesús como el Profeta, Mesías y Salvador del mundo es creer en Dios. Y esta

fe es el fundamento del verdadero culto a su divinidad.

En el tercer diálogo, sobre la cosecha, se enfatiza el tema de la misión. Mientras que los discípulos vuelven a donde Jesús, la mujer regresa al pueblo para dar testimonio y suscitar la fe de sus paisanos, quienes habrán de tener su propio encuentro y llegarán a *saber* y *oír* por ellos mismos. Mientras que los discípulos interpretan mal la idea de Jesús sobre el *pan* como le sucedió a la mujer en relación al *agua*, él como Mesías define lo que le da vida, o sea hacer la voluntad del Padre. Dicha voluntad de

servicio se expresará más adelante (ver Juan 17:4; 19:30) al final de su ministerio y en forma definitiva en la cruz: "todo se ha cumplido".

Los proverbios alrededor de la imagen de la siembra y la cosecha nos recuerdan los de los otros evangelios. La tarea de los discípulos está en saber sembrar, pero sobre todo en saber cosechar pues, aunque siempre se vea que falta tiempo, Jesús corrigiendo el proverbio insiste en que la cosecha está ya lista y madura. Cabe recordar aquí el dato de contraste que Marcos (4:3–9, 26–29, 30–32) menciona al respecto. Pese a

Incentiva a tus oyentes con los planteamientos. Baja la velocidad, pero no mucho. Se trata de sembrar la inquietud y exhortar a la acción.

Pues bien, **yo** les digo:
  Levanten los ojos y **contemplen** los campos,
  que ya están **dorados** para la siega.
Ya el segador **recibe** su jornal y almacena
  frutos para la **vida eterna.**
De **este** modo se alegran **por igual** el sembrador y el segador.
Aquí **se cumple** el dicho:
  '**Uno** es el que siembra y otro **el que cosecha'.**
Yo los envié a **cosechar** lo que no habían **trabajado.**
Otros trabajaron y ustedes **recogieron** su fruto".

Se retoma el nivel del relato. Recupera la velocidad normal de la narración.

Muchos samaritanos de aquel poblado
  creyeron en Jesús por el testimonio de la mujer:
  'Me dijo **todo** lo que he hecho'.
Cuando los samaritanos **llegaron** a donde él **estaba,**
  le **rogaban** que se quedara con ellos, y **se quedó allí** dos días.
Muchos más creyeron **en él** al oír su palabra.
Y decían **a la mujer:**

Las palabras finales deben resonar en la asamblea con fuerza y actualidad.

  "**Ya** no creemos por lo que tú nos **has contado,**
    pues **nosotros mismos** lo hemos oído
  y sabemos **que él es,** de veras,
    el **salvador** del mundo".
Abreviado: *Juan 4:5–15, 19–26, 39, 40–42*

---

lo adverso de las circunstancias, hay cosecha. Pese a lo visible de lo adverso, hay un crecimiento sencillo, diminuto y constante.

La abundancia de la cosecha en la tarea misionera no es un autoengaño sino un desafío a saber cosechar. Al citar el proverbio de que "uno es el que siembra y otro el que cosecha", Jesús prescinde del sabor pesimista (ver Miqueas 6:15) al mismo tiempo que advierte sobre el peligro del falso orgullo del discípulo misionero. La novedad, a partir de Jesús, de que tanto el que siembra como el que cosecha reciben su salario juntos se orienta al énfasis de la cosecha

como tarea escatológica principal. Dicha tarea, según san Juan, inicia en la hora de la crucifixión y exaltación de Jesús. A partir de ese momento se da el fruto de la fe que será también semilla de la tarea evangelizadora en el reconocimiento de Jesús como *Salvador* del mundo. Como sucede en el cuarto diálogo sobre la fe del pueblo samaritano, y como sucedió de hecho en la comunidad de creyentes en relación al evangelio de Juan, así también entre nosotros hoy.

IV DOMINGO DE CUARESMA, AÑO C

I LECTURA   Josué 5:9, 10–12

Lectura del libro de Josué

En aquellos días, el Señor dijo a Josué:
   "**Hoy** he quitado de encima de ustedes el **oprobio** de Egipto".

Los israelitas acamparon en Guilgal,
   donde **celebraron** la Pascua, al atardecer del día catorce del mes,
   en la llanura desértica de Jericó.
El día siguiente a la Pascua, comieron del fruto de la tierra,
   panes **ázimos** y granos de trigo tostados.
A partir de aquel día, **cesó** el maná.
Los israelitas ya **no volvieron** a tener maná,
   y desde **aquel** año
      comieron de los frutos que **producía** la tierra de Canaán.

La palabra clave es hoy. Acentúala.

Con entusiasmo renovado, imprime frescura a esta parte.

Para meditar

SALMO RESPONSORIAL   Salmo 34:2–3, 4–5, 6–7

R. **Gusten y vean qué bueno es el Señor.**

Bendigo al Señor en todo momento,
   su alabanza está siempre en mi boca;
mi alma se gloría en el Señor:
   que los humildes lo escuchen y se
      alegren. **R.**

Proclamen conmigo la grandeza del Señor,
   ensalcemos juntos su nombre.
Yo consulté al Señor, y me respondió,
   me libró de todas mis ansias. **R.**

Contémplenlo, y quedarán radiantes,
   el rostro de ustedes no se avergonzará.
Si el afligido invoca al Señor, él lo escucha
   y lo salva de sus angustias. **R.**

I LECTURA   La lectura de hoy se ubica en Guilgal. El nombre del sitio deriva de una raíz que significa rodar, hacer círculos o circular, y está emparentada con suceso de la circuncisión de la generación nueva. Empero, es muy probable que tenga orígenes más arcaicos, históricamente hablando, pues allí había un santuario muy popular al que acudían en peregrinación caravanas de fieles de las diferentes tribus a lo largo de la historia del pueblo.

La declaración de Dios a Josué, con la que inicia la lectura, refiere a la acción de la circuncisión del grupo y a su consecutiva purificación por mano de Josué. Dios ha quitado "el oprobio de Egipto", tiene el sentido de la liberación. La circuncisión y la purificación, unidas al hecho de habitar en una tierra nueva, tienen el sentido de que no son más esclavos, y que han entrado en alianza con Dios; se ha dado un cambio de dueño. La diferencia es que ahora son hombres libres, que pueden celebrar la pascua. Habiendo cumplido con las condiciones rituales prescritas, todos celebran la pascua en la nueva tierra; se constituyen en pueblo nuevo.

La novedad de la nueva condición de los fieles se refleja en lo que comen a partir del año nuevo. Panes sin levadura y grano tostado. Cesó el alimento del desierto desde entonces. El nuevo alimento proviene de la tierra nueva, y representa el cumplimiento de la promesa divina, y al mismo tiempo lo que significa la libertad de comer los frutos de la tierra que el Señor les provee.

A medio trayecto entre el Miércoles de Ceniza y la vida nueva de la resurrección, la Iglesia alimenta la esperanza y pone sus ojos en las promesas cumplidas del Señor. La his-

II LECTURA   2 Corintios 5:17–21

Lectura de la segunda carta del apóstol san Pablo a los corintios

Recuerda no iniciar sin haber captado la atención de la asamblea. Proclama con serenidad y en comunión con la asamblea. El texto es muy profundo; no te precipites.

Hermanos:
El que vive **según** Cristo es una criatura nueva;
para él todo lo viejo **ha pasado**. Ya todo **es nuevo**.

Todo esto **proviene** de Dios,
que nos **reconcilió** consigo por medio de Cristo
y que nos confirió el ministerio de **la reconciliación**.
Porque, **efectivamente**, en Cristo,
Dios **reconcilió** al mundo consigo
y **renunció** a tomar en cuenta los pecados de los hombres,
y a nosotros **nos confió** el mensaje de la reconciliación.

Avanza pausadamente en esta sección que enuncia la misión de la Iglesia.

Por eso, nosotros somos **embajadores** de Cristo,
y por nuestro medio,
es **Dios mismo** el que los exhorta a ustedes.
En **nombre** de Cristo les pedimos que **se reconcilien** con Dios.

Haz una pausa doble antes de acometer esta parte, y cierra la proclamación con la mirada clavada en la frase final.

Al que **nunca** cometió pecado,
Dios lo hizo "**pecado**" por nosotros,
para que, **unidos a él**, recibamos la salvación de Dios
y nos volvamos **justos y santos**.

EVANGELIO   Lucas 15:1–3, 11–32

Lectura del santo Evangelio según san Lucas

Las líneas iniciales son fundamentales. Identifica los diferentes momentos del relato y haz cambios de ritmo en la parábola.

En aquel tiempo,
se acercaban a Jesús los publicanos y los pecadores
para **escucharlo**.
Por lo cual los fariseos y los escribas **murmuraban** entre sí:
"Éste **recibe** a los pecadores y **come** con ellos".

---

toria de la salud no solo llama a detestar el pecado, sino que principalmente orienta la fe hacia la certeza de las promesas de vida que el Señor hace a sus fieles. Los frutos de la tierra son la primicia que el Señor nos da para alimentarnos mientras entramos en posesión de la tierra definitiva. Es el *pignus futurae gloriae* o garantía que los creyentes consumimos, al tiempo que nos disponemos a la pascua definitiva en la patria celeste.

II LECTURA La lectura habla del paso de lo viejo a lo nuevo. Pablo subraya especialmente lo que significa lo

realizado en la resurrección de Cristo, no sólo para el puñado de fieles cristianos, sino para la humanidad entera, más todavía, para el cosmos. La salvación que Dios ha realizado en Cristo significa una creación nueva. No es que Pablo sea un iluso, que ha dejado de ver la realidad. De ninguna manera. El Apóstol ve lo profundo de las cosas. Él subraya que lo acontecido en Cristo es tan poderoso y tiene la trascendencia de la creación nueva. La resurrección de Cristo no es un evento aislado o cerrado en el tiempo y en el espacio; es la transformación más radical posible en toda la crea-

ción. Así como el pecado original dañó con la muerte no solamente a la humanidad sino al cosmos mismo, ahora la resurrección de Cristo significa la vida nueva, la salud total, en lenguaje apocalíptico que deriva de los anuncios proféticos de Isaías (65:17; 66:22), por ejemplo. Pablo coloca esto en términos de reconciliación.

Lo viejo es la enemistad entre Dios y la humanidad es la consecuencia del pecado primero. El padre de la humanidad al rebelarse o quebrantar el mandamiento divino se negó a someterse a la voluntad de Dios. Dios, sin embargo, en lugar de decretar la

Jesús les dijo entonces esta **parábola**:
"Un hombre tenía **dos** hijos, y el **menor** de ellos
le dijo a su padre:
'**Padre**, dame la **parte** de la herencia que me toca'.
Y él **les repartió** los bienes.

No muchos días después, el hijo menor, juntando todo lo suyo,
se fue a un país **lejano**
y allá **derrochó** su fortuna, viviendo de una manera **disoluta**.
Después de **malgastarlo** todo,
sobrevino en aquella región una **gran hambre**
y él empezó a padecer **necesidad**.
Entonces fue a pedirle **trabajo** a un habitante de aquel país,
el cual lo mandó a sus campos **a cuidar cerdos**.
Tenía ganas de **hartarse** con las bellotas que comían los cerdos,
pero **no lo dejaban** que se las comiera.

Se puso entonces a reflexionar y se dijo:
'¡**Cuántos** trabajadores en casa de mi padre tienen pan **de sobra**,
y yo, aquí, me estoy **muriendo** de hambre!
Me levantaré, **volveré** a mi padre y le diré:
Padre, **he pecado** contra el cielo y **contra ti**;
ya **no merezco** llamarme hijo tuyo.
Recíbeme como a uno de tus trabajadores'.

Enseguida se puso en camino hacia la casa de su padre.
Estaba todavía **lejos**,
cuando su padre **lo vio** y se enterneció **profundamente**.
Corrió hacia él, y echándole los brazos al cuello,
lo cubrió de besos.
El muchacho le dijo:
'Padre, **he pecado** contra el cielo y **contra ti**;
ya no merezco llamarme **hijo tuyo**'.

Es necesaria una pausa después de la frase "padecer necesidad".

Acompaña la acción con acelerando la lectura en esta parte.

muerte prometió un redentor para restablecer la amistad primera, algo que el hombre era incapaz de hacer. Por eso Dios lo ha llevado a cabo en Cristo. Él y sólo él ha realizado la obra de reconciliación. El creyente participa de esta nueva creación por la fe; "vive en Cristo" en conformidad a lo nuevo y ha de abandonar todo lo viejo, es decir, lo que significa muerte y pecado.

La reconciliación, sin embargo, es una obra que se expande continuamente hasta alcanzar a la humanidad entera, y el medio de llegar al resto de los hombres se realiza mediante los evangelizadores. La comuni-dad de los creyentes debe brillar por esta característica. Es una comunidad de reconciliación y sus miembros vocean esta realidad en su propia carne. Viven en Dios. La afirmación paulina no es una simple especulación teológica, sino que tiene sus concomitancias en la ética del individuo y de la comunidad cristiana. Por eso el exhorto tan vehemente del Apóstol a reconciliarse. Si la reconciliación no se verifica en la vida de la comunidad, todo queda en bellas palabras.

Las frases finales de la lectura son verdaderamente audaces, y hasta escandalosas para algunos oyentes. Pablo afirma que "al que no conoció pecado, Dios lo hizo pecado por nosotros, para que, por él, nosotros viniéramos a ser justificación de Dios".

EVANGELIO La parábola del Padre misericordioso que tenía dos hijos es una de las más populares en la tradición cristiana. Ella forma parte de la respuesta de Jesús a la sana crítica de los fariseos y los escribas porque él come con publicanos y pecadores, o sea se vincula con personas reprobables, social y religiosamente. Lo contrario hacen ellos, al formar grupos de personas consideradas piadosas

Pero **el padre** les dijo a sus criados:
    '¡**Pronto**!, traigan la túnica más rica y **vístansela**;
    pónganle un anillo en el dedo y sandalias en los pies;
    traigan el becerro gordo y **mátenlo**.
Comamos y hagamos **una fiesta**,
    porque este hijo mío estaba muerto y ha vuelto **a la vida**,
    estaba perdido y lo **hemos encontrado**'.
Y empezó el banquete.

El hijo mayor estaba en el campo y al volver,
    cuando se acercó a la casa,
    oyó la música y los cantos.
Entonces **llamó** a uno de los criados
    y le preguntó **qué pasaba**.
Éste le contestó:
    'Tu hermano **ha regresado**
    y tu padre mandó matar el becerro gordo,
    por haberlo recobrado **sano y salvo**'.
El hermano mayor **se enojó** y no quería entrar.

Salió entonces el padre y **le rogó** que entrara; pero él replicó:
    '¡Hace **tanto** tiempo que te sirvo,
    sin desobedecer **jamás** una orden tuya,
    y tú no me has dado **nunca** ni un cabrito
        para comérmelo con mis amigos!
Pero eso sí, viene ese **hijo tuyo**,
    que **despilfarró** tus bienes con **malas** mujeres,
    y **tú** mandas matar el becerro **gordo**'.

El padre repuso:
    '**Hijo**, tú **siempre** estás conmigo y **todo** lo mío es tuyo.
Pero era **necesario** hacer fiesta y **regocijarnos**,
    porque este hermano tuyo **estaba muerto** y ha vuelto **a la vida**,
    estaba **perdido** y lo hemos **encontrado**' ".

Inicia un cuadro nuevo con la presencia del hijo mayor. Baja la velocidad, e imprime un tono de expectación.

Las palabras del mayor derraman amargura. Haz contacto visual con la asamblea en este punto.

Eleva el tono y mira a la asamblea para incorporarla en la invitación a festejar.

y cumplidoras de las estipulaciones legales. Reunirse con publicanos y pecadores (gente reconocidamente indeseable) es reprobable porque no guarda el estatus de pureza requerido para considerarse en gracia de Dios, o sea en buenos términos relacionales, social y espiritualmente hablando. Jesús muestra con la parábola que su actitud corresponde a la experiencia del Reino y no a las estipulaciones del sistema de salvación basado en la pureza.

Los dos hijos del padre de la parábola figuran los dos grupos sociales. El foco principal del relato sigue al hijo menor, porque ilustra mejor la condición de los considerados pecadores e indeseables. De ellos se distancian los escuchas de Jesús. Estos escuchas no han echado por la borda los principios más elementales de la vida familiar y social. La parábola, sin embargo, descubre lo que hay en el corazón del hijo menor, del mayor y del padre.

La parábola no aboga por que el hijo mayor imite al menor, o le ceda su lugar, y menos aún reprueba su incondicional fidelidad al padre de familia. A lo que llama es a que se alegre, porque lo que estaba perdido ha sido recuperado. Los escuchas deben imitar la alegría celeste, porque si esto sucede en el cielo, Dios quiere que se reproduzca en la tierra. Cuando Jesús se reúne con los excluidos y reprobables invita a que los impecables, aquellos que han permanecido siempre en el servicio paterno, entiendan que el amor de Dios es incondicional, y se unan a la alegría de la reconciliación familiar que Dios oferta en su Enviado a todo lo perdido.

IV DOMINGO DE CUARESMA, AÑO A

I LECTURA   1 Samuel 16:1, 6–7, 10–13

Lectura del primer libro de Samuel

En aquellos días, dijo el Señor a Samuel:
  "**Ve** a la casa de Jesé, en **Belén**,
  porque de entre sus hijos me he escogido **un rey**.
Llena, pues, tu cuerno de aceite para ungirlo y **vete**".

Cuando **llegó** Samuel a Belén y vio a Eliab,
  el hijo mayor de Jesé, pensó:
  "**Éste** es, **sin duda**, el que voy a **ungir** como rey".
Pero el Señor le dijo:
  "**No** te dejes impresionar por su **aspecto** ni por su **gran** estatura,
  pues yo lo he **descartado**,
  porque yo **no juzgo** como juzga **el hombre**.
El hombre se fija en **las apariencias**,
  pero el Señor se fija en **los corazones**".

Así fueron pasando ante Samuel **siete** de los hijos de Jesé;
  pero Samuel dijo:
  "**Ninguno** de éstos es el **elegido** del Señor".
Luego le preguntó a Jesé:
  "¿Son éstos **todos** tus hijos?"
Él respondió:
  "Falta el **más pequeño**, que está cuidando el rebaño".

Esta historia está llena de vida y ha sido contada infinidad de veces. Es tu turno. Visualízate como hermano mayor en medio de la comunidad.

Dale fuerza y solemnidad a la voz de Dios que guía en el interior de Samuel. Todos deben sentirse su presencia eficaz.

Exalta los datos del muchacho sin excederte pues lo que debe sobresalir es la unción. Es el nervio de la lectura.

I LECTURA   El rey David es una referencia indispensable en la literatura judía y cristiana por su trascendencia en la historia de Israel en casi todos los campos de su vida como lo militar, religioso, social, literario. David es un ícono bíblico cultural. Su figura representa el culmen de ese periodo de la historia del pueblo elegido, la monarquía. Su memoria está relacionada también al nacimiento y madurez de la expectativa mesiánica, que se fue plasmando en una diversidad de tradiciones, relatos y leyendas. Todos esos materiales van a ser trabajados e hilvanados por el escritor sagrado, buscando la mayor coherencia posible. De algún modo, se nota que entreteje en un primer momento al David guerrero o militar y al David músico o poeta. En un segundo momento, articula las dimensiones de pastor o líder y la de capitán en esta figura emblemática de David.

Ante todo, nadie duda que este hombre haya sido elegido expresamente por Dios. El escritor sagrado, mediante el recurso literario de la anticipación, fundamenta la elección de David por parte de Dios desde su adolescencia. En otras palabras, el relato de la elección fue anticipado o elaborado en tiempos posteriores. Como cuando se crean historias elocuentes sobre la vocación temprana del papa Juan Pablo II o Francisco en el momento en que son elegidos pontífices, o cuando están en proceso de beatificación.

Del modo que sea, siempre será Dios el que toma la iniciativa y el caso de David no es la excepción. Samuel tiene como única tarea ejecutar lo que Dios le va indicando y ser un testigo autorizado. Para poner de relieve la elección por parte de Dios, el escritor pone unos detalles en el relato. Nadie más participa, el pueblo no

Samuel le dijo:
   "Hazlo **venir,** porque no nos sentaremos a comer
      hasta que llegue".
Y Jesé lo mandó llamar.

El muchacho era **rubio,** de ojos vivos y **buena presencia.**
Entonces el Señor dijo a Samuel:
   "Levántate y **úngelo,** porque **éste es**".
Tomó Samuel el cuerno con el aceite
   y lo **ungió** delante de sus hermanos.

Para meditar

SALMO RESPONSORIAL   Salmo 22:1–3a, 3b–4, 5, 6

R. El Señor es mi pastor, nade me falta.

El Señor es mi Pastor, nada me falta:
   en verdes praderas me hace recostar;
   me conduce hacia fuentes tranquilas
   y repara mis fuerzas. **R.**

Me guía por el sendero justo,
   por el honor de su nombre.
Aunque camine por cañadas oscuras,
   nada temo, porque tú vas conmigo:
   tu vara y tu cayado me sosiegan. **R.**

Preparas una mesa ante mí,
   enfrente de mis enemigos;
   me unges la cabeza con perfume,
   y mi copa rebosa. **R.**

Tu bondad y tu misericordia me acompañan
   todos los días de mi vida,
   y habitaré en la casa del Señor
   por años sin término. **R.**

II LECTURA   Efesios 5:8–14

Lectura de la carta del apóstol san Pablo a los efesios

Hermanos:
En otro tiempo ustedes fueron **tinieblas,**
   pero **ahora,** unidos al Señor, **son luz.**
Vivan, por lo tanto, como **hijos** de la luz.
Los **frutos** de la luz son **la bondad,** la santidad y **la verdad.**
Busquen lo que es **agradable** al Señor
   y no tomen parte en las obras **estériles** de los que son **tinieblas.**

Afirmación y exhortación son los tonos principales de la lectura. Remacha los verbos *vivir* y *buscar,* así ayudarás a que la asamblea capte mejor las ideas.

evoca su nombre, nadie, únicamente Dios, sugiere o indica que hacer. Más bien el contrario, nadie parece creer que este muchacho sea el elegido por Dios.

Finalmente, recordemos el hilo teológico en la relación típica entre Samuel y David. La monarquía y su rey están siempre de algún modo subordinadas a la profecía de Dios y a su mediador el profeta. Es Samuel quien unge al rey y tiempo después este mismo rey tendrá que respetarle la vida.

La lectura nos da la oportunidad para que los cristianos nos ejercitemos en rela-

cionar y profundizar en la identidad de reyes y profetas que nos es propia.

II LECTURA La Carta a los Efesios pone frente los destinatarios las dos dimensiones inseparables de la fe cristiana: Aceptar toda la nueva realidad otorgada por Cristo (Efesios 1–3) y vivir conforme a ella (Efesios 4–6). De hecho, la carta no parece tener en mente a personas que no sean de la comunidad eclesial. Es un escrito para los que creen en Cristo. Dichos creyentes deben vivir en cohesión ejemplar, pues solamente de esa manera podrán rela-

cionarse con el mundo de su entorno teniendo una identidad y palabra digna de ser tomada en cuenta.

En nuestra lectura, el autor adopta el símbolo tradicional de la luz y las tinieblas dentro de la cosmovisión ética del Mediterráneo de su momento. Hace coincidir la luz con Cristo, y la luz del radiante amanecer (Salmo 57; Isaías 60) con el comportamiento cristiano, contrastante al pagano.

Además de señalar la vida recta de los cristianos versus la inaceptable de los no cristianos, el autor apunta a las dos caras o posibilidades de la misma persona en su

Dale un tono parejo y consistente a este párrafo que sirve de base para la última frase que deberá alertar a todos.

Al contrario, repruébenlas **abiertamente**;
   porque, si bien las cosas que ellos hacen **en secreto**
     da rubor **aun mencionarlas**,
  al ser **reprobadas** abiertamente, todo queda **en claro**,
  porque **todo** lo que es iluminado
    por la luz se **convierte** en luz.

Por eso se dice: *Despierta, tú que duermes;*
   levántate de entre los muertos y Cristo será tu luz.

EVANGELIO   Juan 9:1–41

Lectura del santo Evangelio según san Juan

Prepárate para un relato extenso y lleno de acción. Identifica los momentos y escenarios diferentes, así como los personajes con su propia actitud.

En aquel tiempo,
  Jesús vio al pasar a un ciego **de nacimiento**,
  y sus discípulos le preguntaron:
   "Maestro, ¿**quién** pecó para que éste naciera ciego,
    él o sus padres?"
Jesús respondió:
  "Ni **él** pecó, ni **tampoco** sus padres.
Nació **así** para que **en él** se manifestaran las obras de Dios.
Es **necesario** que yo haga las obras del que me **envió**,
  mientras es **de día**,
  porque luego llega la noche y ya **nadie** puede trabajar.
Mientras esté en el mundo, **yo soy** la luz del mundo".

No recargues de solemnidad las palabras de Jesús; que suenen lógicas y espontáneas.

Dicho esto, escupió en el suelo, hizo **lodo** con la saliva,
  se lo puso en los ojos al ciego y le dijo:
"**Vé** a lavarte en la piscina de **Siloé**" (que significa '**Enviado**').
Él fue, **se lavó** y volvió **con vista**.

---

vida "anterior" y en su nueva identidad en Cristo. De tal modo hay que detestar en otros, y en uno mismo, todo comportamiento que viene de la oscuridad, que se desvanezca la idea de que sólo lo que se ve es materia de juicio, "en la oscuridad se esconde el vicioso" ("la oscuridad me rodea, nadie me ve…" [Eclesiástico 23:18]. Ver también Job 24:13–17). Pero ya las más antiguas Escrituras anotan que la luz delata el delito ("pusiste nuestras culpas a la luz de tu mirada" [Salmo 90:8]).

El mundo de la luz, en cambio, se opone claramente al mundo de las tinieblas, tiene sus adictos, produce sus frutos y, en la óptica cristiana, recibe la luz de Cristo glorificado. Por el contrario, las obras de las tinieblas son estériles y vergonzosas.

Al parecer la carta hace referencia a un himno vivo en el ambiente: "Quien duerme en la muerte que se levante" (Isaías 51:17; 52:1). La exhortación del autor de Efesios a mostrar la coherencia de la vida cristiana está ligada a la primera mitad del escrito en donde se exalta la persona de Cristo cabeza de toda la comunidad, cósmica diríamos, en donde se superan todas las barreras para reconocer la nueva humanidad en Cristo su-

perando todas las barreras ideológicas, culturales y nacionalistas.

Los versos que hemos leído son, a decir de muchos especialistas, los más enigmáticos de todo el escrito. Pero su mensaje no deja de ser ilustrativo y poderoso para el cristiano y la Iglesia de todos los tiempos: La coherencia de vida es en el comportamiento cristiano un signo de pertenencia a Cristo y a su comunidad de salvación que es la Iglesia en sentido amplio. Los hijos de la luz vencen el poder de las tinieblas cuando su comportamiento es bueno y digno y lo vencen también cuando son sinceros en reconocer su

Frasea bien para que la asamblea se percate de las distintas voces en el relato.

Entonces los vecinos y los que lo habían visto antes
    pidiendo limosna, preguntaban:
    "¿No es **éste** el que se sentaba a pedir limosna?"
Unos decian: "Es **el mismo**".
Otros: "No es él, sino que **se le parece**".
Pero él decía: "**Yo soy**".
Y le preguntaban:
    "Entonces, ¿**cómo** se te abrieron los ojos?"
Él les respondió:
    "El **hombre** que se llama Jesús hizo lodo,
    me lo puso en los ojos y me dijo:
    'Ve a Siloé y **lávate**'.
Entonces **fui**, me lavé y comencé **a ver**".
Le preguntaron: "¿En **dónde** está él?"
Les contestó: "**No lo sé**".

Eleva la voz para acentuar las interrogaciones. Procura que sobresalga el curado con fuerza.

Llevaron entonces ante los fariseos al que **había sido** ciego.
Era **sábado** el día en que Jesús hizo lodo y le abrió los ojos.
También los fariseos le preguntaron **cómo** había adquirido la vista.
Él les contestó:
    "Me puso lodo en los ojos, me lavé y **veo**".
Algunos de los fariseos comentaban:
    "Ese hombre **no viene** de Dios, porque no guarda el sábado".
Otros replicaban:
    "¿**Cómo** puede un pecador hacer semejantes prodigios?"
Y había **división** entre ellos.
Entonces **volvieron** a preguntarle al ciego:
    "Y tú, ¿**qué piensas** del que te abrió los ojos?"
Él les contestó: "Que es **un profeta**".

Pero los judíos **no creyeron** que aquel hombre,
    que había sido ciego, hubiera **recobrado** la vista.
Llamaron, pues, a sus padres y les preguntaron:
    "¿Es **éste su hijo**, del que ustedes **dicen** que nació ciego?
¿Cómo es que **ahora** ve?"
Sus padres contestaron:
    "Sabemos que **éste** es nuestro hijo y que nació **ciego**.

Dale el tono autoritario a los judíos que quieren intimidar a los padres del ciego quienes responden un poco con miedo.

pecado y derriban el muro de la enemistad con todos. Este es el proyecto de la nueva humanidad (comunidad sin fronteras) mediante la nueva personalidad de los que son en Cristo y por Cristo.

Pensemos, por ejemplo, en las consecuencias de una comunidad eclesial que entra en un proceso de reconciliación sincera, sacando a la luz lo que permanece oculto y pertenece al mundo de la oscuridad, de la mentira y de los poderes contrarios al proyecto de Jesús. Con el mero hecho de entrar en ese proceso, las obras de la oscuridad se irían transformando en luz. Algo

semejante pide esta carta para que la comunidad cristiana despierte del adormilamiento y abrace la luz de Cristo que transforma todo.

EVANGELIO   Uno de los grandes tesoros del evangelio de Juan es la belleza literaria y profundidad teológica de sus diálogos y relatos. Este es uno de los más dramáticos. En la curación del ciego de nacimiento se corrige una vez más el mal entendido acerca de la identidad de Jesús, quien es "de Dios" y no un "pecador", como afirman los maestros judíos. En esta escena

se ejemplifica cuál debe ser la actitud del cristiano (juánico) frente a la hostilidad de las autoridades.

Después de una jornada llena de tensión, controversias y auténticas proclamaciones sobre la identidad y misión de Jesús, el evangelista nos lleva hasta el relato de la curación de ciego de nacimiento. El relato es un proceso de frases encadenadas alrededor de un simple milagro que provoca mucho revuelo, casi en forma desproporcionada. Enseguida comienzan a aflorar una serie de actitudes. Por un lado, tenemos la del ciego que parece ser el protagonista de

Las palabras de los padres deben sonar temerosas.

Cómo es que **ahora** ve o quién le haya dado la vista,
no lo sabemos.
Pregúntenselo **a él;** ya tiene edad **suficiente**
y responderá **por sí mismo".**
Los padres del que había sido ciego dijeron esto
por miedo a los judíos,
porque éstos ya habían convenido en **expulsar** de la sinagoga
a quien **reconociera** a Jesús como **el Mesías.**
Por eso sus padres dijeron: 'Ya tiene edad; **pregúntenle** a él'.

Acelera en este nuevo interrogatorio y dale cierta aspereza.

Llamaron **de nuevo** al que había sido ciego y le dijeron:
"Da **gloria** a Dios.
Nosotros **sabemos** que ese hombre es pecador".
Contestó él:
"Si es pecador, **yo no lo sé;** sólo sé que yo **era** ciego
y **ahora** veo".
Le preguntaron **otra** vez:
"**¿Qué** te hizo? **¿Cómo** te abrió los ojos?".
Les contestó:
"Ya se lo dije a ustedes **y no** me han dado crédito.
¿Para qué quieren oírlo **otra vez?**
¿Acaso **también** ustedes quieren hacerse discípulos **suyos?"**
Entonces ellos lo llenaron **de insultos** y le dijeron:
"Discípulo de ése **lo serás tú.**
Nosotros somos discípulos **de Moisés.**
Nosotros **sabemos** que a Moisés le **habló Dios.**
Pero ése, no sabemos **de dónde viene".**

Avanza con serena firmeza, nada de aspavientos desafiantes.

Replicó aquel hombre:
"Es curioso que **ustedes** no sepan de **dónde** viene
y, sin embargo, me **ha abierto** los ojos.
Sabemos que Dios no escucha a **los pecadores,**
pero al que lo teme y **hace su voluntad,** a ése sí lo escucha.
Jamás se había oído decir que alguien **abriera** los ojos
a un ciego **de nacimiento.**
Si éste no viniera **de Dios,** no tendría **ningún** poder".

toda la historia. Su presencia es tan dominante que supera a la del mismo Jesús. Por el otro lado, tenemos a los vecinos curiosos, a los padres medio atemorizados y a las autoridades renuentes e incisivas, y en medio de todo, tenemos a Jesús que va guiando de modo discreto y claro los hechos. Impresiona el modo como el evangelista describe el comportamiento del ciego que en forma decisiva y hasta irónica va desarmando a los que se oponen a reconocer el mesianismo de Jesús.

En el fondo de esta belleza narrativa se encuentran dos procesos inversos. Primero,

el proceso progresivo de iluminación del ciego y, segundo, la creciente ceguera de las autoridades que se empecinan en poseer toda la verdad y ciegan cualquier luz que evidencie su miopía. Al principio están divididos, pero terminan afirmando su certeza ("Nos consta", dicen) y deciden insultar y expulsar.

Algunos elementos más en torno a la lectura. La preocupación de los discípulos sobre el alcance de los pecados de los padres sobre los hijos refleja la mentalidad del tiempo. Jesús no sólo desmiente tal cosa sino que adelanta el sentido de lo que va a

ocurrir, para que así quede de manifiesto la obra de Dios. El tema del día (vida) y la noche (muerte) forman un marco en el que opera Dios y su obra. La acción misma de Jesús podría estar haciendo referencia a la encarnación (saliva y barro) y al bautismo al mencionar el "lavado" de los ojos. Dios se revela en Jesús, en él se hace patente su voluntad. Toda la discusión en torno al milagro parece confirmar la nueva identidad del ciego que hora ve porque ha sido curado y esto lo llevara a la fe y al discipulado mientras que los fariseos en su obcecación definen al ciego en sus propias categorías. Es

Alza el tono al llega a la expulsión, y marca la pausa del parágrafo.

Le replicaron:

"Tú eres **puro** pecado **desde que naciste**,
¿cómo **pretendes** darnos lecciones?"
Y lo echaron **fuera**.

Las palabras de Jesús deben transmitir más y más seguridad.

Supo Jesús que lo habían echado fuera,
y cuando lo encontró, le dijo:
"¿**Crees tú** en el Hijo del hombre?"
Él contestó:
"¿**Y quién es**, Señor, para que yo crea **en él**?"
Jesús le dijo:
"**Ya** lo has visto; el que está hablando contigo, **ése es**".
Él dijo: "**Creo, Señor**". Y postrándose, **lo adoró**.

Este párrafo es la cúspide del relato. Baja la velocidad conforme se aproxima el final.

Entonces le dijo Jesús:
"Yo he venido a este mundo para que **se definan** los campos:
para que los ciegos **vean**, y los que ven **queden ciegos**".
Al oír esto, algunos fariseos que estaban con él le preguntaron:
"¿Entonces, **también nosotros** estamos ciegos?"
Jesús les contestó:
"Si estuvieran ciegos, no tendrían pecado;
pero como **dicen** que ven, siguen en su pecado".

Abreviada: *Juan 9:1, 6–9, 13–17, 34–38*

un pecador. Confirmando así que persiste en ellos la relación entre enfermedad física y pecado y, en el fondo, la renuencia a creer en Jesús.

El dato que da el evangelista al final informa sobre el sentido de todo el relato. O sea Jesús representa el juicio tanto para el mundo de los que no ven como para el de los que dicen ver. Los primeros verán y creerán, en tanto que los otros se volverán ciegos. Ahí estamos nosotros, frente a este juicio e invitación.

La expresión sobre el pecado que permanece nos recuerda que el *pecado* es jus-

tamente la falta de fe en el Enviado (ver 8:24), de modo que el incrédulo se hace acreedor a las palabras de que "quien no cree al Hijo, no verá la vida, porque lleva encima la ira de Dios" (Juan 3:36b).

El juicio que Jesús significa para el mundo viene de donde menos se espera y de donde menos se puede esperar. El valor teológico, simbólico y pastoral de esta lectura viene a cambiar nuestras perspectivas y orientaciones porque nos lanza a buscar y encontrar la obra de Dios, la presencia de Jesús, fuera de los espacios y los límites que le hemos trazado. Una nueva mirada a nues-

tra fe y a las rutas que ella nos marca podría estar llena de sorpresas, unas duras y otras esperanzadoras.

V DOMINGO DE CUARESMA, AÑO C

I LECTURA Isaías 43:16–21

Lectura del libro del profeta Isaías

Con ánimo en la voz, dale el ritmo de lectura que haga notar las notas que describen a Dios.

Esto dice el Señor, que **abrió** un camino en el mar
  y un **sendero** en las aguas **impetuosas,**
  el que hizo **salir** a la batalla
    a un **formidable** ejército de carros y caballos,
  que cayeron **y no se levantaron,**
  y se apagaron como una mecha que **se extingue:**

  "**No** recuerden lo pasado **ni piensen** en lo antiguo;
  yo voy a realizar algo **nuevo.**
Ya **está** brotando. ¿No lo **notan?**
Voy a abrir **caminos** en el desierto
  y haré que **corran** los ríos en la tierra **árida.**
Me darán **gloria** las bestias salvajes,
  los chacales y las avestruces,
  porque haré correr **agua** en el desierto,
  y **ríos** en el yermo,
  para **apagar** la sed de mi pueblo escogido.
Entonces el pueblo que me he formado
  proclamará mis alabanzas".

Alarga esta parte y al hacer la pregunta haz contacto visual con la asamblea.

I LECTURA La lectura seleccionada para este día reitera las promesas de Dios que escuchamos al inicio de la Cuaresma. La voz profética conservada en el libro de Isaías habla de algo maravilloso que, en su momento, debía sonar incoherente. Pero había una razón poderosa para pronunciarlas. Unos pocos, alentados por el decreto de Ciro, el nuevo conquistador persa, habían regresado del exilio babilónico a la provincia de Judea.

En Judea, los retornados enfrentaban la dura realidad. Los recursos eran escasos, no tenían las facilidades que las tierras imperiales ofrecían, ni en instrumentos, ni en recursos naturales, ni en mano de obra. Por si poco fuera, los lugareños que habían sido desplazados de sus antiguos territorios para ocupar aquellas tierras entonces baldías los consideraban extranjeros e invasores, pues llegaban con autoridad para organizar la vida y les reclamaban sus posesiones. En esos momentos de tensión creciente, era necesario alentar a los desfallecidos soñadores, aislados y sedientos de alguna buena noticia.

Con un lenguaje poético, menos descriptivo o pragmático sobre lo que hay que hacer y más evocativo, el profeta evoca los portentos del éxodo en torno al agua, para asegurar que Dios llevará a cabo prodigios inimaginables. El éxodo de la memoria fundacional del pueblo es la referencia más poderosa.

Tres elementos podemos rescatar de este trozo oracular. El poeta describe a Dios como el Señor de la historia. Los acontecimientos guardan una coherencia que les viene del designio de salvación que Dios promueve; ni el formidable ejército egipcio pudo impedirla. La mirada, sin embargo, hay que dirigirla al futuro. La novedad surge desde abajo, de lo imperceptible, del agua

Para meditar

SALMO RESPONSORIAL   Salmo 126:1–2ab, 2cd–3, 4–5, 6

R. El Señor ha estado grande con nosotros, y estamos alegres.

Cuando el Señor cambió la suerte de Sión,
    nos parecía soñar:
    la boca se nos llenaba de risas,
    la lengua de cantares. **R.**

Hasta los gentiles decían:
    "El Señor ha estado grande con ellos".
El Señor ha estado grande con nosotros,
    y estamos alegres. **R.**

Que el Señor cambie nuestra suerte,
    como los torrentes de Negueb.
Los que sembraban con lágrimas
    cosechan entre cantares. **R.**

Al ir, iba llorando,
    llevando la semilla;
    al volver, vuelve cantando,
    trayendo sus gavillas. **R.**

II LECTURA   Filipenses 3:7–14

Lectura de la carta del apóstol san Pablo a los filipenses

Es un texto confesional, casi autobiográfico. Infunde tono de convicción y profunda reverencia a estas líneas.

Hermanos:
Todo lo que era **valioso** para mí,
    lo consideré **sin valor** a causa de Cristo.
Más aún pienso que **nada** vale la pena
        en comparación con el **bien** supremo,
    que consiste en **conocer** a Cristo Jesús, mi Señor,
    por cuyo amor he renunciado **a todo**,
    y todo lo considero como **basura**,
    con tal de **ganar** a Cristo y de estar **unido** a él,
    no porque haya obtenido la **justificación** que proviene de **la ley**,
    sino la que procede **de la fe** en Cristo Jesús,
    con la que Dios hace justos **a los que creen**.

Estas cuatro líneas forman un todo. Nota que van pareadas y así pronúncialas.

Y todo esto, para **conocer** a Cristo,
    experimentar la fuerza de su resurrección,
    compartir sus sufrimientos y asemejarme **a él** en su muerte,
    con la esperanza de **resucitar** con él de entre los muertos.

que va empapando la tierra desértica. Esa agua, lo saben los sabios que han retornado de Babilonia, es la corriente vivificante de la Ley, de los mandamientos del Señor, que va formando al pueblo. Tercero, la salvación de Dios culmina en un pueblo que canta la alabanza a Dios, su creador. Toda la naturaleza participa de esta alabanza, que forma y conforma a la comunidad en cuanto la impulsa a vencer las adversidades que confronta.

II LECTURA Uno de los caballos de batalla de las enseñanzas paulinas es sobre la manera nueva que Dios ha inaugurado con la resurrección de Jesús, para relacionarse con nosotros. Le llama la justificación. Es una manera destinada a todos los hombres. Si las enseñanzas del judaísmo y el sistema teológico de salvación basado en la Ley se han evidenciado incapaces de abrazar a todos los hombres en una recta relación con Dios, la fe en Cristo evidencia una potencia inaudita en esa dirección. No mediante el cumplimiento de la Ley, sino por la fe en Cristo es que Dios establece con el hombre una relación recta, justa, filial, en Cristo. De aquí deriva el vivir en consecuencia.

Pablo habla de sí en el trozo que escuchamos. Habla de su propia experiencia en el marco de la justificación. Al aceptar la fe en Cristo Jesús, Pablo acepta su incapacidad para relacionarse adecuadamente con Dios. Ha sido el conocimiento de Cristo lo que le ha catapultado a otro tipo de relación con Dios. Entiende que Dios gratuitamente ha abierto la vía en Cristo y derrama su Espíritu sobre todos creyentes. Es el Espíritu de Dios el que guía en el conocimiento de Cristo, es decir, en la experiencia de su resurrección con toda su potencia; morir unidos a él, para ser resucitados con él.

No quiero decir que haya **logrado ya** ese ideal o que sea ya **perfecto**,
    pero me esfuerzo en **conquistarlo**,
    porque Cristo Jesús me ha conquistado.
No, hermanos, considero que **todavía** no lo he logrado.
Pero **eso sí**, olvido lo que he dejado atrás,
    y me **lanzo** hacia adelante,
    en **busca** de la meta y del trofeo al que Dios,
    por medio de **Cristo Jesús**, nos llama desde el cielo.

EVANGELIO   Juan 8:1–11

Lectura del santo Evangelio según san Juan

En aquel tiempo,
    Jesús **se retiró** al monte de los Olivos
    y al amanecer se presentó **de nuevo** en el templo,
    donde **la multitud** se le acercaba;
    y él, sentado entre ellos, les **enseñaba**.

Entonces los escribas y fariseos
    le llevaron a una mujer sorprendida en adulterio,
    y poniéndola frente a él, le dijeron:
    "**Maestro**, esta mujer ha sido **sorprendida** en flagrante adulterio.
Moisés nos manda en la ley **apedrear** a estas mujeres.
¿**Tú** qué dices?"

Le preguntaban esto para **ponerle** una trampa y poder **acusarlo**.
Pero Jesús se **agachó** y se puso a escribir **en el suelo** con el dedo.
Pero como **insistían** en su pregunta, se **incorporó** y les dijo:
    "Aquel de ustedes que **no tenga pecado**,
    que le tire la **primera** piedra".
Se **volvió** a agachar y siguió escribiendo en el suelo.

Pronuncia con cálida sinceridad ante la asamblea. Con renovado vigor emprende la ruta hacia el final.

Es un relato de corte sapiencial y dramático. No exageres los tonos como si fuera un melodrama.

Alarga la línea de la acción de Jesús, y haz una pausa de dos tiempos antes de proseguir a la siguiente línea.

Pablo no se hace falsas ilusiones; sabe que no ha alcanzado el ideal de la fe. Sabe sí, que antes que él "conquistar" a Cristo, pues no es un objeto o una posesión apostólica, es Cristo quien lo ha conquistado. Pablo es instrumento de la vida pascual. Con esa frase explica que no hay vuelta a atrás. La Ley y su cumplimiento no es lo que mueve la vida del Apóstol sino vivir la vida nueva derivada de la resurrección de Cristo.

En la proximidad del final del camino que desemboca en la Pascua, la comunidad de fe, la Iglesia, se coloca ante las promesas de la vida nueva, de vivir de, en y por la gracia de Dios. Esa gracia es el conocimiento de Cristo Jesús. El Espíritu Santo es el guía luminoso de la fe.

EVANGELIO El evangelio que hoy escuchamos es un episodio singular por, al menos, tres razones. Primera, el estilo narrativo tiene más sabor sinóptico que juánico. Segunda, el texto se ha recuperado en un par de lugares del evangelio de san Lucas también. Y tercera, encontramos la dupla de fariseos y escribas confabulándose contra Jesús, lo que es inusitado en la narración del Evangelio según san Juan. Este "aerolito sinóptico en un cielo juánico" la Iglesia lo ha abrazado en su canon y nos lo ofrece en el "evangelio espiritual", en medio de esa sección dedicada a la revelación de Jesús en la Fiesta de las Tiendas.

El relato subraya la sabiduría de la revelación de Jesús. Los acusadores no buscan un pronunciamiento legal, pues Jesús no es juez ni fiscal. Ellos no buscan la verdad; ya la poseen. Buscan contraponer los criterios de Jesús con los de Moisés, en cuanto al trato con los adúlteros, pero andan con intenciones torcidas. Por eso tienden una trampa para poder acusar al

Al oír **aquellas** palabras,
   los acusadores comenzaron a escabullirse **uno tras otro**,
   empezando por **los más viejos**,
   hasta que dejaron **solos** a Jesús y a la mujer,
   que estaba de pie, junto a él.

Entonces Jesús **se enderezó** y le preguntó:
   "Mujer, ¿**dónde** están los que te acusaban?
¿**Nadie** te ha condenado?"
Ella le contestó:
   "**Nadie**, Señor".
Y Jesús le dijo:
   "**Tampoco yo** te condeno.
Vete y ya **no vuelvas** a pecar".

Con toda claridad pronuncia la pregunta de Jesús, al tiempo que cubres con la mirada a toda la asamblea. Baja la velocidad conforme te acercas al final del relato.

Maestro de Nazaret y quitarlo de en medio. Su verdad anda en busca de más víctimas; es una verdad justiciera que impone la salud con una rigidez tal que la vida terminará por resquebrajar. En ese episodio nada se dice de la condición del adúltero, ni de los testigos, ni de lo que sucedió con la mujer después. El adulterio era uno de los peores crímenes en el ámbito mosaico.

La reacción de Jesús esgrime un principio inesperado, sorpresivo y casi escandaloso. No deroga la ley mosaica, pero coloca al pecador por encima de su pecado. Así, la vía para preservar la salud de la comunidad es una que hay que andar personalmente, no la que dictaminan sus pecados. Y al mirar hacia afuera, la autocrítica debe ser uno de los condicionamientos morales.

El perdón que Jesús otorga ilustra la misericordia divina con todos los pecadores, adúlteros o no. El perdón es un regalo inesperado de parte del Juez supremo. Cuando la comunidad cristiana se encuentra a las puertas de celebrar los misterios de la redención, la Iglesia pone sus ojos en el perdón de Dios, no en su juicio. Es un perdón que abre a la vida y que nos obliga a vivir así, bajo el signo de la misericordia de Dios, perdonados. No olvidemos esto cuando salgamos por las puertas de la iglesia.

V DOMINGO DE CUARESMA, AÑO A

I LECTURA   Ezequiel 37:12–14

Lectura del libro del profeta Ezequiel

Esto dice el Señor Dios:
  "Pueblo mío, **yo mismo** abriré sus sepulcros,
   los haré **salir** de ellos
   y **los conduciré** de nuevo a la tierra de Israel.

Cuando **abra** sus sepulcros y los saque **de ellos**,
   pueblo mío, ustedes dirán que **yo soy** el Señor.

Entonces les **infundiré** a ustedes mi espíritu y **vivirán**,
   los **estableceré** en su tierra
   y ustedes **sabrán** que yo, el Señor, lo dije y **lo cumplí**".

La lectura es breve pero muy poderosa. Guíate por las palabras en negrita y adopta un ritmo pausado por la puntuación.

Para meditar

SALMO RESPONSORIAL   Salmo 130:1–2, 3–4ab, 4c–6, 7–8

R. Del Señor viene la misericordia, la redención copiosa.

Desde lo hondo a ti grito, Señor;
   Señor, escucha mi voz;
   estén tus oídos atentos
   a la voz de mi súplica. **R.**

Si llevas cuenta de los delitos, Señor,
   ¿quién podrá resistir?
Pero de ti procede el perdón,
   y así infundes respeto. **R.**

Mi alma espera en el Señor,
   espera en su palabra;
   mi alma aguarda al Señor,
   más que el centinela la aurora.
Aguarde Israel al Señor,
   como el centinela la aurora. **R.**

Porque del Señor viene la misericordia,
   la redención copiosa;
   y él redimirá a Israel
   de todos sus delitos. **R.**

I LECTURA   Ezequiel, el profeta de los exiliados, recibe el llamado de Dios mientras compartía la suerte de su pueblo desterrado. Este hombre místico realista, poeta y analista tiene, además de sus mensajes de condenación y denuncia, uno poderoso de esperanza. Dicho mensaje queda manifiesto en su visión de los huesos secos (37:1–14) de donde ha sido tomada la lectura del día.

La vida de un extranjero, alguien que vive fuera de su patria, está llena de desafíos, sin duda, mayores a los que confrontaría en su propia tierra. Pero cuando la migración ha sido en algún modo forzada, como sucede con la deportación y se vive bajo ciertas formas de explotación, el espíritu desfallece, la fe se tambalea, al grado de sentirse cerca de la muerte en repetidas ocasiones (Ezequiel 33:10). La idea de regresar y empezar de nuevo no entusiasma mucho a una comunidad moribunda, de ahí que el profeta inyecte este mensaje desafiante y lleno de esperanza.

El pueblo es comparado con un montón de huesos secos, sin vida. Ante esto, el profeta convoca y hacer venir de todos lados el espíritu de vida para que penetre todo y a todos. Ese espíritu infunde nueva vida y es la imagen para revivir a ese pueblo que está muerto en vida y enterrado en sus propios sepulcros. Dios lo habrá de conducir a la liberación, para gloria del mismo Dios y de nadie más.

Los exilios se multiplican día con día, y la visión de Ezequiel nos transmite también una esperanza alentadora y desafiante para nuestra propia situación. ¿Qué lectura e interpretación responsable puede hacer una Iglesia de migrantes, exiliados y refugiados en este tiempo? Como en tiempos de Ezequiel y en tiempos de los cristianos del

II LECTURA   Romanos 8:8–11

Lectura de la carta del apóstol san Pablo a los romanos

Hermanos:
Los que viven en forma desordenada y egoísta
no pueden agradar a Dios.
Pero ustedes **no llevan** esa clase de vida,
sino una vida **conforme** al Espíritu,
puesto que el Espíritu de Dios habita **verdaderamente**
en ustedes.

Quien **no tiene** el Espíritu de Cristo, **no es** de Cristo.
En cambio, si Cristo vive **en ustedes**,
aunque su cuerpo **siga sujeto** a la muerte a causa **del pecado**,
su espíritu **vive** a causa de la actividad **salvadora** de Dios.

Si el Espíritu del Padre,
que **resucitó** a Jesús de entre los muertos, **habita** en ustedes,
entonces **el Padre,** que resucitó **a Jesús** de entre los muertos,
también les dará vida a sus cuerpos mortales,
por **obra** de su Espíritu que habita **en ustedes**.

Con serena autenticidad vocaliza estas líneas obre los que viven coherentes al Espíritu.

En estos dos párrafos prevalece el concepto de la Trinidad, busca un balance en la entonación, así ayudaras a los presentes a entrar en este mensaje de comunión en Dios.

EVANGELIO   Juan 11:1–45

Lectura del santo Evangelio según san Juan

En aquel tiempo,
se encontraba enfermo **Lázaro,** en Betania,
el pueblo de María y de su hermana Marta.
María era la que una vez **ungió** al Señor con perfume
y le enjugó los pies **con su cabellera**.
El enfermo era su hermano **Lázaro**.
Por eso las dos hermanas le mandaron decir a Jesús:
"Señor, el amigo a quien **tanto quieres** está enfermo".

El relato es un drama extenso, con personajes muy definidos. Busca variar el ritmo, el tono y el volumen de voz para guiar a los oyentes en tu lectura.

Imperio Romano también escuchamos el llamado "Despierta, tú que duermes; levántate de entre los muerto y Cristo te iluminará" (Efesios 5:14b).

En esta Cuaresma conviene reflexionar con sinceridad y profundidad en nuestra disposición a resucitar con Cristo y dejar que su gracia obre en cada uno de nosotros con sentido pascual como el que viene empujando desde el profeta Ezequiel y Jesucristo hasta hoy.

II LECTURA Ya en el parágrafo previo (Romanos 7:7–25) san Pablo se asoma a la condición humana del pecador cuyo único auxilio es la persona de Cristo Jesús. Cristo ha rescatado a la humanidad toda y a cada uno del pecado haciéndonos capaces de vivir conforme al Espíritu (8:1–4), liberándonos de la ley del pecado y de la muerte, tema que ha sido anunciado también en la primera parte de este capítulo ocho (vv. 1–11). Él mismo infunde el Espíritu Santo en cada uno como un principio nuevo y poderoso que hace capaz de vivir "para Dios", una vida nueva.

En la vida, esa fuerza viva, que es el Espíritu de Cristo, no aniquila la iniquidad y la inclinación humana al pecado, pero sí la domina y la supera. De este modo plantea el Apóstol el desarrollo de estos poderes, el del Espíritu y el de la carne en donde es el Espíritu quien guía la vida de aquella persona y comunidad que está en Cristo (8:5, 13).

Pablo sabe y propone tener en claro cuál es la meta de la vida cristiana: agradar a Dios. Pero tal meta se antoja imposible para quien dirige su vida dejándose dominar por el egoísmo de vivir "en el mundo" "en la carne" y no "en el Espíritu".

Pablo intercambia varios significados del Espíritu que es Dios, que proviene de

Tras la afirmación del amor de Jesús por su amigo, aminora la velocidad a un paso más sosegado.

Al oír esto, Jesús dijo:
"Esta enfermedad no acabará **en la muerte**,
sino que servirá para **la gloria** de Dios,
para que el Hijo de Dios **sea glorificado** por ella".

Jesús **amaba** a Marta, a su hermana y a Lázaro.
Sin embargo, cuando se enteró de que Lázaro **estaba enfermo**,
se detuvo **dos días** más en el lugar en que se hallaba.
Después dijo a sus discípulos:
"**Vayamos** otra vez a Judea".
Los discípulos le dijeron:
"**Maestro,** hace poco que los judíos querían apedrearte,
¿y tú vas a volver **allá?**"
Jesús les contestó:
"¿Acaso no tiene **doce horas** el día?
El que camina **de día** no tropieza, porque **ve** la luz
de este mundo;
en cambio, el que camina de noche **tropieza,**
porque le falta la luz".

En el diálogo deja ver el malentendido y cómo Jesús lo domina todo.

Dijo esto y luego añadió:
"Lázaro, **nuestro amigo,** se ha dormido;
pero yo voy ahora **a despertarlo**".
Entonces le dijeron sus discípulos:
"Señor, si duerme, es que **va a sanar**".
Jesús hablaba **de la muerte,** pero ellos **creyeron**
que hablaba del sueño natural.
Entonces Jesús les dijo **abiertamente:**
"Lázaro **ha muerto,** y me alegro por ustedes de no haber estado
ahí, **para que crean.** Ahora, **vamos** allá".
Entonces Tomás, por sobrenombre **el Gemelo,**
dijo a los demás discípulos:
"Vayamos **también** nosotros, para **morir** con él".

Cuando llegó Jesús, Lázaro llevaba ya **cuatro días** en el sepulcro.
Betania quedaba **cerca** de Jerusalén,
como a unos dos kilómetros y medio,

Dios y que es el Espíritu de Cristo. En todo caso Espíritu tiene que ver con la realidad divina que opera y actúa en la realidad histórica y persona. La nueva humanidad en Cristo es espiritual por su capacidad de vivir para Dios, venciendo el poder del mal en sus múltiples formas de expresión egoísta. Con Cristo, el espíritu humano vive y vive intensa y profundamente. Por el Espíritu Santo, Cristo mismo ha sido exaltado y resucitado, así como habrán de ser rescatados todos los fieles cuya vida ha sido habitada por este mismo Espíritu.

Esta dinámica de ser y pertenecer incluye todas las limitaciones humanas, espirituales y morales al mismo tiempo que las redimensiona y supera, pues el destino humano de la persona va mucho más allá. Es la vida para siempre, del mismo modo dicho Espíritu ha hecho posible esto en la resurrección de Jesucristo (1 Corintios 4:14; Filipenses 3:21).

La interpretación de la palabra de Dios va de la mano de la interpretación de la vida humana. No se puede dar una sin la otra. La fe y docilidad al Espíritu Santo nos conduce inevitablemente al encuentro con nosotros

mismos y nuestra realidad. Sólo tocando fondo en forma intencional y decidida podremos contemplar las dimensiones de nuestra personalidad (espiritualidad) en el Espíritu de Cristo.

EVANGELIO El *signo* más grande de Jesús es el don de la vida. Pero él, que da la vida, recibe la muerte. El evangelista Juan nos ha ayudado a ver que Jesús es la *luz*, en el relato del ciego de nacimiento. Ahora se dispone a demostrar mediante otro milagro tradicional que él es también y sobre todo la vida del mundo. En

Acelera el ritmo de lectura, pero la confesión de Marta debe ser muy clara a los escuchas, con el tono sereno de Jesús.

y **muchos** judíos habían ido a ver a Marta y a María
para **consolarlas** por la muerte de su hermano.
Apenas oyó Marta que Jesús llegaba, salió **a su encuentro**;
pero María **se quedó** en casa.
Le dijo Marta a Jesús:
"Señor, si **hubieras estado** aquí, **no habría muerto** mi hermano.
Pero aún ahora **estoy segura** de que Dios
te concederá **cuanto le pidas**".
Jesús le dijo: "Tu hermano **resucitará**".
Marta respondió:
"**Ya sé** que resucitará en la resurrección del **último** día".
Jesús le dijo:
"**Yo soy** la resurrección y la vida.
El que **cree en mí**, aunque haya muerto, **vivirá**;
y **todo aquel** que está vivo y cree en mí,
no morirá para siempre.
¿Crees **tú** esto?"
Ella le contestó: "**Sí, Señor.**
Creo **firmemente** que tú **eres** el Mesías, el Hijo de Dios,
el que tenía **que venir** al mundo".

Después de decir estas palabras, fue a buscar a su hermana
María y le dijo en voz baja:
"Ya vino el Maestro y **te llama**".
Al oír esto, María se levantó en el acto
y salió hacia donde estaba Jesús,
porque él no había llegado **aún** al pueblo,
sino que estaba en el lugar donde Marta lo había encontrado.
Los **judíos** que estaban con María en la casa, **consolándola**,
viendo que ella se levantaba y salía de prisa,
pensaron que iba al sepulcro para llorar ahí y la siguieron.

Cuando llegó María adonde **estaba** Jesús,
al verlo, **se echó** a sus pies y le dijo:
"**Señor**, si hubieras estado aquí, **no habría muerto** mi hermano".
Jesús, al verla **llorar** y al ver llorar a los judíos
que la acompañaban,

este episodio también se puede ver el cumplimiento de las promesas de Jesús al prometer la vida eterna a quien acepte su persona y su mensaje (Juan 5:24–29). En este signo de la resurrección de Lázaro se comprueba que Dios ha concedido al Hijo el poder sobre la vida y la muerte (ver 5:26).

Betania es un caserío en la ruta a Jericó, como a unos tres kilómetros de Jerusalén. Ahí vivía una familia de cuyos padres nada se sabe, pero que estaba formada por tres hermanos: María, Martha y Lázaro. Eran amigos de Jesús. En Betania se realizará el milagro más portentoso mediante el cual

Jesús preludie su propia muerte y resurrección. Es un relato, paradójicamente, lleno de vida.

En la primera sección del relato (Juan 11:3–20) el narrador hace una descripción de las circunstancias en las que se da dicho milagro, y anticipa su sentido mediante los personajes que forma parte de la escena. La objeción por parte de los discípulos da pie a la reacción de Jesús y su comentario referente a la luz y la oscuridad, como en el caso del ciego indicando lo oportuno de su actuación mientras llega el tiempo de su manifestación en el mundo. Se nos da la in-

dicación de que Jesús es consciente en todo momento de la situación de su amigo Lázaro, anticipando además que todo esto tiene la finalidad de suscitar la fe.

Luego (versos 20–27), en el encuentro de Jesús con María, se apunta el mensaje teológico del drama el evangelista nos cuenta el detalle de la conmoción de Jesús mismo que ha impactado a la Iglesia a través de los siglos no sólo en el arte sino sobre todo en la comprensión de la humanidad y sensibilidad del Jesús histórico.

La fe de Marta es prototipo de la creencia que se iba ya haciendo común gracias a

se **conmovió** hasta lo más hondo y preguntó:
"¿**Dónde** lo han puesto?"
Le contestaron:
"**Ven,** Señor, y lo verás".
Jesús se puso **a llorar** y los judíos comentaban:
"De veras ¡cuánto lo amaba!"
Algunos decían:
"¿No podía éste, que abrió los ojos al ciego **de nacimiento,**
hacer que Lázaro **no muriera?**"

Jesús, **profundamente** conmovido todavía,
se detuvo ante el sepulcro, que era una cueva,
sellada con una losa.
Entonces dijo Jesús:
"**Quiten** la losa".
Pero Marta, la hermana del que había muerto, **le replicó:**
"Señor, **ya huele mal**, porque lleva cuatro días".
Le dijo Jesús:
"¿No te he dicho que **si crees,** verás la gloria de Dios?"
Entonces quitaron la piedra.

Jesús **levantó** los ojos a lo alto y dijo:
"**Padre,** te doy gracias porque me **has escuchado.**
Yo **ya sabía** que tú **siempre** me escuchas;
pero lo he dicho a causa de **esta muchedumbre** que me rodea,
para que **crean** que tú **me has enviado**".
Luego gritó con **voz potente:**
"¡Lázaro, **sal de allí!**"
Y **salió el muerto**, atados con vendas las manos y los pies,
y la cara envuelta en un sudario.
Jesús les dijo:
"**Desátenlo**, para que pueda andar".

Muchos de los judíos que habían ido a casa de Marta y María,
al ver lo que había hecho Jesús, **creyeron** en él.

Abreviada: *Juan 11:3–7, 17, 20–27, 33–45*

Nota cómo se retrasa el desenlace. La conmoción de Jesús es una oportunidad para ir aumentando el ritmo y el tono hacia el momento culminante.

Pronuncia la oración con tono confiado y solemne, sin exageración.

El colofón hace la salida del relato. No hagas contacto visual con la asamblea sino hasta recibir la aclamación.

---

los fariseos, tocante a la resurrección de los muertos al final de los tiempos (ver Daniel 12:2). Marta, además, manifiesta su propia convicción de que Jesús es el Mesías, el Hijo de Dios. La fe de esta mujer, con todo, no parece concluir con la capacidad de intercesión de Jesús y su autoridad para resucitar a un muerto. A este propósito, Jesús ratifica que la muerte no es lo último en la existencia humana y prenda de ello es lo que habrá de realizar con su amigo muerto como anticipo de la resurrección final.

En el relato, la compasión de Jesús como aquello que moviliza al poder de ac-

tuar (Salmo 35:14) se confunde con una especie de reprimenda ante la situación de Lázaro, y la falta de fe en Dios, para formar un punto álgido que desemboca en la milagrosa intervención de Jesús. El narrador anota, por su parte, la doble reacción de los presentes, aprecio y reproche, pues permanecen externos o ajenos a la fe.

La voz soberana, casi un grito, de Jesús que llama a la vida con su palabra creadora (Romanos 4:17) sigue resonando frente a todos nosotros y de cara a la persona de Jesús y su poder salvador de la vida y de la muerte en todas sus expresiones.

DOMINGO DE RAMOS DE LA PASIÓN DEL SEÑOR

El envío de los discípulos muestra la autoridad con la que Jesús da inicio a los misterios de su Pasión. Deja sentir eso en tu lectura.

Los discípulos encuentran las cosas tal como Jesús las vaticinó. Nada es fruto del azar sino de un plan de Dios que llega a su cumplimiento. Comunica esa certeza al leer este párrafo.

EVANGELIO   Lucas 19:28–40

Lectura del santo Evangelio según san Lucas

En aquel tiempo, Jesús, **acompañado** de sus discípulos,
    iba camino **de Jerusalén**, y al acercarse a Betfagé y a Betania,
    junto al monte llamado **de los Olivos**,
    envió **a dos** de sus discípulos, diciéndoles:
    "**Vayan** al caserío que está frente a ustedes.
Al entrar, encontrarán atado un burrito que **nadie**
    ha montado todavía.
Desátenlo y tráiganlo aquí".
Si alguien les pregunta por qué lo desatan, **díganle**:
    'El Señor lo necesita' ".

Fueron y encontraron **todo** como el Señor les había dicho.
Mientras desataban el burro, los dueños les preguntaron:
    "**¿Por qué** lo desamarran?"
    Ellos contestaron: "**El Señor** lo necesita".
Se llevaron, pues, el burro, le echaron **encima** los mantos
    e **hicieron** que Jesús montara en él.

Conforme iba **avanzando**,
    la gente **tapizaba** el camino con sus mantos,
    y cuando ya **estaba cerca** la bajada del monte de los Olivos,
    la multitud de discípulos, **entusiasmados**,
    se pusieron a alabar a Dios **a gritos**
        por **todos** los prodigios que habían visto, diciendo:

EVANGELIO   La celebración del Domingo de Ramos es la puerta de entrada al misterio de la Semana Santa. Su nombre completo es "Domingo de Ramos de la Pasión del Señor" porque encierra dos aspectos. Primero, la conmemoración de la entrada de Jesús a la ciudad de Jerusalén. Y segundo, con las lecturas de la misa, entre las que destaca la Pasión, se promueve el encuentro con Jesús sufriente, de especial utilidad para aquellos fieles que no puedan participar de la liturgia de Viernes Santo.

La celebración comienza con la procesión de entrada. Reunidos en el lugar dis-puesto, se lee el pasaje del evangelio que nos narra la entrada de Jesús en Jerusalén, antes de sufrir su pasión. En este ciclo C el pasaje se extrae del evangelio de Lucas. La cita de Salmo 118:26 coloca la atención en la realeza de Jesús, una realeza, sin embargo, simbolizada con su entrada sobre un humilde asno. Hay algo de irónico en el relato, pues las entradas de los grandes reyes implicaban cabalgaduras espectaculares. Jesús, ya desde la tradición más antigua representada por Marcos, entra a imagen de la profecía de Zacarías 9:9s, montado en un burro. La primera generación cristiana descubrió muy pronto en este Mesías humilde, al siervo sufriente que brillará en la primera lectura de la misa, cargando con nuestros sufrimientos.

Lejos de afincarse en el poder de las armas, la realeza de Jesús radica en el servicio humilde. No hace alarde del uso de la violencia, sino que la era mesiánica, esa que inaugura el misterio de la Pasión cuyo memorial comenzamos a celebrar hoy en la liturgia, será una era de paz en el más genuino sentido del *Shalom* bíblico: tiempo de vida plena lograda por la entrega de Aquél que no rehuyó el conflicto, sino que

El pueblo prorrumpe en un canto entusiasta de alabanza. Que tu anuncio contagie ese entusiasmo.

"*¡Bendito el rey*
que viene en el nombre del Señor!
¡**Paz** en el cielo
y **gloria** en las alturas!"

Algunos fariseos que iban entre la gente le dijeron:
"Maestro, **reprende** a tus discípulos".
Él les replicó:
"Les aseguro que si ellos se callan, **gritarán** las piedras".

I LECTURA   Isaías 50:4–7

Lectura del libro del profeta Isaías

Es el Siervo de Yahveh el que habla; el discípulo que no se deja amedrentar ante las dificultades. Que tu lectura inspire esa fortaleza a la audiencia.

En aquel entonces, dijo Isaías:
"El Señor me ha dado una lengua **experta**,
para que pueda **confortar** al abatido
con palabras **de aliento**.

Mañana tras mañana, el Señor **despierta** mi oído,
para que **escuche** yo, como discípulo.
El Señor Dios me ha **hecho oír** sus palabras
y yo **no he opuesto** resistencia
ni me he echado **para atrás**.

La descripción de los sufrimientos es dramática. Mantén la tensión en la lectura.

Ofrecí la espalda a los que me golpeaban,
la mejilla a los que me **tiraban** de la barba.
No aparté mi rostro de los insultos y salivazos.

El último párrafo es una declaración de confianza. Eso debe sentirse en tu proclamación.

Pero el Señor **me ayuda**,
por eso **no quedaré** confundido,
por eso **endureció** mi rostro como roca
y sé que **no quedaré** avergonzado.

---

lo asumió, aunque este terminara conduciéndolo a la muerte violenta.

I LECTURA El Segundo Isaías, un profeta que predicó en tiempos del exilio en Babilonia (Isaías 40–55), contiene una sección que es conocida como "Los cánticos del Siervo". Un fragmento del tercer cántico se presenta hoy como primera lectura. En estos cánticos, el profeta o poeta habla de un siervo de Yahveh que promoverá el derecho y la justicia y, como parte de su misión, deberá sufrir por fidelidad a Dios. Entre los judíos permanecía la incógnita de quién sería ese siervo al cual el profeta se refería. Incluso el Nuevo Testamento nos cuenta de los problemas de interpretación que estos textos suscitaban. Son tan bellos que cuesta trabajo no querer averiguar a quién se refería el profeta (Hechos 8:26–40). Por eso, aunque lo más fácil era pensar que el siervo de Yahveh era otra manera de referirse al pueblo elegido, muchas personas pensaban que el texto se refería a algo más hondo, porque muchas de las imágenes usadas por el Segundo Isaías desbordan la realidad concreta para lanzar la mirada y el corazón hacia una realidad mayor. De manera que los seguidores de Jesús, después de que él murió y resucitó, encontraron en estos cánticos un apoyo fuerte para expresar su fe en el mesianismo de Jesús.

El tercer cántico muestra al Siervo como un discípulo fiel, con el oído siempre abierto a la palabra de Dios. Ha recibido de Dios la misión de consolar al abatido, ofrecer palabras de aliento a quienes sufren. Su tarea, sin embargo, no será sencilla, pues él mismo deberá enfrentar sufrimientos e injurias. Ante esta violencia que se cierne en su contra, el siervo resiste las agresiones,

Para meditar

SALMO RESPONSORIAL Salmo 22:8–9, 17–18a, 19–20, 23–24

R. Dios mío, Dios mío, ¿por qué me has abandonado?

Al verme, se burlan de mí,
   hacen visajes, menean la cabeza:
"Acudió al Señor, que lo ponga a salvo;
   que lo libre, si tanto lo quiere". **R.**

Me acorrala una jauría de mastines,
   me cerca una banda de malhechores;
me taladran las manos y los pies,
   puedo contar mis huesos. **R.**

Se reparten mi ropa,
   echan a suerte mi túnica.
Pero tú, Señor, no te quedes lejos;
   fuerza mía, ven corriendo a ayudarme. **R.**

Contaré tu fama a mis hermanos,
   en medio de la asamblea te alabaré.
Fieles del Señor, alábenlo,
   linaje de Jacob, glorifíquenlo,
   témanle, linaje de Israel. **R.**

II LECTURA   Filipenses 2:6–11

Lectura de la carta del apóstol san Pablo a los filipenses

Cristo, siendo **Dios**,
   no consideró que debía **aferrarse**
      a las **prerrogativas** de su condición **divina**,
   sino que, **por el contrario**, **se anonadó** a sí mismo,
   tomando la condición **de siervo**,
   y se hizo **semejante** a los hombres.
Así, hecho **uno de ellos**, se humilló **a sí mismo**
   y por **obediencia** aceptó incluso **la muerte**,
   y una muerte **de cruz**.

Por eso Dios **lo exaltó** sobre todas las cosas
   y le otorgó el nombre que está **sobre todo nombre**,
   para que, al **nombre** de Jesús, todos **doblen** la rodilla
      en el **cielo**, en la tierra y en **los abismos**,
   y todos reconozcan **públicamente** que Jesucristo es **el Señor**,
   para **gloria** de Dios Padre.

El primer párrafo narra la encarnación y sus consecuencias. Dale a cada frase la entonación requerida para despertar una contemplación del misterio del abajamiento de Jesús.

La exaltación de Jesús es una doxología solemne. Así debe ser proclamada.

no se deja vencer por la hostilidad que enfrenta. Lo que podría ser interpretado como cobardía es, en realidad, una muestra de coraje. La fuente de esta fortaleza se halla en el Señor. Por eso su resistencia es comparada con la dureza de una roca. Era inevitable que las primeras comunidades cristianas vieran en este siervo una imagen de la resistencia de Jesús ante los sufrimientos y su inquebrantable esperanza en Dios.

Esta confianza inquebrantable de Jesús queda reflejada también en el Salmo 21 que inspiró los últimos momentos de Jesús, pero que lejos de ser una oración desesperada es

una plegaria que proclama la cercanía de Dios en el momento de la angustia e invita a la comunidad de los fieles a reconocer su acción salvadora.

II LECTURA La segunda lectura del Domingo de Ramos es, en los tres ciclos litúrgicos, un hermoso himno de las primitivas comunidades cristianas que fue rescatado por san Pablo en la carta a los filipenses. Se trata de un resumen del misterio pascual, desde el abajamiento del Verbo eterno del Padre que toma carne de nuestra carne y se hace uno de nosotros,

hasta su exaltación a la gloria, pasando por su muerte violenta en la cruz. En términos poéticos, el himno canta el misterio de Jesús como un misterio que va de la humillación a la exaltación.

El primer bloque de este himno, **bajo expresiones diversas** (la condición divina del Mesías, su renuncia a las prerrogativas que de ella se desprenden, su condición de siervo y su muerte), resalta la humanidad de Jesús, una humanidad fuera de toda duda. No se trata de un Dios que se disfraza temporalmente de ser humano, sino un misterio de encarnación llevado hasta sus últimas

EVANGELIO   Lucas 22:14—23:56

Pasión de nuestro Señor Jesucristo según san Lucas

Llegada **la hora** de cenar,
    se sentó Jesús con sus discípulos y les dijo:
    "**Cuánto** he deseado celebrar esta Pascua con ustedes,
    antes de padecer,
    porque yo les aseguro que ya **no la volveré a celebrar**,
    hasta que tenga **cabal cumplimiento** en el Reino de Dios".
Luego **tomó** en sus manos una copa de vino,
    pronunció la **acción de gracias** y dijo:
    "**Tomen** esto y **repártanlo** entre ustedes,
    porque **les aseguro** que ya **no volveré** a beber del fruto
        de la vid hasta **que venga** el Reino de Dios".

Tomando después un pan, pronunció la acción de gracias,
    lo partió y se lo dio, diciendo:
    "**Esto** es mi cuerpo, que se entrega **por ustedes**.
Hagan esto en memoria mía".
Después de cenar, hizo **lo mismo** con una copa de vino, diciendo:
    "**Esta** copa es la **nueva alianza**,
    sellada **con mi sangre**, que se derrama **por ustedes**".

"Pero **miren**: la mano del que me va a entregar está
    conmigo **en la mesa**.
Porque el Hijo del hombre **va a morir**, según lo decretado;
    pero ¡ay de aquel hombre por quien será entregado!"
Ellos empezaron a preguntarse unos a otros
    quién de ellos podía ser el que lo iba **a traicionar**.

La Pasión de Cristo es el centro de la liturgia de la Palabra. Una lectura previa ayudará a identificar los bloques y dar la entonación adecuada a cada uno.

Es el relato de la institución de la Eucaristía. Cada palabra cuenta.

La traición del amigo le duele al mismo Jesús. Que tu lectura lo refleje.

---

consecuencias, una configuración plena del Mesías con la humanidad común, incluso en el extremo de enfrentar la muerte. Se trata de un proceso de *descenso* a la condición humana, de un acto extremo de solidaridad con el género humano. Por eso la palabra fuerte de esta primera parte del poema es el griego *kénosis*: abajamiento, vaciamiento, anonadamiento.

El himno no deja lugar a dudas. Es la obediencia de Jesús al proyecto del Padre la que explica el misterio de su humillación y su muerte. Más allá de las amenazas externas y los factores humanos y sociales que

contribuyeron a la muerte de Jesús, la segunda lectura echa una mirada honda a las causas últimas. Jesús es un cumplidor de la voluntad del Padre. Es esta una actitud que lo define.

Esta obediencia de Jesús da pie a la segunda parte del himno. El Padre reivindica a su Hijo fiel, lo exalta con la resurrección. Entre el abajamiento y la exaltación, el descenso y el ascenso, hay una relación causal. No son factores separados el uno del otro, sino que la acción divina que glorifica a Cristo es la confirmación de un estilo de vivir, la manifestación de qué tipo de perso-

na le es agradable al Padre. Resalta la nueva denominación de Cristo. Es el Kyrios, el Señor, un título que el Antiguo Testamento griego reservaba para traducir el nombre de Yahvé. Ante este hecho asombroso, el himno cierra con una genuflexión cósmica, que refleja el asombro de toda la creación ante el hecho salvífico que celebramos en la semana santa.

EVANGELIO La proclamación de la Pasión según san Lucas es el centro de la liturgia de este Domingo de Ramos. Sea que vaya a ser leída únicamente

Jesús va a convertir la autoridad en servicio, no en dominación. Enfatiza el contraste.

Después los discípulos se pusieron **a discutir**
sobre **cuál** de ellos debería ser considerado
como el **más importante**.
Jesús les dijo:
"Los reyes de los paganos **los dominan**,
y los que ejercen la autoridad se hacen llamar **bienhechores**.
Pero ustedes **no** hagan eso, sino todo **lo contrario**:
que el **mayor** entre ustedes actúe como si fuera **el menor**,
y el que gobierna, **como si fuera** un servidor.
Porque, ¿**quién** vale más, el que está a la mesa o **el que sirve**?
¿**Verdad** que es el que **está** a la mesa?
Pues yo estoy en medio de ustedes **como el que sirve**.
Ustedes han perseverado conmigo **en mis pruebas**,
y yo les voy a **dar el Reino**, como mi Padre me lo dio **a mí**,
para que **coman y beban** a mi mesa en el Reino,
y se siente cada uno en un trono,
para juzgar a las doce tribus de Israel".

El anuncio de la traición de Pedro no debe oscurecer la promesa de Jesús de orar por él.

Luego añadió:
"**Simón**, Simón, mira que Satanás ha pedido permiso
para **zarandearlos** como trigo;
pero yo he orado por ti, para que tu fe **no desfallezca**;
y tú, una vez convertido, **confirma** a tus hermanos".
Él le contestó:
"**Señor**, estoy dispuesto a ir contigo **incluso** a la cárcel
y a la muerte".
Jesús le replicó:
"Te digo, Pedro, que hoy, **antes** de que cante el gallo,
habrás negado **tres veces** que me conoces".

Viene un diálogo de Jesús con sus discípulos. Dale el tono de intimidad que requiere.

Después les dijo a **todos ellos**:
"Cuando los envié sin provisiones, sin dinero ni sandalias,
¿**acaso** les faltó algo?"
Ellos contestaron:
"**Nada**".

por el presidente de la celebración, o que la lectura vaya a ser realizada con la intervención de más actores, no hay que perder de vista que es el único domingo del año en que esta pieza literaria y teológica de conjunto es proclamada a toda la asamblea.

Antes de hacer referencia a las diferentes escenas del texto de Lucas, hay que resaltar que, para entrar correctamente a este relato hay que hacerlo, más que con una lectura, con una meditación orante. Lucas concibió su relato de la Pasión según el modelo de Emaús. Jesús mismo nos explica las Escrituras y hace que nuestros corazones

ardan. Hay una gran delicadeza en Lucas al referirse a Jesús; por eso suprime algunos elementos humillantes (no hay flagelación en este relato) o excesivamente penosos. Es Lucas, sin embargo, el que con mayor claridad expresa que la muerte de Jesús no será el resultado del combate entre algunas personas malas y un profeta indefenso, sino la culminación, el combate definitivo, entre el Mesías de Dios y las fuerzas del mal. Sostenido por la fuerza de Dios, Jesús sale vencedor en esta guerra, como modelo para la batalla contra el mal que cada cristiano deberá enfrentar en su vida.

El relato de Lucas nos permite acercarnos a la Pasión tal como fue vivida desde la interioridad de Jesús: vemos la agonía interior por la que pasa en la oración en el huerto, miramos el trato amistoso que ofrece a aquél que llega a traicionarlo, cura al soldado que hiere a Pedro, mira a Pedro y le conmueve el corazón, anima a las mujeres que permanecen a su lado hasta el final y hasta perdona a su compañero de sufrimiento, el ladrón que pende al lado de su cruz. Al final de su vida, no es un grito de miedo o de impotencia el que escapa de sus labios, sino la serena plegaria que los judíos recitaban

Él añadió:
"Ahora, en cambio, el que tenga dinero o provisiones,
　　que los tome;
　y el que no tenga espada, que **venda** su manto y compre una.
Les aseguro que conviene que se cumpla
　　esto que está escrito de mí:
Fue contado entre los malhechores,
　porque se **acerca** el cumplimiento
　　de **todo** lo que se refiere a mí".
Ellos le dijeron:
"Señor, **aquí** hay dos espadas".
Él les contestó:
"¡**Basta** ya!"

Salió Jesús, **como de costumbre**, al monte de los Olivos
　y lo acompañaron los discípulos.
Al llegar a ese sitio, les dijo:
"**Oren**, para **no caer** en la tentación".
Luego se **alejó** de ellos a la distancia de un tiro de piedra
　y se puso a orar de rodillas, diciendo:
"**Padre**, si quieres, **aparta de mí** esta amarga prueba;
　pero que **no se haga** mi voluntad, sino **la tuya**".
Se le apareció entonces un ángel para **confortarlo**;
　él, en su angustia **mortal**, oraba con **mayor** insistencia,
　y comenzó a sudar **gruesas gotas de sangre**,
　　que caían hasta el suelo.
Por fin **terminó** su oración, se levantó,
　fue hacia sus discípulos y los encontró **dormidos por la pena**.
Entonces les dijo:
"¿**Por qué** están dormidos?
Levántense y oren para no caer en la tentación".

Todavía estaba hablando,
　cuando llegó **una turba** encabezada por Judas,
　uno de los Doce, quien se acercó a Jesús **para besarlo**.
Jesús le dijo:
"Judas, ¿con un beso **entregas** al Hijo del hombre?"

Antes del combate final, Jesús ora a su Padre. La intensidad de su experiencia debe quedar evidente en la lectura.

Hay dolor en Jesús por la traición de su amigo. Es el acontecimiento que desencadenará la aprehensión. Lee con ritmo.

todas las tardes: "Padre, en tus manos encomiendo mi espíritu".

La Cena Pascual. Al relato de la Pasión, propiamente dicho, anteceden la confabulación del Sanedrín (o Consejo de Ancianos), con la decisión de eliminar a Jesús, y el pasaje de la última cena. La liturgia de la Iglesia retoma solamente el pasaje de la última cena. Con mayor énfasis que en los otros evangelios, la cena de despedida de Jesús con sus discípulos es presentada por Lucas como un gesto profético relacionado con la muerte que está a punto de sufrir. La formulación de las palabras pronunciadas sobre

el pan y el vino reflejan probablemente la práctica eucarística de las comunidades paulinas, que Lucas conoció muy de cerca. Lucas es el único que menciona expresamente que se trata de una la cena pascual y es también el único que coloca la cena antes de que anuncie la traición de Judas. Es también el único que coloca, en el marco de la cena, la recomendación de Jesús a los discípulos sobre los peligros del poder usado como dominio y no como servicio, quizá subrayando que también hacia el interior de la comunidad cristiana habrá que tener cuidado con los abusos de poder.

En este marco, en el que Jesús va a enfrentarse con la muerte, Lucas define su función como la de un servidor, alguien que concibe su vida como un servicio a los demás. Esto crea una consonancia del evangelio con la segunda lectura, el himno paulino de Filipenses 2:6–11.

La recomendación de repetir el gesto "en conmemoración mía" eleva el sentido de esta cena a la inauguración de una nueva pascua, que conmemorará, ya no solamente la liberación de Israel de la esclavitud de Egipto, sino la entrega sacrificial de Aquél por quien nos ha llegado la salvación

Al **darse cuenta** de lo que iba a suceder,
        los que estaban con él dijeron:
    "¿Señor, **los atacamos** con la espada?"
Y uno de ellos **hirió** a un criado del sumo sacerdote
    y le **cortó** la oreja derecha.
Jesús intervino, diciendo:
    "**¡Dejen! ¡Basta!**"
Le tocó la oreja y **lo curó**.

Después Jesús dijo a los sumos sacerdotes,
        a los encargados del templo
    y a los ancianos que habían venido **a arrestarlo**:
    "Han venido a aprehenderme con espadas y palos,
        como si fuera un bandido.
    Todos los días he estado con ustedes en el templo
        y no me echaron mano.
        Pero **ésta** es su hora y la del **poder** de las tinieblas".

Ellos lo **arrestaron**, se lo llevaron y lo hicieron entrar en la casa
        del **sumo sacerdote**.
Pedro lo seguía **desde lejos**.
Encendieron fuego en medio del patio, se sentaron alrededor
    y Pedro se sentó **también** con ellos.
Al verlo **sentado** junto a la lumbre, una criada **se le quedó
        mirando** y dijo:
    "Éste **también** estaba con él".
Pero él **lo negó**, diciendo:
    "**No lo conozco**, mujer".
Poco después lo vio otro y le dijo:
    "**Tú también** eres uno de ellos".
Pedro replicó:
    "¡Hombre, **no lo soy!**"
Y como después de una hora, otro **insistió**:
    "Sin duda que éste también estaba con él, porque **es galileo**".
Pedro contestó:
    "¡Hombre, **no sé** de qué hablas!"
Todavía estaba hablando, cuando **cantó** un gallo.

Viene la triple negación de Pedro. La intensidad debe subir en cada una de ellas. El clímax es el canto del gallo; lee la última frase más lentamente.

definitiva y la constitución de un nuevo pueblo, su pueblo, la iglesia. En esto reside la extraordinaria fuerza profética del pasaje. En medio de un banquete de despedida en el que Jesús hace las últimas recomendaciones a sus amigos, resalta el sentido último de la muerte de Jesús, es decir, la inauguración de una nueva alianza y de un nuevo pueblo. La instauración del Reino tiene que producir un cambio, una inversión de valores, dentro de la comunidad de los discípulos y discípulas. La repetición del memorial es, por eso, mucho más que la obligación ritual de la misa dominical. Es la expresión celebrativa del empeño que deberá tener la comunidad cristiana de convertir la vida toda en una ofrenda, en una entrega para la transformación del mundo.

La oración en el huerto. El relato de la cena pascual da paso a la agonía de Jesús en el Monte de los Olivos. El Maestro, que con solemnidad ha dejado su herencia y sus finales instrucciones a sus discípulos en la Última Cena, experimentará ahora el dolor que implica beber de la copa de la Pasión. La presentación que hace Lucas de la oración en el huerto es mucho más benévola en relación con los discípulos que la de los otros evangelios sinópticos, pues el reclamo de Jesús porque los discípulos se quedan dormidos mientras él ora es una sola vez, no tres, como en otros evangelios. También se aclara que el sueño es producto "de la pena" o tristeza de los discípulos. La sobriedad del pasaje revela la tensión interna de Jesús en este momento de angustia extrema, solamente en el hecho de que suda gotas de sangre. El de Lucas es, por mucho, el evangelio que muestra a Jesús en permanente oración. Enfrenta ahora la Pasión, comenzando con un momento de oración compartido con los suyos. La escena se

La mirada de Jesús despierta el arrepentimiento del apóstol. La mirada de Jesús y la memoria de la traición deben subrayarse.

El Señor, volviéndose, **miró** a Pedro.
Pedro **se acordó** entonces de las palabras
    que el Señor le había dicho:
'**Antes** de que cante el gallo, me **negarás** tres veces',
    y saliendo de allí se soltó a llorar **amargamente**.

Los hombres que sujetaban a Jesús se **burlaban de él**,
    le daban golpes,
    le tapaban la cara y le preguntaban:
    "¿**Adivina** quién te ha pegado?"
Y proferían contra él **muchos** insultos.

Hay violencia en el ambiente del sanedrín. Que tu lectura transmita esa hostilidad.

Al amanecer **se reunió** el consejo de los ancianos con los sumos
    sacerdotes y los escribas.
    Hicieron **comparecer** a Jesús ante el sanedrín y le dijeron:
    "Si **tú eres** el Mesías, dínoslo".
Él les contestó:
    "Si se lo digo, **no lo van a creer**, y si les pregunto,
    no me van a responder.
Pero ya desde **ahora**,
    el Hijo del hombre está sentado **a la derecha**
        de Dios **todopoderoso**".
Dijeron **todos**:

Jesús acepta su filiación divina. La condena es inmediata. La suerte de Jesús queda sellada.

    "Entonces, ¿**tú eres** el Hijo de Dios?"
Él les contestó:
    "Ustedes **mismos** lo han dicho: sí **lo soy**".
Entonces ellos dijeron:
    "¿**Qué** necesidad tenemos **ya** de testigos?"
Nosotros mismos lo hemos oído **de su boca**".
El consejo de los ancianos,
    con los sumos sacerdotes y los escribas,
    se levantaron y llevaron a Jesús **ante Pilato**.

Entonces comenzaron **a acusarlo**, diciendo:
    "Hemos **comprobado** que éste anda **amotinando**
        a nuestra nación

---

abre y se cierra con la misma recomendación: "Oren, para no caer en la tentación". De esta manera, Lucas ofrece una última instrucción a los discípulos sobre el valor de la oración en los momentos de prueba. Como Elías en el momento de su mayor debilidad (1 Reyes 19:7–8) Jesús recibirá de lo alto, de su íntima relación con el Padre, la fortaleza que necesita para enfrentar el misterio de su Pasión. Por eso, al levantarse, la preocupación de Jesús no es ya la de su propia suerte, sino la de aquellos que le han sido encomendados.

Prendimiento y negaciones. El arresto de Jesús es narrado con mucha sobriedad. La turba viene encabezada por el discípulo que traiciona a su maestro con un gesto de amor. Hay tres intervenciones correctivas de parte de Jesús. La primera es a Judas, a quien reclama que haya usado un símbolo de afecto para realizar su traición. La segunda ocurre cuando detiene la violencia con la que los discípulos quisieron enfrentar el arresto, pues no solamente se opone Jesús al uso de la violencia, sino que repara la acción destructora que de la violencia se desprende curando al criado del Sumo

Sacerdote. Finalmente, Jesús recrimina a las autoridades religiosas que lo tratan como un bandido y, paradójicamente, usan su poder religioso en contra del enviado de Dios. Jesús entra así al combate final contra las fuerzas del mal en esta hora del poder de las tinieblas.

En el marco de la Cena Pascual, Jesús aseguró a Pedro que éste contará con su compañía y oración. Pedro reaccionó de manera efusiva y mostró su disposición a sufrir cárcel y muerte por su Maestro, a lo que siguió el anuncio de las negaciones que, una vez arrestado Jesús, se realizarán en el

Debe sentirse la preocupación de Pilato por exculpar a Jesús y el respiro que le da saber que es galileo.

y **oponiéndose** a que se pague tributo al César
y diciendo que él es el **Mesías rey**".

Pilato preguntó a Jesús:
"¿**Eres tú** el rey de los judíos?"
Él le contestó:
"**Tú** lo has dicho".
Pilato dijo a los sumos sacerdotes y a la turba:
"No encuentro **ninguna** culpa en este hombre".
Ellos **insistían** con más fuerza, diciendo:
"Solivianta al pueblo
enseñando por **toda** la Judea, desde Galilea **hasta aquí**".
Al **oír esto**, Pilato preguntó si era galileo,
y al enterarse de que era de **la jurisdicción** de Herodes,
se lo remitió,
ya que Herodes estaba en Jerusalén **precisamente**
por aquellos días.

patio de la casa del sumo sacerdote a donde Jesús es conducido. Una expresión clave es la mirada que Jesús le dirige a Pedro después de la triple negación y que no solamente nos informa que las negaciones de Pedro se dan en la presencia misma del Maestro, sino que confirma el anuncio que Jesús le había dirigido a Pedro en el momento de la cena de despedida. El tierno reproche desata el llanto del discípulo. Jesús ha de continuar el camino de su pasión sin la solidaridad de su discípulo querido. Así, solo, enfrenta los golpes, las ofensas y el escarnio.

Comparecencia ante el Consejo. Lucas se presenta al inicio del evangelio como alguien que quiere poner en orden las tradiciones que ha recolectado de boca de los testigos oculares y de los catequistas o servidores de la Palabra. Este propósito ordenador se hace evidente en la presentación del proceso ante el sanedrín. A diferencia de las informaciones que nos regalan Mateo y Marcos, que en una noche apretada sitúan la sesión del sanedrín y los maltratos hacia Jesús, Lucas coloca prendimiento, traslado, negaciones y maltrato por parte de la guardia del templo por la noche, y no coloca la

comparecencia ante el Consejo sino hasta el amanecer del día viernes.

Algunos estudiosos de la Biblia, con razón, se han fijado en que Lucas, para referirse a la reunión del Consejo, usa el verbo "reunirse" (*synago*) poniendo así el pasaje en relación con la versión griega del Salmo 2:2 y mostrando la continuación de la pasión de Jesús en el sufrimiento y martirio de los discípulos, pues Lucas volverá a utilizar este mismo verbo en el pasaje de Hechos 4:26–27, cuando a quienes tocará comparecer ante el Consejo sea a los mismos discípulos. Sin caer en la cuenta, los

Los sentimientos de Herodes van de la curiosidad al enojo ante el silencio de Jesús. Haz notar esa transición.

Herodes, al ver a Jesús, se puso **muy contento**,
    porque hacía **mucho tiempo** que quería verlo,
    pues había oído hablar **mucho** de él
    y esperaba presenciar **algún** milagro suyo.
Le hizo **muchas** preguntas, pero él no le contestó **ni una palabra**.
Estaban ahí los sumos sacerdotes y los escribas,
    acusándolo **sin cesar**.
Entonces Herodes, con su escolta,
    lo trató **con desprecio** y **se burló** de él,
    y le **mandó** poner una vestidura blanca.
Después se lo remitió a Pilato.
Aquel **mismo** día se hicieron amigos Herodes y Pilato,
    porque antes eran **enemigos**.

Segunda declaración de inocencia de Jesús por parte de Pilato. Léela con claridad.

Pilato **convocó** a los sumos sacerdotes,
    a las autoridades y al pueblo, y les dijo:
    "Me han traído a este hombre, alegando que **alborota** al pueblo;
    pero yo lo he interrogado **delante** de ustedes
    y no he encontrado en él **ninguna** de las culpas
        de que lo acusan.
Tampoco Herodes, porque me lo ha enviado **de nuevo**.
Ya ven que **ningún** delito **digno** de muerte se ha probado.
Así pues, le aplicaré un escarmiento y **lo soltaré**".

La decisión colectiva a favor de Barrabás precede la tercera declaración de inocencia de Jesús. Pilato termina rindiéndose ante la turba.

Con ocasión de la fiesta, Pilato **tenía** que dejarles **libre** a un preso.
Ellos vociferaron **en masa**, diciendo:
    "¡**Quita** a ése! ¡**Suéltanos** a Barrabas!"
A éste lo habían metido en la cárcel
    por una **revuelta** acaecida en la ciudad y un homicidio.

---

miembros del Sanedrín son los "reyes y príncipes de este mundo", que se oponen y le hacen la guerra a Dios y a su Ungido.

La sobriedad del pasaje se manifiesta en que, a diferencia de los otros evangelistas, no hay en la versión de Lucas testigos falsos. Tampoco hay la acusación de que pretendía destruir el Templo ni declaración formal de blasfemia, ni la bofetada del sumo sacerdote que aparece en Marcos. El eje del pasaje son las dos preguntas dirigidas a Jesús en las que se desdobla su misterio más íntimo. Es Mesías y es Hijo de Dios, no ya en un futuro lejano, sino como quien,

desde el misterio de su muerte y resurrección, obrará, obra ya desde ahora con la autoridad de quien se sienta a la derecha del Todopoderoso. Las autoridades judías quedan automáticamente descalificadas. Se han amotinado, en efecto, contra Dios y contra su Ungido (Salmo 2). Jesús sabe que no tiene la esperanza de ser comprendido, pero da testimonio de su misión: morirá como mueren los profetas. El testimonio que Jesús ofrece sobre su mesianismo se convertirá en la causa de su condena. El debate termina con su traslado ante la autoridad romana.

Comparecencia ante Pilato. Trasladado ante la autoridad romana, la única que podía dictaminar la pena de muerte, Jesús se enfrenta a abiertas acusaciones de sedición, pues "amotina a nuestra nación y solivianta al pueblo". Las acusaciones insisten ya no en la dimensión religiosa de la misión de Jesús, sino en su perspectiva social. Jesús es acusado, incluso, de oponerse al pago de impuestos al César. La mala intención de las autoridades judías que acusan a Jesús ante Pilato, sin embargo, está apoyada en una realidad patente: Jesús ha tocado las vidas y los corazones de mucha gente, ha reunido

El Cireneo y las mujeres son personajes favorables a Jesús. Que resuene la advertencia de Jesús al final del párrafo.

Pilato **volvió** a dirigirles la palabra,
con la **intención** de poner en libertad a Jesús;
pero ellos **seguían** gritando:
"¡Crucifícalo, **crucifícalo**!"
Él les dijo por **tercera vez**:
"¿Pues qué **ha hecho** de malo?
No he encontrado en él **ningún delito** que merezca la muerte;
de modo que le aplicaré un escarmiento y **lo soltaré**".
Pero ellos **insistían**, pidiendo a gritos que lo crucificara.
Como iba **creciendo** el griterío,
Pilato **decidió** que se cumpliera su petición;
soltó al que le pedían, al que había sido encarcelado
por revuelta y homicidio,
y a Jesús se lo entregó **a su arbitrio**.

Mientras lo llevaban a crucificar,
echaron mano a un cierto Simón de Cirene,
que volvía del campo,
y **lo obligaron** a cargar la cruz, detrás de Jesús.
Lo iba siguiendo una **gran multitud** de hombres y mujeres,
que se golpeaban el pecho y **lloraban** por él.
Jesús **se volvió** hacia las mujeres y les dijo:
"**Hijas** de Jerusalén, **no lloren** por mí;
lloren por ustedes y **por sus hijos**,
porque van a venir días en que se dirá:
'¡**Dichosas** las estériles y los vientres que no han dado a luz
y los pechos que no han criado!'
Entonces dirán a los montes: '**Desplómense** sobre nosotros',
y a las colinas: '**Sepúltennos**,'
porque si **así** tratan al árbol verde, ¿**qué pasará** con el seco?"

Conducían, **además**, a dos malhechores, para ajusticiarlos con él.
Cuando llegaron al lugar llamado "**la Calavera**",
lo crucificaron **allí**, a él y a los malhechores,
uno a su derecha y el otro a su izquierda.

en torno suyo un movimiento de discípulos y discípulas que se dicen dispuestos a todo por él, sus enseñanzas encierran una grave amenaza a las instituciones, incluyendo al Imperio. La astucia de las autoridades judías estriba en poner de manifiesto ante Pilato estas consecuencias sociales de la predicación de Jesús para utilizarlas en su contra y conseguir así su condena a muerte. En tres ocasiones declarará Pilato la inocencia de Jesús, quien aparece injustamente condenado, modelo de todos aquellos discípulos y discípulas que más tarde habrán de enfrentar también persecución y muerte.

Únicamente en el Evangelio según san Lucas el proceso ante el poder romano se encuentra interrumpido por la comparecencia de Jesús ante Herodes. Es, sin embargo, un episodio secundario. Jesús no dice una sola palabra y Herodes, movido solamente por la curiosidad, al verse sin respuestas que saciasen su morbo, trata a Jesús con desprecio y lo devuelve a Pilato. Hay en Lucas, quizá, la intención de mostrar que la simple curiosidad no es suficiente para conocer y reconocer a Jesús.

Retornado Jesús a Pilato, los esfuerzos del gobernador romano para liberar a aquel resultan vanos. La presión de las autoridades judías termina por hacer ceder a Pilato, quien no deja de reconocer la inocencia de Jesús; sin embargo, él, cobardemente, lo entrega a sus detractores, aunque su indagatoria no haya encontrado en el acusado culpa que mereciera castigo alguno.

La crucifixión y muerte. Es en esta sección del relato de la Pasión donde se nota, con mayor claridad aun, la sobriedad de Lucas, que elimina del relato aquellos pasajes en que la humillación de Jesús queda patente: bofetadas, flagelación, coronación de espinas. Después de la entrega de Jesús

Momento cumbre que muestra a Jesús perdonando en medio del suplicio. Dale entonación solemne.

Jesús decía desde la cruz:
"Padre, **perdónalos**, porque **no** saben lo que hacen".
Los soldados se **repartieron** sus ropas, echando suertes.

El pueblo estaba mirando.
Las autoridades **le hacían muecas**, diciendo:
"A **otros** ha salvado; que se **salve** a sí mismo,
si él es el Mesías de Dios, **el elegido**".
También los soldados se **burlaban** de Jesús,
y acercándose a él, le ofrecían vinagre y le decían:
"Si tú eres el rey de los judíos, **sálvate a ti mismo**".
Había, en efecto, sobre la cruz, un letrero en griego, latín
y hebreo, que decía:
"Éste es **el rey** de los judíos".

La discusión entre los malhechores debe ser leída animadamente. La petición del buen ladrón y la frase final de Jesús tienen un tono especial de ternura.

Uno de los malhechores crucificados **insultaba**
a Jesús, diciéndole:
"Si tú eres el Mesías, **sálvate a ti mismo y a nosotros**".
Pero el otro le reclamaba, **indignado**:
"**¿Ni siquiera** temes tú a Dios estando en el **mismo** suplicio?
Nosotros **justamente** recibimos el pago de lo que hicimos.
Pero éste **ningún** mal ha hecho".
Y le decía a Jesús:
"**Señor**, cuando llegues a tu Reino, **acuérdate de mí**".
Jesús le respondió:
"Yo te **aseguro** que **hoy** estarás conmigo en el paraíso".

El grito confiado de Jesús precede su muerte. Es el momento más solemne de la proclamación. Lee lenta y claramente cada frase.

Era casi el mediodía,
cuando las tinieblas invadieron **toda** la región
y se **oscureció** el sol hasta las tres de la tarde.
El velo del templo **se rasgó** a la mitad.
Jesús, clamando con voz potente, dijo:
"¡Padre, en tus manos **encomiendo** mi espíritu!"
Y dicho esto, **expiró**.

por parte de Pilato, aparece Simón de Cirene. A diferencia de los otros evangelios, en el de Lucas, este personaje es imagen del discípulo que sigue a Jesús cargando con su cruz. Lo mismo puede decirse de las mujeres, descritas también siguiendo a Jesús, y cuyos lamentos no logran evitar que Jesús muera en la ciudad que mata a sus profetas. Ellas, con su llanto, son la ocasión para que Jesús, en tono profético, advierta al pueblo que lo rechaza, que su obstinación tendrá consecuencias, relacionando este rechazo con la ruina de Jerusalén, de la que la primera comunidad cristiana ya ha sido testigo al

momento de que Lucas escribe su evangelio. Así, aquel que debería ser objeto de compasión, consuela a quienes sufren por su causa.

Un momento culminante del relato de Lucas es la proclamación de perdón de Jesús desde la cruz. Esta enseñanza cumbre, exclusiva de Lucas, muestra a Jesús en esta última hora como alguien que responde al mal con el bien, que derrota la venganza con la indulgencia y cuya reacción a la violencia y los insultos es el perdón. Lo mismo puede decirse de otro pasaje exclusivamente lucano, el perdón del bandido

arrepentido. Este, en contraste con el otro malhechor, además de no insultar a Jesús, reconoce su inocencia y le pide a Jesús acordarse de él. La respuesta de Jesús es conmovedora, pues él ha sido tratado injustamente como malhechor, pero termina acogiendo al bandido arrepentido. Este tipo de pasajes son los que llevaron a Dante a mencionar a Lucas como "el evangelista de la benevolencia de Cristo".

Finalmente, llega la hora de la muerte. A diferencia de Marcos, en donde Jesús muere dando un desgarrador grito que refleja su sentimiento de abandono, Lucas

Espera que toda la asamblea esté de pie después de la genuflexión para continuar con la lectura solemne.

La descripción de José de Arimatea es larga. Respeta las comas.

La mención de las mujeres al final del relato se abre a la expectativa de lo que ha de suceder después. Deja sentir en tu lectura que no todo está terminado.

[Aquí se arrodillan todos y se hace una breve pausa.]

El oficial romano, **al ver** lo que pasaba, dio gloria a Dios, diciendo:
    "**Verdaderamente** este hombre era justo".
Toda la muchedumbre que había acudido a este espectáculo,
    mirando lo que ocurría,
    se volvió a su casa **dándose** golpes de pecho.
Los conocidos de Jesús se mantenían **a distancia**,
    lo mismo que las mujeres que lo habían seguido desde Galilea,
    y permanecían mirando todo aquello.

Un hombre llamado José,
    consejero del sanedrín, hombre **bueno y justo**,
    que no había estado de acuerdo
        con la decisión de los judíos **ni con sus actos**,
    que era natural de Arimatea, ciudad de Judea,
    y que **aguardaba** el Reino de Dios,
    se presentó ante Pilato para **pedirle** el cuerpo de Jesús.
Lo **bajó** de la cruz, lo **envolvió** en una sábana
    y lo **colocó** en un sepulcro excavado en la roca,
    donde no habían puesto a nadie **todavía**.
Era el **día** de la Pascua y ya iba a empezar el sábado.
Las mujeres que habían seguido a Jesús desde Galilea
    acompañaron a José **para ver el sepulcro**
    y cómo colocaban el cuerpo.
Al regresar a su casa, prepararon **perfumes y ungüentos**,
    y el sábado **guardaron** reposo, conforme al mandamiento.

Lectura alternativa: *Lucas 23:1–49*

coloca en labios de Jesús una oración en la que se abandona en manos del Padre. Ni siquiera en el momento de mayor sufrimiento Jesús desconfía de su Padre. Lucas va a usar esta misma expresión cuando, en el libro de los Hechos de los Apóstoles, narre la ejecución del primer mártir cristiano (Hechos 7:59–60). El rasgarse del velo muestra el fin de una manera de relacionarse con Dios. Ya no hay obstáculos ni separación entre Dios y los seres humanos. Un nuevo tiempo acaba de comenzar con la muerte de este hombre inocente.

Sepultura de Jesús. La presencia de José de Arimatea es signo de la división interna del Sanedrín. Las mujeres dan la nota final de la narración. Con la preparación de los ungüentos propios de los ritos funerarios que no pudieron realizarse por la prisa, colocan nuestra mirada en la mañana de la resurrección, en que el misterio de la muerte que acabamos de presenciar encontrará pleno sentido.

JUEVES SANTO, MISA VESPERTINA DE LA CENA DEL SEÑOR

I LECTURA   Éxodo 12:1–8, 11–14

Lectura del libro del Éxodo

En aquellos días,
    el Señor les dijo a Moisés y a Aarón **en tierra de Egipto:**
    "Este mes será para ustedes **el primero** de todos los meses
      y **el principio** del año.
Díganle **a toda** la comunidad de Israel:
    'El día diez de este mes, tomará cada uno
      un cordero **por familia,** uno por casa.
Si la familia es **demasiado pequeña** para comérselo,
    que se junte **con los vecinos** y elija un cordero adecuado
      al número de personas
    y a **la cantidad** que cada cual pueda comer.
Será un animal **sin defecto,** macho, de un año, cordero o cabrito.

Lo guardarán hasta el **día catorce** del mes,
    cuando **toda** la comunidad de los hijos de Israel
      lo inmolará al atardecer.
Tomarán la sangre y **rociarán** las dos jambas
    y el dintel de la puerta de la casa
      donde vayan a comer el cordero.
Esa noche **comerán la carne,** asada a fuego;
    comerán panes **sin levadura** y hierbas **amargas.**
Comerán **así:** con la cintura **ceñida,** las sandalias en los pies,
    un bastón en la mano **y a toda prisa,**
      porque **es la Pascua,** es decir, **el paso** del Señor.

El texto es una descripción detallada de la fiesta pascual. No permitas que se haga cansada. Cada gesto conmemora la intervención de Dios en medio del pueblo.

I LECTURA El Triduo Pascual comienza con la celebración de la Cena del Señor. Se celebra, por ello, a la misma hora de la tarde en que Jesucristo partió el pan en la última cena con sus discípulos.

El contexto inmediato de la Cena del Señor es la fiesta judía de la Pascua. Se trataba de una antigua fiesta pastoril celebrada como una vigilia a campo abierto, y que implicaba el sacrificio de un ganado y marcaba el momento en que los pastores, seminómadas entonces, debían cambiar de lugar para buscar nuevos pastos. De aquella antigua fiesta derivan, pues, algunos de los signos fundamentales del acontecimiento liberador del éxodo tales como el sacrificio, la cena familiar y el uso de la sangre para invocar la protección divina.

Estos antiguos elementos renuevan su significado en el momento de la liberación de Egipto, que ocurrirá una vez que los primogénitos de Egipto sean exterminados. La cena familiar remarca su carácter de salida, pues se deberá comer ya listos para la partida, lo que implica, desde luego, la confianza en que el Señor ha de obrar sin falta. La sangre de la víctima protegerá la casa de los israelitas y el Señor *pasará* (de donde viene el nombre de la fiesta, *pascua, paso*) delante de sus viviendas sin herirlos. La descripción del libro del Éxodo está, desde luego, ritualizada. Basada en la memoria del hecho antiguo, quiere establecer la fiesta como celebración litúrgica anual para todo el pueblo de Israel.

Para los cristianos, esta fiesta antigua es una prefiguración —con todos sus símbolos celebrativos, o sea el cordero, la sangre, el pan y el vino, la liberación)— del sacrificio del mismo Cristo. Es en este marco que Jesús, el maestro de Nazaret,

Debe sentirse la solemnidad del paso del Señor. Al final del párrafo subrayar la salvación de los primogénitos hebreos en la lectura de la frase "Pasaré de largo".

Yo **pasaré** esa noche por la tierra de Egipto
    y **heriré a todos** los primogénitos del país de Egipto,
        desde los hombres hasta los ganados.
Castigaré a todos los dioses de Egipto, yo, **el Señor**.
La sangre les servirá **de señal** en las casas donde habitan ustedes.
Cuando yo vea la sangre, **pasaré de largo**
    y **no habrá** entre ustedes plaga exterminadora,
        cuando **hiera** yo la tierra de Egipto.

Ese día será para ustedes **un memorial**
    y lo celebrarán como **fiesta** en honor del Señor.
De generación **en generación** celebrarán esta festividad,
    como institución **perpetua'** ".

Para meditar

SALMO RESPONSORIAL   Salmo 116:12–13, 15–16bc, 17–18
R. El cáliz de la bendición es comunión con la sangre de Cristo.

¿Cómo pagaré al Señor
    todo el bien que me ha hecho?
Alzaré la copa de la salvación,
    invocando su nombre. **R.**

Mucho le cuesta al Señor
    la muerte de sus fieles.
Señor, yo soy tu siervo,
    siervo tuyo, hijo de tu esclava;
    rompiste mis cadenas. **R.**

Te ofreceré un sacrificio de alabanza,
    invocando tu nombre, Señor.
Cumpliré al Señor mis votos
    en presencia de todo el pueblo. **R.**

compartirá la cena con sus discípulos. Las bendiciones sobre los distintos alimentos, prescritas en el ritual anual judío, cambiarán, sin embargo, de significado en Cena de Jesús. Es decir, el pan y el vino quedarán referidos para siempre al misterio de la muerte de Jesús, a su cuerpo y sangre; el "sacrificio de alabanza" y la "copa de salvación" al que hace referencia el Salmo 115 con el que hoy respondemos a la Palabra proclamada.

II LECTURA En la Carta a los Corintios, san Pablo va enfrentando uno a uno los problemas de la comunidad cristiana de aquella ciudad. Ahora llega el turno de encarar el problema de las desigualdades sociales durante la celebración de la Cena del Señor (1 Corintios 11:17–22), algo que le parece escandaloso.

Es en este marco que Pablo nos lega el primer relato escrito sobre la institución de la Eucaristía de los que tenemos en el Nuevo Testamento. Pablo mismo no fue testigo ocular en la última Cena, y por eso insiste en que él mismo recibió este mensaje de otras personas, la tradición apostólica que se remonta a testigos oculares.

La tradición que san Pablo transmite está ya enmarcada litúrgicamente. No se refiere a la celebración de la cena judía de pascua, con su ritmo y sus tiempos propios, sino a la memoria de la cena en la que Jesús transformó las bendiciones del pan y de una de las copas de vino de la liturgia judía, en el símbolo de su presencia salvadora en medio de la comunidad. La memoria de Jesús ("hagan esto en memoria mía") implica, por eso, además del gesto ritual de la Cena, toda la vida de Jesús: su entrega compasiva a los pobres y marginados, sus con-

II LECTURA   1 Corintios 11:23–26

Lectura de la primera carta del apóstol san Pablo a los corintios

Hermanos:
Yo recibí **del Señor** lo mismo que les **he trasmitido**:
   que el Señor Jesús, la noche en que iba **a ser entregado**,
   tomó pan en sus manos, y pronunciando la **acción de gracias**,
   lo partió **y dijo**:
"Esto es **mi cuerpo**, que **se entrega** por ustedes.
Hagan esto **en memoria mía**".

Lo **mismo** hizo con el cáliz después de cenar, diciendo:
   "Este cáliz es **la nueva alianza** que se sella con mi sangre.
Hagan esto en memoria mía **siempre** que beban de él".

Por eso, **cada vez** que ustedes
   comen **de este pan** y beben **de este cáliz**,
   proclaman la muerte del Señor, **hasta que vuelva**.

EVANGELIO   Juan 13:1–15

Lectura del santo Evangelio según san Juan

Antes de la fiesta de la Pascua,
   sabiendo Jesús que había **llegado la hora**
      de pasar de este mundo al Padre
   y habiendo amado **a los suyos**, que estaban en el mundo,
   los amó **hasta el extremo**.

En el transcurso de la cena,
   cuando ya el diablo había puesto en el corazón de
      Judas Iscariote, hijo de Simón, la idea **de entregarlo**,
   Jesús, consciente de que el Padre había puesto en sus manos
      todas las cosas
   y sabiendo que **había salido** de Dios y a Dios **volvía**,

---

Es una tradición solemne, ante la que el mismo Pablo se sobrecoge. Dale especial entonación.

La frase final marca la consecuencia del rito para los fieles. Lee con aplomo.

Los dos primeros párrafos del pasaje son complejos en su fraseología. Es indispensable una lectura previa en voz alta para asegurarse de que se entienda el sentido de cada frase.

---

flictos con los poderes civiles y religiosos, su sentido de fraternidad.

La institución de la Eucaristía tiene un profundo sentido social. Por eso, apenas unos versos más adelante (vv. 27–29) Pablo advertirá que la celebración litúrgica de la Cena del Señor no puede separarse de la experiencia de fraternidad y de igualdad que conlleva. Aquellos que coman de este pan del cielo, pero que no asuman la presencia de Cristo también en sus hermanos pobres y humillados, "comerán su propia condenación".

EVANGELIO En el lugar del relato de la Última Cena, en cambio, el cuarto evangelio prefiere contarnos el lavatorio de los pies, que no es un gesto romántico, ni de la simple teatralización de una idea. El gesto del lavatorio de los pies entraña una triple transformación radical que Jesucristo opera con su gesto; rompe barreras en lo social, lo étnico y de género.

Ya se sabe que el gesto de lavar los pies de los invitados era un signo de la hospitalidad del desierto y que quedó como seña de exquisitez de trato de parte de los anfitriones hacia sus visitas. Ya en tiempos

de Jesús este oficio, por demás despreciable por la humillación que representaba, era realizado exclusivamente por los esclavos, ya que era considerado indigno de los hombres y mujeres libres. Jesús, pues, se hace esclavo, rompiendo la primera barrera de índole social.

En Israel, de acuerdo con la Ley de Moisés, no debía haber esclavitud entre hermanos. Los esclavos eran permitidos, siempre y cuando fueran extranjeros, como producto de un botín de guerra o pago de alguna deuda. No obstante, en la práctica, la precaria situación económica de muchas

A partir de aquí la narración es menos compleja. Nadie espera que Jesús vaya a lavar los pies. Debe haber un toque de sorpresa.

Jesús dialoga con Pedro y vence sus resistencias. La incomprensión de Pedro debe contrastar con la seguridad de las respuestas de Jesús.

El párrafo conclusivo contiene la interpretación que Jesús le da a su acción profética. Haz que la comunidad sienta estas líneas como dirigidas a cada uno de los oyentes.

se **levantó** de la mesa, se quitó el manto
y tomando una
   toalla, se la ciñó;
luego echó agua en una jofaina
y se puso **a lavarles los pies** a los discípulos
y a secárselos con la toalla que se había ceñido.

Cuando llegó a **Simón Pedro,** éste le dijo:
   "Señor, ¿me vas a lavar **tú a mí** los pies?"
Jesús le replicó: "Lo que estoy haciendo tú no lo entiendes **ahora,**
   pero lo comprenderás **más** tarde".
Pedro le dijo: "Tú no me lavarás los pies **jamás".**
   Jesús le contestó:
   "Si no te lavo, **no tendrás parte conmigo".**
Entonces le dijo Simón Pedro:
   "En ese caso, Señor, no sólo los pies,
   sino **también** las manos y la cabeza".
Jesús le dijo:
   "El que se ha bañado **no necesita** lavarse
   más que los pies, porque **todo él** está limpio.
Y ustedes están limpios, aunque **no todos".**
Como **sabía** quién lo iba a entregar, por eso dijo:
   '**No todo**s están limpios'.

Cuando **acabó** de lavarles los pies, se puso otra vez el manto,
   volvió a la mesa y les dijo:
   "¿**Comprenden** lo que acabo de hacer con ustedes?
Ustedes me llaman Maestro y Señor, y dicen bien, **porque lo soy.**
Pues si yo, **que soy el Maestro y el Señor,** les he lavado los pies,
   también ustedes deben lavarse los pies **los unos a los otros.**
Les he dado ejemplo,
   para que **lo que yo he hecho** con ustedes,
   también ustedes **lo hagan".**

---

familias las llevaba a perder sus tierras, a endeudarse con acreedores usureros, y a perder su libertad y tener que trabajar como si fueran esclavos hasta saldar las deudas. Pues bien, el oficio de lavar los pies podía ser rehusado por los esclavos o siervos judíos. Eran solamente esclavos extranjeros, muchas veces menores de edad, los que realizaban esta acción hospitalaria de manera regular. Jesús, pues, rompe una segunda barrera, la barrera étnica, porque no solamente se hace esclavo, sino que se hace esclavo extranjero con este gesto.

Finalmente, ya se sabe lo desventajosa que era la situación de la mujer en el pueblo de Israel. Entre sus deberes se encontraba el cuidado de la casa y lavarle al marido o al padre la cara, las manos y los pies, tarea que no le era lícito a un varón exigirla a otro varón si no era pagano. Jesús, pues, rompió una tercera barrera, la barrera de género, porque se hizo esclavo, extranjero y mujer (hija o esposa) al realizar el gesto del lavatorio de los pies.

El relato del lavatorio complementa así la memoria de la institución de la Eucaristía. Cuerpo entregado y sangre derramada, en el relato de la institución, evoca la entrega de Jesús y su muerte violenta. El lavatorio de los pies expresa, a su vez, el servicio que culmina toda una vida de entrega. En los dos gestos se repite el mandato "Hagan esto…". La Eucaristía es, desde esta perspectiva, no solamente memorial de la Pasión, muerte y resurrección de Jesús, sino compromiso a una vida de servicio, razón suprema de la muerte del Señor. Culto y compromiso, rito y vida, unidos de manera inseparable.

VIERNES SANTO
DE LA PASIÓN DEL SEÑOR

I LECTURA   Isaías 52:13—53:12

Lectura del libro del profeta Isaías

He aquí que mi siervo **prosperará**,
  será **engrandecido** y exaltado,
  será **puesto en alto**.
Muchos se horrorizaron al verlo,
  porque estaba **desfigurado** su semblante,
  que **no tenía ya** aspecto de hombre;
  pero muchos pueblos se **llenaron** de asombro.
Ante él los reyes **cerrarán** la boca,
  porque verán lo que **nunca** se les había contado
  y **comprenderán** lo que nunca se habían imaginado.

¿**Quién** habrá de creer lo que **hemos anunciado**?
¿A quién se le **revelará** el poder del Señor?
Creció en su presencia como **planta débil**,
  como una raíz **en el desierto**.
No tenía gracia **ni belleza**.
No vimos en él **ningún** aspecto atrayente;
  despreciado y rechazado por los hombres,
  varón de dolores, **habituado** al sufrimiento;
  como uno del cual se aparta **la mirada**,
  despreciado y **desestimado**.

Un Mesías sufriente era una paradoja para las expectativas de Israel, que lo esperaban triunfante. Ese asombro debe escucharse en tu lectura de este cántico.

Comienza el paralelismo entre los sufrimientos del siervo y la Pasión de Jesús. Lee con sentimiento.

I LECTURA Únicos días en que no se celebra la Eucaristía, el viernes y el sábado santos nos ofrecen la oportunidad de sumirnos en el misterio de la Pasión del Señor y su sepultura. El cuarto cántico del siervo sirve de primera lectura de los Oficios del Viernes Santo. Es el más largo de los cuatro poemas contenidos en el Segundo Isaías que llevan ese nombre.

Ya sea que el personaje del siervo esté referido al resto de Israel, a la porción del pueblo que ha permanecido fiel, o ya sea que el personaje refleje a un siervo mártir que conjuga los sufrimientos propios de la

tarea profética, el pasaje lo que hace es narrar los sufrimientos por los que el siervo ha tenido que pasar y el misterio de expiación que se esconde tras ellos. Este siervo, aunque no lo supiera, se ha convertido por su fidelidad en causa de salvación para otros. Sus sufrimientos no han culminado en derrota, sino en triunfo redentor.

El siervo de Yahveh ha sido perseguido y acosado hasta la muerte. Fue una muerte ignominiosa, sepultado entre malvados. Pero el siervo no vivió esta muerte de manera pasiva, sino en solidaridad con la humanidad, especialmente con los pecadores.

Es una muerte expiatoria, porque el inocente muere por los culpables. Es la gracia de Dios, su amor a toda prueba, la que permite que la muerte violenta del siervo sea aceptada como un sacrificio eficaz. Por eso el tono del cuarto cántico es de glorificación. Comienza presentando al siervo como alguien que "será engrandecido, exaltado y puesto en lo alto", y termina recibiendo "una parte entre los grandes".

II LECTURA La Carta a los Hebreos es una joya dentro del Nuevo Testamento. Este documento, escrito por un

Él **soportó** nuestros sufrimientos
   y **aguantó** nuestros dolores;
   nosotros lo tuvimos por **leproso**,
   herido por Dios y humillado,
   traspasado por nuestras rebeliones,
   triturado por nuestros crímenes.
Él **soportó** el castigo que nos **trae** la paz.
Por sus llagas hemos sido **curados**.

Todos andábamos errantes **como ovejas**,
   cada uno siguiendo **su camino**,
   y el Señor **cargó** sobre él **todos** nuestros crímenes.
Cuando lo maltrataban, se humillaba y **no abría** la boca,
   como un cordero llevado a **degollar**;
   como **oveja** ante el esquilador,
   enmudecía y no abría la boca.

La pregunta revela la indefensión de Jesús.
Haz una lectura lenta del párrafo.

Inicuamente y **contra toda justicia** se lo llevaron.
¿**Quién** se preocupó de su suerte?
Lo **arrancaron** de la tierra de los vivos,
   lo **hirieron de muerte** por los pecados de mi pueblo,
   le dieron sepultura **con los malhechores** a la hora de su muerte,
   aunque **no había cometido** crímenes, ni hubo **engaño**
      en su boca.

Hay un cambio de tono. Del sufrimiento se
pasa a la exaltación. El sentido sacrificial de
la muerte del siervo queda patente.

El Señor quiso **triturarlo** con el sufrimiento.
Cuando **entregue** su vida como expiación,
   verá a sus descendientes, **prolongará** sus años
   y **por medio de él** prosperarán los designios del Señor.
Por las fatigas de su alma, **verá la luz y se saciará**;
   con sus sufrimientos **justificará** mi siervo a muchos,
   cargando con los crímenes de ellos.

Por eso le daré una parte **entre los grandes**,
   y con los fuertes **repartirá** despojos,
   ya que indefenso **se entregó** a la muerte

---

cristiano de la segunda generación, nos presenta una teología muy avanzada que, trasgrediendo el molde judío, nos asegura que el Mesías Jesús es sacerdote, no según las normas del ritual judío, sino más bien porque con su muerte y resurrección llevó a plenitud la función sacerdotal de crear un nuevo tipo de relación entre la humidad y Dios.

Esta exposición sobre el sacerdocio de Cristo insiste en que Jesús es el único Sumo Sacerdote acreditado delante de Dios porque une en su persona los dos extremos, Dios y la humanidad, que el sacerdocio pretende vincular. Esto no puede lograrse si el sacerdote está lejos de la miseria humana. Un sacerdote no puede ejercitar su función mediadora si no se sitúa, al mismo tiempo, cerca de Dios, por un lado, y cerca de la humanidad atribulada, por el otro.

EVANGELIO La lectura del relato de la Pasión según san Juan es el elemento central de los Oficios de Viernes Santo. La misma austera ornamentación del templo, la supresión de las imágenes, el altar desnudo, todo contribuye a hacer de la lectura de la Pasión el centro de la celebración. Dos capítulos completos (18–19) condensan la visión del cuarto evangelio sobre la muerte de Jesús y son proclamados de manera fija, por una antigua tradición, cada Viernes Santo. Aunque el cuarto evangelio sigue, en general, el mismo esquema tradicional del relato de la Pasión que los otros tres evangelios, hay algunos matices que lo caracterizan. Los dos capítulos que hoy leemos únicamente se entienden en plenitud en un marco más amplio que comienza desde el capítulo 13, con los discursos de despedida. Es muy recomendable, pues, que quien participará activamente de la liturgia de Viernes Santo se prepare haciendo una lectura personal

y fue **contado** entre los malhechores,
cuando tomó sobre sí **las culpas de todos**
e **intercedió** por los pecadores.

Para meditar

SALMO RESPONSORIAL   Salmo 31:2 y 6, 12–13, 15–16, 17 y 25

R. Padre, en tus manos encomiendo mi espíritu.

A ti, Señor, me acojo:
  no quede yo nunca defraudado;
  tú, que eres justo, ponme a salvo.
A tus manos encomiendo mi espíritu:
  tú, el Dios leal, me librarás. **R.**

Soy la burla de todos mis enemigos,
  la irrisión de mis vecinos,
  el espanto de mis conocidos;
  me ven por la calle y escapan de mí.
Me han olvidado como a un muerto,
  me han desechado como a un
    cacharro inútil. **R.**

Pero yo confío en ti, Señor,
  te digo: "Tú eres mi Dios".
En tu mano están mis azares;
  líbrame de los enemigos que me
    persiguen. **R.**

Haz brillar tu rostro sobre tu siervo
  sálvame por tu misericordia.
Sean fuertes y valientes de corazón,
  los que esperan en el Señor. **R.**

II LECTURA   Hebreos 4:14–16; 5:7–9

Lectura de la carta a los hebreos

Hermanos:
Jesús, el **Hijo** de Dios,
  es nuestro **sumo sacerdote**, que ha entrado en el cielo.
Mantengamos **firme** la profesión de nuestra fe.
En efecto, **no tenemos** un sumo sacerdote
    que no sea capaz **de compadecerse** de nuestros sufrimientos,
  puesto que **él mismo**
    ha pasado por **las mismas pruebas** que nosotros,
  excepto el pecado.
Acerquémonos, por tanto,
  con **plena** confianza al trono de la gracia,
  para **recibir** misericordia,
  hallar la gracia y **obtener** ayuda en el momento oportuno.

Jesús se ha identificado con nosotros y eso es fuente de confianza. Que esa confianza se note en tu lectura.

---

y continua de los capítulos 13 al 20 del Evangelio según san Juan.

Prendimiento de Jesús. Ya en una conversación con sus discípulos (12:27) Jesús había manifestado su angustia ante la muerte. El relato de la Pasión de Juan comienza, por eso, no con la oración y la agonía en el huerto, como los otros evangelistas, sino directamente con el prendimiento de Jesús. Judas es descrito desde el principio como el traidor, aquel que entregó a su Maestro. En realidad, para el cuarto evangelio, Judas no es otra cosa que la fuerza del mal y de la oscuridad.

Jesús aparece entrando a su Pasión de noche, enfrentando las fuerzas de las tinieblas. Los enemigos llegan con lámparas encendidas porque no han querido abrir los ojos ante Aquel que es la luz del mundo. Es Jesús quien toma la iniciativa y se acerca a sus perseguidores, porque su entrega es soberana, libre, ya que sabía "todo lo que iba a suceder". La respuesta de Jesús a la búsqueda de los soldados y guardias es uno de los rasgos exclusivos del cuarto evangelio. Las palabras "Yo soy" no pueden interpretarse más que como una proclamación del nombre divino (Juan 8:58); de lo contrario, no se explicaría por qué los enemigos de Jesús que vienen a prenderlo caen por tierra. Es inevitable traer aquí a la memoria la lectura de Filipenses que apenas ayer ha sido proclamada en la celebración del Jueves Santo: Jesús ha recibido el nombre que está sobre todo nombre y ante él todas las criaturas doblarán la rodilla.

El evento de la herida a espada que inflige Pedro a un criado del sumo sacerdote adquiere una relevancia especial con la respuesta de Jesús: ¿No voy a beber el cáliz que me ha dado mi Padre? La represión de Jesús a Pedro encierra el matiz de una

Dios ha escuchado a Jesús. Sus sufrimientos no han sido en vano sino se han convertido en fuente de salvación para los que en él creen. Ofrece esta certeza en tu tono de voz.

Precisamente por eso, Cristo, durante su vida mortal,
 ofreció oraciones y súplicas, con **fuertes** voces y lágrimas,
 a aquel que **podía** librarlo de la muerte,
  y **fue escuchado** por su piedad.
A pesar de que **era el Hijo, aprendió** a obedecer **padeciendo,**
 y llegado a su **perfección,**
 se **convirtió** en la causa de la salvación **eterna**
  para **todos** los que lo obedecen.

EVANGELIO   Juan 18:1—19:42

Pasión de nuestro Señor Jesucristo según san Juan

El relato es largo y requerirá atención plena. El proclamador deberá haberlo leído en voz alta con anterioridad, para distinguir sus partes.

En **aquel** tiempo, Jesús fue con sus discípulos
 al **otro** lado del torrente Cedrón,
 donde había un huerto, y entraron **allí** él y sus discípulos.
Judas, el traidor, conocía **también** el sitio,
 porque Jesús se reunía a menudo allí con sus discípulos.

Entonces **Judas** tomó un batallón de soldados y guardias
 de los sumos sacerdotes y de los fariseos
 y **entró** en el huerto con linternas, antorchas y armas.

Dos veces seguidas Jesús revelará su identidad. El "Yo soy" debe resonar solemne.

Jesús, sabiendo **todo** lo que iba a suceder, se **adelantó** y les dijo:
 "**¿A quién** buscan?"
Le contestaron:
 "A Jesús, **el nazareno**".
Les dijo Jesús:
 "**Yo soy**".
Estaba también con ellos Judas, **el traidor**. Al decirles '**Yo soy**',
 retrocedieron y **cayeron** a tierra.
Jesús les **volvió** a preguntar:
 "**¿A quién** buscan?"

entrega voluntaria. Es el llamado "principio de soberanía joánico", expresado por Jesús ya en 10:17–18: nadie me quita la vida, yo la doy voluntariamente.

El proceso ante las autoridades judías. Jesús es conducido, maniatado, ante las autoridades religiosas judías, a la casa de Anás, suegro del sumo sacerdote Caifás y ex sumo sacerdote él mismo. El texto de Juan entremezcla el proceso judío en contra de Jesús con la triple negación de Pedro. En vez de una sesión formal de juicio, el cuarto evangelio nos muestra el encuentro entre Anás, el sumo sacerdote, y Jesús, el testigo

de la verdad. El silencio de Anás y la bofetada que le propina a Jesús uno de los guardias, ponen de manifiesto la cerrazón hacia Jesús y el rechazo total hacia su mensaje. Más que una acción de escarnio, como aparecen algunas humillaciones en los otros tres relatos de la Pasión, la bofetada del guardia es signo de la indignación experimentada por el desafío de Jesús hacia el sumo sacerdote. El reo maniatado es, por así decirlo, extraordinariamente libre en sus expresiones. En medio de esta hora de tinieblas no pierde nunca la dignidad.

En contraste con la firmeza de Jesús, Juan presenta la triple traición de Pedro, el discípulo que no ha sabido estar a la altura de su Maestro. Hablar de Jesús se torna de repente para Pedro en algo peligroso. Pero esa será la misión propia de los discípulos una vez que Jesús no esté ya físicamente presente entre ellos. En la teología del cuarto evangelio, ser discípulo es algo importante. La pregunta de la criada, "¿No eres tú también uno de sus discípulos?", parece ofrecer a Pedro la oportunidad para mostrarse como un discípulo digno de ese nombre. Pedro, en cambio, lo niega. Su "no soy"

Ellos dijeron:
"A Jesús, **el nazareno**".
Jesús contestó:
"Les he dicho que **soy yo**.
Si me buscan **a mí**, dejen que éstos se vayan".
Así **se cumplió** lo que Jesús había dicho:
'No he perdido **a ninguno** de los que me diste'.

Entonces **Simón Pedro**, que llevaba una espada,
la sacó e **hirió** a un criado del sumo sacerdote
y **le cortó** la oreja derecha. Este criado se llamaba **Malco**.
Dijo entonces Jesús **a Pedro**:
"**Mete** la espada en la vaina.
¿No voy **a beber** el cáliz que me **ha dado** mi Padre?"

El batallón, su comandante y los criados de los judíos
apresaron a Jesús, lo ataron y lo llevaron primero **ante Anás**,
porque era suegro de Caifás, **sumo sacerdote** aquel año.
Caifás era el que había dado a los judíos **este consejo**:
'**Conviene** que muera **un solo hombre** por el pueblo'.

Simón Pedro y otro discípulo iban siguiendo a Jesús.
Este discípulo era **conocido** del sumo sacerdote
y **entró** con Jesús en el palacio del sumo sacerdote,
mientras Pedro se quedaba **fuera**, junto a la puerta.
Salió el otro discípulo, el conocido del sumo sacerdote,
habló con la portera e **hizo entrar** a Pedro.
La portera dijo entonces a Pedro:
"¿No eres **tú también** uno de los discípulos de **ese** hombre?"
Él dijo:
"**No lo soy**".
Los criados y los guardias habían **encendido** un brasero,
porque hacía **frío**, y se calentaban.
También Pedro estaba con ellos **de pie**, calentándose.

El sumo sacerdote **interrogó** a Jesús acerca de sus discípulos
y de su doctrina.

Ante la violencia de Pedro, la represión de Jesús debe tener tono de autoridad.

Viene la primera negación de Pedro. La respuesta del apóstol a la interrogación de la portera es firme.

resuena en contraste con el "Yo soy" de Jesús en el momento de la aprehensión. Junto a la traición de Pedro resalta, en cambio, el *otro discípulo* que no sólo permite la entrada de Pedro al patio de sumo sacerdote, sino que permanece fiel al lado de Jesús hasta su crucifixión.

La tercera negación es la respuesta al interrogatorio de un pariente de Malco, el guardia a quien Pedro había cortado una oreja en el huerto. Quizá no haya manera mejor de presentar la veleidad del discípulo y su incapacidad de permanecer firme ante las dificultades. Pedro, negando a su Maes-

tro, es imagen de la debilidad de quienes proclamamos a Jesús con nuestra boca, pero no somos coherentes en los momentos de dificultad. La tristeza de Pedro y su llanto están ausentes de este evangelio. Habrá que esperar al encuentro entre Pedro y Jesús resucitado (21:15–18) a las orillas del mar de Galilea, para que Pedro caiga en la cuenta de la gravedad de su traición y experimente profunda tristeza ante las tres veces en que Jesús le pide confirmar su amor por él.

El proceso romano. Jesús es conducido a casa de Caifás ("sumo sacerdote aquel

año") y de ahí hasta el pretorio romano. El encuentro entre Jesús y Pilato es, en el cuarto evangelio, mucho más prolongado que en los otros evangelios. Y eso porque Juan se interesa en lo que sucede, hasta el punto de buscar su significado más hondo. El proceso romano será presentado por Juan en siete episodios bien definidos.

El cuarto evangelio es claro en afirmar que quienes entregan a Jesús deciden no entrar al palacio de Pilato. En el primer episodio (18:28–32), el gobernador romano comienza a ejercitar una especie de mediación entre ambos extremos. Por un lado, Jesús, dentro

El aplomo de Jesús muestra que es él quien lleva las riendas de su proceso. Que eso se refleje en tu lectura.

Jesús le contestó:
"Yo he hablado **abiertamente** al mundo
y he enseñado **continuamente** en la sinagoga y en el templo,
donde se reúnen **todos** los judíos,
y no he dicho **nada** a escondidas.
¿Por qué me interrogas **a mí**?
Interroga a los que **me han oído**, sobre lo que **les he hablado**.
Ellos **saben** lo que he dicho".

Apenas dijo esto, uno de los guardias
le dio una **bofetada** a Jesús, diciéndole:
"**¿Así** contestas al sumo sacerdote?"
Jesús le respondió:
"Si he **faltado** al hablar, demuestra **en qué** he faltado;
pero si he hablado **como se debe, ¿por qué** me pegas?"
Entonces **Anás** lo envió atado a Caifás, el **sumo** sacerdote.

La respuesta de Jesús a la violencia en su contra es de una enorme dignidad. Léela con vigor.

Simón Pedro estaba de pie, calentándose, y le dijeron:
"**¿No eres tú** también **uno** de sus discípulos?"
Él **lo negó** diciendo:
"**No lo soy**".
Uno de los criados del sumo sacerdote,
pariente de aquel a quien Pedro
le **había cortado** la oreja, le dijo:
"**¿Qué** no te vi yo **con él** en el huerto?"
Pedro **volvió** a negarlo y **en seguida** cantó un gallo.

Las dos últimas negaciones están seguidas. Haz una breve pausa después del canto del gallo.

Llevaron a Jesús de casa de Caifás **al pretorio**.
Era muy de mañana y ellos **no entraron** en el palacio
para **no incurrir** en impureza
y poder así **comer** la cena de Pascua.

El cambio de escena introduce el proceso ante Pilato. Hazlo notar en un cambio de ritmo.

Salió entonces Pilato a donde estaban ellos y les dijo:
"**¿De qué** acusan a ese hombre?"
Le contestaron:
"Si **éste** no fuera **un malhechor**, no te lo hubiéramos traído".
Pilato les dijo:
"Pues **llévenselo** y júzguenlo **según su ley**".

del pretorio, y por el otro, las autoridades judías que buscan su muerte y que permanecen fuera; una manera más de expresar aquella batalla entre la luz y las tinieblas que es tan característica del evangelio de Juan. El primer intercambio pone en claro las acusaciones dirigidas contra Jesús y la condena que contra él se solicita, la pena de muerte. El evangelista recuerda aquí el dicho de Jesús de que a su muerte sería "elevado de la tierra" (12:31–32) lo que, además de aludir por adelantado a la pena de crucifixión, cuya ejecución sólo podía ser aprobada por los romanos, permite a la comunidad cristiana

posterior ver en la misma crucifixión la glorificación definitiva de Jesús.

El segundo episodio (18:33–38) ocurre en el interior del palacio y tiene como elemento central la proclamación de la realeza de Jesús. La aclaración de Jesús de que "mi reino no es de este mundo" no ha de entenderse como si fuera un reino únicamente espiritual o celestial. Es la proclamación de que la realeza de Jesús se rige por otros criterios y no puede simplemente identificarse con los reinos de este mundo ni con institución alguna (¡ni siquiera con la Iglesia!); al contrario, tiene lugar ahí donde hay personas y comu-

nidades que se ponen en favor del proyecto que inspiró su vida. La declaración de Jesús, "Todo el que es de la verdad escucha mi voz", manifiesta que Pilato no es de la verdad. El juez resulta enjuiciado… y condenado porque es incapaz de reconocer la verdad, o mejor dicho, a Aquel que es la verdad.

El tercer episodio (18:38–40) vuelve a ocurrir en el espacio abierto. Tras el reconocimiento de la inocencia de Jesús, la primera de tres veces, Pilato ofrece al pueblo la oportunidad de liberar a un preso con motivo de las fiestas. El pueblo prefiere a Barrabás en lugar de liberar a Jesús. El cuarto

Cada diálogo entre Jesús y Pilato deberá ser leído con intensidad. En la última frase del párrafo, Pilato deja una pregunta en el aire. Déjala resonar antes de continuar.

Los judíos le respondieron:
"No estamos autorizados para **dar muerte** a nadie".
Así **se cumplió** lo que había dicho Jesús,
indicando **de qué muerte** iba a morir.

Entró **otra vez** Pilato en el pretorio, llamó a Jesús y le dijo:
"**¿Eres tú** el rey de los judíos?"
Jesús le contestó:
"¿Eso lo preguntas **por tu cuenta** o te lo han dicho **otros**?"
Pilato le respondió:
"**¿Acaso** soy yo judío?
Tu pueblo y los sumos sacerdotes te han entregado **a mí**.
¿**Qué** es lo que has hecho?"
Jesús le contestó:
"Mi Reino **no es de este mundo**.
Si **mi Reino** fuera de este mundo,
mis servidores **habrían luchado** para que no cayera yo
en manos de los judíos.
Pero mi Reino **no es de aquí**".
Pilato le dijo:
"¿Conque tú eres rey?"
Jesús le contestó:
"**Tú** lo has dicho. **Soy rey**.
Yo nací y **vine** al mundo para ser **testigo de la verdad**.
Todo el que es de la verdad, **escucha** mi voz".
Pilato le dijo:
"¿Y **qué es** la verdad?"

episodio (19:1–3) es el único episodio en que Pilato no juega sino un papel secundario. Se trata de la flagelación y las burlas y humillaciones a las que Jesús es sometido por parte de los soldados romanos, un castigo menor ejecutado por los soldados con el que Pilato quiere satisfacer la demanda de la turba para que dejen en paz a Jesús.

En el quinto episodio (19:4–8), otra vez fuera del pretorio, la escena alcanza un dramatismo especial. Cubierto con el manto púrpura y coronado de espinas, Jesús es presentado por Pilato en su segunda declaración pública de inocencia: "Aquí lo traigo para que sepan que no encuentro en él ninguna culpa". La expresión de Pilato al presentar a Jesús azotado y escarnecido, "Aquí está el hombre", lleva a su culminación la acción dramática en una frase que ha sido leída por las generaciones posteriores como mostrando en Jesús la plenitud de la humanidad. La frase despierta en el pueblo el clamor por la crucifixión, a lo que sigue la tercera declaración de inocencia por parte de Pilato: "Llévenselo ustedes y crucifíquenlo, porque yo no encuentro culpa en él". Cerrará el episodio la afirmación de que Jesús tenía que morir porque "se ha declarado Hijo de Dios".

Pilato, asustado, regresa al interior en el sexto episodio (19:9–11) para dialogar de nuevo con Jesús. Ahora ya sabe la verdadera acusación que se cierne contra el reo y quiere averiguar sobre su identidad. Pero Pilato no tiene la capacidad de comprender que Jesús procede de lo alto. El silencio de Jesús lo desconcierta y profiere una amenaza: tiene el poder para soltarlo o darle muerte. Jesús relativiza el poder de Pilato. Es Dios, en su providencia, el que ha puesto en sus manos la decisión de llevar a la

Afuera, Pilato forcejea verbalmente con los acusadores de Jesús. Sube el tono de la voz cuando Pilato hable.

Dicho esto, salió **otra vez** a donde estaban los judíos y les dijo:
"No encuentro en él **ninguna** culpa.
Entre ustedes **es costumbre**
    que por Pascua **ponga en libertad** a un preso.
¿Quieren que les suelte **al rey** de los judíos?"
Pero **todos ellos** gritaron:
"¡No, a **ése no**! ¡A **Barrabás**!"
(El tal Barrabás era **un bandido**).

La violencia se torna agresión física. Lee con dureza la flagelación y la coronación de espinas.

Entonces Pilato tomó a Jesús y lo mandó **azotar**.
Los soldados **trenzaron** una corona **de espinas**,
    se la pusieron en la cabeza,
    le echaron encima un manto color **púrpura**,
    y acercándose a él, le decían:
    "¡**Viva** el rey de los judíos!", y le daban de bofetadas.

Vienen las dos últimas exculpaciones de Pilato: Jesús es inocente. Lee con firmeza las declaraciones de inocencia.

Pilato salió otra vez afuera y les dijo:
"Aquí lo traigo para que sepan que **no encuentro**
    en él **ninguna** culpa".
Salió, pues, **Jesús** llevando la corona de espinas
    y el manto color púrpura.
Pilato les dijo:
"**Aquí está** el hombre".
Cuando lo vieron los sumos sacerdotes
    y sus servidores, **gritaron**:
    "¡**Crucifícalo, crucifícalo**!"
Pilato les dijo:
"**Llévenselo** ustedes y **crucifíquenlo**,
    porque yo **no encuentro** culpa en él".
Los judíos le contestaron:
"Nosotros tenemos **una ley** y según esa ley **tiene que morir**,
    porque se ha declarado **Hijo de Dios**".

culminación el proceso de muerte del Hijo del Hombre. La mirada profunda de Juan contempla en la muerte de Jesús la realización de un misterio de glorificación concebido y llevado adelante por Dios mismo.

En el último episodio (19:12–16) Pilato saca a Jesús para presentarlo por última vez ante el pueblo y lo sienta en el tribunal mientras dicta sentencia. De pronto, la escena muestra a Jesús sentado en el lugar del juez. Es él quien está juzgando al mundo. Llama la atención cuando el evangelista observa que "era el día de la preparación de la pascua, hacia el mediodía". Se

trata de la hora en que, según fuentes rabínicas antiguas, los sacerdotes empezaban a preparar la fiesta de la pascua, iniciando los sacrificios de los corderos que habrían de servir para la comida pascual de aquella noche. El nuevo cordero de Dios es condenado a muerte en esa misma hora.

Pilato cederá finalmente y entregará a Jesús. Es solamente el cuarto evangelio el que nos revela con claridad la razón de su decisión final. Pilato tiene miedo de ser acusado de deslealtad al emperador romano, lo que pondría en peligro la porción de poder que maneja y su estatus. En el diálogo con

Jesús ha quedado clara la responsabilidad de Pilato en su condena. Por eso ahora, hacia el final de la escena, Pilato provoca que los que solicitan la muerte de Jesús terminen asumiendo la responsabilidad última. ¿La respuesta de la muchedumbre? "No tenemos más rey que el César". Con ironía, el cuarto evangelio señala la suprema traición de Israel a su constitución de origen. Siendo un pueblo formado para tener solamente a Dios por rey (Isaías 26:13), los judíos terminan, al rechazar a Jesús, negando la realeza divina y reconociendo como rey a un monarca civil extranjero. Han renunciado a la pre-

Último dialogo entre Jesús y Pilato. La seguridad en el tono de Pilato ha desaparecido. Lee con firmeza la respuesta de Jesús.

Cuando Pilato oyó estas palabras, se asustó aún más,
    y entrando otra vez en el pretorio, dijo a Jesús:
    "**¿De dónde** eres tú?"
Pero Jesús **no le respondió**.
Pilato le dijo entonces:
    "**¿A mí** no me hablas?
¿No sabes que tengo **autoridad** para soltarte
    y autoridad para **crucificarte?**"
Jesús le contestó:
    "No tendrías **ninguna** autoridad sobre mí,
    si no te la hubieran dado **de lo alto**.
Por eso, el que me entregado a ti tiene un pecado **mayor**".

Desde ese momento, Pilato **trataba** de soltarlo,
    pero los judíos **gritaban**:
    "¡Si sueltas **a ése**, **no eres amigo** del César!; porque todo el que
        pretende ser rey, es enemigo del César".
Al oír **estas** palabras, Pilato sacó a Jesús y lo **sentó** en el
    tribunal, en el sitio que llaman "**el Enlosado**"
    (en hebreo Gábbata).
Era el día de **la preparación** de la Pascua, hacia el mediodía.
Y dijo Pilato a los judíos:
    "**Aquí tienen a su rey**".
Ellos gritaron:
    "¡Fuera, fuera! **Crucifícalo!**"
Pilato les dijo:
    "¿A **su rey** voy a crucificar?"
Contestaron los sumos sacerdotes:
    "**No** tenemos más rey que **el César**".
Entonces se lo entregó para que **lo crucificaran**.

Sentado en la sede del tribunal Jesús es presentado como rey. Acentúa la amenaza final de los sumos sacerdotes y haz un breve silencio después de la frase de la entrega de Jesús.

rrogativa de ser el pueblo escogido por Dios, para convertirse solamente en vasallos del emperador romano. Con una lacónica frase, Juan expresa la decisión final de Pilato. Es el último eslabón de una larga cadena. Judas entregó a Jesús a las autoridades judías, estas lo entregaron a Pilato. Al final, Pilato también lo entrega para ser crucificado.

Crucifixión de Jesús. El camino de Jesús hacia la cruz es extraordinariamente breve en el cuarto evangelio. Su único objetivo es subrayar el cambio de espacio, desde la sede del poder romano en Jerusalén, donde se llevó a cabo la larga compare-

cencia de Jesús ante Pilatos, hasta el lugar, a las afueras de la ciudad, donde se ejecutará la sentencia de muerte. Juan se separa de los otros tres evangelios al no mencionar a Simón de Cirene. Coherente con la visión de un Jesús que lleva las riendas de su propio proceso, porque entrega voluntariamente su vida, el cuarto evangelio muestra a Jesús cargando él mismo su cruz sin necesidad de ayuda. A partir de este momento, el evangelio nos presentará seis escenas que culminarán con la muerte de Jesús y la apertura de su costado.

El sufrimiento de Jesús en la cruz, propio de un castigo cruel, es prácticamente omitido por Juan. La primera escena (19:19–22) se centra en el letrero puesto sobre su cruz, que hace que los espectadores no se olviden a la acusación en su contra. Juan nos informa que es el mismo Pilato quien mandó escribir el letrero y, al rememorar el diálogo entre Pilato y los sumos sacerdotes que se oponen a la inscripción, nos muestra al gobernador romano presente en la escena misma del Gólgota. Así, la crucifixión aparece como la continuación del encuentro entre Pilato y Jesús que se ha desarrollado en

La narración de los acontecimientos en la cruz fluye sola. Lee sin prisas.

Tomaron a Jesús y él, **cargando** con la cruz,
se dirigió hacia el sitio llamado **"la Calavera"**
(que en hebreo se dice Gólgota),
donde lo **crucificaron**, y con él a **otros dos**,
uno de **cada lado**, y en medio **Jesús**.
Pilato **mandó** escribir un letrero
y ponerlo **encima** de la cruz;
en él estaba escrito: 'Jesús el nazareno, **el rey** de los judíos'.
Leyeron el letrero **muchos** judíos,
porque **estaba cerca** el lugar donde crucificaron a Jesús
y estaba escrito en **hebreo, latín y griego**.
Entonces los sumos sacerdotes de los judíos le dijeron a Pilato:
"No escribas: 'El **rey** de los judíos',
sino: **'Éste ha dicho: Soy rey** de los judíos'".
Pilato les **contestó:**
"Lo escrito, **escrito está**".

Cuando crucificaron a Jesús, los soldados cogieron su ropa
e hicieron **cuatro partes**,
una para cada soldado, y **apartaron** la túnica.
Era una túnica **sin costura**,
tejida **toda** de una pieza de arriba a abajo.
Por eso se dijeron:
"No la rasguemos, sino **echemos suertes**
para ver a quién le toca".
Así se **cumplió** lo que dice la Escritura:
Se repartieron mi ropa y echaron a suerte mi túnica.
Y eso hicieron los soldados.

Junto a la cruz de Jesús estaba **su madre**,
la hermana de su madre,
María la de Cleofás, y **María Magdalena**.
Al **ver** a su madre y **junto a ella** al discípulo que **tanto** quería,
Jesús dijo a su madre:
"Mujer, ahí está **tu hijo"**.

El rey muere acompañado de gente querida. En la cruz nos entregará a su madre. Proclama con reverencia el diálogo.

el pretorio. Las autoridades judías han aceptado al César como su único rey y ahora tendrán que conformarse con la decisión de su delegado. Al final, los jefes de los sacerdotes continúan empecinados en no reconocer ningún rasgo mesiánico en Jesús, mientras que un pagano, Pilato, es quien insiste en dejar en el letrero la proclamación de la realeza de Jesús.

La segunda escena (19:23-24) se centra en la repartición de las vestiduras de Jesús. Juan cita el Salmo 22:19 para explicar las acciones de los soldados romanos que, sin imaginárselo, están dando cumplimiento de-

tallado a lo descrito en el salmo. La insistencia en la túnica sin costuras ha sido interpretada de diversas maneras, ya sea como una remembranza de la túnica de José (Génesis 37:3), o ya sea como símbolo de la unidad de los seguidores de Jesús. Así, san Cipriano veía en la túnica indivisa de Jesús la representación de una iglesia unida un único rebaño bajo un único pastor (Juan 10:16), a contrapelo de la imagen de 1 Reyes 11:30-31 en la que el profeta Ajías representa el desmembramiento del reino davídico en la división de su túnica en doce pedazos.

En la tercera escena (19:25-27) aparece un grupo de discípulos. No hay en Juan burlas a Jesús mientras está en la cruz; sí hay, en cambio, este grupo de simpatizantes que simboliza la comunidad creyente. Las cuatro mujeres y el discípulo amado aparecen como la verdadera familia de Jesús, acompañándolo antes de morir. Las palabras de Jesús hacia su madre y el discípulo amado reflejan la última voluntad de Jesús, una especie de testamento. María, como una nueva Eva, se convierte ahora en madre de los discípulos de Jesús. Una nueva relación es inaugurada entre María y los se-

Ha llegado la hora del cumplimiento. Jesús ha cumplido con su misión y muere consciente. Lee con profunda devoción.

Luego dijo al discípulo:
"**Ahí está** tu madre".
Y **desde entonces** el discípulo se la llevó a vivir **con él**.

Después de esto,
sabiendo Jesús que **todo** había llegado a **su término**,
para que **se cumpliera** la Escritura, dijo:
"*Tengo sed*".
Había allí un jarro **lleno** de vinagre.
Los soldados sujetaron una esponja **empapada** en vinagre
a una caña de hisopo
y se la acercaron a la boca.
Jesús probó el vinagre y dijo:
"**Todo está cumplido**",
e, inclinando la cabeza, **entregó** el espíritu.

[Aquí se arrodillan todos y se hace una breve pausa.]

Jesús va a ser traspasado y la Iglesia nacerá de su costado abierto. Proclama el momento de la lanzada reverencialmente.

Entonces, los judíos,
como era el día **de la preparación** de la Pascua,
para que los cuerpos de los ajusticiados
no se quedaran en la cruz **el sábado**,
porque **aquel** sábado era un día **muy** solemne,
pidieron a Pilato que les **quebraran** las piernas
y los **quitaran** de la cruz.
Fueron los soldados, le quebraron las piernas **a uno**
y luego **al otro** de los que habían sido crucificados **con él**.
Pero al llegar **a Jesús**,
viendo que ya **había muerto**, no le quebraron las piernas,
sino que uno de los soldados
le traspasó el costado con una lanza
e **inmediatamente** salió **sangre y agua**.

El que vio **da testimonio** de esto y su testimonio es **verdadero**
y él **sabe** que dice la verdad, para que **también** ustedes **crean**.

---

guidores de su Hijo. La familia natural de Jesús parece prolongarse en la comunidad de los discípulos. Así la muerte de Jesús es retratada pasando de la hostilidad de las autoridades judías para llegar a este momento en que los discípulos, por un acto de amor de Jesús, son integrados a su familia.

La muerte de Jesús. Llegamos así a la cuarta escena (19:28–30) en la que Jesús muere, no sin antes haber dado cumplimiento a su misión. La frase de Jesús, "Tengo sed", colocada como cumplimiento de las Escrituras, puede referirse al Salmo 22:16 o quizá al Salmo 69:22. El nuevo cor-

dero de Dios entrega su vida después de haber llevado a cabo la encomienda del Padre. Su frase final, "Todo está cumplido", revela una muerte serena, la de quien, venido del Padre, ha cumplido su tarea. Por eso puede ahora entregarles su espíritu, como lo había prometido ya desde 7:37–39.

Después de la muerte de Jesús. Las dos últimas escenas se refieren a acontecimientos posteriores a la muerte de Jesús. En la escena quinta (19:31–37), la urgencia de sepultar a Jesús motiva la petición de los judíos de que los cuerpos fueran retirados. Pilato accede a la petición y un destacamento de

soldados quiebra las piernas de los crucificados junto con Jesús. A Jesús, que ya había muerto, le atraviesan el costado, del que brota sangre y agua. No se pretende aquí una descripción fisiológica, sino que se devela un significado teológico. La muerte de Jesús es su glorificación definitiva, ahora se hará realidad lo que él había prometido antes en 7:37–38: la muerte se explica por la sangre, el Espíritu prometido por el agua. Por eso encontramos en muchos padres de la Iglesia la explicación del surgimiento de la Iglesia y sus sacramentos, como proviniendo del costado abierto del Salvador.

Da cierta solemnidad a tu voz para narrar la sepultura de Jesús. Lee el último párrafo bajando la velocidad, con tono de veneración.

Esto sucedió para que **se cumpliera** lo que dice la Escritura:
No le quebrarán ningún hueso;
y en **otro** lugar la Escritura dice:
Mirarán al que traspasaron.

Después de esto, **José de Arimatea**, que era **discípulo** de Jesús,
pero **oculto** por miedo a los judíos,
pidió a Pilato que lo **dejara llevarse** el cuerpo de Jesús.
Y Pilato lo **autorizó**.
Él fue entonces y **se llevó** el cuerpo.

Llegó **también** Nicodemo, el que había ido a verlo **de noche**,
y trajo unas **cien** libras de una mezcla de mirra y áloe.

Tomaron el cuerpo de Jesús
y lo **envolvieron** en lienzos con esos aromas,
según **se acostumbra** enterrar entre los judíos.
Había **un huerto** en el sitio donde lo crucificaron,
y en el huerto, un sepulcro **nuevo**,
donde **nadie** había sido enterrado **todavía**.
Y como para los judíos era el **día de la preparación** de la Pascua
y el sepulcro **estaba cerca**, **allí** pusieron a Jesús.

En la última escena (19:38–42), dos judíos prominentes, José de Arimatea y Nicodemo, se encargan del proceso de sepultura; el primero solicita el cuerpo de Jesús y el segundo lleva los elementos necesarios para realizar los ritos funerarios. A diferencia de otros evangelios, Jesús aparece aquí recibiendo una sepultura digna y no apresurada. Ambos personajes, José y Nicodemo, dan aquí un paso más en su proceso de fe. De seguidores ocultos pasan a realizar una acción pública que ennoblece la muerte de Jesús y coadyuva con la intención del evangelista de mostrarla como un proceso de glorificación, más que de derrota. Algunas antiguas tradiciones interpretan la mención de que el sepulcro se hallaba en un huerto como signo de la realeza de Jesús (2 Reyes 21:18, 26) o para simbolizar a Jesús como un nuevo Adán, iniciador de una nueva creación por su resurrección.

Se cierra así el relato de la Pasión y muerte de Jesús. Su vida entera había estado orientada hacia esta "su hora". Hemos contemplado a un Jesús plenamente consciente de su misión, que libremente regala su vida y que enfrenta su Pasión con aplomo y majestad. Ha comenzado la narración en un jardín, el de Gestemaní, y ha terminado en otro jardín, el de la sepultura. El creyente ha tenido la oportunidad de contemplar qué clase de rey es este Jesús, aquel que ha convertido su muerte en entrega generosa y en comienzo de una nueva historia, garantizada por su presencia sacramental en el bautismo (agua) y la eucaristía (sangre), brotados de su corazón misericordioso.

VIGILIA PASCUAL
EN LA NOCHE SANTA

I LECTURA   Génesis 1:1—2:2

Lectura del libro del Génesis

En el principio **creó** Dios el cielo y la tierra.
La tierra era **soledad** y caos;
   y las tinieblas **cubrían** la faz del abismo.
El espíritu de Dios **se movía** sobre la superficie de las aguas.

Dijo Dios:
   "Que **exista** la luz", y la luz existió.
Vio Dios que la luz **era buena**, y **separó** la luz de las tinieblas.
Llamó a la luz **"día"** y a las tinieblas, **"noche"**.
Fue la tarde y la mañana del **primer** día.

Dijo Dios:
   "Que haya una **bóveda** entre las aguas,
   que **separe** unas aguas de otras".
E hizo Dios una bóveda
   y **separó** con ella las aguas de arriba, de las aguas de abajo.
Y así fue. Llamó Dios a la bóveda **"cielo"**.
Fue la tarde y la mañana del **segundo** día.

Dijo Dios:
   "Que se **junten** las aguas de debajo del cielo en un **solo** lugar
   y que aparezca el suelo seco".
Y así fue.
Llamó Dios **"tierra"** al suelo seco y **"mar"** a la masa de las aguas.
Y **vio** Dios que era **bueno**.

Es el primer "Dijo Dios" de diez repeticiones. Haz que cada ocasión suene como una letanía. Haz lo mismo con las frases que concluyen cada uno de los días: "fue la tarde y la mañana…"

Por primera vez se proclamará que lo creado por Dios es bueno. Dale tono fuerte cada vez que se pronuncie "Y vio Dios que era bueno".

La Vigilia Pascual es la culminación del Triduo. Fiesta de las fiestas, memoria de la resurrección de Jesús, esta noche de oración y de alegría hace un recorrido por toda la historia de la salvación —con nueve lecturas, en vez de las dos o tres habituales— para admirar la obra de Dios en la historia y ponderar la resurrección de Jesús como su coronamiento. Por ello san Agustín la llamo la "madre de todas las vigilias". Es también noche de bautismo y eucaristía, los sacramentos fontales de la vida cristiana. La preparación de la liturgia de la Palabra debe ser esmerada, como corresponde a esta celebración única en el año. Se trata de que todos los fieles cristianos dispersos por el mundo cumplan con la recomendación del evangelio que nos pide ser semejantes a los siervos que esperan el regreso de su Amo con sus lámparas encendidas (Lucas 12:35). Así, el Maestro nos encontrará despiertos y alerta cuando él llegue y nos invitará a su mesa.

I LECTURA Muchas culturas tienen relatos de los orígenes. Hay un momento de maduración en el que cada pueblo comienza a plantearse algunas preguntas sustanciales: ¿quiénes somos? ¿de dónde venimos? ¿para qué estamos en este mundo? ¿por qué hay enfermedad? ¿por qué nos morimos? Preguntas, todas ellas, que implican un esfuerzo de reflexión y que suelen derivar en la construcción de relatos del tiempo primordial, relatos mitológicos, para plasmar en ellos, con un lenguaje figurado y creativo, la respuesta de una determinada cultura a estas acuciantes preguntas. Israel caminó también por estas sendas y nos legó su visión de los orígenes en los primeros once capítulos del libro del Génesis.

Dijo Dios:
　"**Verdee** la tierra con plantas que den **semilla**
　y **árboles** que den fruto y semilla, según su especie,
　　sobre la tierra".
Y así fue.
Brotó de la tierra hierba **verde**, que producía semilla,
　según su especie,
　y **árboles** que daban fruto y **llevaban** semilla,
　según su especie.
Y **vio** Dios que era bueno.
Fue la tarde y la mañana del **tercer** día.

Dijo Dios:
　"Que haya **lumbreras** en la bóveda del cielo,
　que **separen** el día de la noche, **señalen** las estaciones,
　los días y los años,
　y **luzcan** en la bóveda del cielo
　　para **iluminar** la tierra".
Y así fue.
Hizo Dios las **dos** grandes lumbreras:
　la lumbrera **mayor** para regir el **día**
　y la **menor**, para regir la **noche**;
　y **también** hizo las estrellas.
Dios puso las lumbreras en la bóveda del cielo
　　para **iluminar** la tierra,
　para **regir** el día y la noche, y **separar** la luz de las tinieblas.
Y vio Dios que **era bueno.**
Fue la tarde y la mañana del **cuarto** día.

Dijo Dios:
　"**Agítense** las aguas con un **hervidero** de seres vivientes
　y **revoloteen** sobre la tierra las aves, bajo la bóveda del cielo".
Creó Dios los **grandes** animales marinos
　y los **vivientes** que en el agua se deslizan y la **pueblan**,
　　según su especie.
Creó **también** el mundo de las aves, según sus especies.

Preside estos once capítulos el relato que escuchamos como primera lectura en la Vigilia Pascual. Se trata del primer relato de la creación, cronológicamente posterior a un segundo relato (2:3–25) colocado inmediatamente después por el redactor final. Es una pieza literaria de belleza excepcional. Basada en el ritmo de la semana judía de siete días, la obra de la creación es presentada en lenguaje parabólico como un despliegue de decisiones de Dios que es padre, creador y sustento de lo creado, de manera que todas las cosas vienen a ser resultado de su inteligencia libre y de su amor.

La escena inicial es sobrecogedora: todo era soledad y caos. En ese abismo de oscuridad, por encima de las aguas primordiales (elemento común a otras cosmogonías de la época en Mesopotamia) aletea el Espíritu de Dios, aliento primigenio. El relato se construye a partir de aquí en diez *palabras*, diez intervenciones divinas introducidas con la fórmula "Dijo Dios". El despliegue creativo abarca seis días completos y transpira un sentido de orden. En los tres primeros días se ponen las bases fundamentales de la existencia: el día y la noche, el cielo y la tierra, el mar y los continentes. Los tres días siguientes, en

cambio, pueblan estos espacios fundamentales con los seres vivos, o sea las lumbreras del cielo, los animales marinos y alados y, finalmente, los animales terrestres, tanto los salvajes como los domésticos.

Hasta este momento ha habido ya siete menciones de la fórmula "Y dijo Dios". Las últimas tres menciones estarán en relación directa con la creación del ser humano, varón y mujer. En una especie de soliloquio Dios se mete dentro de sí para tomar la decisión de crear al ser humano. Le ofrece la bendición de la fecundidad y le encarga ser custodio de la creación. El ser humano,

Vio Dios que **era bueno** y los **bendijo**, diciendo:
"Sean fecundos y **multiplíquense**; llenen las aguas del mar;
que las aves se multipliquen **en la tierra**".
Fue la tarde y la mañana del **quinto** día.

Dijo Dios:
"**Produzca** la tierra vivientes, según sus especies:
animales **domésticos**, reptiles y fieras, según sus especies".
Y así fue.
Hizo Dios las fieras, los animales domésticos y los reptiles,
cada uno según su especie.
Y vio Dios que **era bueno**.

Dijo Dios:
"Hagamos al hombre a nuestra imagen **y semejanza**;
que **domine** a los **peces** del mar, a las **aves** del cielo,
a los animales **domésticos** y a **todo** animal
que se arrastra sobre la tierra".

Y **creó** Dios al hombre a su imagen;
a **imagen suya** lo creó;
hombre y mujer los creó.

Y los **bendijo** Dios y les dijo:
"**Sean** fecundos y **multiplíquense**, llenen la tierra y **sométanla**;
dominen a los peces del mar, a las aves del cielo
y **a todo ser viviente** que se mueve sobre la tierra".

Y dijo Dios:
"**He aquí** que les entrego **todas** las plantas de semilla
que hay sobre la faz de la tierra,
y **todos** los árboles que producen frutos y semilla,
para que les sirvan **de alimento**.
Y a **todas** las fieras de la tierra, a **todas** las aves del cielo,
a **todos** los reptiles de la tierra, a **todos** los seres que respiran,
también les doy por alimento las verdes plantas".
Y **así fue**.
Vio Dios **todo** lo que había hecho y lo encontró **muy bueno**.

Este sexto día creará Dios a los animales terrestres y a la humanidad. Ve preparando la culminación y haz un breve espacio antes de leer la creación del ser humano.

Lee solemnemente las tres líneas de la creación del hombre y de la mujer.

varón y mujer en igualdad, serán la tierra pensante, la tierra capaz de decidir y de amar. El Salmo 104 nos recordará hoy la actitud de alabanza admirativa que debe despertarse en el corazón del creyente delante del prodigio de la creación.

Subrayemos algunas enseñanzas fundamentales del relato. El Dios creador es un Dios ordenador, creador de la armonía y de los equilibrios. Las diez menciones de "Y dijo Dios" están seguramente relacionadas con los diez mandamientos, como si la Ley de Moisés continuara en el pueblo de Israel el orden que Dios imprimió a su creación.

Toda la creación es buena y el ser humano, varón y mujer, son lo más parecido a Dios, capaces de bondad, de creatividad, de solidaridad. El relato presenta la creación como un prodigio de diversidad y abundancia. Hoy más que nunca, ante el deterioro ecológico, tendríamos que preguntarnos si estamos siendo guardianes eficaces de la creación que Dios ha puesto en nuestras manos.

II LECTURA El ciclo de Abrahán abarca de los capítulos 12 al 24 del libro del Génesis. Padre del pueblo de Israel y considerado padre también por las tradi-

ciones cristiana y musulmana, la figura de Abrahán ocupa un lugar fundamental en la tradición patriarcal. Todo había comenzado con la promesa que le fue dirigida desde el momento mismo en que Dios le manda abandonar su tierra y su parentela: tener descendencia y tierra donde dicha descendencia pudiera habitar en paz. Un hijo y un territorio es la promesa que mueve la vida de este hombre de fe.

Abrahán es reconocido por tres distintas tradiciones religiosas como "padre de nuestra fe". En efecto, la fe se despliega en Abrahán como el motivo fundamental de su

Fue la tarde y la mañana del **sexto** día.

Así **quedaron concluidos** el cielo y la tierra
   con todos sus ornamentos,
 y **terminada** su obra, descansó Dios el **séptimo** día
   de **todo** cuanto había hecho.

Abreviada: *Génesis 1:1, 26–31*

El párrafo final cierra todo el conjunto. Que se sienta en tu lectura que una obra de belleza monumental ha quedado terminada.

Para meditar

SALMO RESPONSORIAL   Salmo 104:1–2a, 5–6, 10 y 12, 13–14, 24 y 35c

R. Envía tu espíritu, Señor, y repuebla la faz de la tierra.

Bendice, alma mía, al Señor:
¡Dios mío, qué grande eres!
Te vistes de belleza y majestad,
   la luz te envuelve como un manto. **R.**

Asentaste la tierra sobre sus cimientos,
   y no vacilará jamás;
   la cubriste con el manto del océano,
   y las aguas se posaron sobre
      las montañas. **R.**

De los manantiales sacas los ríos,
   para que fluyan entre los montes;
   junto a ellos habitan las aves del cielo,
   y entre las frondas se oye su canto. **R.**

Desde tu morada riegas los montes,
   y la tierra se sacia de tu acción fecunda;
   haces brotar hierba para los ganados,
   y forraje para los que sirven al hombre. **R.**

Cuántas son tus obras, Señor,
   y todas las hiciste con sabiduría;
   la tierra está llena de tus criaturas.
¡Bendice, alma mía, al Señor! **R.**

O bien: *Salmo 33:4–5, 6–7, 12–13, 20 y 22*

actuar. Por fe, deja su tierra natal y se arriesga en una aventura de trashumancia confiado en la palabra que se le ha revelado. Por fe, enfrenta las dificultades propias de su establecimiento en una tierra que le ha sido prometida en un futuro, pero que no deja de ser extraña y por momentos hostil. Y cuando el cumplimiento de la promesa se tarda y el tiempo pasa sin que Abrahán y su esposa Sara puedan concebir un hijo y el patriarca trata de conseguir el objetivo a través de otros medios, Dios le renueva la promesa: será un hijo de sus entrañas,

hijo suyo y de Sara anciana, hijo humanamente imposible.

El impacto que produce el texto de esta segunda lectura es que, justamente cuando la promesa comienza a convertirse en realidad y el hijo de Sara y Abrahán va creciendo, aparece este episodio que es presentado por la lectura como una *prueba* que Dios le pone a Abrahán. El relato sobrecoge solo de leerlo. Dios le ha pedido a Abrahán que sacrifique a su hijo Isaac. El objetivo fundamental es mostrar a Abrahán como el creyente perfecto, aquel cuya obediencia total, que el lenguaje de la época

refería como "temor de Dios", será la garantía para el surgimiento del pueblo de Dios. Aunque hay quienes sitúan este relato en relación con la discusión sobre los sacrificios de niños que se realizaban en pueblos del entorno y su prohibición en la tierra de Israel, habría que fijarse también en cómo este gesto fue reinterpretado dentro de la misma Biblia, especialmente en los profetas del norte (Amós y Oseas) como la base de una nueva manera de entender los sacrificios, pues estos han de ser signos de un corazón que obedece, no ritos que consiguen nada por sí mismos, sino símbolos de

II LECTURA   Génesis 22:1–18

Lectura del libro del Génesis

En aquel tiempo, Dios le puso **una prueba** a Abraham y le dijo:
"¡**Abraham, Abraham**!"
Él respondió: "**Aquí** estoy".
Y Dios le dijo:
"**Toma** a tu hijo único, **Isaac**, a quien **tanto** amas;
vete a la región de Moria y **ofrécemelo** en sacrificio,
en el monte que **yo te indicaré**".

Abraham **madrugó**, aparejó su burro,
tomó consigo a dos de sus criados y a su hijo Isaac;
cortó leña para el sacrificio
y se **encaminó** al lugar que Dios le había **indicado**.
Al **tercer** día divisó a lo lejos el lugar.
Les dijo entonces a sus criados:
"**Quédense** aquí con el burro;
yo iré con el muchacho hasta allá, para **adorar** a Dios
y después regresaremos".

Abraham tomó la leña para el sacrificio, se la cargó a su hijo Isaac
y tomó en su mano el fuego y **el cuchillo**.
Los dos caminaban **juntos**.
Isaac dijo a su padre Abraham:
"¡Padre!" Él respondió: "¿Qué quieres, **hijo?**"
El muchacho contestó: "**Ya tenemos** fuego y leña, pero,
¿**dónde** está el cordero para el sacrificio?"
Abraham le contestó:
"Dios **nos dará el** cordero para el sacrificio, hijo mío".
Y siguieron caminando juntos.

Cuando llegaron al sitio que Dios le **había señalado**,
Abraham **levantó** un altar y acomodó la leña.
Luego **ató** a su hijo Isaac, lo puso sobre el altar, **encima** de la leña,
y tomó el cuchillo para degollarlo.

El relato es dramático. Es suficiente leerlo con claridad y firmeza, sin afectaciones.

El diálogo anuncia el drama del sacrificio. Que se sienta el dolor que se esconde en la respuesta de Abrahán.

---

una entrega de la propia vida, como supo hacerlo el patriarca Abrahán.

En esta noche resaltan las similitudes entre Isaac y Jesús. Ambos suben un monte, ambos cargan la leña de su propio sacrificio, ambos entran en silencio al misterio de su muerte. Una antigua tradición rabínica muestra a Isaac colaborando con su papá a la hora del sacrificio. Es conocida como la tradición de la Aquedah, que quiere decir "amárrame". Sostiene que Isaac, viendo que no llevaban animal alguno, comprende que la víctima sería él mismo y llegada la hora le pide a su padre: "Amárrame bien,

papá, para que yo no intente escapar. Soy apenas un niño y tengo miedo. Por eso amárrame, para que puedas cumplir con lo que Dios te ha mandado". Jesús también dirá en el cuarto evangelio que nadie le quita la vida, que él la entrega voluntariamente. Cuando Abrahán toma al cordero y lo ofrece, el texto señala que lo hace "en lugar de su hijo". El sentido vicario o sustitutivo de la acción de Abrahán encuentra su culminación en Jesús, cuya muerte se realiza en nuestro favor. Isaac es sin duda, esta noche más que nunca, figura de Jesús muerto y resucitado.

III LECTURA Llegamos a uno de los momentos centrales en la liturgia de la Palabra. El reconocimiento de que esta lectura tiene una importancia fundamental se manifiesta en la disposición litúrgica de que, en aquellos lugares en los que no puede hacerse una vigilia prolongada y por cuestiones de tiempo o de otras circunstancias no pueden leerse todas las lecturas, deberán leerse al menos tres del Antiguo Testamento de las que nunca deberá suprimirse la tercera. Esta norma litúrgica es coherente con el sentido de la fiesta. La resurrección de Jesús es la nueva

Pero el **ángel** del Señor lo llamó desde el cielo y le dijo:
"¡**Abraham**, **Abraham**!"
Él contestó:
"**Aquí estoy**".
El ángel le dijo:
"**No** descargues la mano contra tu hijo, **ni le hagas daño**.
Ya veo que **temes** a Dios,
porque **no** le has negado a tu hijo **único**".
Abraham **levantó** los ojos y vio un carnero,
enredado por los cuernos en la maleza.
Atrapó el carnero y lo **ofreció** en sacrificio, **en lugar** de su hijo.
Abraham puso por nombre a aquel sitio "el Señor **provee**",
por lo que aun el **día de hoy** se dice:
"el monte donde el Señor **provee**".

El ángel del Señor **volvió** a llamar a Abraham desde el cielo
y le dijo:
"**Juro** por mí mismo, dice el Señor, que por haber **hecho esto**
y no haberme negado a tu hijo **único**,
yo te **bendeciré**
y **multiplicaré** tu descendencia como las estrellas del cielo
y las arenas del mar.
Tus descendientes **conquistarán** las ciudades enemigas.
En tu descendencia **serán bendecidos**
todos los pueblos de la tierra,
porque **obedeciste** a mis palabras."
Abreviada: *Génesis 22:1–2, 9–13, 15–18*

Desatado el nudo dramático, proclama con alborozo las promesas de Dios, especialmente la bendición de todos los pueblos.

Para meditar

SALMO RESPONSORIAL   Salmo 16:5 y 8, 9–10, 11
R. Protégeme, Dios mío, porque me refugio en ti.

El Señor es el lote de mi heredad y mi copa;
mi suerte está en tu mano:
tengo siempre presente al Señor,
con él a mi derecha no vacilaré. **R.**

Por eso se me alegra el corazón,
se gozan mis entrañas,
y mi carne descansa serena.
Porque no me entregarás a la muerte,
ni dejarás a tu fiel conocer la corrupción. **R.**

Me enseñarás el sendero de la vida,
me saciarás de gozo en tu presencia,
de alegría perpetua a tu derecha. **R.**

---

pascua de los cristianos. No podemos comprender su sentido más hondo si no relacionamos la pascua nueva con la pascua antigua, de la que nuestra fe cristiana ha recibido tantos elementos simbólicos.

Los antecedentes de nuestra lectura son conocidos. Dios que mira el sufrimiento de su pueblo y decide bajar para auxiliarlo, Moisés que es elegido como el portavoz de Dios y líder de la insurrección que hará salir al pueblo de la esclavitud, las plagas que dan signo de la intensa lucha del Dios de los hebreos en contra de los opresores y, finalmente, después de la muerte de los

primogénitos egipcios, el milagro del paso del mar Rojo, broche de oro de la narración. Sería bueno que el proclamador leyera antes todo el relato, comenzando desde el inicio del capítulo 14, para tener una visión aún más completa.

La salida apresurada de Egipto, junto con el rito de la cena pascual, ha sido proclamada en la liturgia del Jueves Santo. A partir de ese momento, por la poderosa intervención de Dios, la situación ha cambiado por completo para los esclavos hebreos. El éxodo ha marcado un momento sin retorno. Sin embargo, Egipto no ha deja-

do de ser una amenaza. El pueblo mismo, además, todavía inmaduro en el camino de la libertad, se queja (14:11–12) porque tiene miedo a la muerte. Moisés promete que será el mismo Dios el que peleará a favor del pueblo.

En este contexto, en el corazón mismo de la experiencia de la salida, se sitúa nuestra lectura. Un acontecimiento inesperado irrumpe en la narración. El Faraón, que había permitido la salida de los hebreos, se arrepiente de esa decisión y comienza a perseguirlos. En nuestro relato confluyen, al menos, dos tradiciones distintas del mismo

III LECTURA   Éxodo 14:15—15:1

Lectura del libro del Éxodo

En aquellos días, dijo el Señor a **Moisés**:
 "**¿Por qué** sigues clamando a mí?
Diles a los israelitas que se pongan **en marcha**.
 Y **tú**, alza tu bastón,
  extiende tu mano sobre el mar y **divídelo**,
  para que los israelitas entren en el mar **sin mojarse**.
 Yo voy a **endurecer** el corazón de los egipcios
   para que los persigan,
  y me **cubriré** de gloria a expensas del faraón
  y de **todo** su ejército, de sus carros y jinetes.
 Cuando me haya cubierto de gloria a **expensas** del faraón,
  de sus carros y jinetes,
  los egipcios **sabrán** que **yo soy** el Señor".

El **ángel** del Señor, que iba **al frente** de las huestes de Israel,
 se colocó **tras ellas**.
Y **la columna** de nubes que iba adelante,
 también se desplazó y se puso a sus espaldas,
 entre el campamento de los israelitas
 y el campamento de los egipcios.
La nube era **tinieblas** para unos y claridad para otros,
 y **así** los ejércitos no trabaron contacto durante **toda** la noche.

Moisés **extendió** la mano sobre el mar,
 y el Señor hizo soplar durante **toda** la noche
 un **fuerte** viento del este, que **secó** el mar, y **dividió** las aguas.
Los israelitas **entraron** en el mar y **no** se mojaban,
 mientras las aguas formaban **una muralla** a su derecha
  y a su izquierda.
Los egipcios **se lanzaron** en su persecución
 y **toda** la caballería del faraón,
 sus carros y jinetes, entraron **tras ellos** en el mar.

La instrucción del Señor a Moisés prepara el acontecimiento del paso del mar Rojo. Es un relato grandioso que debe ser proclamado con seguridad y sentido de admiración.

Protegido por un cerco de nubes, el pueblo avanza victorioso en medio del mar. Deja sentir en tu lectura la tensión de los egipcios y su miedo ante una catástrofe inevitable.

hecho. Una, quizá la más antigua, que relata el prodigio como un retiro del agua en ocasión de un fuerte viento, y la otra, la más conocida por sus representaciones cinematográficas, que muestra el mar abriéndose en dos para dejar pasar a los hebreos que huyen hacia la libertad.

El acontecimiento muestra la presencia de Dios, manifestada en la columna de nube, protegiendo al pueblo de sus enemigos. Moisés es el instrumento, pero es Dios quien con su palabra realiza la obra portentosa. Él es el dueño del mundo y de la historia. Junto a él, Egipto no es nada, es un

instrumento para la manifestación de su gloria. Moisés levanta su bastón y Dios obra su prodigio. En una acción de doble resultado, Dios salva a los hebreos haciéndolos pasar en medio del mar, al tiempo que, en una estrategia militar planeada con maestría, destruye al Faraón y a su ejército que son tragados por las aguas. La derrota del opresor es el signo de la gloria de Dios. Ese mismo final tendrán todos los proyectos que se oponen a la vida plena de los pobres. El paso del mar Rojo es signo del designio de Dios que ha decidido sepultar a los poderes del mal. Esta misma victoria se actualizará

en distintos momentos de la historia de Israel y, para nosotros hoy, culminará con la resurrección de Cristo, verdadera pascua.

El acontecimiento del paso por el mar Rojo se complementa con el himno poético que lo continúa, y que se lee, a manera de salmo responsorial, inmediatamente después de la lectura. Refleja una composición muy antigua, probablemente un canto popular. Se trata de un texto vigoroso y lleno de fuerza; las fuerzas del Faraón son derrotadas y queda vislumbrado el objetivo final: que el Pueblo de Dios tome posesión de la tierra que le fue dada como herencia. Por

Hacia el **amanecer**,
　　el Señor miró **desde** la columna de fuego y humo
　　　al ejército de los egipcios
　　y **sembró** entre ellos el **pánico**.
Trabó las ruedas de sus carros,
　　de suerte que no avanzaban sino **pesadamente**.
Dijeron entonces los egipcios:
　　"**Huyamos** de Israel,
　　porque el Señor lucha en su favor
　　contra Egipto".

Entonces el Señor le dijo a Moisés:
　　"**Extiende** tu mano **sobre** el mar,
　　para que **vuelvan** las aguas sobre los egipcios,
　　sus carros y sus jinetes".
Y extendió Moisés su mano sobre el mar,
　　y al amanecer, las aguas **volvieron** a su sitio,
　　de suerte que **al huir**, los egipcios se encontraron **con ellas**,
　　y el Señor **los derribó** en medio del mar.
Volvieron las aguas y **cubrieron** los carros, a los jinetes
　　y a **todo** el ejército del faraón,
　　que se había metido en el mar para **perseguir** a Israel.
Ni uno solo se salvó.

Pero los **hijos** de Israel caminaban por lo seco en **medio** del mar.
Las aguas les hacían **muralla** a derecha e izquierda.
Aquel día **salvó** el Señor a Israel de las manos de Egipto.
Israel **vio** a los egipcios, **muertos** en la orilla del mar.
Israel vio la **mano fuerte** del Señor sobre los egipcios,
　　y el pueblo **temió** al Señor y **creyó** en el Señor
　　y en **Moisés**, su siervo.
Entonces Moisés y los hijos de Israel
　　cantaron **este cántico** al Señor:

[El lector no dice "Palabra de Dios" y el salmista de inmediato entona el Salmo Responsorial.]

El paso por en medio del mar es la culminación gloriosa de la salida de la esclavitud. Que la asamblea acompañe con su atención esta solemne procesión del triunfo de Dios.

eso la alegría se extiende hacia el paso por el mar y hacia la futura entrada del pueblo en el "monte de tu heredad, santuario del que hiciste tu trono".

IV LECTURA El Segundo Isaías, de quien hemos leído a lo largo de la Semana Santa algunos fragmentos de sus Cánticos del Siervo de Yahvé, irrumpe hoy en la Vigilia Pascual con un texto que desarrolla la imagen matrimonial, una aproximación metafórica que han tenido también los profetas Oseas y Jeremías. El capítulo 54 es una de las cumbres de la predicación de este profeta del destierro. La ciudad santa, Jerusalén, se convierte en la representación femenina de todo el pueblo. Y Dios le declara amor eterno.

La experiencia del destierro en Babilonia, con todo el sufrimiento que significó para las clases ilustradas que vivieron muchos años lejos de su tierra, está a punto de terminar. El triunfo del Imperio Persa sobre los babilonios ofrecerá a Israel la oportunidad de retornar a su tierra y reconstruir su ciudad y su templo. En clave conyugal, el destierro será interpretado como un breve momento de abandono divino, de repudio por parte de un Dios traicionado.

El poema proclamado como cuarta lectura de la Vigilia muestra la vergüenza del repudio como algo del pasado. Dios no se olvida de su amor; por eso sólo ha olvidado momentáneamente a su amada, a quien ahora vuelve a retomar. El pueblo de Dios es la mujer con quien Dios quiere desposarse. En este matrimonio queda anunciada la nueva alianza que Dios establecerá de manera definitiva con su pueblo. Como en tiempos de Noé, pasado el diluvio, Dios se compromete solemnemente a no

Para meditar

SALMO RESPONSORIAL   Éxodo 15:1–2, 3–4, 5–6, 17–18

R. Cantaré al Señor, sublime es su victoria.

Cantaré al Señor, sublime es su victoria:
   caballos y jinetes arrojó en el mar.
Mi fortaleza y mi canto es el Señor,
   él es mi salvación.
   él es mi Dios, y yo lo alabaré,
   es el Dios de mis padres,
   y yo lo ensalzaré. **R.**

El Señor es un guerrero, su nombre es
   el Señor.
Los carros del faraón los lanzó al mar
   y a sus guerreros;
ahogó en el mar Rojo a sus mejores
   capitanes. **R.**

Las olas los cubrieron,
   bajaron hasta el fondo como piedras.
Tu diestra, Señor, es fuerte y terrible,
   tu diestra, Señor, tritura al enemigo. **R.**

Los introduces y los plantas en el monte
   de tu heredad,
   lugar del que hiciste tu trono, Señor;
   santuario, Señor, que fundaron tus manos.
El Señor reina por siempre jamás. **R.**

IV LECTURA   Isaías 54:5–14

Lectura del libro del profeta Isaías

"El que **te creó**, te tomará **por esposa**;
   su nombre es '**Señor** de los ejércitos'.
Tu redentor es el **Santo** de Israel;
   será llamado 'Dios de **toda** la tierra'.
Como a una mujer abandonada y **abatida**
   te **vuelve** a llamar el Señor.
¿**Acaso** repudia uno a la esposa de la juventud?,
   dice tu Dios.

Por un instante te **abandoné**,
   pero con **inmensa** misericordia te **volveré** a tomar.
En un arrebato **de ira**
   te **oculté** un instante mi rostro,
   pero con amor **eterno** me he apiadado **de ti**,
   dice el Señor, tu redentor.

Me pasa **ahora** como en los días de Noé:
   entonces **juré** que las aguas del diluvio
      no volverían a cubrir la tierra;

La imagen matrimonial domina toda la lectura. Dios declara su amor por el pueblo. Que haya pasión en tu proclamación.

romper nunca más este compromiso esponsal con Israel. Ha podido más el amor que el enojo, el enamoramiento divino más que la traición del pueblo. Todo el pasaje canta el amor gratuito de Dios y espera respuesta recíproca de la esposa con la que se ha reconciliado.

En la última parte de la lectura, la figura matrimonial cede su lugar a la ciudad de Dios, otra imagen femenina del pueblo. Es ciudad y es madre. La compasión de Dios transforma la aflicción antigua en canto de gozo. La ciudad es reconstruida con piedras preciosas; volverá a ser la ciudad de la jus-

ticia, el pueblo del Shalom, de la paz entendida como plenitud total. Ya nunca más volverá a tener miedo. No hay mejor lugar para este himno de amor gratuito y misericordioso que esta noche santa en la que la resurrección de Jesús inaugura el pueblo de la alianza nueva. Tal como se proclama en el salmo responsorial, el Señor ha cambiado nuestro luto en danzas.

V LECTURA   El ciclo de predicación del Segundo Isaías, este profeta que desarrolló su labor en el destierro de Babilonia, llega a su fin con este texto

que hoy se nos presenta como quinta lectura de la Vigilia Pascual. El profeta se transforma en un mercader, el pregonero de una mercancía a la que nadie podrá resistirse porque nadie puede competirle en precio, pues es una mercancía gratuita. Hay, sin duda, un eco en el inicio de este texto que se refiere al proyecto de igualdad y justicia que inauguró el éxodo. Dios quiere un pueblo de hombres y mujeres libres, con igualdad de oportunidades para todos. Un desvío fundamental de Israel es haber renunciado a ese modelo de igualdad, a ser el anti-Egipto, para no repetir en su seno las cir-

La promesa de un amor firme e incondicional sobrecoge. Lee pausadamente para transmitir ese asombro a la asamblea.

ahora **juro** no enojarme ya **contra ti**
   ni volver a amenazarte.
Podrán **desaparecer** los montes
   y **hundirse** las colinas,
   pero mi amor por ti **no desaparecerá**
   y mi alianza de paz quedará firme **para siempre**.
Lo dice el Señor, el que se **apiada** de ti.

Tú, la **afligida**, la zarandeada por la tempestad,
   la **no** consolada:
He aquí que **yo mismo** coloco tus piedras sobre piedras **finas**,
   tus cimientos sobre **zafiros**;
   te pondré almenas **de rubí**
   y puertas de **esmeralda**
   y murallas de **piedras preciosas**.

Todos tus hijos serán discípulos del Señor,
   y **será grande** su prosperidad.
Serás consolada **en la justicia**.
Destierra la angustia,
   pues ya **nada** tienes que temer;
   olvida tu miedo,
   porque ya no se acercará **a ti**".

La conclusión de la lectura conjura cualquier clase de miedo. Transmite con tu tono la confianza que hemos de tener en el amor misericordioso de Dios.

Para meditar

SALMO RESPONSORIAL Salmo 30:2 y 4, 5–6, 11 y 12a y 13b

R. Te ensalzaré, Señor, porque me has librado.

Te ensalzaré, Señor, porque me has librado
   y no has dejado que mis enemigos
     se rían de mí.
Señor, sacaste mi vida del abismo,
   me hiciste revivir cuando bajaba
     a la fosa. **R.**

Tañan para el Señor, fieles suyos,
   den gracias a su nombre santo;
   su cólera dura un instante;

su bondad de por vida;
   al atardecer nos visita el llanto;
   por la mañana, el júbilo. **R.**

"Escucha, Señor, y ten piedad de mí;
Señor, socórreme".
Cambiaste mi luto en danzas,
   Señor, Dios mío,
     te daré gracias por siempre. **R.**

cunstancias de injusticia y opresión que sufrieron antes. Por eso la restauración parte de la gratuidad de los medios de subsistencia; pan, vino, leche gratuitos para todos sin excepción. Se trata de un anuncio hecho para quienes no tienen dinero, porque lo que se ofrece no es alcanzable por los méritos o el trabajo de quienes compren, sino es fruto del amor gratuito del dueño de la mercancía, de su generosidad.

El mensaje que se ofrece es el anuncio de una nueva alianza. En la noche de la pascua los judíos hacían el memorial del antiguo éxodo, un acontecimiento fundamental que permitió que Israel comenzara a existir como pueblo de Dios. La experiencia del destierro en Babilonia ha hecho que el recuerdo del antiguo éxodo alimente la esperanza. Si una vez Dios intervino en nuestro favor, se dicen a sí mismos los judíos, sacándonos de la esclavitud de Egipto, ahora puede hacerlo de nuevo haciendo que salgamos de este exilio y retornemos a nuestra tierra.

El problema para los desterrados, a quienes esta profecía está dirigida, es saber si la alianza, fruto de la intervención liberadora de Dios en el éxodo y de la elección gratuita de Dios, ha sido rota de manera definitiva y por eso sufren el destierro; o si el Señor sigue interesado en su pueblo. El mensaje del profeta es alentador: sellaré con ustedes una alianza perpetua. La misma alianza de paz que, con lenguaje de desposorio, había prometido Dios que quedaría "firme para siempre", en la lectura precedente.

La alianza es un don gratuito de Dios y no una conquista humana. Pero, como todo don, requiere de alguien que quiera recibirla. Por eso la segunda parte de la lectura recomienda a los oyentes la búsque-

V LECTURA   Isaías 55:1–11

Lectura del libro del profeta Isaías

Esto dice el Señor:
"**Todos** ustedes, los que tienen sed, **vengan** por agua;
    y los que no tienen dinero,
    vengan, tomen trigo y coman;
    tomen vino y leche **sin pagar**.
¿**Por qué** gastar el dinero en lo que **no es pan**
    y el salario, en lo que **no alimenta**?
Escúchenme atentos y comerán **bien**,
    saborearán platillos **sustanciosos**.
Préstenme atención, **vengan** a mí,
    escúchenme y **vivirán**.

Sellaré con ustedes una alianza **perpetua**,
    cumpliré las promesas que hice a David.
Como **a él** lo puse por testigo **ante** los pueblos,
    como **príncipe** y soberano de las naciones,
    así tú reunirás a un pueblo **desconocido**,
    y las naciones que no te conocían **acudirán a ti**,
    por amor del Señor, **tu Dios**,
    por el **Santo** de Israel, que te **ha honrado**.

Busquen al Señor mientras lo pueden encontrar,
    invóquenlo mientras está cerca;
    que el malvado **abandone** su camino,
    y el criminal, sus planes;
    que **regrese** al Señor, y **él** tendrá piedad;
    a nuestro Dios, que es **rico** en perdón.

Mis pensamientos **no son** los pensamientos de ustedes,
    sus caminos no son mis caminos.
Porque así como **aventajan** los cielos a la tierra,
    así aventajan mis caminos a **los de ustedes**
    y **mis** pensamientos a **sus** pensamientos.

Tú prestas tu voz al profeta, al pregonero. Que resuene la invitación en el entusiasmo de tu lectura.

El núcleo fundamental de la lectura es el anuncio de la alianza y del cumplimiento de las promesas divinas. Lee el párrafo con seguridad.

---

da de Dios, invita a la conversión del corazón, al retorno a Aquel que es rico en perdón. La alianza es, en efecto, un diálogo que requiere dos partes, no una recepción pasiva. David, a quien Dios eligió gratuitamente, es evocado como prueba de que el Señor cumple sus promesas. Estas promesas, sin embargo, las extiende el profeta a todo el pueblo, que deberá dar testimonio como lo hizo antes David.

Los párrafos finales coronan el sentido del pasaje. Para comprender el incondicional amor de Dios, el ser humano ha de superar su horizonte limitado, abandonar su perspectiva para asumir la de Dios. Para eso está la Palabra que el Señor nos ha revelado, una palabra dinámica y eficaz que, así como la lluvia desata la actividad debajo de la tierra y pone en movimiento el ciclo de la germinación, así también cumplirá su finalidad cuando, recibida por un corazón bien dispuesto, termine dando frutos abundantes de salvación.

VI LECTURA Baruc, quien fuera secretario del profeta Jeremías, vivió de cerca la experiencia del exilio babilónico. Un autor posterior toma su nombre y confecciona un libro con tres distintas secciones: 1) una hermosa oración de penitencia que recorre toda la historia de Israel, desde el primer éxodo hasta el exilio en Babilonia, como el gran relato de la infidelidad del pueblo que suplica el perdón de Dios; 2) una exhortación a alcanzar la sabiduría siguiendo los mandamientos de Dios (de aquí se toma el texto de la sexta lectura); y 3) un anuncio de salvación y de consuelo.

Nuestro pasaje está referido al destierro de Babilonia, pero seguramente fue escrito mucho tiempo después, ya bajo el

Hay una distancia grande entre el pensamiento y el obrar de Dios y el de los seres humanos. Dirige una mirada. *Mira* a la asamblea cuando leas el párrafo.

Como **bajan** del cielo la lluvia y la nieve
   y no **vuelven allá**, sino **después** de **empapar** la tierra,
   de **fecundarla** y hacerla germinar,
   a fin de que dé semilla **para sembrar** y pan **para comer**,
   así será la palabra que **sale** de mi boca:
   no volverá a mí sin resultado,
   sino que **hará** mi voluntad
   y **cumplirá** su misión".

Para meditar

SALMO RESPONSORIAL   Isaías 12:2–3, 4bcd, 5–6

R. Sacarán aguas con gozo de las fuentes de la salvación.

El Señor es mi Dios y Salvador:
   confiaré y no temeré,
   porque mi fuerza y mi poder es el Señor,
   él fue mi salvación.
Y sacarán aguas con gozo
   de las fuentes de la salvación. **R.**

Den gracias al Señor
   invoquen su nombre,
   cuenten a los pueblos sus hazañas,
   proclamen que su nombre es excelso. **R.**

Tañan para el Señor, que hizo proezas,
   anúncienlas a toda la tierra;
   griten jubilosos, habitantes de Sión:
   "Qué grande es en medio de ti
      el Santo de Israel". **R.**

VI LECTURA   Baruc 3:9–15, 32—4:4

Lectura del libro del profeta Baruc

El profeta invita al pueblo a la reflexión sobre sus pasados extravíos con el objetivo de atraerlo de nuevo a los caminos de Dios. Haz que esta invitación resuene en la asamblea.

Escucha, Israel, los mandatos de vida,
   presta oído para que adquieras prudencia.
¿**A qué** se debe, Israel, que estés aún en país enemigo,
   que **envejezcas** en tierra extranjera,
   que te hayas **contaminado** por el trato con los muertos,
   que te veas contado entre los que **descienden** al abismo?

Es que **abandonaste** la fuente de la sabiduría.
Si hubieras **seguido** los senderos de Dios,
   habitarías **en paz** eternamente.

---

dominio de los griegos. La experiencia del destierro terminó convirtiéndose en un símbolo de todos los momentos en que el pueblo de Dios se extravía y precisa de la ayuda divina. El profeta analiza cuál es el origen de los males que afligen al pueblo y lo encuentra en su abandono de Dios, fuente de la sabiduría y en la desobediencia de sus mandatos. Enmendar la vida, por tanto, es redescubrir la posibilidad de regresar a Dios, caminando según lo que él nos ha mandado.

La lectura tiene muchos ecos de Job 28, un largo poema que habla del éxito de los esfuerzos humanos por conocer los secretos de la naturaleza, pero de la dificultad de encontrar la sensatez, la sabiduría, la manera correcta de vivir para alcanzar la felicidad verdadera. Baruc retoma esta enseñanza y declara que solamente en Dios podremos encontrar la fuente de la sabiduría. Volver a Dios es encontrar la senda de la felicidad; abandonarlo es el camino que lleva a la muerte.

Pues bien, nos dice la lectura, la sabiduría de Dios "apareció en el mundo y convivió con los hombres". En esta noche de vigilia pascual, estas palabras resuenan para encontrar en Jesús a la sabiduría verdadera. ¿Queremos resucitar con Cristo? ¿Queremos, junto con él, ser herederos de la vida eterna? Entonces hemos de aprender a caminar su mismo camino. La resurrección es la reivindicación de Dios al estilo de vida que Jesús llevó. Es la manera que Dios tiene de decir: "Este hombre representa lo que yo quiero de todos los hombres y mujeres de todos los tiempos; por eso lo resucito, para que su vida se vuelva ejemplar y fuente de vida". Si en los tiempos del antiguo pueblo de Dios la sabiduría se identificaba con el cumplimiento de los mandamientos de la

La búsqueda de la sensatez es camino para la felicidad auténtica. Sólo Dios posee la sabiduría. Lee con seguridad este largo párrafo respetando la puntuación.

Aprende **dónde** están la prudencia,
　la inteligencia y la energía,
　　así aprenderás **dónde** se encuentra el **secreto** de vivir larga vida,
　　y **dónde** la luz de los ojos y **la paz**.
¿**Quién** es el que **halló** el lugar de la sabiduría
　y tuvo acceso **a sus tesoros**?
El que **todo** lo sabe, la conoce;
　con su inteligencia la ha **escudriñado**.
El que **cimentó** la tierra para **todos** los tiempos,
　y la **pobló** de animales cuadrúpedos;
　el que **envía** la luz, **y ella va**,
　la llama, **y temblorosa** le obedece;
　llama a los astros, que **brillan** jubilosos
　　en sus puestos de guardia,
　y ellos le responden: "**Aquí** estamos",
　y refulgen **gozosos** para **aquel** que los hizo.
Él es **nuestro** Dios
　y no hay **otro** como él;
　él ha **escudriñado** los caminos de la sabiduría,
　y se la dio a su hijo **Jacob**,
　a Israel, **su predilecto**.
Después de esto, ella apareció en el mundo
　y **convivió** con los hombres.

La **sabiduría** es el libro de los **mandatos** de Dios,
　la ley de validez **eterna**;
　los que la guardan, **vivirán**,
　los que la abandonan, **morirán**.

Vuélvete a ella, Jacob, y **abrázala**;
　camina hacia la claridad de su luz;
　no entregues a otros tu gloria,
　ni tu dignidad a un pueblo **extranjero**.
Bienaventurados nosotros, Israel,
　porque lo que agrada al Señor
　　nos ha sido **revelado**.

Nuestra dignidad reside en la elección que Dios ha hecho de nosotros como sus hijos. Que los oyentes se sientan llamados a conservar y acrecentar la dignidad que han recibido.

alianza, para nosotros se concentra en el seguimiento de Jesús, sabiduría de Dios. Por eso para nosotros el evangelio, para decirlo con palabras del salmo responsorial, es "más precioso que el oro y más dulce que la miel de un panal que destila".

VII LECTURA El recorrido por la revelación del Antiguo Testamento termina con un texto del profeta Ezequiel, un joven profeta descendiente de sacerdotes que predicó en el exilio de Babilonia. El pasaje que hoy leemos tiene dos secciones bien diferenciadas: un recuento de los pecados de Israel (vv. 16–22) y un oráculo de restauración (vv. 23–28). Sería conveniente que en su preparación los proclamadores de la Palabra leyeran también el final del oráculo (vv. 29–38) para tener la idea completa de su mensaje.

La dispersión en medio de las naciones es interpretada por el profeta como el cumplimiento de una sentencia divina. El delito de Israel consiste en haber sido incapaz de vivir la alianza, que lo destinaba a ser un pueblo distinto de los otros pueblos. En esta singularidad estriba su misión fundamental, la de ser un botón de muestra de lo que Dios quiere, de suerte que las demás naciones pudieran comprenderlo. Pero Israel se empeñó en comportarse como los otros pueblos, rechazó la misión de ser un pueblo distinto. Como los demás pueblos, derramó sangre inocente y permitió opresiones e injusticias, en lugar de ser ejemplo de justicia y rectitud y estímulo para las demás naciones, que era la misión que la elección de Dios le había conferido.

Dios aparece en la lectura como alguien defraudado y ofendido, porque Israel no ha sabido estar a la altura de la vocación de pueblo santo que recibió en el Sinaí. Por

Para meditar

SALMO RESPONSORIAL   Salmo 19:8, 9, 10, 11

R. Señor, tú tienes palabras de vida eterna.

La ley del Señor es perfecta
 y es descanso del alma;
 el precepto del Señor es fiel
 e instruye el ignorante. **R.**

Los mandatos del Señor son rectos
 y alegran el corazón;
 la norma del Señor es límpida
 y da luz a los ojos. **R.**

La voluntad del Señor es pura
 y eternamente estable;
 los mandamientos del Señor
   son verdaderos
 y enteramente justos. **R.**

Más preciosos que el oro,
 más que el oro fino;
 más dulces que la miel
 de un panal que destila. **R.**

VII LECTURA   Ezequiel 36:16–28

Lectura del libro del profeta Ezequiel

En **aquel** tiempo,
  me fue dirigida la palabra del Señor **en estos términos:**
  "**Hijo** de hombre,
  cuando los de la casa de Israel habitaban **en su tierra**,
  la **mancharon** con su conducta y **con sus obras**;
  como **inmundicia** fue su proceder **ante** mis ojos.
Entonces **descargué** mi furor contra ellos,
  por la **sangre** que habían **derramado** en el país
  y por haberlo **profanado** con sus idolatrías.
Los **dispersé** entre las naciones
  y anduvieron **errantes** por todas las tierras.
Los juzgué **según** su conducta, **según** sus acciones los **sentencié**.
Y en las naciones a las que se fueron,
  desacreditaron mi santo nombre,
  haciendo que de ellos se dijera:
  '**Este** es el pueblo del Señor,
  y ha tenido que salir **de su tierra**'.

La primera parte de la lectura es un duro reproche. Léela con voz firme.

eso invoca su fama, pues la conducta personal y social del pueblo de la alianza tienen el poder de santificar el nombre de Dios o de escarnecerlo. Si el pueblo vive en justicia y santidad, el Nombre de Dios será reconocido y respetado. Si, en cambio, el pueblo tolera opresiones y desigualdades, entonces el Nombre de Dios es objeto de burla. Y Dios se siente difamado. Ahora quiere reparar ese ultraje a su Nombre.

Pero en lugar de castigar de nuevo al pueblo o escoger otro para sustituirlo, encuentra un camino alternativo. Dios decide rescatar su honra transformando a Israel desde lo más íntimo. Solamente purificado y renovado podrá el pueblo responder a su misión de pueblo de la alianza. Rociados con agua purificante, recibirán de Dios un corazón nuevo. Esto sucederá no por los méritos del pueblo sino como don de Dios. El recuerdo de sus faltas seguirá siendo un referente para que nunca se olviden de que son un pueblo en continua conversión.

La purificación y el nuevo corazón son motivos que resaltan en esta Vigilia Pascual, que es una celebración bautismal. El nombre que en el bautismo hemos recibido, el nombre de cristianos, nos compromete a dar testimonio de la vida nueva que hemos recibido. Al ser rociados hoy con el agua bendita en recuerdo de nuestro bautismo, recordemos esta enseñanza de Ezequiel: llamados a ser sal de la tierra y luz del mundo podemos glorificar a Dios con nuestras obras y así hacer que él sea glorificado, o bien en palabras de la Carta de Santiago, permitir con nuestra mala conducta "que sea blasfemado el hermoso nombre que nos ha sido impuesto".

EPÍSTOLA   Una vez que la asamblea ha estallado de júbilo por

Pero la respuesta de Dios, tras el reproche, es inusitada: la compasión amorosa. Anuncia con tono alegre esta buena noticia.

Pero, por mi **santo** nombre,
  que la casa de Israel **profanó** entre las naciones a donde llegó,
  me **he compadecido**.
Por eso, **dile** a la casa de Israel:
  'Esto dice el Señor: no lo hago **por ustedes**, casa de Israel.
Yo mismo mostraré la santidad de mi nombre excelso,
  que ustedes **profanaron** entre las naciones.
Entonces ellas **reconocerán** que **yo soy** el Señor,
  cuando, por medio de ustedes les **haga ver** mi santidad.

Los **sacaré** a ustedes de entre las naciones,
  los **reuniré** de **todos** los países y los **llevaré** a su tierra.
Los **rociaré** con agua **pura** y quedarán purificados;
  los purificaré de **todas** sus inmundicias e idolatrías.

El texto concluye con la promesa de un corazón nuevo. Recita el último párrafo como una oferta imposible de rechazar.

Les daré un corazón **nuevo** y les **infundiré** un espíritu nuevo;
  arrancaré de ustedes el corazón **de piedra**
  y les daré un corazón **de carne**.
Les infundiré **mi espíritu**
  y los **haré vivir** según mis preceptos
  y guardar y cumplir **mis mandamientos**.
Habitarán en la tierra que di a sus padres;
  ustedes serán **mi pueblo** y **yo** seré su Dios' ".

Para meditar

SALMO RESPONSORIAL   Salmo 42:3, 5bcd, 43:3, 4

R. Como busca la cierva corrientes de agua, así mi alma te busca a ti, Dios mío.

Tiene sed de Dios, del Dios vivo:
  ¿cuándo entraré a ver
  el rostro de Dios? **R.**

Cómo marchaba a la cabeza del grupo,
  hacia la casa de Dios,
  entre cantos de júbilo y alabanza,
  en el bullicio de la fiesta. **R.**

Envía tu luz y tu verdad:
  que ellas me guíen
  y me conduzcan hasta tu monte santo,
  hasta tu morada. **R.**

Que yo me acerque al altar de Dios,
  al Dios de mi alegría;
  que te dé gracias al son de la cítara,
  Dios, Dios mío. **R.**

la resurrección entonando el canto de Gloria, se proclama este texto de san Pablo. La reflexión del apóstol ha mostrado ya la superioridad de la fe en Cristo por encima del cumplimiento de la Ley mosaica. Sin embargo, el pecado que la Ley inauguró sigue presente en la vida de los seres humanos. La cuestión que el Apóstol plantea al inicio de esta sección (vv. 1–2) es si el cristiano, reconociéndose a sí mismo como perdonado por la gracia de Cristo, puede seguir pecando con el pretexto de que, "a un gran pecado, mayor misericordia". Es posible que Pablo esté respondiendo a alguna acusación

por insistir tanto en la gracia que Dios nos concede por la entrega de Cristo, que se minimice el pecado y su fuerza destructiva.

La respuesta la ofrece Pablo en el marco de una reflexión bautismal, especialmente propicia para ser escuchada en la Vigilia Pascual, que tiene una dimensión bautismal muy intensa. Para Pablo, el bautismo adquiere su significado pleno en su conexión con la muerte de Cristo. No es ya solamente, como lo fue en los círculos de Juan Bautista, un instrumento de conversión y signo de penitencia. En el bautismo se realiza la incorporación del cristiano a la

muerte de su Maestro. El Apóstol parece jugar con el significado original de la raíz bautizar. Sumergirse en el agua, para ahogarse y morir.

En algunas basílicas de los siglos IV y V se han encontrado restos de antiguas pilas bautismales. Eran una especie de piscinas construidas en el interior del templo, a veces en el centro, a veces poco después de la entrada, que tenían dos escalinatas en cada uno de sus extremos. Por un lado, entraba el bautizando, bajando por los escalones hasta quedar cubierto por el agua. Debía caminar unos pasos así, sumergido,

Para meditar

O bien:

SALMO RESPONSORIAL   Isaías 12:2–3, 4bcd, 5–6

R. Sacarán aguas con gozo de las fuentes de la salvación.

El Señor es mi Dios y Salvador:
    confiaré y no temeré,
    porque mi fuerza y mi poder es el Señor,
    él fue mi salvación.
Y sacarán aguas con gozo
    de las fuentes de la salvación. **R.**

Den gracias al Señor
    invoquen su nombre,
    cuenten a los pueblos sus hazañas,
    proclamen que su nombre es excelso. **R.**

Tañan para el Señor, que hizo proezas,
    anúncienlas a toda la tierra;
    griten jubilosos, habitantes de Sión:
    "Qué grande es en medio de ti
    el Santo de Israel". **R.**

O bien: *Salmo 51:12–13, 14–15, 18–19*

EPÍSTOLA   Romanos 6:3–11

Lectura de la carta del apóstol san Pablo a los romanos

Pablo dialoga con sus lectores. Haz que la asamblea se sienta interpelada por esta palabra cariñosa del Apóstol.

Hermanos:
¿No saben ustedes que todos los que hemos sido **incorporados**
    a Cristo Jesús por medio **del bautismo**, hemos sido
    incorporados **a él en su muerte?**
En efecto, por el bautismo fuimos **sepultados** con él en su muerte,
    para que, así como Cristo **resucitó** de entre los muertos
        por la **gloria** del Padre,
    así también **nosotros** llevemos una vida **nueva**.

Dale a cada frase su valor. Lee con claridad y sin prisas. Los escuchas deben terminar seguros de la certeza de resucitar con Cristo.

Porque, si hemos estado **íntimamente** unidos a él
    por una muerte **semejante** a la suya,
    también lo estaremos en su **resurrección**.
Sabemos que nuestro viejo yo fue crucificado **con Cristo**,
    para que el cuerpo del pecado quedara **destruido**,
    a fin de que ya **no sirvamos** al pecado,
        pues el que ha muerto **queda libre** del pecado.

---

para encontrar el inicio de la escalinata de enfrente, por la que emergía del otro lado. Ahí era esperado por los padrinos que lo revestían de la vestidura blanca y le ofrecían unas cucharadas de leche mezclada con miel dándole la bienvenida "al cielo". La ceremonia evocaba, pues, la muerte por la que el candidato pasaba para poder ingresar a la comunidad de los salvados.

El cristiano, pues, en la teología de Pablo, no puede salvarse más que por la participación en la muerte de Cristo. Se trata de morir para vivir. Pablo es consciente, sin embargo, de que el bautismo implica

entrar en un proceso de identificación con Cristo, porque el pecado ha sido vencido, pero no desterrado del mundo. La vida nueva recibida en el bautismo nos une a Cristo en su muerte. El proceso no terminará sino hasta que resucitemos con él. A eso se refieren todas las audaces comparaciones del Apóstol en este pasaje.

EVANGELIO   Hemos llegado a la proclamación del acontecimiento de la resurrección. El relato de Lucas culmina la larga historia de salvación que ha sido resumida en las ocho lecturas anterio-

res. Es un largo camino desde la creación del mundo hasta este momento en que el anuncio evangélico de la resurrección resuena en los oídos de la asamblea.

El relato de Lucas, siguiendo la antigua tradición, nos presenta a las mujeres yendo al alba hacia el sepulcro. Llevan consigo los perfumes que han preparado para concluir los ritos funerarios que la apresurada sepultura de Jesús les ha impedido terminar. Una primera sorpresa les sale al paso. La piedra está corrida y el sepulcro está vacío. El desconcierto de las mujeres está justificado. Una tumba vacía es solamente eso, un se-

Por lo tanto, si hemos muerto **con Cristo**,
   estamos seguros de que también **viviremos** con él;
   pues **sabemos** que Cristo,
   una vez **resucitado** de entre los muertos, ya nunca morirá.
La muerte ya **no tiene** dominio sobre él,
   porque al morir,
   murió al pecado de una vez **para siempre**;
   y al resucitar,
   vive ahora para Dios.
Lo mismo ustedes,
   considérense **muertos** al pecado
   y **vivos** para Dios en Cristo Jesús,
   Señor nuestro.

Para meditar

SALMO RESPONSORIAL   Salmo 118:1–2, 16ab–17, 22–23

R. Aleluya, aleluya, aleluya.

Den gracias al Señor porque es bueno,
   porque es eterna su misericordia.
Diga la casa de Israel:
   eterna es su misericordia. **R.**

La diestra del Señor es poderosa,
   la diestra del Señor es excelsa.
No he de morir, viviré
   para contar las hazañas del Señor. **R.**

La piedra que desecharon los arquitectos
   es ahora la piedra angular.
Es el Señor quien lo hecho,
   ha sido un milagro patente. **R.**

EVANGELIO   Lucas 24:1–12

Lectura del santo Evangelio según san Lucas

El **primer** día después del sábado, **muy** de mañana,
   llegaron las mujeres al sepulcro,
   llevando los perfumes que **habían preparado**.
Encontraron que la piedra ya **había sido** retirada del sepulcro
   y **entraron**,
   pero **no hallaron** el cuerpo del Señor Jesús.

El anuncio de la resurrección es el corazón mismo de la vigilia pascual. El proclamador debe contagiar a la asamblea del mismo asombro de las mujeres.

pulcro sin cuerpo. En medio de su desconcierto se presentan dos hombres de vestidos resplandecientes. Los caminantes de Emaús dirán más tarde que eran dos ángeles (Lucas 24:23).

En medio de su temor, las mujeres escuchan el anuncio pascual: No está aquí, ha resucitado. Estos dos hombres apelan entonces a la memoria. La confirmación de la resurrección de Jesús no es la palabra del ángel, como en Marcos (16:7) o la misma palabra de Jesús de Nazaret, evocada en Mateo con la fórmula "como él mismo les dijo" (28:6), sino que las mujeres son invitadas a hacer un ejercicio de memoria de lo que Jesús dijo acerca de su muerte y resurrección. Y ellas recuerdan. Es ese memorial, y no la tumba vacía, el que dará la clave de interpretación del acontecimiento.

Dos hombres, pues, dan testimonio de la resurrección de Jesús. No son jóvenes, como en Marcos, ni es un ángel, como en Mateo; son dos hombres adultos, los necesarios como testigos autorizados en un juicio. Lucas ha querido, como anunció desde su mismo prólogo, dar prueba de la solidez de las enseñanzas que los cristianos han recibido (Lucas 1:1–4).

Las mujeres, mencionadas por su nombre, regresan entonces a compartir su experiencia con los demás discípulos. Las que habían acompañado a Jesús desde Galilea (23:55) y le habían servido, atendiéndolo incluso con sus propios bienes (8:1–3) comprenden que una nueva manera de servirlo es siendo testigos de su resurrección. Ellas son la cabeza del proceso de fe en Jesucristo vivo que se ha de desarrollar con el paso del tiempo. Pero los discípulos varones califican su comunicación como una fantasía indigna de crédito. Es Pedro el único que correrá al sepulcro y quedará asombrado,

Estando ellas todas **desconcertadas** por esto,
se les presentaron **dos varones** con vestidos **resplandecientes**.
Como ellas se llenaron **de miedo** e inclinaron el rostro a tierra,
los varones les dijeron:
"**¿Por qué** buscan entre los muertos **al que está vivo**?
No está aquí; **ha resucitado**.
Recuerden que cuando estaba todavía en Galilea les dijo:
'Es **necesario**
que el Hijo del hombre **sea entregado** en manos
de los pecadores y **sea** crucificado y al tercer día **resucite**'".
Y ellas **recordaron** sus palabras.

Cuando regresaron del sepulcro,
las mujeres anunciaron **todas estas cosas** a los Once
y a **todos** los demás.
Las que decían estas cosas a los apóstoles
eran **María Magdalena**,
Juana, María (**la madre de Santiago**)
y las demás que estaban con ellas.
Pero **todas** estas palabras les parecían **desvaríos** y **no** les creían.

Pedro se levantó y **corrió** al sepulcro.
Se asomó, pero **sólo** vio los lienzos y se regresó a su casa,
asombrado por lo sucedido.

Es el anuncio que la Iglesia no se cansa de ofrecer al mundo una y otra vez. La resurrección de Cristo disipa el miedo. Transmite esos sentimientos en tu lectura.

Los testigos de la resurrección tienen nombres y apellidos. Haz sentir el ímpetu misionero de las mujeres y el asombro reflexivo de Pedro.

extrañado, por encontrar la tumba vacía. También él tendrá que abrir su corazón y dar el salto de la fe. Será cuestión de tiempo.

DOMINGO DE RESURRECCIÓN

El anuncio de la pasión y la resurrección sólo toman sentido pleno a la luz de la vida de Jesús, vivida como entrega liberadora. Vibra de alegría con esta proclamación.

Al decir la frase inicial "nosotros somos testigos", mira a la asamblea y haz que compartan este testimonio.

I LECTURA   Hechos 10:34a, 37–43

Lectura del libro de los Hechos de los Apóstoles

En aquellos días, Pedro tomó la palabra y dijo:
"Ya saben ustedes lo sucedido en **toda** Judea,
    que tuvo principio **en Galilea**,
    después del Bautismo predicado por Juan:
    cómo Dios **ungió** con el **poder** del Espíritu Santo
        a **Jesús** de Nazaret y cómo **éste** pasó haciendo **el bien**,
    sanando **a todos** los oprimidos por el diablo,
    porque Dios estaba **con él**.

Nosotros somos **testigos**
    de cuanto él **hizo** en Judea y en Jerusalén.
Lo mataron **colgándolo** de la cruz,
    pero Dios **lo resucitó** al tercer día
    y **concedió** verlo, no a todo el pueblo,
    sino **únicamente** a los testigos **que él**,
    de antemano, había escogido:
    a **nosotros**, que hemos **comido y bebido** con él
        después de que **resucitó** de entre los muertos.

Él nos mandó **predicar** al pueblo
    y **dar testimonio** de que Dios
        lo ha constituido **juez** de vivos y muertos.
El testimonio de los profetas es **unánime**:
    que cuantos **creen en él** reciben, por su medio,
    el perdón de los pecados".

I LECTURA El libro de los Hechos es un libro que camina in crescendo. De la comunidad de Jerusalén (cc. 1–5) se dan pasos hacia una Iglesia abierta a todos los pueblos, primero con timidez (cc. 8–10) y después vigorosamente con la predicación de Pablo y sus viajes misioneros (cc. 11–28). Y aunque con justicia Pablo es llamado el "Apóstol de los gentiles", es Pedro el primero en bautizar a un pagano. Se trata de Cornelio, un capitán romano. Tras recibir una revelación, envía a tres de sus servidores a la ciudad de Jafa en busca de Pedro. Mientras, Pedro recibirá un men-

saje divino a través de un sueño que se repite tres veces y que le resulta incomprensible. Terminará comprendiéndolo cuando lleguen a su casa los enviados de Cornelio y emprenda el viaje hasta la casa del capitán, para anunciar el Evangelio y bautizar a todos los allí reunidos.

Pedro, después de proclamar que Dios no hace diferencia entre las personas en razón de su origen ni su religión, anuncia a Jesucristo muerto y resucitado. Que sea Pedro el que predique y bautice a un extranjero, marca para el movimiento de Jesús un derrotero nuevo y nos recuerda, también a

nosotros hoy, que no hay ninguna condición de vida que sea impedimento para ofrecer y aceptar el Evangelio de Jesús.

II LECTURA Pablo nos recuerda que estamos muertos con Cristo. Al rechazo a los "mandamientos humanos" (2:20–23) opone ahora la necesidad de buscar "los bienes de arriba". Hemos resucitado con Cristo y esto tendría que llevarnos a vivir de una manera distinta, nueva. Esta es la demanda que brota de nuestra situación de bautizados.

Para meditar

SALMO RESPONSORIAL Salmo 118:1–2, 16ab–17, 22–23

R. Éste es el día en que actuó el Señor: sea nuestra alegría y nuestro gozo.

O bien: **R. Aleluya.**

Den gracias al Señor porque es bueno,
   porque es eterna su misericordia.
Diga la casa de Israel:
   eterna es su misericordia. **R.**

La diestra del Señor es poderosa,
   la diestra del Señor es excelsa,
No he de morir, viviré
   para contar las hazañas del Señor. **R.**

La piedra que desecharon los arquitectos
   es ahora la piedra angular.
Es el Señor quien lo hecho,
   ha sido un milagro patente. **R.**

II LECTURA   Colosenses 3:1–4

Lectura de la carta del apóstol san Pablo a los colosenses

Hermanos:
Puesto que ustedes **han resucitado** con Cristo,
   busquen los bienes **de arriba**,
   donde **está** Cristo, sentado **a la derecha** de Dios.
Pongan **todo** el corazón en los bienes **del cielo**,
   no en los de la tierra,
   porque **han muerto**
   y su vida **está escondida** con Cristo en Dios.
Cuando **se manifieste** Cristo, **vida** de ustedes,
   entonces **también** ustedes se manifestarán **gloriosos**,
   juntamente con él.

O bien:

Es una invitación a la vida nueva, fruto de la resurrección de Jesús. Proclámala con gozo.

Pablo no promueve la evasión de este mundo. Cristo es nuestra vida hoy, no mañana, y el compromiso de transformar el mundo al que estamos llamados, brota de lo que realizado por el bautismo. Por eso, al salir de la piscina bautismal, los recién bautizados eran recibidos en el siglo v por sus padrinos, quienes les daban la bienvenida "a la tierra que mana leche y miel", es decir, al paraíso. La misión del cristiano es hacer de este mundo el paraíso, adelantar el cielo.

| II LECTURA | El asunto que da contexto a la lectura de hoy, era uno bastante espinoso en la comunidad corintia.
Se trata de un caso de inmoralidad pública (I Corintios 5:1–13). Un miembro de la comunidad cristiana ha comenzado a convivir con la mujer de su padre, o sea su madrastra. La situación es delicada. Extrañado por la pasividad comunitaria ante el caso, Pablo se ve obligado a aplicar medidas disciplinares con la pretensión de sanar la herida abierta por el transgresor.

La comunidad, como ente colectivo, debe ser consciente del papel misionero de su actuar. La levadura aquí toma un sentido negativo, pues contamina toda la masa. La contrapropuesta de Pablo al daño que ha hecho a la comunidad el mal testimonio que está siendo discutido y juzgado, es que cada cristiano sea coherente con la naturaleza espiritual que ha recibido en el bautismo.

Cristo es, en efecto, el verdadero cordero pascual, y la práctica judía de comer el pan ázimo se convierte aquí en un símbolo de la recta conducta cristiana.

Hay un dejo de gozo en esta invitación del Apóstol. Léela como una buena noticia, proclamada con entusiasmo.

II LECTURA   1 Corintios 5:6–8

Lectura de la primera carta del apóstol san Pablo a los corintios

Hermanos:
> ¿No saben ustedes que **un poco** de levadura
> > hace fermentar **toda** la masa?
> **Tiren** la antigua levadura,
> > para que sean ustedes una masa **nueva**,
> > ya que son pan **sin levadura**,
> > pues **Cristo**, nuestro cordero pascual, ha sido **inmolado**.

> Celebremos, pues, la fiesta de la Pascua,
> > no con la **antigua** levadura, que es de vicio **y maldad**,
> > sino con el pan **sin levadura**,
> > que es de **sinceridad y verdad**.

María Magdalena queda atónita ante la tumba vacía. Haz sentir a los oyentes su asombro.

EVANGELIO   Juan 20:1–9

Lectura del santo Evangelio según san Juan

El **primer** día después del sábado, estando **todavía** oscuro,
> fue María Magdalena al sepulcro
> y vio **removida** la piedra que lo cerraba.
Echó **a correr**,
> llegó a la casa donde estaban **Simón Pedro** y el otro discípulo,
> > a quien Jesús **amaba**, y les dijo:
> > "**Se han llevado** del sepulcro al Señor
> > y **no sabemos** dónde lo habrán puesto".

Salieron Pedro y el otro discípulo camino del sepulcro.
Los dos iban corriendo **juntos**,
> pero el otro discípulo corrió **más aprisa** que Pedro
> y llegó **primero** al sepulcro,
> e **inclinándose**,

EVANGELIO El pasaje del cuarto evangelio que hoy se proclama es parte de una unidad más amplia (20:1–18), en la que María Magdalena queda constituida como la testigo que se convierte en apóstol de la resurrección. En esta parte sobresalen, además de María Magdalena, las figuras de Pedro y del "discípulo a quien Jesús amaba". Ellos nos dan la clave de la intención de este pasaje: pasar de ser simplemente testigos oculares de un acontecimiento, en este caso de una tumba vacía, a convertirse en testigos de la fe en la resurrección.

Es el Discípulo Amado quien testimonia aquella transición. Pedro entra y mira solamente una tumba vacía y los ropajes funerarios. El Discípulo Amado ve y cree. También el desconcierto de María se convertirá en la indestructible fe de esta mujer que acompañó y quiso a Jesús como ninguna otra. Pero su itinerario de fe pasará por un encuentro personal, que no nos corresponde leer en este domingo.

El Discípulo Amado nos invita a dar el salto de la fe, a pasar de ser simples espectadores de un acontecimiento antiguo para convertirnos en personas de fe, de fe viva y actuante. Si las fiestas pascuales no producen en nosotros esta visión de fe, no han servido de gran cosa.

miró los lienzos puestos en el suelo,
　　pero **no entró**.

En eso llegó también **Simón Pedro**, que lo venía siguiendo,
　　y **entró** en el sepulcro.
Contempló los lienzos puestos en el suelo
　　y el sudario, que había estado **sobre** la cabeza de Jesús,
　　puesto **no con los lienzos** en el suelo,
　　sino **doblado** en sitio aparte.
Entonces entró también el **otro** discípulo,
　　el que había llegado **primero** al sepulcro,
　　y vio y **creyó**,
　　porque hasta entonces **no habían entendido** las Escrituras,
　　según las cuales Jesús **debía** resucitar de entre los muertos.

O bien: *Lucas 24:1–12*. **En la misa vespertina:** *Lucas 24:13–35*

El discípulo amado da el salto de la fe. Un sepulcro vacío se convierte en signo de la resurrección. Dale tono de reflexión meditativa a la lectura de este párrafo final.

II DOMINGO DE PASCUA (DOMINGO DE LA DIVINA MISERICORDIA)

I LECTURA Hechos 5:12–16

Lectura del libro de los Hechos de los Apóstoles

En aquellos días,
    los apóstoles realizaban **muchas** señales milagrosas
    y prodigios en medio del pueblo.
Todos los creyentes solían reunirse,
    por común acuerdo, en el pórtico de Salomón.
Los demás **no se atrevían** a juntárseles,
    aunque la gente los tenía en **gran** estima.

El **número** de hombres y mujeres que creían en el Señor
    iba creciendo de día en día,
    hasta el punto de que
    tenían que sacar en **literas y camillas** a los enfermos
    y ponerlos en las plazas,
    para que, cuando Pedro **pasara**,
    al menos su sombra cayera sobre alguno de ellos.

Mucha gente de los alrededores **acudía** a Jerusalén
    y llevaba a **los enfermos**
    y a los **atormentados** por espíritus malignos,
    y **todos** quedaban curados.

Los tres parágrafos forman un breve relato que causa asombro. Nota que el tercer segmento tiene un aire de colofón. Guarda en todo momento esa aura de admiración.

Alarga las frases que subrayan el crecimiento incontenible de la comunidad de creyentes.

I LECTURA Durante todo el tiempo de pascua, estaremos escuchando lecturas tomadas en su mayoría del libro de los Hechos de los Apóstoles, porque muestra la continuidad de la revelación de Cristo más allá de su Ascensión a los cielos, y del libro del Apocalipsis de san Juan, porque él nos pone ante los ojos las cosas nuevas que ya vienen.

El primer fruto de Cristo resucitado es la comunidad de fe de los discípulos de Jesús. San Lucas escribe tres resúmenes o sumarios para hacernos ver cómo el discipulado no se agotó con la pascua de Cristo, sino que el discipulado se concretiza en una comunidad de vida y de fe. Hoy escuchamos el tercero de dichos sumarios, que es como una coronación de los dos previos.

En el resumen escuchado hoy, sobresale el poder de Dios que sostiene y se extiende desde la comunidad de discípulos. Se habla de señales milagrosas y de prodigios que aportan la salud a los enfermos y a los atormentados por malos espíritus. Esa fuerza tiene su fuente en la vida nueva de Cristo resucitado, en quien hombres y mujeres ponen su fe. El célebre pórtico de Salomón era un sitio abierto al que acudían peregrinos, pero también las gentes de la ciudad a aprender la Ley de Moisés, e igualmente a rezar y a conversar asuntos de la vida diaria. Lo que hacen los discípulos es algo público, no tratan doctrinas esotéricas ni ocultas.

La lectura acentúa el poder de curación de los apóstoles, especialmente de Pedro, que funge como el líder y portavoz del grupo de creyentes. El don de curar no beneficia solo a los miembros de la propia comunidad, sino que alcanza a los de fuera. La enfermedad se entendía como un síntoma del pecado y de estar sometido a las fuerzas del mal. Por eso, lo que realizan los

Para meditar

SALMO RESPONSORIAL   Salmo 118:2–4, 22–24, 25–27a

R. Den Gracias al Señor porque es bueno, porque es eterna su misericordia.

O bien: **R. Aleluya.**

Diga la casa de Israel:
   eterna es su misericordia.
Diga la casa de Aarón:
   eterna es su misericordia.
Digan los fieles del Señor:
   eterna es su misericordia. **R.**

La piedra que desecharon los arquitectos
   es ahora la piedra angular.
Es el Señor quien lo hecho,
   ha sido un milagro patente.
Éste es el día en que actuó el Señor:
   sea nuestra alegría y nuestro gozo. **R.**

Señor, danos la salvación;
   Señor, danos prosperidad.
Bendito el que viene en nombre del Señor,
   le bendecimos desde la casa del Señor;
el Señor es Dios, él nos ilumina. **R.**

II LECTURA   Apocalipsis 1:9–11, 12–13, 17–19

Lectura del libro del Apocalipsis del apóstol san Juan

Nota los tres momentos de la lectura para distinguirlos en tu proclamación.

Yo, **Juan**,
   hermano y compañero de ustedes en la tribulación,
   en el Reino y en la **perseverancia** en Jesús,
   estaba **desterrado** en la isla de Patmos,
   por haber **predicado** la palabra de Dios
   y haber dado **testimonio** de Jesús.

Un domingo caí en **éxtasis**
   y oí a mis espaldas una voz **potente**,
   como de **trompeta**, que decía:
      "**Escribe** en un libro **lo que veas**
      y **envíalo** a las **siete** comunidades cristianas de Asia".
Me volví para ver **quién** me hablaba,
   y al volverme, vi **siete** lámparas de oro,
   y en medio de ellas, **un hombre** vestido de larga túnica,
   ceñida a la **altura** del pecho, con una franja de **oro**.

Enfatiza las frases que refieren a las comunidades cristianas, para que la asamblea se sienta aludida.

apóstoles prolonga lo que Jesús hacía: integrar a los excluidos en la comunidad de salvación, libres ya de las ataduras de pecado y muerte. En esto se nota ya que la salvación que Dios ofrece en Cristo es más amplia que el mismo grupo inicial, pero gracias a él se expande a la humanidad herida por el pecado.

La entera comunidad de discípulos de Cristo es la portadora actual de la salvación para todos los hombres; esta es la más preciosa tarea de todos los bautizados. Pero nunca olvidemos que es la vida nueva de Cristo el vigor que sana y libera definitivamente.

II LECTURA El poder de la resurrección de Cristo continúa operando en la comunidad de creyentes, la Iglesia, pero no solamente de manera genérica, como en los sacramentos y en la escucha de la Palabra, sino también de modo particular, por decirlo así, por medio de individuos al servicio del Reino de Dios. Hoy nos encontramos a un profeta y vidente, Juan, que por su fidelidad al Evangelio fue desterrado a Patmos, junto con otros hermanos. Aunque perseguido y desterrado, el profeta no calla.

El profeta cuenta su llamado en una visión tremenda que tuvo en el día dedicado al Señor. En ella, él recibe el encargo profético de escribir, pues, desterrado, está impedido de pronunciar delante de los destinatarios aquello que contempla. Será escrito como el mensaje llegue a todas las comunidades, simbolizadas en el número siete. El mensaje es que Cristo está presente y vivo en medio de ellas, las siete lámparas.

El profeta contempla a Cristo resucitado, un hombre nuevo, en el ámbito del tem-

Haz una ligera pausa al terminar la primera línea, para tomar aire. Dale volumen a las palabras de Cristo.

Al contemplarlo, **caí** a sus pies como muerto;
　　pero **él**, poniendo sobre mí la mano derecha, me dijo:
　　"**No temas. Yo soy** el primero y el último;
　　yo soy **el que vive**.
Estuve **muerto** y ahora, como ves,
　　estoy vivo por los siglos de los siglos.
Yo tengo las llaves de la muerte y del **más allá**.
Escribe lo que **has visto**,
　　tanto sobre las cosas **que están sucediendo**,
　　como sobre las que sucederán **después**".

EVANGELIO   Juan 20:19–31

Lectura del santo Evangelio según san Juan

El relato tiene el sabor de la grata sorpresa. Dale tono fresco y jovial a tu voz y a tu actitud ante la asamblea.

Al **anochecer** del día de la resurrección,
　　estando **cerradas** las puertas de la casa
　　　　donde se hallaban los discípulos, por **miedo** a los judíos,
　　se presentó **Jesús** en medio de ellos y les dijo:
　　"**La paz** esté con ustedes".
Dicho esto, **les mostró** las manos y el costado.
Cuando los discípulos **vieron** al Señor,
　　se **llenaron** de alegría.

Haz énfasis en los gestos de Jesús. Recuerdan la creación del hombre. Mira el vigor y la novedad de lo que hace Jesús y comunícalo a los escuchas.

De nuevo les dijo Jesús: "**La paz** esté con ustedes.
　　Como **el Padre** me ha enviado, **así también** los envío yo".
Después de decir esto, **sopló** sobre ellos y les dijo:
　　"**Reciban** al Espíritu Santo.
A los que **les perdonen** los pecados,
　　les quedarán **perdonados**;
　　y a los que no se los perdonen,
　　les quedarán **sin perdonar**".

---

plo celeste; la atmósfera es cultual: el día, las lámparas y las vestiduras de ese hombre lo dicen. Pero no se puede ver a ese hombre y seguir vivo. Por eso dice el profeta que "cayó como muerto", en clara alusión a la gloria de Dios que emana del Resucitado.

　　Las palabras escuchadas identifican a Cristo en su condición actual, de gloria divina; es "el Viviente", lo que solo de Dios se puede decir. Igualmente habla de su pasado: "estuve muerto". Gracias a su condición, el Resucitado ahora es la clave de la historia entera, por eso dice que es "el primero y el último", en clara referencia a su

exclusivo evento pascual. Vivo, tiene la potestad que con nadie compartía Dios: las llaves del abismo donde los muertos reposaban, según las creencias antiguas. La resurrección le da el señorío absoluto sobre vivos y muertos. Así es el Cristo que vive en medio de todas y cada uno de las comunidades cristianas.

　　El testimonio cristiano se compone de un elemento visionario: ver o contemplar. Se contempla a Cristo resucitado, Vivo y Señor de la historia entera. De allí se alimenta el testimonio de toda vida cristiana.

EVANGELIO La lectura se desdobla en dos cuadros de apariciones de Cristo a sus discípulos, separados ocho días, uno de otro. En ausencia de Jesús, el grupo se siente acosado por sus adversarios, "los judíos", y se encuentra encerrado en una casa. Sorprendentemente, hay un discípulo afuera: Tomás, el Mellizo. Su ausencia servirá para eslabonar la siguiente aparición.

　　En la primera escena, el Resucitado irrumpe en medio del grupo con el saludo de paz. Enseguida, les muestra las marcas de la crucifixión que dejan ver que su saludo

Acelera un tanto el paso de la lectura y ve cerrando el párrafo con tono contundente. Alarga la pausa antes de acometer el siguiente segmento.

Evita el tono de regaño en las palabras dirigidas a Tomás. El tono ha de ser paternal y comprensivo, más que de reprimenda.

Tomás, uno de los Doce, a quien llamaban **el Gemelo**,
 no estaba con ellos cuando vino Jesús,
 y los otros discípulos le decían:
 "Hemos visto al Señor".
Pero él les **contestó**:
 "Si no veo **en sus manos** la señal de los clavos
 y si **no meto mi dedo** en los agujeros de los clavos
 y no meto **mi mano** en su costado, **no creeré**".

Ocho días después,
 estaban reunidos los discípulos **a puerta cerrada**
 y **Tomás** estaba con ellos.
Jesús se presentó de nuevo en medio de ellos y les dijo:
 "**La paz** esté con ustedes".
Luego le dijo a Tomás:
 "**Aquí** están mis manos; **acerca** tu dedo.
Trae acá tu mano, **métela** en mi costado
 y **no sigas** dudando, sino **cree**".
Tomás le respondió: "**¡Señor mío y Dios mío!**"
Jesús **añadió**: "Tú crees porque me has visto;
 dichosos los que creen **sin haber visto**".

Otras **muchas** señales milagrosas hizo Jesús
 en **presencia** de sus discípulos,
 pero **no están escritas** en este libro.
Se escribieron **éstas**
 para que ustedes **crean** que Jesús es **el Mesías**,
 el **Hijo** de Dios, y para que, **creyendo**,
 tengan **vida** en su nombre.

porta la novedad pascual. De allí surge la alegría, de "ver al Señor". Es la alegría que transmite la vida nueva. Esta alegría trae una consecuencia: el envío. Esto es lo que Jesús formula al repetir el saludo pascual.

Para su misión, Cristo les infunde al Espíritu Santo, que tiene como función primaria el perdón de los pecados. Esto mismo lo escuchamos en el testimonio de Juan Bautista respecto a Cristo, "el Cordero de Dios que quita el pecado del mundo" (Juan 1:29). El pecado del mundo es la incredulidad, y lo que Jesús ha llevado a cabo con sus palabras y con sus acciones es abatir la incredu-

lidad. Los discípulos tienen una misión similar respecto a Cristo: hacerlo creíble mediante el perdón. Recibir el perdón de los pecados será el requisito indispensable para venir a formar parte de la comunidad de vida nueva.

Tomás se resiste al testimonio de sus compañeros discípulos. Pide ver las marcas del Crucificado para creer. Cuando Jesús se presenta de cuenta nueva con el mismo saludo pascual, todas las resistencias del Gemelo caen por tierra. De sus labios brota la más grande confesión de fe: "¡Señor mío y Dios mío!".

La Iglesia es la comunidad de creyentes en Cristo Jesús que perpetúa la misión de hacer creíble al Enviado del Padre. No con la rebuscada sapiencia de los argumentos conquistará el corazón de los hombres, sino con la fuerza del perdón y la misericordia de Dios.

III DOMINGO DE PASCUA

I LECTURA   Hechos 5:27–32, 40–41

Lectura del libro de los Hechos de los Apóstoles

Procura distinguir en tu voz las intervenciones autoritarias del sumo sacerdote de las serenas afirmaciones del testimonio apostólico.

En aquellos días,
    el sumo sacerdote **reprendió** a los apóstoles y les dijo:
    "Les hemos prohibido **enseñar** en nombre de ese Jesús;
    sin embargo,
    ustedes **han llenado** a Jerusalén con sus enseñanzas
    y quieren hacernos **responsables**
        de la sangre de **ese hombre**".

El párrafo es unitario, pero haz una pausa después de la primera oración que Pedro pronuncia. Luego ataca en tono reposado el kerigma apostólico.

Pedro y los otros apóstoles **replicaron**:
    "**Primero** hay que obedecer **a Dios**
    y **luego** a los hombres.
El Dios de nuestros padres **resucitó** a Jesús,
    a quien **ustedes** dieron muerte **colgándolo** de la cruz.
La mano de Dios **lo exaltó** y lo ha hecho **jefe y Salvador**,
    para dar a Israel la gracia **de la conversión**
    y **el perdón** de los pecados.
Nosotros **somos testigos** de todo esto
    y **también** lo es el **Espíritu Santo**,
    que Dios ha dado a los que **lo obedecen**".

Baja la velocidad de la lectura conforme vayas acercándote al final.

Los miembros del sanedrín mandaron **azotar** a los apóstoles,
    les prohibieron hablar en nombre **de Jesús** y los soltaron.
Ellos se retiraron del sanedrín,
    felices de haber padecido aquellos ultrajes
        por **el nombre** de Jesús.

I LECTURA   Conforme avanza la lectura del libro de los Hechos se nota cómo la predicación del Evangelio va a encontrar muchos corazones dispuestos a recibir la verdad revelada en Cristo Jesús, pero al mismo tiempo va a endurecer la obstinación y celo de las autoridades religiosas.

Era responsabilidad de la autoridad religiosa velar porque no se propalaran enseñanzas falsas, ni que se pusiera en entredicho la identidad y función de las instituciones del pueblo de Dios. Aquí, por ejemplo, les causa ámpula que la predicación apostólica señale a la autoridad judía

como la responsable de la ejecución en cruz de Jesús de Nazaret. Esto significaba poner en entredicho la discreción con la que dirigían el destino del pueblo. Por eso, las autoridades prohíben a los apóstoles continuar con sus enseñanzas, pero como ellos persisten, les dan un castigo ejemplar, correspondiente a los disidentes de la sana ortodoxia.

Los apóstoles se apoyan en un principio incuestionable: "Primero hay que obedecer a Dios y luego a los hombres". Nadie debe obrar en contra de su conciencia.

Las enseñanzas de los apóstoles tienen por núcleo lo sustancial del Evangelio de Jesús de Nazaret: su muerte en cruz y que Dios lo resucitó de entre los muertos. Esto es el kerigma o anuncio primero del Evangelio. Se afirma algo sustantivo: la muerte en cruz. Jesús murió ejecutado en la cruz, como un criminal, por la causa del Reino de Dios. La cruz, lo sabemos, era la tortura reservada a los que se sublevaban contra el Imperio Romano. Si las autoridades judías son responsables de esa ejecución es porque se confabularon con la autoridad romana; lo colgaron de la cruz.

Para meditar

SALMO RESPONSORIAL   Salmo 30:2 y 4, 5 y 6, 11 y 12a y 13b

R. Te ensalzaré, Señor, porque me has librado.

O bien: **R. Aleluya.**

Te ensalzaré, Señor, porque me has librado
   y no has dejado que mis enemigos
      se rían de mi.
Señor, sacaste mi vida del abismo,
   me hiciste revivir cuando
      bajaba a la fosa. **R.**

Tañan para el Señor, fieles suyos,
   den gracias a su nombre santo;
   su cólera dura un instante,
   su bondad, de por vida;
   al atardecer nos visita el llanto,
   por la mañana, el jubilo. **R.**

Escucha, Señor, y ten piedad de mí;
   Señor, socórreme.
Cambiaste mi luto en danzas.
Señor, Dios mío, te daré gracias
   por siempre. **R.**

II LECTURA   Apocalipsis 5:11–14

Lectura del libro del Apocalipsis del apóstol san Juan

Percibe la estructura de la visión y dispón tu lectura de manera que se note un aumento en la intensidad y en el volumen de tu voz, no necesariamente en la velocidad.

Yo, Juan, tuve **una visión**, en la cual
   oí alrededor del trono de los vivientes y los ancianos,
   la voz de **millones y millones** de ángeles,
   que cantaban con voz **potente:**

"**Digno** es el Cordero, que fue **inmolado,**
de **recibir** el poder y la riqueza, **la sabiduría** y la fuerza,
el honor, la gloria y **la alabanza**".

Dale profundidad a tu expresión abarcando con tu mirada a la asamblea completa en esta parte. Luego, concéntrate en la alabanza.

Oí **a todas** las creaturas que hay en el cielo, en la tierra,
   debajo de la tierra y en el mar—**todo** cuanto existe—,
   que decían:

"Al que **está sentado** en el trono y **al Cordero,**
la alabanza, **el honor**, la gloria **y el poder,**
por los **siglos** de los siglos".

Alarga estas frases finales.

Y los cuatro vivientes respondían: "**Amén**".
Los **veinticuatro** ancianos se **postraron** en tierra
   y adoraron **al que vive** por los siglos de los siglos.

Pero "el Dios de nuestros padres" lo resucitó. Y esto es lo que trae consecuencias.

La primera consecuencia de la resurrección es la exaltación. Por esto se entiende que Dios ha constituido a Jesús "jefe y Salvador" del pueblo. Esta doble función de Jesús es una novedad. Sin embargo, y contrario a lo que pudiera sonar a los oídos, Jesús no busca usurpar el lugar de la autoridad religiosa, sino que esa autoridad admita su participación en los hechos y acepte el veredicto del "Dios de nuestros padres".

El ejercicio de la autoridad de Cristo se da por el camino del perdón de los pecados.

Este perdón está disponible para todos los que se conviertan. En esto consiste el testimonio del Espíritu Santo, que, aunque en esta lectura no se explicita, sabemos dicho testimonio se compone de leer las Escrituras entendiendo que hablan de Jesús. Por eso, al testimonio de los apóstoles se añade el del Espíritu Santo.

En palabras de Pedro, el Espíritu Santo es un don de Dios "a los que lo obedecen". Aquí embona lo dicho antes. Los apóstoles obedecen a Dios, por lo que entienden de las Escrituras, no a ciegas. Ellos han descubierto en las Sagradas Escrituras a Cristo; él

guía al pueblo a la casa del "Dios de nuestros padres".

En este tiempo pascual, el Señor llama a toda su Iglesia a recuperar esa obediencia que el Espíritu siempre ofrece en la inteligencia de las Escrituras.

II LECTURA El Vidente de Patmos describe un coro celeste que aclama al Cordero que había sido degollado, pero que ahora está de pie, victorioso. El canto es majestuoso y arroba conforme avanza el crescendo.

EVANGELIO   Juan 21:1–19

Lectura del santo Evangelio según san Juan

En aquel tiempo, Jesús se les apareció **otra vez** a los discípulos
    junto al lago de Tiberíades.
Se les apareció **de esta manera**:

Estaban juntos **Simón Pedro**, **Tomás** (llamado el Gemelo),
    Natanael (el de Caná de Galilea),
    los hijos de Zebedeo y otros dos discípulos.
Simón Pedro les dijo: "**Voy a pescar**".
Ellos le respondieron:
"**También** nosotros vamos contigo".
Salieron y se embarcaron, pero aquella noche **no pescaron nada**.

Estaba amaneciendo, cuando **Jesús** se apareció en la orilla,
    pero los discípulos **no lo reconocieron**.
Jesús les dijo:
"**Muchachos**, ¿han pescado algo?"
Ellos contestaron: "**No**".
Entonces él les dijo:
    "**Echen** la red a la **derecha** de la barca y encontrarán **peces**".
Así lo hicieron,
    y luego ya **no podían** jalar la red por **tantos** pescados.

Entonces el discípulo a quien amaba Jesús le dijo a Pedro:
    "**Es el Señor**".
Tan pronto como Simón Pedro oyó decir que **era el Señor**,
    se anudó a la cintura la túnica,
    pues se la había quitado, y **se tiró** al agua.
Los otros discípulos llegaron en la barca,
    arrastrando la red con los pescados,
    pues no distaban de tierra más de **cien** metros.

Es una lectura sabrosa y un tanto extensa, pero no te precipites, ni transmitas ansiedad a la asamblea.

Aviva la voz cuando Jesús habla a los discípulos. Nota los cambios del discurso directo al indirecto.

El canto tiene dos estrofas organizadas. La primera se centra en el Cordero, y la pronuncian los coros angélicos, "millones y millones" cantan entusiasmados. Asistimos a la aclamación del Cordero. Se aclamaba a los emperadores con motivo de su aniversario en el poder, o ascenso al trono. Se decían sus méritos y porqué su gobierno era una bendición para sus súbditos. San Juan desenmascara lo fatuo de tales aclamaciones para hablar de la verdadera aclamación, la celestial. Del Cordero se apunta escuetamente su mérito singular, "fue inmolado". Todo está dicho. Los lectores saben quién es el Cordero y cómo fue ofrendado. Su muerte cumplió el acto de culto perfecto. Al mérito sigue la compensación divina. Se enumeran siete dones que le competen solo a Dios. Este septenario habla de la plenitud absoluta del Cordero. A ningún emperador romano ni a ninguna autoridad le competen esos atributos, solo al Cordero.

La segunda estrofa brota después de que la creación entera se suma a las voces angélicas. Ahora se aclama al Cordero y "al que está sentado en el trono", el Dios invisible. Todas las creaturas rinden su tributo: alabanza, honor, gloria y poder. Estos cuatro elementos hablan de totalidad. Todo le corresponde al Creador y al Cordero. Los vivientes testifican lo que sucede y la visión culmina con la postración de los ancianos.

El vigor y la vitalidad de esta liturgia celeste es el alma de nuestra misma liturgia. En toda celebración litúrgica, pero de modo especial en la eucarística, nos unimos a esos coros para aclamar al único Dios, vivo y soberano al que rendimos culto con nuestra vida.

EVANGELIO El capítulo veintiuno cuenta la tercera manifestación

Acelera un poco la velocidad de lectura en la parte descriptiva. Ten cuidado con la vocalización.

Tan pronto como **saltaron** a tierra,
　　vieron unas brasas y sobre ellas un pescado y pan.
Jesús les dijo:
　　"**Traigan** algunos pescados de los que acaban de pescar".
Entonces Simón Pedro **subió** a la barca
　　y arrastró **hasta la orilla** la red,
　　repleta de pescados grandes.
Eran **ciento cincuenta y tres**,
　　y a pesar de que eran **tantos**, **no se rompió** la red.
Luego les dijo Jesús:
　　"**Vengan** a almorzar".
Y ninguno de los discípulos se atrevía a preguntarle:
　　"**¿Quién eres?**",
　　porque **ya sabían** que era **el Señor**.
Jesús **se acercó**, tomó el pan y se lo dio **y también** el pescado.
Ésta fue la **tercera** vez que Jesús se **apareció** a sus discípulos
　　　　después de **resucitar** de entre los muertos.

Este diálogo es muy conmovedor. Dale su tiempo y su ritmo. No lo acarameles ni lo dramatices.

Después de almorzar le preguntó Jesús **a Simón Pedro**:
　　"**Simón**, hijo de Juan, ¿me amas **más** que éstos?"
Él le contestó:
　　"**Sí**, Señor, **tú sabes** que te quiero".
Jesús le dijo:
　　"**Apacienta** mis corderos".
Por **segunda** vez le preguntó:
　　"**Simón**, hijo de Juan, ¿**me amas?**"
Él le respondió:
　　"**Sí**, Señor, **tú sabes** que te quiero".
Jesús le dijo:
　　"**Pastorea** mis ovejas".
Por **tercera** vez le preguntó:
　　"**Simón**, hijo de Juan, ¿**me quieres?**"
Pedro se **entristeció** de que Jesús le hubiera preguntado por
　　tercera vez si lo quería y le contestó:
　　"**Señor**, tú **lo sabes todo**; tú bien sabes **que te quiero**".

de Jesús resucitado a sus discípulos, y descubre el destino de dos de los personajes principales en el último tercio del escrito: Simón Pedro y el Discípulo Amado, aunque la lectura solo incluye los versos concernientes al primero.

La aparición junto al mar de Tiberíades trae evocaciones de lo sucedido en el capítulo sexto: la alimentación a los cinco mil con pan y pescado, la caminata sobre las aguas y la enseñanza sobre el pan del cielo en la sinagoga de Cafarnaum que causó la desbandada discipular. Acá van a concurrir también

una comida, una zambullida en el agua y lo que significa la fidelidad discipular.

Jesús resucitado se aparece al amanecer, a cinco de sus discípulos que han tenido mala fortuna en esa noche de pesca. Jesús los conduce a una pesca milagrosa. El Discípulo Amado es perspicaz y se da cuenta de que lo sucedido es una señal: "Es el Señor".

A lo largo del evangelio, san Juan ha ido desgranando las señales de Jesús, de menos a más, hasta llegar a la más portentosa de todas: la muerte y resurrección. Cada portento o milagro realizado por Jesús, san Juan lo cataloga de "señal", porque se trata de

eso, de saber descubrir a qué o a quién remiten. Son señales del enviado del Padre, no meros portentos a admirar. Las señales deben conducir a creer en el Mesías de Dios, de otra manera de nada sirven. Esta señal es también una "manifestación" de Jesús, es decir, de su gloria. Pero hay que saberla reconocer. Aquí los discípulos ven "unas brasas y sobre ellas un pescado y pan". Jesús los ha provisto; él es el magnánimo anfitrión de sus discípulos. Es necesario ver, no sólo llenarse el estómago.

Por su parte, la reacción de Simón Pedro a las palabras del Discípulo Amado

Dale gravedad a lo que está pronunciando Jesús. Luego prepara la frase final, que es una invitación a toda la asamblea.

Jesús le dijo:

"**Apacienta** mis ovejas.

Yo te **aseguro**: cuando eras joven,

tú mismo te ceñías la ropa e ibas **a donde querías**;

pero cuando **seas viejo**,

extenderás los brazos y **otro** te ceñirá

y te **llevará** a donde **no quieras**".

Esto se lo dijo

para indicarle con qué género de **muerte**

habría de **glorificar** a Dios.

Después le dijo: "**Sígueme**".

Abreviado: *Juan 21:1–14*

evoca su resistencia a dejarse lavar los pies por Jesús (Juan 13); ahora se lanza al mar, como si fuera una purificación necesaria, pero no es así como se realizará. Pedro requiere de algo más que un baño. El almuerzo tiene tonos eucarísticos, como la comida del capítulo sexto. Es comida de reunión y de discipulado, con las provisiones del Resucitado.

El destino de Pedro pasa primero por una purificación, la que consigue el amor profesado. Tres veces negó Pedro a su Señor (Juan 18:27 y 13:38), y ahora su Señor le pide que confiese su amor otras tantas.

Esta purificación del amor le trae una tarea: apacentar al rebaño de su Señor. Ese pastoreo lo habrá de sellar con su muerte de mártir, para darle gloria a Dios. La tradición dice que fue ejecutado en Roma, y que fue crucificado con la cabeza hacia abajo, por su propia solicitud. Su discipulado fue cabal.

IV DOMINGO DE PASCUA

Identifica en la lectura la parte discursiva y la descriptiva. Dale algo más de velocidad a la descriptiva, pero apóyate en las negritas para destacar los motivos principales.

I LECTURA   Hechos 13:14, 43–52

Lectura del libro de los Hechos de los Apóstoles

En aquellos días,
   Pablo y Bernabé prosiguieron su camino
      desde Perge hasta **Antioquía** de Pisidia,
   y el **sábado** entraron en la sinagoga y tomaron asiento.
Cuando se **disolvió** la asamblea,
   muchos judíos y prosélitos piadosos
      acompañaron a Pablo y a Bernabé,
      quienes **siguieron** exhortándolos
      a **permanecer** fieles a la gracia de Dios.

El sábado **siguiente**
      casi **toda** la ciudad de Antioquía
      acudió **a oír** la palabra de Dios.
Cuando los judíos vieron una concurrencia **tan grande**,
      se **llenaron** de envidia
      y comenzaron a **contradecir** a Pablo con palabras **injuriosas**.
Entonces Pablo y Bernabé dijeron **con valentía**:
      "La palabra de Dios **debía** ser predicada **primero** a ustedes;
         pero como **la rechazan**
      y no se juzgan **dignos** de la vida eterna,
      nos dirigiremos **a los paganos**.
Así nos lo **ha ordenado** el Señor, cuando dijo:
   Yo te he puesto como **luz** *de los* **paganos**,
      para que **lleves** *la* **salvación**
         hasta los **últimos rincones** *de la* **tierra**".

En esta sección discursiva hay palabras de las Escrituras. Ajústate cuidadosamente a la puntuación para que la asamblea distinga con claridad esa referencia.

I LECTURA   El libro de Hechos de los Apóstoles muestra cómo la palabra de salvación que Dios ha dirigido a Israel va ganando adeptos, gracias al testimonio de los apóstoles que la llevan por las ciudades donde hay judíos que viven entre los griegos. Al mismo tiempo, el libro anota que la predicación de esa palabra suscita férrea oposición justamente de sus destinatarios primarios, los judíos. Comienzan por escuchar con simpatía esa palabra, pero luego se resisten y endurecen, hasta el punto de perseguir a los evangelizadores y expulsarlos de la ciudad. Esta dinámica

hace que la palabra se divulgue con mayor rapidez, pues la palabra se disemina por todas partes, aunque no sin tribulaciones. Así, los discípulos van cumpliendo la encomienda de Jesús: ser sus testigos hasta los confines de la tierra (ver Hechos 1:8).

Escuchamos la misión de Pablo y Bernabé en Antioquía de Pisidia. El episodio en cuestión es más amplio (13:13–52) y se conforma de lo sucedido en dos sábados consecutivos. En el primero, Pablo hace un discurso a los reunidos en la sinagoga, haciendo un somero repaso de la historia de la palabra de la salvación del pueblo de Israel,

y que ha sido omitido en nuestra lectura litúrgica (Hechos 13:15–43). La acogida es tan entusiasta que los asistentes les solicitan a los apóstoles de Cristo que les vuelvan a hablar al sábado siguiente. Lo sucedido en el segundo sábado es lo escuchado hoy, donde constatamos la dinámica lucana de la incontenible propagación de la palabra, gracias a la activa animadversión de los judíos.

El rechazo de los judíos de la palabra de la salvación fue uno de los mayores dolores de cabeza de los predicadores cristianos. Para entenderlo, ellos recurrieron a las Escrituras, y encontraron que la predicación

Al **enterarse** de esto,
los paganos se regocijaban y **glorificaban** la palabra de Dios,
y **abrazaron** la fe
todos aquellos que estaban **destinados** a la vida eterna.

La **palabra** de Dios se iba propagando por toda la región.
Pero los judíos
azuzaron a las mujeres devotas de la **alta** sociedad
y a los ciudadanos principales,
y **provocaron** una persecución contra Pablo y Bernabé,
hasta **expulsarlos** de su territorio.

Pablo y Bernabé se **sacudieron** el polvo de los pies,
como **señal** de protesta, y **se marcharon** a Iconio,
mientras los discípulos se quedaron **llenos** de alegría
y del **Espíritu Santo**.

Al pronunciar esta línea haz una pausa de dos tiempos, para que su efecto sea recibido. Luego avanza con cierta celeridad. Baja la velocidad en el párrafo final.

Para meditar

SALMO RESPONSORIAL Salmo 100:2, 3, 5

R. Somos su pueblo y ovejas de su rebaño.

O bien **R. Aleluya.**

Aclama al Señor, tierra entera,
sirvan al Señor con alegría,
entren en su presencia con
aclamaciones. **R.**

Sepan que el Señor es Dios:
que él nos hizo y somos suyos,
su pueblo y ovejas de su rebaño. **R.**

"El Señor es bueno,
su misericordia es eterna,
su fidelidad por todas las edades". **R.**

II LECTURA   Apocalipsis 7:9, 14–17

Lectura del libro del Apocalipsis del apóstol san Juan

Es magnífica la visión. Prepara tu lectura con un momento de contemplación y llénate de la majestad del trono de Dios.

Yo, Juan, **vi** una muchedumbre **tan grande**,
que **nadie** podía contarla.
Eran individuos de **todas** las naciones y **razas**,
de **todos** los pueblos y lenguas.

---

de los profetas había corrido la misma suerte, pero el rechazo nunca frustró el plan de Dios, sino que le abrió rutas inesperadas. Tal como aquí sucede: el rechazo judío provoca que la palabra sea dirigida a los no judíos, con lo que Pablo y Bernabé entienden que experimentan el anuncio de Isaías (49:6), en el sentido de que ellos se convierten en portadores de luz para todas las naciones.

La palabra de la salvación es el anuncio de la muerte y resurrección de Cristo. Es una palabra poderosa que sacude los modos mundanos de vivir. Es una palabra que salva porque transforma la realidad del

hombre en vida nueva equitativa y justa, gracias a la fuerza del Espíritu Santo.

II LECTURA En el tiempo pascual, la Iglesia nos recomienda meditar en las realidades últimas, es decir en las celestes y definitivas. Para esto, nos ofrece lecturas del Apocalipsis, porque en ellas se plasman los efectos de la resurrección de Cristo Jesús en imágenes llenas de color y sentido, como esta de la muchedumbre incontable compuesta por los rescatados por la sangre del Cordero inmolado.

Juan enfatiza no solo la inmensidad de la muchedumbre sino su universalidad, notable por integrar a personas de toda raza, lengua, pueblo y nación. Se trata de una comunidad sacerdotal que rinde culto al Cordero; todos son sacerdotes. Su vestido y la palma que llevan simbolizan el honor por su victoria, pues han vencido en la gran persecución. Fueron capaces de ser fieles a Cristo, y son compensados. El Cordero los pastorea y los conforta.

El Evangelio pascual nos llama a formar parte de esa multitud. Nos impulsa a romper toda barrera y parámetro de segregación

Todos estaban de pie, **delante** del trono y del Cordero;
iban vestidos con una **túnica blanca**
y llevaban **palmas** en las manos.

Uno de los ancianos que estaban **junto** al trono, me dijo:
"**Estos** son los que han pasado por la **gran persecución**
y han lavado y **blanqueado** su túnica
con la **sangre** del Cordero.
Por eso están **ante el trono** de Dios
y le sirven **día y noche** en su templo,
y el que **está sentado** en el trono
los protegerá **continuamente**.

Ya **no sufrirán** hambre **ni sed**,
no los quemará el sol ni los **agobiará** el calor.
Porque **el Cordero**, que está en el trono, **será** su pastor
y **los conducirá** a las fuentes del agua de **la vida**
y Dios **enjugará** de sus ojos toda lágrima".

EVANGELIO   Juan 10:27–30

Lectura del santo Evangelio según san Juan

En aquel tiempo, Jesús dijo a los judíos:
"Mis ovejas **escuchan** mi voz;
yo **las conozco** y ellas **me siguen**.
Yo les **doy** la vida eterna y no perecerán **jamás**;
nadie las arrebatará de mi mano.
Me las ha dado **mi Padre**, y él es **superior** a todos.
El Padre y yo **somos uno**".

Dale sonoridad a la explicación del anciano, y resalta lo que les ha valido su fidelidad.

Eleva ligeramente el tono de tu voz y ve bajando la velocidad. En la última oración haz una ligerísima detención en "y Dios", como si hubiera puntos suspensivos.

Breve pero poderoso es este fragmento. Llévalo línea a línea haciendo que la asamblea pueda distinguir los tres momentos de la revelación de Jesús.

---

o discriminación que son tan comunes en las sociedades humanas. Este es el signo más claro de que no proceden de Dios. Pero esta universalidad tiene como función vivir sin miedos, seguros y confortados con los bienes eternos señalados en la presencia protectora de Dios y del Cordero. Esto es lo que hay que anhelar y desear cada día, porque somos un pueblo sacerdotal por el bautismo.

EVANGELIO La imagen del Buen Pastor nos enlaza con la segunda lectura de hoy. Jesús, en los escasos versos,

subraya el tipo de relación que sostiene con las ovejas, sus discípulos. Tres batutas se distinguen en el parágrafo.

En la primera batuta se expresa la dinámica del discipulado: escuchar, conocer, seguir. No son etapas sucesivas, sino más bien ingredientes que configuran la experiencia del auténtico discípulo. Cierto, no se sigue a Jesús sin conocerlo, y sin escucharlo no se le conoce. Pero en realidad, solo quien sigue a Jesús lo escucha y en esa medida lo conoce.

La segunda batuta reporta lo que Jesús hace por sus ovejas: les garantiza la vida imperecedera.

La tercera habla de la relación de Jesús con su Padre, quien le obsequia las ovejas y le da la autoridad sobre ellas, pues esto es lo que refiere la imagen de la mano. Jesús tiene la misma autoridad de Dios, por eso dice que "el Padre y yo somos uno".

V DOMINGO DE PASCUA

I LECTURA Hechos 14:21–27

Lectura del libro de los Hechos de los Apóstoles

En aquellos días,
    volvieron **Pablo y Bernabé** a Listra, Iconio y Antioquía,
    y ahí **animaban** a los discípulos
    y los exhortaban a **perseverar** en la fe,
    diciéndoles que hay que pasar por **muchas tribulaciones**
        para **entrar** en el Reino de Dios.
En **cada** comunidad designaban **presbíteros**,
    y con oraciones y ayunos
        los **encomendaban** al Señor, en quien habían **creído**.

Atravesaron luego Pisidia y llegaron a Panfilia;
    predicaron en Perge y llegaron a Atalía.
De ahí se embarcaron para Antioquía,
    de donde **habían salido**, con la gracia de Dios,
    para **la misión** que acababan de cumplir.

Al llegar, **reunieron** a la comunidad y les contaron
    lo que **había hecho** Dios por **medio** de ellos
    y **cómo** les había abierto a **los paganos**
        las puertas de la fe.

Visualiza cada párrafo de la lectura y enfatiza las frases con sabor teológico que dan el sentido del itinerario.

Vocaliza los nombres que no son tan difíciles; cuida la acentuación correcta.

Apóyate en la puntuación para darle realce a la frase final.

I LECTURA La lectura de hoy reporta el itinerario de retorno de Pablo y Bernabé hasta Antioquía, de donde habían partido. A su paso, los misioneros animan a los creyentes a mantenerse en la fe que han abrazado, porque las adversidades pueden hacerlos desistir. Parte del apoyo que se necesita para perseverar en la palabra de Dios es la organización de la comunidad de discípulos. Esta necesidad la notan ahora los misioneros y procuran resolverla.

Ni Pablo ni Bernabé tienen una organización eclesial completa o acabada; esto vendrá más tarde. Ellos colocan lo esencial para que no se diluya la incipiente fe de los hermanos. Echan mano de lo que tienen a mano y ajustan lo necesario, a tenor de lo que hacían las comunidades judías de la diáspora. Designan presbíteros, es decir, un cuerpo colegiado de personas entradas en años y con experiencia de vida para resolver, con la verdad de Cristo muerto y resucitado, aquellos asuntos que irán surgiendo. Hay una especie de rito prolongado para la designación: la hacen preceder de ayunos y oraciones, y entregan a los designados al Señor. Con esto, los presbíteros deben entender que no son autónomos, sino que viven sujetos al Señor y a la comunidad a la que se deben. Deberán estar atentos a que los fieles no decaigan en su fe.

Los misioneros vuelven a rendir cuentas de su quehacer a la comunidad que los había enviado. Lo más novedoso resulta ser la apertura a los paganos que Dios ha operado por su medio. Esto es sustancial, porque habla de que la palabra de la salvación, impulsada siempre por la fuerza del Espíritu Santo, va a encontrar cauces nuevos e inesperados para llegar al corazón de todas las personas.

Para meditar

SALMO RESPONSORIAL　Salmo 145:8–9, 10–11, 12–13ab

R. Bendeciré tu nombre por siempre jamás, Dios mío, mi rey.

O bien: **R. Aleluya.**

El Señor es clemente y misericordioso,
　lento a la cólera y rico en piedad;
el Señor es bueno con todos,
　es cariñoso con todas sus creaturas. **R.**

Que todas tus creaturas te den
　gracias, Señor,
que te bendigan tus fieles;
que proclamen la gloria de tu reinado,
que hablen de tus hazañas. **R.**

Explicando tus proezas a los hombres
　la gloria y majestad de tu reinado.
Tu reinado es un reinado perpetuo,
　tu gobierno va de edad en edad. **R.**

II LECTURA　Apocalipsis 21:1–5

Lectura del libro del Apocalipsis del apóstol san Juan

Yo, Juan, vi un cielo **nuevo** y una tierra **nueva**,
　porque el **primer** cielo y la **primera** tierra
　　habían **desaparecido** y el mar ya **no existía**.

También vi que **descendía** del cielo, desde donde **está Dios**,
　la ciudad **santa**, la **nueva** Jerusalén,
　engalanada como una novia,
　que va a **desposarse** con su prometido.
Oí una **gran** voz, que **venía** del cielo, que decía:

　"**Esta es** la morada de Dios con los hombres;
　vivirá con ellos como su Dios
　y **ellos** serán su pueblo.
Dios les enjugará **todas** sus lágrimas
　y ya **no habrá** muerte ni duelo,
　ni penas ni llantos,
　porque **ya** todo lo antiguo **terminó**".

Entonces el que estaba **sentado** en el trono, dijo:
　"**Ahora** yo voy a hacer **nuevas todas** las cosas".

Respira con el diafragma y desde allí dale volumen a tu voz para explayar esta majestuosa visión. Alarga un tiempo las pausas entre los parágrafos uno, dos y cuatro.

Remarca la fórmula de alianza y ralentiza las frases de consuelo.

No olvides hacer contacto visual al momento de pronunciar la fórmula litúrgica conclusiva.

La lectura nos invita a calibrar la función de nuestras organizaciones eclesiales, que están destinadas a apoyar la fe de todos hermanos, y a mantener la apertura comunitaria. Un gran aparato organizativo puede ser un obstáculo para perseverar en la fe. Con oración y ayuno hay que explorar formas nuevas de apoyo, que respondan a las necesidades de los hombres de nuestro tiempo.

II LECTURA　El final del libro del Apocalipsis nos coloca ante una maravillosa visión: la nueva creación. La descripción es entusiasta y llena de esperanza en la resurrección. Lo sucedido en Cristo se amplía a todo el cosmos. Nace lo nuevo. Lo viejo desaparece, incluido el mar, que designa ese lugar caótico y amenazante de donde surgen las bestias que destruyen a los humanos. La imagen dominante, sin embargo, es la Nueva Jerusalén, la ciudad celeste. La descripción detallada de la ciudad ocupará el resto del capítulo veintiuno; ahora solo escuchamos su presentación que da el sentido primario de la imagen: "es la morada de Dios con los hombres".

Si la ciudad desciende ataviada como novia, se debe al trasfondo mesiánico de los desposorios del Mesías de Dios. La imagen viene interpretada por una voz celeste, en los conocidos términos de alianza.

La fórmula de la alianza estipula la exclusiva relación de intimidad entre Dios y su pueblo: "Yo seré su Dios y ellos serán mi pueblo" (Jer 31:33; Ez 37:27; ver Ex 19:5). Esta relación significa para el pueblo vivir bajo la protección divina, y el templo representaba esa presencia estipulada en la alianza y voceada por los profetas una vez y otra (ver Ex 25:8; Zac 2:14). Ahora no hay

No es fácil mostrar una majestuosa cercanía. Nota el cambio de tono en el segundo párrafo.

Con cariño, pero sin artificio apoya cada línea del mandamiento nuevo.

EVANGELIO   Juan 13:31–33, 34–35

Lectura del santo Evangelio según san Juan

Cuando Judas **salió** del cenáculo, Jesús dijo:
  "**Ahora** ha sido **glorificado** el Hijo del hombre
    y Dios ha sido glorificado en él.
  Si Dios ha sido glorificado **en él**,
    también Dios lo glorificará **en sí mismo**
    y **pronto** lo glorificará.

Hijitos, **todavía** estaré un poco con ustedes.
Les doy un mandamiento **nuevo**:
    que **se amen** los unos a los otros, **como yo** los he amado;
    y por **este** amor reconocerán **todos**
        que **ustedes** son mis discípulos".

templo sino un espacio mucho más extenso que es la ciudad. Allí mora Dios, y esto garantiza a los suyos suprimir todo lo que causa pena y dolor, pues esto pertenece al "mundo viejo".

La comunidad de los creyentes, la Iglesia, añora y trabaja por ese momento en el que el dolor quede aniquilado; su vocación es la novedad de lo imperecedero.

EVANGELIO La glorificación de Jesús, en términos del evangelista, equivale a la exaltación en cruz. Esta exaltación de Jesús se realiza bajo la figura del Hijo del Hombre, que es cifra de su humanidad vulnerable y de su revelación también. Este segundo aspecto será mejor comprendido por los discípulos cuando Jesús ya no esté con ellos, por eso habla veladamente de su partida. Tomemos en cuenta, sin embargo, que la presencia glorificada de Jesús con los suyos se da en el mandamiento nuevo; es nuevo este mandato porque pertenece a las cosas definitivas que comentamos en la lectura previa.

El cristiano participa de la glorificación entre Padre e Hijo en el ejercicio del amor discipular recíproco. Esta es la vía para que todos reconozcan a los cristianos. No hay otra válida.

VI DOMINGO DE PASCUA

I LECTURA   Hechos 15:1–2, 22–29

Lectura del libro de los Hechos de los Apóstoles

La lectura es amplia, pero no pierde interés. Acelera un tanto en este párrafo, pero sin perder el fraseo.

En **aquellos** días,
    vinieron de Judea a Antioquía algunos discípulos
    y se pusieron a **enseñar** a los hermanos que,
    si **no se circuncidaban** de acuerdo con **la ley** de Moisés,
    no **podrían** salvarse.
Esto **provocó** un altercado
    y una **violenta** discusión con Pablo y Bernabé;
    al fin se decidió que Pablo, Bernabé y algunos más
        fueran **a Jerusalén** para tratar el asunto
    con los **apóstoles** y los presbíteros.

Los apóstoles y los presbíteros,
    de acuerdo con toda la comunidad cristiana,
    juzgaron **oportuno** elegir a algunos de entre ellos
    y enviarlos a Antioquía con Pablo y Bernabé.
Los elegidos fueron **Judas** (llamado Barsabás) y **Silas**,
    varones **prominentes** en la comunidad.
A **ellos** les entregaron una carta que decía:

La carta contiene un resumen de la situación y lo resuelto. Distingue ambos momentos.

"**Nosotros**, los apóstoles y los presbíteros,
    hermanos suyos, **saludamos** a los hermanos de Antioquía,
Siria y Cilicia, convertidos del paganismo.

I LECTURA   Es normal que las comunidades cristianas vean surgir tensiones en su seno, conforme integran elementos de distinta procedencia. Esta no debe ser causa de fragmentación, sino de búsqueda sincera de una solución que satisfaga a todos los creyentes y fortalezca su unidad.

Lo escuchado en la lectura de hoy es uno de los puntos cruciales del cristianismo de los orígenes. Las comunidades cristianas de la diáspora estaban experimentando un florecimiento inesperado porque los paganos se adherían a la comunidad de fe. Esto, sin

embargo, resultaba problemático para los judíos que no admitían convivir con incircuncisos, dado que las prescripciones de la ley de Moisés se los prohibía. Surgió el conflicto, y la necesidad de consensuar medidas.

El punto a tratar no es meramente dietético o disciplinario, como pudiera entreverse de una lectura ligera de lo proclamado hoy. Si atendemos a los versos omitidos y que contienen las posiciones de ambos lados (Hechos 15:3–21), podemos advertir claramente que en juego está el alcance de la fe en la muerte y resurrección de Jesús en vistas a la salvación de Dios respecto a los pa-

ganos, frente a la circuncisión, que es el requisito necesario para participar de la alianza con Dios. Esta problemática es la tratarán en Jerusalén los enviados por la comunidad de Antioquía con los líderes de Jerusalén, de donde habían llegado los maestros que perturbaron a los antioquenos.

La resolución que adoptan los líderes comienza por descalificar a los judaizantes y sus enseñanzas, y encomia a los enviados antioquenos, Pablo y Bernabé, pero tampoco adopta su postura. La resolución va en forma de carta que portan Judas y Silas, apóstoles de Jerusalén. La solución es algo

Apuntala la frase donde se menciona al
Espíritu Santo, para que quede claro que no
es una arbitrariedad lo que se dictamina.

Enterados de que **algunos** de entre nosotros,
   sin mandato **nuestro**,
   los han **alarmado e inquietado** a ustedes con sus palabras,
   hemos decidido de **común** acuerdo
      elegir a dos varones y enviárselos,
   en compañía de nuestros **amados hermanos** Pablo y Bernabé,
   que han **consagrado** su vida
      a la causa de **nuestro Señor Jesucristo**.
Les enviamos, pues, a Judas y a Silas,
   quienes les trasmitirán, **de viva voz**, lo siguiente:
   '**El Espíritu Santo** y nosotros
      hemos **decidido** no imponerles más cargas
      que las **estrictamente** necesarias.
A saber: que se **abstengan** de la fornicación
   y de **comer** lo inmolado a los ídolos,
   la sangre y los animales **estrangulados**.
Si se apartan de esas cosas, **harán bien**'.
Los saludamos".

SALMO RESPONSORIAL   Salmo 67:2–3, 5, 6 y 8
R. Oh Dios, que te alaben los pueblos, que todos los pueblos te alaben.

O bien: **R. Aleluya.**

Para meditar

El Señor tenga piedad y nos bendiga,
   ilumine su rostro sobre nosotros;
conozca la tierra tus caminos,
todos los pueblos tu salvación. **R.**

Que canten de alegría las naciones,
   porque riges el mundo con justicia,
   riges los pueblos con rectitud
   y gobiernas las naciones de la tierra. **R.**

Oh Dios, que te alaben los pueblos,
   que todos los pueblos te alaben.
Que Dios nos bendiga; que le teman
   hasta los confines del orbe. **R.**

---

más que dietética, pues implica para los paganos un distanciamiento claro de los usos o costumbres a los que estaban habituados. La resolución va en línea con los mandatos noáquicos o de Noé que correspondían a una especie de "ley natural" y que permitía a los judíos vivir en medio de los paganos. Estos mandamientos consisten en seis prohibiciones (blasfemar, idolatría, lujuria, derramamiento de sangre, robo y disfrute de cualquier miembro de un animal viviente) y una prescripción (administrar justicia).

Es de suma importancia en la solución de tensiones y conflictos atender a todas las partes involucradas, y más cuando se trata de asuntos que conciernen a la unidad de los creyentes. Las soluciones deben corresponder a las necesidades de las personas y abrir vías a la novedad que el Espíritu de Dios vaya suscitando para que la palabra de la salvación llegue a cada generación de creyentes.

II LECTURA En la literatura apocalíptica son frecuentes las visiones y las audiciones, e igualmente los viajes o traslados del vidente de un sitio a otro, para obtener una vista absoluta, a escala, de los secretos a revelar. El Vidente de Patmos es transportado a un monte muy alto para contemplar la ciudad santa. La lectura de hoy toma unas partes de la descripción de la ciudad que desciende vestida de la gloria del cielo. Esta ciudad es cifra de la comunión de Dios con sus fieles.

Los elementos de la ciudad, muralla y puertas de acceso, rememoran al pueblo de Dios completo y universal, al que se accede desde los cuatro puntos cardinales; el número doce es su símbolo. La descripción conjunta al antiguo Israel con el nuevo. Llamativamente, lo nuevo le sirve de cimiento

II LECTURA   Apocalipsis 21:10–14, 22–23

Lectura del libro del Apocalipsis

Es una visión que contiene un anhelo irrefrenable de Dios. Únete espiritualmente a san Juan y háblale con vehemencia a la asamblea.

Un ángel me transportó **en espíritu** a una montaña elevada,
   y **me mostró** a Jerusalén, la ciudad santa,
   que **descendía** del cielo,
   resplandeciente con la **gloria** de Dios.
Su **fulgor** era semejante al de una piedra **preciosa**,
   como el de un diamante **cristalino**.

Tenía una muralla **ancha y elevada**,
   con doce puertas **monumentales**,
   y sobre ellas, **doce** ángeles y **doce** nombres escritos,
   los nombres de las **doce** tribus de Israel.
Tres de estas puertas daban al oriente,
   tres al norte, **tres** al sur y **tres** al poniente.
La muralla descansaba sobre **doce** cimientos,
   en los que estaban escritos
     los **doce** nombres de los **apóstoles** del Cordero.

Nota las frases negativas que apuntan a lo positivo. Resalta esto con entusiasmo.

No vi **ningún** templo en la ciudad,
   porque el **Señor** Dios todopoderoso
   y el **Cordero**
   son el templo.
No necesita la luz del sol o de la luna,
   porque la **gloria** de Dios la ilumina
   y el **Cordero** es su lumbrera.

a lo antiguo, lo que nos habla ya de que es el Cordero el sustento de la ciudad entera, el punto de la comunión de vida, y no lugar alguno.

Los versos finales de la descripción delatan la visión cristiana: no hay edificio alguno o templo en la ciudad para la presencia de Dios y del Cordero, ni hay calendario alguno que rija este encuentro de los hombres con Dios. Con estos atributos, el profeta de Patmos está señalando que la cercanía de Dios y del Cordero es tal que no requiere de mediación alguna, ni de tiempo ni de lugar; toda mediación resulta superf-

lua, porque la gloria de Dios, aquello que el culto litúrgico vislumbra, es ya una realidad patente e inmediata.

Esta lectura dice algo muy importante a los que vamos caminando tras del Señor. Caminamos con la marca de la pascua. Sabemos que nuestras limitaciones no nos impedirán llegar a esa ciudad, donde la presencia de Dios será definitiva y donde no habrá separatismos ni límites. El deseo de infinito que Dios puso en nuestro ser llegará a hacerse realidad. Jornada tras jornada nos acercamos a ese "hasta que descanse en

ti", tan deseado por san Agustín, y por cada comunidad cristiana.

EVANGELIO La liturgia de esta fecha quiere avivar en nosotros el deseo ferviente de encontrarnos con Cristo. A este encuentro no vamos a ciegas ni solos, sino provistos con la luz de la palabra y la guía del Santo Espíritu.

El segmento del evangelio que hemos escuchado está tomado de la primera despedida del Mesías. En ella, encontramos una especie de sumario de lo que ha sido el quehacer revelador de Jesús y una serie de pro-

EVANGELIO   Juan 14:23–29

Lectura del santo Evangelio según san Juan

En aquel tiempo, Jesús dijo a sus discípulos:
"El que me ama, **cumplirá** mi palabra
   y **mi Padre** lo amará
   y haremos **en él** nuestra morada.
El que no me ama **no cumplirá** mis palabras.
La palabra que están oyendo no es **mía**,
   sino del **Padre**, que me envió.
Les he hablado de esto **ahora** que estoy con ustedes;
   pero el **Consolador**,
   el **Espíritu Santo** que mi Padre les enviará **en mi nombre**,
   les enseñará **todas** las cosas
   y les recordará **todo** cuanto yo les he dicho.

La **paz** les dejo, **mi paz** les doy.
No se la doy como la da **el mundo**.
No **pierdan** la paz ni se acobarden.
Me han oído decir: 'Me voy, pero **volveré** a su lado'.
Si me amaran, se **alegrarían** de que me **vaya** al Padre,
   porque el Padre es **más** que yo.
Se los he dicho **ahora, antes** de que suceda,
   para que cuando suceda, **crean**".

Identifica las partes del evangelio por sus temas, y aunque están vinculados entre sí, procura distinguirlos en la proclamación.

Nota que cambia el tópico. Haz una pausa antes de iniciar con lo del Consolador.

En este segmento marca también con una pausa de dos tiempos la diferencia entre los dos asuntos principales.

---

mesas que le ha de dar al grupo discipular la certeza de que camina rectamente al reencuentro con su Señor. Podemos anotar tres elementos en esta exposición.

Aunque Jesús parece ausente, en realidad está presente en su palabra. Es una palabra que tiene forma de mandato a cumplir, y que consiste en el mandamiento nuevo del amor mutuo. Si antes este mandato tenía un tinte manifestativo ante el mundo, ahora se subraya su impronta inmanente: el Padre y el Hijo habitan en el creyente. Guardar la palabra de Jesús es el parámetro del amor discipular, y la única vía de entrar en unión con el Padre.

El segundo elemento es la presencia del Consolador, otra palabra para referirse al Espíritu Santo. Él va a conducir como un pedagogo al discípulo en las situaciones inusitadas que se vayan presentando en el seguimiento de Jesús. El Espíritu recordará la palabra de Jesús y conectará esa palabra con la realidad que lo rodea. Él santifica la realidad transformándola con la palabra revelada por Jesús.

El tercer elemento es la paz del Resucitado. La paz no es conformismo ni pasividad. Es más bien la serena certeza del discípulo que se sabe en ruta al encuentro con su Señor. La paz destierra la cobardía y el miedo, porque nace de la convicción profunda de que Dios resucitó a Jesús de entre los muertos. La paz proviene del Dios de la vida y es la causa de la alegría de los discípulos.

La ruta de la comunidad de los discípulos de Cristo está marcada con sus dones escatológicos: su palabra, su Espíritu y su paz. Con estas certezas caminamos en la fe al encuentro definitivo.

LA ASCENSIÓN DEL SEÑOR

En su introducción, el autor del libro hace un resumen de lo que ha pasado. Léelo pausadamente y cambia de tono cuando llegue la narración en presente, para distinguirlo.

La promesa de la venida del Espíritu Santo debe resonar.

I LECTURA   Hechos 1:1–11

Lectura del libro de los Hechos de los Apóstoles

En mi **primer** libro, querido Teófilo,
    escribí acerca de **todo** lo que Jesús hizo y **enseñó**,
    hasta el día en que **ascendió** al cielo,
    después de dar sus instrucciones,
    por medio del **Espíritu Santo**,
    a los apóstoles que había **elegido**.
A ellos se les **apareció** después de la pasión,
    les dio **numerosas** pruebas de que estaba **vivo**
    y durante **cuarenta** días se dejó ver por ellos
    y les habló del **Reino** de Dios.

Un día, estando con ellos a la mesa, **les mandó**:
    "**No** se alejen de Jerusalén.
Aguarden aquí a que se **cumpla**
        la promesa de **mi** Padre, de la que **ya** les he hablado:
Juan bautizó **con agua**;
    dentro de **pocos** días
    ustedes serán
    bautizados con el Espíritu Santo".

I LECTURA La exaltación de Jesús a la derecha del Padre debía interpretarse como una elevación, en un universo dividido en cielo, espacio sagrado y habitación de Dios; tierra, donde acontece la historia humana; e infiernos, Hades, Sheol, habitación de los muertos. Ya tradiciones más antiguas, como Filipenses 2:6–11, expresaban el misterio de la encarnación y la resurrección en términos de bajada (abajamiento) y subida (exaltación). La nube que oculta a Jesús en su subida expresa esta misma realidad, dado que la nube es, en muchos textos del Antiguo Testamento, signo de la presencia divina. Jesús, efectivamente, ha entrado en el espacio de Dios para ser Señor, por su exaltación a la derecha del Padre.

El relato muestra a los discípulos *viendo* la subida de su Maestro. A entender esto puede ayudarnos el ascenso de Elías (2 Reyes 2:1–18). En este relato Eliseo solicita ser el heredero y continuador de la misión de su Maestro: "Déjame en herencia dos tercios de tu espíritu". La respuesta de Elías muestra la importancia del ver: "Si logras verme cuando me aparten de tu lado, lo tendrás: si no me ves, no lo tendrás". Cuando Elías fue arrebatado al cielo, Eliseo lo vio, y quedó constituido en continuador de la misión de su maestro, como reconocen los otros profetas que lo acompañaban: "¡Se ha posado sobre Eliseo el espíritu de Elías!".

En su evangelio, Lucas ha mostrado interés en presentar a Jesús como nuevo Elías. De ahí su insistencia en que los discípulos *vean* la subida de Jesús. El mensaje para la asamblea litúrgica es claro. Cada uno de los discípulos y discípulas es un heredero de la misma misión de Jesús. Hemos recibido su Espíritu en vistas a continuar su tarea en el mundo.

Los ahí reunidos le preguntaban:

"**Señor**, ¿ahora sí vas a **restablecer** la soberanía de Israel?"

Jesús les contestó:

"A ustedes **no** les toca **conocer** el tiempo y la hora
que el Padre **ha determinado** con su autoridad;
pero cuando el Espíritu Santo **descienda** sobre ustedes,
los **llenará** de fortaleza y serán **mis testigos** en Jerusalén,
en **toda** Judea, en Samaria
y hasta los **últimos** rincones de la tierra".

Dicho esto, se fue **elevando** a la vista de ellos,
hasta que una nube lo **ocultó** a sus ojos.
Mientras miraban **fijamente** al cielo, **viéndolo** alejarse,
se les presentaron **dos hombres** vestidos de blanco,
que les dijeron:

"**Galileos**, ¿qué hacen **allí** parados, **mirando** al cielo?
Ese **mismo** Jesús que los ha dejado para **subir** al cielo,
volverá como lo han visto alejarse".

Para meditar

SALMO RESPONSORIAL   Salmo 47:2–3, 6–7, 8–9

R. Dios asciende entre aclamaciones; el Señor, al son de trompetas.

O bien: **R. Aleluya.**

Pueblos todos, batan palmas,
aclamen a Dios con gritos de júbilo;
porque el Señor es sublime y terrible,
emperador de toda la tierra. **R.**

Dios asciende entre aclamaciones;
el Señor, al son de trompetas:
toquen para Dios, toquen,
toquen para nuestro Rey, toquen. **R.**

Porque Dios es el rey del mundo:
toquen con maestría.
Dios reina sobre las naciones,
Dios se sienta en su trono sagrado. **R.**

Ser testigos de Cristo es la misión de cada cristiano. Haz que la asamblea asuma esa encomienda.

II LECTURA En el corazón mismo del sermón que trata de demostrar el sacerdocio de Cristo, que la tradición recibió con el nombre de Carta a los Hebreos, se encuentra el texto que hoy escuchamos como segunda lectura en la fiesta de la Ascensión. Toda la carta tiene el objetivo de mostrar cómo y por qué Jesús es infinitamente superior a los sacerdotes del Antiguo Testamento. La argumentación central de la carta se encuentra en los capítulos 7:1—10:18. Dos fragmentos de esta sección se reúnen en esta fiesta litúrgica de la Iglesia.

En el primer segmento (9:24–28), el autor de la carta hace una comparación entre dos tiendas distintas: el santo de los santos del Templo de Jerusalén, a donde el Sumo Sacerdote entraba una vez al año para rociar con la sangre el altar y conseguir así el perdón de los pecados para sí mismo y para todo el pueblo; y el cielo, verdadero lugar donde Dios habita. Ahora bien, lo que el antiguo culto sacerdotal no pudo lograr, lo ha alcanzado Jesús con su muerte y resurrección, pues nos ha abierto la posibilidad de un encuentro auténtico con Dios. Los sacerdotes antiguos entraban año con año

a la estancia más sagrada del templo, pero no alcanzaron conseguir lo que buscaban y la prueba era que necesitaba repetir el mismo rito al año siguiente. Jesús, en cambio, con su sacrificio ha conseguido el perdón de nuestros pecados de una vez para siempre.

El segundo segmento (10:19–23) es una invitación a sacar las conclusiones prácticas del misterio que se ha expuesto. La glorificación de Jesús ha de tener un significado personal para cada cristiano. Este nuevo camino de encuentro con Dios que Jesús ha abierto debe ser seguido por quienes nos

II LECTURA   Efesios 1:17–23

Lectura de la carta del apóstol san Pablo a los efesios

Hermanos:
Pido al Dios de **nuestro Señor** Jesucristo,
    el **Padre** de la gloria,
      que les conceda espíritu de **sabiduría**
      y de **reflexión** para conocerlo.

Le pido que les **ilumine** la mente para que **comprendan** cuál
    es la esperanza que les da su **llamamiento**,
    cuán **gloriosa** y rica es la **herencia** que
      Dios da a los que **son suyos** y cuál la extraordinaria
      grandeza de su poder para **con nosotros**,
    los que **confiamos** en él,
    por **la eficacia** de su fuerza poderosa.

Con esta fuerza **resucitó** a Cristo
    de entre los muertos y lo hizo **sentar** a su derecha en **el cielo**,
      por **encima** de todos los **ángeles**, principados, **potestades**,
      virtudes y **dominaciones**,
    y por encima de **cualquier persona**,
    no sólo del **mundo actual** sino también del **futuro**.

Todo lo puso bajo sus pies y a **él mismo**
    lo constituyó **cabeza suprema** de la Iglesia,
    que es su cuerpo, y la plenitud del que lo
      consuma **todo en todo**.

Abreviada: *Hebreos 9:24–28, 10:19–23*

Jesucristo ha entrado victorioso para sentarse a la derecha de Dios. Aquel nos abre el camino al cielo. Anúncialo en tu lectura con claridad y firmeza.

La invitación a la acción debe ser sentida por los oyentes como dirigida a cada uno. Dirígete a la asamblea de manera que se sientan personalmente interpelados.

---

llamamos discípulos suyos. Tenemos ahora el poder de acercarnos con toda seguridad hasta Dios, porque con Cristo todo ha cambiado, se ha inaugurado un nuevo camino. Nuestro pasaporte al Padre es Jesús; su vida es el camino que nos conduce a Dios. La Iglesia nos recuerda hoy la necesidad de adherirnos en plenitud al proyecto de vida manifestado en Jesús.

EVANGELIO Nuestro pasaje es la continuación de la aparición de Jesús a los discípulos narrada por san Lucas. En dicho pasaje (24:36–43), Jesús come con sus amigos para mostrarles su cercanía, eliminar las suposiciones de que es un fantasma y manifestar que, aunque con un cuerpo glorificado y una nueva apariencia, es el mismo Jesús de Nazaret que conviviera con ellos durante los últimos años. La incredulidad de los discípulos se transforma entonces en gozo.

En una suerte de despedida, Jesús resucitado repasa de nuevo con los discípulos las Escrituras antiguas, leídas ahora con los anteojos de la pasión y resurrección del Mesías. Subraya que el efecto del misterio pascual es que pueda proclamarse en el mundo la necesidad de volverse a Dios y el perdón de los pecados. Esta va a ser la misión que Jesús herede al movimiento de discípulos y discípulas que llevarán adelante su obra: el anuncio del perdón, conseguido por la entrega de Jesús y la necesidad de adecuar la vida toda a la gracia que se nos ha concedido en él. Llevar adelante esa encomienda requiere de una fuerza que sobrepasa las posibilidades humanas. Por eso Jesús les pide que no se alejen de la ciudad y les promete el Espíritu Santo, la fuerza que viene de lo Alto.

EVANGELIO   Lucas 24:46–53

Lectura del santo Evangelio según san Lucas

En aquel tiempo,
Jesús se **apareció** a sus discípulos y les dijo:
"**Está escrito** que el Mesías **tenía** que padecer
y había de **resucitar** de entre los muertos al **tercer** día,
y que en **su nombre** se había de predicar a **todas** las naciones,
comenzando por Jerusalén,
la **necesidad** de volverse a Dios y el **perdón** de los pecados.
Ustedes son **testigos** de esto.
Ahora yo les voy a enviar al que mi Padre **les prometió**.
Permanezcan, pues, **en la ciudad**,
hasta que **reciban** la fuerza de lo alto".

Después salió con ellos **fuera** de la ciudad,
hacia un lugar cercano a Betania;
levantando las manos, **los bendijo**,
y **mientras** los bendecía,
se fue apartando de ellos y **elevándose** al cielo.
Ellos, después de adorarlo,
regresaron a Jerusalén, **llenos** de gozo,
y permanecían **constantemente** en el templo,
alabando a Dios.

Son las últimas palabras de Jesús antes de su subida al Padre. Proclámalas para que la asamblea sienta que es suya la promesa del Espíritu.

La bendición de Jesús es prenda de seguridad de su presencia amorosa. Transmite en tu lectura esta seguridad a los escuchas.

Una vez dejado este postrer mensaje, Lucas narra escuetamente la Ascensión. La subida de Jesús tiene lugar en Betania. Jesús levanta las manos y bendice a sus discípulos, una acción que estaba reservada solamente a los sacerdotes. En esto hay un punto de contacto entre la segunda lectura y el evangelio. En esta bendición final que Jesús ofrece se condensa el cumplimiento de las promesas hechas a Abrahán: en tu descendencia serán benditos todos los pueblos de la tierra (Génesis 12:3; 22:18).

Jesús se aparta de ellos, elevándose al cielo. Por Hechos de los Apóstoles, segundo tomo de la obra de Lucas, sabemos que no es el final de la relación entre Jesús y sus discípulos. La efusión del Espíritu Santo hará todavía más real la presencia de Jesús en medio de sus seguidores. Los discípulos se postran en un gesto de adoración ante Cristo; no es una simple partida del Maestro, se trata del privilegio de verlo entrar a su glorificación final a la derecha del Padre.

A nosotros nos queda ser continuadores de la presencia de Jesús en el mundo.

VII DOMINGO DE PASCUA

Esteban está a punto de morir. Contempla a Jesús glorificado y se llena de gozo. Transmite esa alegría en tu lectura.

Esteban será linchado. Los sucesos son vertiginosos. Haz sentir la agitación del linchamiento.

En medio del tumulto, Esteban es un remanso de paz. Lee pausadamente y con devoción su gesto de perdón y su muerte tranquila.

I LECTURA   Hechos 7:55–60

Lectura del libro de los Hechos de los Apóstoles

En aquellos días,
    Esteban, **lleno** del Espíritu Santo, miró al cielo,
    vio la **gloria** de Dios y a Jesús,
    que estaba de pie a **la derecha** de Dios, y dijo:
    "Estoy viendo los cielos **abiertos**
    y al **Hijo** del hombre **de pie** a la derecha de Dios".

Entonces los miembros del sanedrín **gritaron** con fuerza,
    se **taparon** los oídos
    y **todos a una** se precipitaron sobre él.
Lo sacaron **fuera** de la ciudad y empezaron a **apedrearlo**.
Los **falsos** testigos depositaron sus mantos
    a los pies de un joven, llamado **Saulo**.

Mientras lo apedreaban, Esteban **repetía** esta oración:
    "Señor Jesús, **recibe** mi espíritu".
Después se puso de rodillas y dijo con **fuerte** voz:
    "**Señor**, no les tomes en cuenta este pecado".
Y diciendo esto, **se durmió** en el Señor.

I LECTURA   Del capítulo 6 al 15, el libro de los Hechos de los Apóstoles nos muestra el crecimiento gradual de las comunidades cristianas que comienzan a dispersarse fuera de las fronteras de Palestina. A ello contribuyó, es cierto, la persecución por parte del sanedrín en contra los cristianos de habla griega (cap. 8), pero eso no opaca el ardor misionero que recorría a las comunidades primitivas. En este contexto, el capítulo 7 nos narra la muerte del primer mártir registrado en el libro de los Hechos, Esteban, un cristiano de habla griega. Ya desde el capítulo 6:8–15 y durante todo el capítulo 7 nos enteramos de su labor misionera y de las dificultades que fue encontrando.

Hay muchas similitudes entre la muerte de Jesús y la de Esteban. Comenzando por un juicio ilegal, promovido por las autoridades judías y lleno de testigos falsos, pasando por la acusación de que había hablado en contra del templo (7:12–13), hasta terminar con las palabras pronunciadas por el mártir que, mientras era apedreado, se dirige a Jesús con la fórmula con la que el mismo Salvador se había dirigido al Padre en el momento de la crucifixión: "En tus manos encomiendo mi espíritu"; y al igual que Jesús, perdona a sus agresores: "No les tomes en cuenta este pecado". Esteban se convierte así en modelo de muerte para las primeras generaciones cristianas. Quien se compromete a vivir como Jesús, debe tener en cuenta la posibilidad de morir como él.

Este domingo es bueno recordar los numerosos mártires con los que Dios ha premiado la fidelidad de la iglesia en estos últimos tiempos. Los beatos Carlos de Foucauld y Monseñor Romero son solamente

Para meditar

SALMO RESPONSORIAL   Salmo 97:1 y 2b, 6 y 7c, 9

R. El Señor reina, altísimo sobre toda la tierra.

O bien **R. Aleluya.**

El Señor reina, la tierra goza,
 se alegran las islas innumerables.
Justicia y derecho sostienen su trono. **R.**

Los cielos pregonan su justicia,
 y todos los pueblos contemplan su gloria.
Ante él se postran todos los dioses. **R.**

Porque Tú eres, Señor,
 altísimo sobre toda la tierra,
 encumbrado sobre todos los dioses. **R.**

II LECTURA   Apocalipsis 22:12–14, 16–17, 20

Lectura del libro del Apocalipsis del apóstol san Juan

El testimonio de Juan es sobrecogedor. Jesús proclama su identidad más honda. Lee cada frase respetando la puntuación, para garantizar la comprensión de los oyentes.

Yo, Juan, **escuché** una voz que me decía:
 "Mira, **volveré** pronto y **traeré** conmigo la recompensa
  que voy a dar a cada uno **según** sus obras.
Yo soy el Alfa y la Omega,
 yo soy el primero y el último, el principio y el fin.
Dichosos los que lavan su ropa en la **sangre** del Cordero,
 pues ellos tendrán derecho
  a **alimentarse** del árbol de la vida
 y a **entrar** por la puerta de la ciudad.

Yo, **Jesús**, he enviado a mi ángel
  para que **dé testimonio** ante ustedes
  de **todas** estas cosas en sus asambleas.
Yo soy el retoño de la estirpe de David,
 el **brillante lucero** de la mañana".

Toda la comunidad ha de participar de esta gozosa espera. La invitación ha de ser leída con esperanza.

El Espíritu y la Esposa dicen: "¡**Ven!**"
El que oiga, diga: "¡**Ven!**".
El que tenga sed, **que venga**,
 y el **que quiera**, que venga a beber **gratis**
  del agua de la vida.

---

algunos de los testimonios de la acción del Espíritu en épocas recientes.

II LECTURA Los capítulos 21 y 22 son la conclusión del libro del Apocalipsis. Todo el libro puede leerse como una batalla encarnizada entre las fuerzas del mal, particularmente el sistema sociopolítico del Imperio Romano que tantos mártires produjo, y los seguidores del Cordero Degollado, hermosa figura que condensa el misterio pascual de Jesús. Luego, estos últimos dos capítulos ofrecen el cierre

y el triunfo definitivo de Dios por encima de las fuerzas del mal.

Estos dos capítulos son una clausura digna de toda la tradición bíblica, que comenzara en el paraíso de Génesis 1–2, con Dios conversando con Adán como si fuera un amigo y se desarrollara después en la teología de la alianza y en la literatura profética y sapiencial. Ahora la situación es todavía mejor en el esplendor del triunfo final de Jesús muerto y resucitado. Muchos de los signos incluidos en esta conclusión, en efecto, están tomados del Antiguo Testamento. Se trata de una segunda y nueva

creación, por eso aparece el árbol de la vida. La ciudad que desciende del cielo, figura de la comunidad cristiana, es la morada de Dios entre los hombres en la que no hay ningún templo, porque ningún signo externo será ya necesario frente a la gloriosa realidad del cumplimiento total. Dios es, por fin, *Dios-con-nosotros*. No ha sido una lucha sin sentido la de los discípulos del Cordero. Por el contrario, si algo nos comunica el triunfo de Cristo Jesús muerto y resucitado es la certidumbre novedosa de que, además de ser posible, el paraíso —y no un lugar geográficamente localizable sino las bodas

Quien **da** fe de todo esto **asegura:**
   "**Volveré** pronto". **Amén.**
¡**Ven**, Señor Jesús!

EVANGELIO   Juan 17:20–26

Lectura del santo Evangelio según san Juan

En aquel tiempo,
   Jesús **levantó** los ojos al cielo y dijo:
   "**Padre**, no **sólo** te pido por mis discípulos, sino **también**
      por los que **van a creer** en mí por la **palabra** de ellos,
   para que todos **sean uno,**
   como tú, **Padre**, en mí y yo en ti somos uno,
   a fin de que **sean uno** en nosotros
   y el mundo **crea** que **tú** me has enviado.

Yo les he dado la **gloria** que tú me diste,
   para que **sean uno,** como **nosotros** somos uno.
Yo **en ellos** y tú **en mí**, para que su unidad sea **perfecta**
   y así el mundo **conozca** que **tú** me has enviado
   y que los **amas,** como me amas **a mí.**

Padre, quiero que donde **yo esté,**
   estén también **conmigo** los que me has dado,
   para que **contemplen** mi gloria, la que me diste,
   porque me has amado desde **antes** de la creación del mundo.

Padre **justo**, el mundo **no** te ha conocido;
   pero **yo sí** te conozco
   y **éstos** han conocido que **tú** me enviaste.
Yo les he dado a conocer **tu nombre**
   y se lo **seguiré** dando a conocer,
   para que el amor con que me amas **esté** en ellos
   y yo **también** en ellos".

Son cuatro párrafos de la oración sacerdotal de Jesús, su más íntima comunicación con el Padre. Lee cada uno con reverencia.

La unidad entre Jesús y sus discípulos esta llamada a ser perfecta. Es un reto que deben captar los escuchas.

Dale un tono de ternura a este último párrafo, es la promesa del amor incondicional de Jesús por nosotros.

---

eternas entre Dios y la humanidad, la armonía perfecta, la felicidad plena en Dios— es el único dato verdaderamente real de nuestra fe.

Hacia esa patria caminamos. Mientras en este mundo luchamos para que no haya más lágrimas ni guerras, ni más sufrimiento ni muerte, vivimos animados por esa realidad que nos sobrepasa, esperanza que nos pone en marcha, que impide que nos desanimemos en el camino. Por eso la oración final de la Iglesia, en el seno de sus asambleas sacramentales, oración con la que cierra el libro, es "¡Ven Señor Jesús!".

EVANGELIO   En el marco de los discursos de despedida de Jesús, nos corresponde escuchar, en este VII Domingo de Pascua, un fragmento de la oración de Jesús conocida como "oración sacerdotal", tal como nos la comunica el cuarto evangelio.

Dos acentos pueden descubrirse. El primero es la relación entre el Padre y el Hijo, que implica en esta oración a los discípulos. Como en una especie de carambola a tres bandas, el amor entre el Padre y el Hijo se ha manifestado en el amor del Hijo a sus discípulos. De aquí se desprenderá el

segundo acento, el misionero. Por eso se trata de una oración por la unidad; el amor mutuo entre el Padre y el Hijo debe ser tangible al mundo a través del testimonio de amor y de unidad de los discípulos de Jesús. Sólo así, nos recuerda hoy el evangelio, será posible que el mundo "crea que Tú me has enviado".

El eco de esta lectura es mayor si se ha celebrado la fiesta de la Ascensión antes. Las lecturas van orientando a los escuchas hacia la consumación del tiempo pascual, las próximas fiestas de la efusión del Espíritu, la fiesta de Pentecostés.

PENTECOSTÉS, MISA DE LA VIGILIA

La decisión de construir la torre manifiesta un orgullo que quiere excluir a Dios de la vida de los seres humanos. Deja que eso se sienta en la lectura.

I LECTURA   Génesis 11:1–9

Lectura del libro del Génesis

En aquel tiempo,
   toda la tierra tenía una **sola lengua** y unas **mismas** palabras.
Al emigrar los hombres desde el **oriente**,
   encontraron una llanura en la región de **Sinaar**
   y ahí se **establecieron**.

Entonces se dijeron unos a otros:
   "**Vamos** a fabricar ladrillos y a **cocerlos**".
Utilizaron, pues, **ladrillos** en vez de piedra,
   y **asfalto** en vez de mezcla.
Luego dijeron:
   "**Construyamos** una ciudad y una torre
      que llegue hasta el cielo para hacernos **famosos**,
   antes de **dispersarnos** por la tierra".

El Señor **bajó** a ver la ciudad y la torre
   que los hombres estaban **construyendo** y se dijo:
   "Son un solo pueblo y hablan una **sola** lengua.
Si ya **empezaron** esta obra,
   en adelante ningún proyecto les parecerá **imposible**.
Vayamos, pues, y **confundamos** su lengua,
   para que no se **entiendan** unos con otros".

Leyendo con claridad el párrafo, deja en claro con tu tono la superioridad de Dios sobre las envidias humanas.

I LECTURA | **Génesis**. Para quien conoce la tradición del Antiguo Testamento, es imposible no caer en la cuenta de las relaciones existentes entre el relato de la Torre de Babel y la fiesta de Pentecostés. A partir del capítulo 3 del Génesis se narra la historia de la decadencia humana; el primer pecado, el primer homicidio, y el diluvio como acción purificadora de Dios ante el crecimiento del mal. Ese camino culmina con el relato de Babel, ciudad construida a espaldas de Dios y una torre signo del orgullo humano. El Señor los dispersa, confundiendo sus lenguas.

El relato, justificación etiológica del surgimiento de la variedad de idiomas, se origina en el tiempo en que "la tierra tenía una sola lengua y unas mismas palabras". En Babel, la dispersión es causada por el pecado de orgullo, por encontrar el camino de desarrollo humano al margen del querer de Dios. Dispersión por el mundo (migración) y confusión de las lenguas (diversidad) aparecen aquí como acciones punitivas o castigos de Dios. Hoy también hay tendencias monolíticas, como cuando se busca que la gente piense de la misma manera, vista de la misma manera, use la misma clase de perfume y beba la misma clase de gaseosa; que lleve el mismo corte de pelo y consuma la misma marca de tenis o zapatos. Un mundo unicolor, unipolar, unidimensional.

La fiesta de Pentecostés celebra todo lo contrario. A Dios le gusta la diversidad. La fiesta del Espíritu Santo nos recuerda que las diversidades no son obstáculos para la unidad sino elementos que la constituyen y la enriquecen. En Babel, la diversidad es vista como fuente de desunión y división. El Espíritu Santo viene a revertir lo ocurrido en Babel para producir, con su acción, la unidad en la diversidad.

Entonces el Señor los **dispersó** por toda la tierra
  y **dejaron** de construir su ciudad;
  por eso, la ciudad se llamó **Babel**,
  porque ahí **confundió** el Señor la lengua de todos los hombres
  y desde ahí los **dispersó** por la superficie de la **tierra**.

O bien:

I LECTURA   Éxodo 19:3–8, 16–20

Lectura del libro del Éxodo

En aquellos días, **Moisés** subió al monte Sinaí
  para hablar con **Dios**.
El Señor lo **llamó** desde el monte y le **dijo**:
  "Esto **dirás** a la casa de Jacob,
  esto **anunciarás** a los hijos de Israel:

  'Ustedes han visto **cómo** castigué a los egipcios
  y de qué manera los he **levantado** a **ustedes** sobre alas de águila
  y los he **traído** a mí.
Ahora bien, si **escuchan** mi voz y guardan mi **alianza**,
  serán mi especial **tesoro** entre todos los pueblos,
  aunque toda la tierra es **mía**.
Ustedes serán para mí un reino de **sacerdotes**
  y una **nación** consagrada'.
Éstas son las palabras que has de **decir** a los hijos de Israel".

Moisés **convocó** entonces a los **ancianos** del pueblo
  y les expuso todo lo que el Señor le había **mandado**.
Todo el pueblo, a una, **respondió**:
  "Haremos cuanto ha dicho el Señor".

La promesa de la alianza marca un momento solemne. El compromiso será serio. El tono de la invitación debe ser solemne.

Hay en este párrafo expresiones llenas de ternura que deben resaltarse con una lectura pausada y emocionada.

I LECTURA   **Éxodo**. La teofanía narrada en Éxodo 19 es un segundo acontecimiento del Antiguo Testamento que nos ayuda a comprender la hondura del misterio celebrado en Pentecostés. El pueblo ha dejado la esclavitud de Egipto y, en su andar a la tierra prometida, ha llegado a las faldas del Sinaí. Aquí, el pueblo recibirá de Dios la oferta de la alianza. Para ser el especial tesoro de Dios entre los pueblos y constituir la nación consagrada que Dios quiere para sí, el pueblo deberá aceptar las cláusulas de la alianza, la Ley de Moisés, y encontrar en ella su gozo.

La entrega de la Ley a Moisés está precedida por esta manifestación de Dios que combina, entre sus elementos, vientos fuertes, fuego abrasador, truenos y relámpagos, de manera que todo el monte humeaba "pues el Señor descendió en medio de ellos". Es imposible no reparar en la extrema coincidencia con el viento y fuego de Pentecostés.

La fiesta de Pentecostés (o "fiesta de las semanas") tiene un origen campesino. Es la fiesta del inicio de las cosechas y de la entrega de las primicias. Ya para tiempos de Jesús, sin embargo, había adquirido un nuevo sentido. Era la fiesta de la entrega de la Ley, que Dios hizo a Moisés para garantizarle al pueblo un sendero por el que pudiera caminar en justicia y libertad. Nosotros los cristianos le ponemos un tercer significado. Es la fiesta del don del Espíritu Santo, de esa ley del amor que ya no viene escrita en tablas de piedra sino en los corazones.

I LECTURA   **Ezequiel**. Esta unidad literaria del libro de Ezequiel está situada en el conjunto de los capítulos 33–37, sección conocida como los oráculos de esperanza y consolación. Es novedosa,

Subraya en la lectura los signos que conectan la teofanía del Sinaí con la fiesta de Pentecostés.

Al **rayar** el alba del tercer día, hubo **truenos** y relámpagos;
    una densa nube **cubrió** el monte
    y se **escuchó** un fragoroso resonar de trompetas.
Esto hizo temblar al **pueblo,** que estaba en el campamento.
Moisés hizo **salir** al pueblo para ir al **encuentro** de Dios;
    pero la gente se **detuvo** al pie del monte.
Todo el monte Sinaí humeaba,
    porque el Señor había **descendido** sobre él en **medio** del fuego.
Salía humo como de un horno y todo el monte **retemblaba**
    con violencia.
El sonido de las trompetas se hacía cada vez **más fuerte.**
Moisés **hablaba** y Dios le **respondía** con truenos.
El Señor **bajó** a la cumbre del monte
    y le dijo a Moisés que **subiera.**

O bien:

I LECTURA   Ezequiel 37:1–14

Lectura del libro del profeta Ezequiel

En aquellos días, la mano del **Señor** se posó sobre mí,
    y su **espíritu** me trasladó
    y me colocó en **medio** de un campo lleno de huesos.
Me hizo dar vuelta en torno a **ellos.**
Había una cantidad **innumerable** de huesos
    sobre la superficie del **campo**
    y estaban completamente **secos.**

Entonces el Señor me **preguntó:**
    "Hijo de hombre, ¿podrán a caso **revivir** estos huesos?"
Yo respondí: "**Señor,** tú lo **sabes**".
Él **me dijo:**
"Habla en mi **nombre** a estos huesos y diles:
    'Huesos secos, **escuchen** la palabra del Señor.

El texto narra una visión impresionante. Haz que tu lectura invite al asombro ante la escena.

Dios anuncia la vivificación de los huesos secos hasta convertirlos en cuerpos vivientes. Lee pausadamente para ayudar a la comprensión de la acción de Dios.

porque aborda un tema y una imagen que hasta este momento no habían aparecido en el libro. Se trata del profeta que es trasladado por la acción del Espíritu a un campo lleno de huesos secos. La pregunta de Dios insinúa hacia dónde irá la reflexión. Se trata de la vida, de revitalizar esos huesos secos.

En dos ocasiones seguidas, el Señor le pide al profeta realizar un conjuro. La escena es sobrecogedora. El proceso de revitalización de los huesos se lleva a cabo en presencia del profeta. Después de cumplir con el doble mandato, el profeta es testigo de cómo el Espíritu llena de nuevo los hue-

sos de carne y nervios. Los huesos recobran la vida. Son ahora personas vivientes.

Después de que Dios realiza la acción vivificadora, la interpreta para el profeta. Estos huesos simbolizan la casa de Israel. En el año 587 había sido la destrucción de Jerusalén y la culminación del proceso de destierro de los líderes del pueblo. Israel quedó convertido en una colonia insignificante del imperio babilónico. ¿Podrá volver a levantarse de sus cenizas?

Nosotros somos el nuevo Pueblo de Dios. La acción del Espíritu Santo nos ha constituido en pueblo de la nueva alianza. A

veces, sin embargo, vamos por la vida como si estuviéramos muertos y sin esperanza. La fiesta de Pentecostés nos hace recordar que es la acción del Espíritu, y no nuestras leyes y normas internas, la que nos hace Iglesia. Somos Iglesia del Espíritu, sin permiso para el desaliento.

I LECTURA | **Joel.** Profeta que desempeñó su ministerio entre los siglos VII y IV a. C., Joel es conocido como el profeta "del Día del Señor", único tema en el que se concentran sus cuatro capítulos. La efusión del Espíritu, anunciada en el

Esto **dice** el Señor Dios a estos huesos:
    He aquí que yo les **infundiré** el espíritu y revivirán.
Les **pondré** nervios, haré que les **brote** carne,
    la **cubriré** de piel, les **infundiré** el espíritu y revivirán.
Entonces **reconocerán** ustedes que yo soy el Señor'".

El profeta se descubre como agente de vida y testigo de la obra vivificante de Dios. La comunidad debe identificarse con él.

Yo pronuncié en el nombre del **Señor**
    las **palabras** que él me había **ordenado,**
    y mientras **hablaba,** se oyó un gran estrépito,
    se produjo un terremoto
    y los **huesos se juntaron** unos con otros.
Y vi cómo les iban **saliendo** nervios y carne
    y cómo se **cubrían** de piel; pero **no tenían espíritu.**
Entonces me dijo el Señor:
    "Hijo de hombre, **habla** en mi nombre al espíritu y **dile:**
    'Esto dice el Señor: **Ven, espíritu,** desde los cuatro vientos
    y **sopla sobre** estos muertos, para que vuelvan a la vida'".

Yo **hablé** en nombre del Señor, como él me había **ordenado.**
Vino sobre ellos el **espíritu,**
    revivieron y se pusieron de pie.
Era una multitud **innumerable.**
El Señor me dijo:
    "Hijo de hombre:
    Estos huesos son toda **la casa de Israel,** que ha dicho:
    '**Nuestros** huesos están secos;
    pereció nuestra esperanza y estamos **destrozados'.**
    Por eso, **habla** en mi nombre y diles:
    'Esto **dice el Señor:** Pueblo mío,
    yo mismo **abriré** sus sepulcros,
    los haré salir de ellos y los **conduciré** de nuevo
        a la **tierra** de Israel.
Cuando **abra** sus sepulcros y los **saque** de ellos, pueblo mío,
    ustedes **dirán** que yo soy el Señor.
Entonces les **infundiré** mi espíritu,
    los **estableceré** en su tierra y **sabrán** que yo,
    el Señor, lo **dije** y lo **cumplí'**".

Lee lentamente este último párrafo. Es la promesa del Espíritu, razón de la fiesta litúrgica que celebramos hoy.

pasaje que nos toca escuchar, se realiza a través de profecías, visiones, sueños. A esto tiende la profecía, a subrayar que todo el pueblo recibirá el Espíritu y será capaz de conocer a Dios.

Aunque la venida del Espíritu del Señor ocurre entre signos catastróficos (el sol se oscurece, la luna se tiñe de sangre, hay fuego y columnas de humo), este texto fue citado por el apóstol Pedro en el discurso después de Pentecostés, según el libro de los Hechos, porque contiene algunas ideas que pueden servir para comprender mejor el misterio de Pentecostés.

En primer lugar, que el Espíritu se derrame "sobre toda carne" es, para el Nuevo Testamento, el anuncio de que las fronteras de Israel ya no son diques para la acción de Dios. Las fronteras del pueblo de Dios no tienen ya que ver con la adscripción racial, antes bien con la fe en la presencia del Resucitado. También las manifestaciones extraordinarias (sueños, visiones) formaron parte del ambiente de las primeras comunidades cristianas. Finalmente, aunque no se trata de la segunda venida del Señor, Pentecostés entra ya en la era del juicio definitivo, pues la oferta de salvación se dirige a toda

la humanidad; la comunidad cristiana la repetirá y extenderá a lo largo de la historia, pero es la última llamada de Dios a los seres humanos. Ya no habrá otra. Quienes hemos recibido el Espíritu en el bautismo somos privilegiados, como bien dice el prefacio VI: "Mientras peregrinamos en este mundo, no sólo experimentamos cada día las pruebas de tu amor, sino que poseemos desde ahora el anticipo de la eternidad. Pues, habiendo recibido las primicias del Espíritu por quien resucitaste a Jesús de entre los muertos, esperamos gozar eternamente de la Pascua".

O bien:

I LECTURA   Joel 3:1–5

Lectura del libro del profeta Joel

Esto dice el Señor Dios:
  "**Derramaré** mi espíritu sobre todos;
  profetizarán sus hijos y sus hijas,
    sus ancianos **soñarán** sueños
    y sus jóvenes verán **visiones.**
  También sobre mis siervos y mis siervas
    derramaré mi espíritu en aquellos días.

  Haré **prodigios** en el cielo y en la tierra:
    sangre, fuego, columnas de humo.
  El sol se **oscurecerá,**
    la luna se **pondrá** color de sangre,
    antes de que llegue el día **grande** y terrible del Señor.

  Cuando **invoquen** el nombre del Señor se salvarán,
    porque en el monte Sión y en Jerusalén **quedará** un grupo,
    como lo ha **prometido** el Señor
  a los sobrevivientes que ha **elegido**".

Este primer párrafo concentra el mensaje de todo el pasaje. Son promesas que deben proclamarse con certeza y esperanza.

Hay que tratar de que la asamblea se identifique con el grupo de sobrevivientes elegidos por Dios. Lee este último párrafo con serenidad.

Para meditar

SALMO RESPONSORIAL   Salmo 104:1–2a, 24 y 35c, 27–28, 29bc–30
R. Envía tu Espíritu, Señor, y repuebla la faz de la tierra.
O bien **R. Aleluya.**

Bendice, alma mía, al Señor:
  ¡Dios mío, qué grande eres!
Te vistes de belleza y majestad,
  la luz te envuelve como un manto. **R.**

Cuántas son tus obras, Señor,
  y todas las hiciste con sabiduría;
  la tierra está llena de tus criaturas.
¡Bendice, alma mía, al Señor! **R.**

Todos ellos aguardan
  a que les eches comida a su tiempo:
  se la echas, y la atrapan;
  abres tu mano, y se sacian de bienes. **R.**

Les retiras el aliento, y expiran
  y vuelven a ser polvo;
  envías tu aliento, y los creas,
  y repueblas la faz de la tierra. **R.**

II LECTURA   En el marco de la sección 8:5–30 en la que san Pablo habla de la vida según el Espíritu, el pasaje de esta segunda lectura nos sitúa ante una realidad especialmente acuciante en nuestros días: la interrelación entre los seres humanos y el resto de la Creación. Pablo afirma que es la creación entera la que espera la realización plena de la redención. Es decir, que el efecto de la muerte y resurrección de Cristo y la efusión del Espíritu Santo afecta tanto a la especie humana como a todo lo creado.

En estos tiempos de calentamiento global, esta afirmación cobra especial relevancia y conlleva compromisos específicos. Hemos llegado a comprender, gracias a los avances científicos, que el planeta Tierra es un todo de especies y elementos interrelacionados. En el caso del ser humano (*homo sapiens*), la conciencia de sí mismo y la voluntad para transformar creativamente la realidad, lo hacen una cumbre en el proceso evolutivo de la Tierra. Pero el ser humano no está por encima de la tierra; es su guardián, testigo de sus maravillas y cuidador de su armonía. El ser humano es parte de la Tie-

rra; es la Tierra misma en cuanto pensante, creador y capaz de amar.

Hoy Pablo nos recuerda que la plenitud del ser humano se consigue solamente a la luz del Espíritu Santo. Es el Espíritu, que habita en nuestros corazones, el que nos hace capaces de alcanzar el máximo de nuestras posibilidades humanas. La vida en el Espíritu no está reñida con el cuidado del cuerpo, tan presente hoy en nuestras culturas. Tampoco rivaliza con el cuidado de nuestro organismo síquico, cuya salud nos permite una vida mentalmente equilibrada. La vida en el Espíritu, sin embargo, atiende a

II LECTURA   Romanos 8:22–27

Lectura de la carta del apóstol san Pablo a los romanos

Hermanos:
Sabemos que la **creación** entera gime
  hasta el presente y sufre **dolores** de parto;
y no sólo ella, sino **también** nosotros,
los que **poseemos** las primicias del Espíritu,
gemimos **interiormente**, anhelando que se realice
  plenamente nuestra condición de **hijos de Dios**,
la **redención** de nuestro cuerpo.

Porque ya es nuestra la salvación,
  pero su **plenitud** es todavía objeto de esperanza.
Esperar lo que ya se posee **no es** tener esperanza,
  porque ¿**cómo** se puede **esperar** lo que ya se posee?
En cambio, si esperamos algo que todavía **no poseemos**,
  tenemos que esperarlo con **paciencia**.

El **Espíritu** nos ayuda en nuestra debilidad,
  porque nosotros no sabemos **pedir** lo que nos **conviene**;
  pero el Espíritu mismo **intercede** por nosotros con gemidos
    que no pueden expresarse con **palabras**.
Y Dios, que conoce **profundamente** los corazones,
  sabe lo que el Espíritu quiere decir,
  porque el Espíritu ruega **conforme** a la voluntad de **Dios**,
  por los que le **pertenecen**.

Llénate de serenidad y esperanza profundas por el cumplimiento final de la redención.

Somos habitación del Espíritu, que vive y actúa en nosotros. Lee respetando comas y demás signos ortográficos. Ayudará a la comprensión del mensaje.

nuestra dimensión más radical: la del amor y el respeto, la amistad y la misericordia. Sin la presencia del Espíritu Santo en nuestras vidas nuestra existencia se aleja de la voluntad de Dios y de la vida plena que su cumplimiento nos otorga.

EVANGELIO El agua ha sido siempre en la Escritura símbolo de una realidad más alta. Lo fue en el diluvio, como símbolo de purificación; en el mar Rojo, como ocasión para que Dios mostrara el poder de su brazo en contra de los egipcios; en el camino por el desierto, cuando bro-

tada de una roca, sació la sed del pueblo que caminaba hacia la tierra de promisión; en las ciudades de los patriarcas, donde los pozos eran garantía de supervivencia para las familias hebreas y para sus trabajadores y también lugar de encuentro entre las parejas; en la predicación profética, cuando saliendo impetuosamente del Templo regaba todo a su paso y convertía el desierto en un vergel.

La predicación de Jesús también recurrió en varias ocasiones al símbolo del agua. Ya en el encuentro con la samaritana Jesús usó el agua del pozo como punto de partida

para llevar a esa mujer extranjera a entrar en contacto con él, fuente de agua viva. El evangelio de hoy coloca a Jesús en la ciudad de Jerusalén, en el día más solemne de la llamada Fiesta de las Tiendas, o de los Tabernáculos, una celebración que, en tiempos de Jesús, implicaba el traslado de agua desde la fuente de Siloé hasta el altar del Templo de Jerusalén, en un rito que expresaba el anhelo por las lluvias de otoño, después de la sequía del verano. La fiesta de las Tiendas (*Sukot*, en hebreo) es, por ello, un derroche de alegría. En su origen era una fiesta para dar gracias a Dios por las

Jesús es la única agua que puede calmar nuestra sed. Haz que esta sed se despierte en la asamblea que te escucha a través de una proclamación llena de vigor y entusiasmo.

La explicación del evangelista lleva un tono menos festivo y más explicativo. Tranquiliza el tono de la lectura.

EVANGELIO   Juan 7:37–39

Lectura del santo Evangelio según san Juan

El **último** día de la fiesta,
   que era el más **solemne**,
   exclamó Jesús en voz alta:
   "El que tenga sed, que venga a **mí**;
   y **beba**, aquel que cree en mí.
Como dice la Escritura:
   Del corazón del que cree en mí brotarán ríos de agua viva".

Al decir esto,
   se refería al **Espíritu Santo** que habían de recibir
     los que **creyeran** en él,
   pues aún **no había venido** el Espíritu,
   porque Jesús no había sido **glorificado**.

---

cosechas recibidas (Éxodo 23:16). Ya en épocas de Jesús recordaba los cuarenta años de peregrinación del pueblo de Dios por el desierto.

Este es el marco escogido por Jesús para usar el agua como símbolo del Espíritu Santo. Para que no hubiera duda alguna de que a esto se refería Jesús, el evangelista coloca al final del pasaje una explicación para el lector. La proclamación de Jesús revela el estallido de su corazón: "El que tenga sed que venga a mí". La segunda frase culmina el sentido de la primera: "Quien crea en mí, que beba". La sed es expresión de la búsqueda humana por lo divino. Todo ser humano busca a Dios, aun sin saberlo (Salmo 42:2; Isaías 55:1). El agua viva es, pues, el testimonio mismo de Jesús, su palabra de verdad, la revelación que nos hace del Padre. Jesús es la fuente misma de la salvación.

La aclaración del evangelista de que Jesús se refería al Espíritu Santo es una muestra de la comprensión a la que la comunidad cristiana había llegado respecto a estas palabras de Jesús. La expresión "del corazón que cree en mí" revela una relación entre este anuncio y su realización, que, en la teología del cuarto evangelio, tendrá lugar en la cruz, cuando atravesado por una lanza, el corazón de Jesús manará sangre y agua. El sentido del texto se agranda; la propuesta de Jesús está dirigida a todos los buscadores de Dios. Y lo que él ofrece no es solamente el pan de su palabra. Ofrece también, salido de sus mismas entrañas, el Espíritu Santo, cuya acción permite que el mensaje de Jesús fructifique en la vida del creyente.

PENTECOSTÉS, MISA DEL DÍA

I LECTURA   Hechos 2:1–11

Lectura del libro de los Hechos de los Apóstoles

La narración de la venida del Espíritu Santo es el centro de la fiesta de hoy. Lee con claridad y firmeza el relato.

El **día** de Pentecostés,
 todos los discípulos estaban reunidos en un **mismo** lugar.
De repente se oyó un **gran** ruido que venía del cielo,
 como cuando sopla un viento fuerte,
 que **resonó** por **toda** la casa donde se encontraban.
Entonces aparecieron **lenguas** de fuego,
 que se distribuyeron y **se posaron** sobre ellos;
 se llenaron **todos** del Espíritu Santo
 y empezaron a hablar en **otros** idiomas,
 según el Espíritu los **inducía** a expresarse.

En esos días había en Jerusalén judíos **devotos**,
 venidos de **todas** partes del mundo.
Al **oír** el ruido, acudieron **en masa** y quedaron **desconcertados**,
 porque **cada uno** los oía hablar en su **propio idioma**.

La multiplicidad de lugares de origen muestra la universalidad de la experiencia de la recepción del Espíritu. Prepara con anterioridad la lectura, para que la enumeración resulte en una sensación de pluralidad.

Atónitos y llenos de admiración, preguntaban:
 "¿No son galileos **todos estos** que están hablando?
 ¿**Cómo**, pues, los oímos hablar en nuestra **lengua nativa**?
Entre **nosotros** hay medos, partos y elamitas;
 otros vivimos en Mesopotamia, Judea, Capadocia,
 en el Ponto y en Asia, en Frigia y en Panfilia,
 en Egipto o en la zona de Libia que limita con Cirene.

I LECTURA   El libro de los Hechos de los Apóstoles ha sido llamado "el evangelio del Espíritu Santo". Y no es en balde que haya recibido este sobrenombre; todo el capítulo 1 está destinado a preparar su llegada y, después del texto que la narra, todo es un continuo desplegarse de la acción del Espíritu que gesta, crea, suscita comunidades cristianas vivas. Así que el texto que hoy escuchamos de primera lectura es, de alguna manera, esencial, porque anuncia la llegada de Aquel que cumplirá la promesa de Jesús y será el responsable del crecimiento de la Iglesia.

Cierto lenguaje de plenitud se advierte a lo largo del pasaje: el cumplimiento de los cincuenta días, la casa llena, el Espíritu Santo que cae sobre todos, que además estaban juntos, en el mismo lugar… todo habla de plenitud. En ese marco de cumplimiento definitivo, el Espíritu irrumpe. Hay en el texto un acento de universalidad. Habiendo gente de diversas procedencias, todos escuchan a Pedro hablar como si estuviera hablando en la lengua de cada uno de ellos. Quizá incluso las doce naciones nombradas tienen cierta relación con los doce apóstoles, responsables de la expansión del mensaje de Jesús en el mundo. En fin que se nota una intención innegable de totalidad en nuestro pasaje.

Hay en el texto una confusión entre el don de lenguas, propio de las comunidades paulinas, y el milagro de Pentecostés, en el que cada persona escuchaba a los apóstoles como si hablaran en sus propias lenguas. El mensaje, de cualquier manera, es claro. Es a la comunidad cristiana, la iglesia, a quien corresponde asumir todas las lenguas y culturas de los distintos grupos humanos, para hacerles llegar el evangelio de Jesús. El modelo de vida inspirado en el evangelio, ha de enriquecer a las culturas,

Algunos somos **visitantes**, venidos de Roma, judíos y prosélitos;
    también hay cretenses y árabes.
Y sin embargo, **cada quien**
    los oye hablar de las maravillas de Dios en **su propia** lengua".

Para meditar

SALMO RESPONSORIAL Salmo 104:1ab y 24ac, 29bc–30, 31 y 34

R. Envía tu Espíritu, Señor, y repuebla la faz de la tierra.

O bien: **R. Aleluya.**

Bendice, alma mía, al Señor:
  ¡Dios mío, qué grande eres!
Cuántas son tus obras, Señor,
  la tierra está llena de tus criaturas. **R.**

Les retiras el aliento, y expiran
  y vuelven a ser polvo;
  envías tu aliento, y los creas,
  y repueblas la faz de la tierra. **R.**

Gloria a Dios para siempre,
  goce el Señor con sus obras.
Que le sea agradable mi poema,
  y yo me alegraré con el Señor. **R.**

II LECTURA   Romanos 8:8–17

Lectura de la carta del apóstol san Pablo a los romanos

Hermanos:
Los que viven en forma **desordenada** y **egoísta**
  no pueden agradar a Dios.
Pero ustedes no llevan esa clase de vida,
  sino una vida **conforme al Espíritu**,
  puesto que el Espíritu de Dios habita **verdaderamente**
  en ustedes.
Quien no tiene el **Espíritu de Cristo**, no es de Cristo.
En cambio, si Cristo **vive** en ustedes,
  aunque su **cuerpo** siga sujeto a la muerte a causa del pecado,
  su **espíritu** vive a causa de la actividad salvadora de Dios.
Si el Espíritu del Padre, que **resucitó** a Jesús de entre los
  muertos, habita en ustedes,

Pablo invita a que la inhabitación del Espíritu en nosotros se manifieste en una vida coherente. Haz que cada oyente se apropie de esta invitación.

no a provocar su desaparición. No son los pueblos los que habrán de esforzarse en comprender el mensaje de la Iglesia; la Iglesia es la que deberá llegar a ellos encarnándose en sus culturas. Pentecostés, fiesta de la inculturación.

II LECTURA Hay en esta sección de la carta a los Romanos una oposición repetida entre los términos *carne* y *espíritu*. No debemos confundir esta oposición, fruto de la cultura semítica, con la oposición *cuerpo* y *alma* propia de la cultura griega. Carne y espíritu son dos maneras de referirse al ser humano en su totalidad. Quien se conduce como viviendo "en la carne", es aquel cuya existencia está marcada por el signo del pecado. Carne designa a la persona entera pero vista desde el ángulo de su debilidad, de su pecaminosidad. Una persona que vive en la carne es, como traduce la lectura de hoy, quien vive de forma desordenada y egoísta.

La antítesis es la vida "en el Espíritu", a la que invita Pablo en su carta. El Espíritu Santo es el regalo procedente del Padre que hemos recibido en el bautismo. Guiados por la fuerza del Espíritu podemos comenzar a ser personas *espirituales*. Quien camina en el Espíritu es una persona libre, no sujeta ya a la Ley de Moisés. Recibir el Espíritu implica un nuevo tipo de relación con Dios y con los hermanos, no basada ya en el desorden egoísta sino en la capacidad de amar sin medida.

La presencia del Espíritu en nosotros tiene, además, otro efecto importantísimo: la filiación divina. En efecto, el Espíritu nos hace hijas e hijos de Dios, herederos de su gloria. Esta filiación precisa, sin embargo, de un modo de vida que sea coherente. De ahí que el cristiano no pueda ya caminar como

entonces el Padre, que **resucitó** a Jesús de entre los muertos,
también les dará **vida** a sus cuerpos mortales,
por obra de su **Espíritu**, que habita en ustedes.

Por lo tanto, hermanos, **no** estamos **sujetos** al desorden egoísta
del hombre,
para hacer de ese **desorden** nuestra regla de conducta.
Pues si ustedes viven de ese modo, **ciertamente** serán
destruidos.
Por el **contrario**,
si con la ayuda del Espíritu **destruyen** sus malas acciones,
entonces **vivirán**.

Los que se dejan **guiar** por el Espíritu de Dios,
ésos son hijos de Dios.
No han recibido ustedes un espíritu de **esclavos**, que los haga
temer de nuevo,
sino un espíritu de **hijos**,
en virtud del cual podemos llamar **Padre** a Dios.

El **mismo** Espíritu Santo, **a una** con nuestro propio espíritu,
da testimonio de que somos **hijos** de Dios.
Y si somos hijos, somos también **herederos** de Dios
y **coherederos** con Cristo,
puesto que sufrimos **con él** para ser glorificados junto **con él**.

O bien: *1 Corintios 12:3–7, 12–13*

El Espíritu nos libra de la esclavitud de nuestras pasiones y nuestros miedos. Que la asamblea se identifique con esta realidad.

hijo de la esclavitud del pecado, sino como hijo adoptivo de Dios. Nuestro destino final se torna luminoso; estamos llamados a la misma gloria con que el Padre celestial ha coronado a su Hijo Jesucristo.

EVANGELIO En los discursos de despedida aparece repetidamente la promesa del Paráclito (abogado, consolador, defensor, animador, según sea la traducción que se prefiera), el Espíritu de la verdad. Se trata de una promesa de inhabitación; quien recibe el Espíritu se convierte en morada de la Trinidad. El carácter único de la relación entre Jesús, el Hijo, y su Padre se extiende ahora a todos los creyentes.

En esta misma línea de la inhabitación, se dice que somos templo del Espíritu Divino, o que somos morada del Dios uno y trino. Esto nos hace entender que hay un vínculo estrechísimo e indisoluble entre la voluntad de Dios y la del creyente. Por eso, Jesús habla de que el amor a él se nota en el cumplimiento de los mandamientos. No puede haber disociación entre los mandamientos de Jesús y el impulso del Espíritu que mueve a actuar al cristiano.

La última parte del pasaje se refiere a la acción del Espíritu Santo una vez que Jesús ya no esté físicamente presente entre sus seguidores. El Paráclito ha de ahondar en el creyente la comprensión de lo que Jesús ha dicho y hecho. Por eso los católicos proclamamos que Dios no se quedó mudo cuando se escribió la última línea de la Biblia, sino que sigue hablando y se comunica con nosotros por la acción de su Espíritu. Aprender a reconocer su presencia es uno de los retos más grandes del cristiano.

Más tarde, la reflexión de la Iglesia insistirá en una de las funciones importantes

Hay un tono de amoroso cuidado en la promesa del Paráclito. Infunde en los escuchas este interés de Jesús en ellos.

EVANGELIO   Juan 14:15–16, 23–26

Lectura del santo Evangelio según san Juan

En aquel tiempo, Jesús dijo a sus discípulos:
    "Si me aman, **cumplirán** mis mandamientos;
    yo le **rogaré** al Padre
    y él les enviará **otro** Consolador que esté **siempre** con ustedes,
    el **Espíritu** de verdad.

El que me ama, **cumplirá** mi palabra
    y mi Padre **lo amará** y vendremos a él
    y haremos **en él** nuestra morada.
El que **no me ama**, no cumplirá mis palabras.
Y la palabra que están oyendo **no es mía**,
    sino **del Padre**, que me envió.

Les he hablado de esto **ahora** que estoy con ustedes;
    pero el **Consolador**,
    el Espíritu Santo que mi Padre les enviará **en mi nombre**,
    les enseñará **todas** las cosas
    y les recordará **todo** cuanto yo **les he dicho**".

O bien: *Juan 20:19–23*

El Espíritu Santo sigue actuando en nosotros. Su don es el discernimiento. Transmite una serena confianza a la asamblea.

del Espíritu Santo en nuestras vidas: convertirnos en imágenes del mismo Jesús, en testigos suyos en el mundo. Es un don que trabaja en nuestras personas, a pesar y en auxilio de nuestras debilidades. Hasta que lleguemos a la estatura de Aquel, que por nosotros murió y resucitó.

Una antigua leyenda pone al artista Miguel Ángel en la plaza de su pueblo natal, mostrando a la multitud una escultura cubierta de una sábana. Cuando tira de la sábana, los aldeanos, asombrados, ven solamente una piedra informe. Miguel Ángel replica: "Este es el David… sólo falta que yo le quite lo que le sobra". Esta imagen nos sirve para comprender la acción que realiza en nosotros el Paráclito: moldear en nuestros corazones la imagen de Jesús, hacer que lleguemos a la medida del hombre perfecto. No hay llamado más excelso que los seres humanos hayamos recibido. Hoy, en la fiesta del Espíritu Santo, lo agradecemos y nos comprometemos a colaborar con esa acción transformadora.

LA SANTÍSIMA TRINIDAD

I LECTURA Proverbios 8:22–31

Lectura del libro de los Proverbios

Enfatiza la primera línea para que los oyentes noten que la sabiduría habla. Resalta las palabras que apoyan esta idea de la sabiduría como persona.

Esto dice la sabiduría de Dios:
    "El Señor me poseía desde **el principio**,
    antes que sus obras **más** antiguas.
Quedé establecida **desde** la eternidad, desde **el principio**,
    antes de que la tierra **existiera**.
Antes de que existieran los abismos
    y **antes** de que brotaran los manantiales de las aguas,
    fui concebida.

Hilvana con suavidad y claridad las distintas acciones de Dios en torno a su sabiduría. Imprime entusiasmo a tu voz y anima a la asamblea a contemplar el gran escenario que describe el poema.

Antes de que las montañas
    y las colinas quedaran asentadas, **nací yo**.
Cuando **aún** no había hecho el Señor la tierra **ni los campos**
    ni el primer polvo del universo,
    cuando él **afianzaba** los cielos,
    ahí estaba yo.
Cuando **ceñía** con el horizonte la faz del abismo,
    cuando **colgaba** las nubes en lo alto,
    cuando **hacía brotar** las fuentes del océano,
    cuando **fijó** al mar sus límites
    y mandó a las aguas que **no los traspasaran**,
    cuanto establecía los cimientos de la tierra,
    yo **estaba** junto a él como **arquitecto** de sus obras,
    yo era su encanto **cotidiano**;

I LECTURA En el libro de Proverbios encontramos una serie de instrucciones bajo formas variadas, como poemas, alegorías y comparaciones, dichos o sentencias de sabiduría para optar por la libertad, la justicia y la vida, y no por la violencia y la muerte. El autor ha agrupado sus enseñanzas en temas generales o categorías como la justicia, la violencia, el discernimiento, la mujer y los modos de vivir, aunque es más ecléctico de lo que el lector espera. En lo que hoy escuchamos, trata con una serie de instrucciones o enseñanzas sobre el principio de la vida y su sentido y en dichas instrucciones (la novena) se ubica nuestro fragmento.

La sabiduría habla en primera persona de singular. Ella es divina y sobre todo creadora. No es una diosa de la fertilidad, ni es Dios, pero sí es de su ámbito, es divina. Tiene su origen en Dios y tomó parte en la creación. A ella se debe el diseño, la armonía y hermosura de toda la vida creada y en ella se recrea. Si bien en otras partes de Proverbios se habla de la sabiduría al ras de la vida práctica en la tierra. Aquí se remonta a la esfera celeste, la de Dios. Al decir creación nos dice que las creaturas son buenas y tienen un propósito que es el de referirnos a Dios.

El cristiano está llamado a crecer participando cada vez más plenamente de la vida de Dios, de la propia vida que él nos ofrece. Personas, familias, comunidades y la propia Iglesia están llamadas a discernir y responder al llamado intenso y permanente de Dios a la vida.

II LECTURA Pablo inicia una sección enfocada en la vida (Romanos 5:12—8:39), pero la conecta con la fe, que predomina en la previo (Romanos

todo el tiempo me **recreaba** en su presencia,
jugando con el orbe de la tierra
y mis delicias eran **estar** con los hijos de los hombres".

Para meditar

SALMO RESPONSORIAL   Salmo 8:4–5, 6–7, 8–9

R. Señor, Dios nuestro, ¡qué admirable es tu nombre en toda la tierra!

Cuando contemplo el cielo,
  obra de tus dedos,
la luna y las estrellas que has creado.
¿Qué es el hombre para que te acuerdes
  de él;
el ser humano, para darle poder? **R.**

Lo hiciste poco inferior a los ángeles,
  lo coronaste de gloria y dignidad,
  le diste el mando sobre las obras de
    tus manos,
  todo lo sometiste bajo sus pies. **R.**

Rebaños de ovejas y toros,
  y hasta las bestias del campo,
  las aves del cielo, los peces del mar,
  todo lo sometiste bajo sus pies. **R.**

II LECTURA   Romanos 5:1–5

Lectura de la carta del apóstol san Pablo a los romanos

Distingue, en toda la lectura, las tres personas de la Trinidad. Ayuda a la comunidad a ver esta imagen tan primordial e importante en la vida de fe.

Hermanos:
Ya que hemos sido **justificados** por la fe,
  mantengámonos **en paz** con Dios,
    por **mediación** de nuestro Señor Jesucristo.
Por él hemos obtenido, con la fe,
  la **entrada** al mundo de la gracia,
  en el cual nos **encontramos**;
    por él, podemos **gloriarnos**
      de tener **la esperanza** de participar en **la gloria** de Dios.

1:18—4:25). El lenguaje tiene orientación ética. Ahora que hemos sido reconciliados con Dios por medio de la fe estamos en una nueva realidad donde la paz y la esperanza guían la vida aun en medio de las tribulaciones que no son otra cosa más que vínculos íntimos a los sufrimientos de Cristo. La Carta a los Romanos da una visión bellísima de la vida cristiana. En Cristo hemos sido justificados por la fe. En él y por el tenemos acceso directo a Dios y a su gracia. Viviendo en esta confianza somos capaces de vivir en coherencia con lo que somos según el Espíritu Santo, el espíritu de Jesús y desterrando la

angustia, el temor o el orgullo de que nuestras obras definen la salvación. Quien no es deudor ni ofensor esta reconciliado y viven en paz (Is 52:7; Ef 2:14–17; Col 1:20).

Quien vive en esta visión de Dios tiene una gracia y una libertad que supera todos los miedos que se venden o se imponen en el mundo. La esperanza autentica del cristiano no defrauda. Es paz, confianza y compromiso en el camino para gloria de Dios.

EVANGELIO Jesús deja a sus discípulos en la plena confianza de la presencia divina del Espíritu Santo de ahora

en adelante. La frase "aún tengo muchas cosas que decirles" indica una pausa de introducción a un nuevo desarrollo en el que el Espíritu irá guiando a los discípulos en la verdad de lo revelado en Jesucristo. Este acompañamiento del Espíritu ira conduciendo al interior de la revelación de Jesús en un lenguaje siempre nuevo e inteligible. Es una nueva comprensión actualizada y creciente a la luz de la resurrección. A ello parece referirse también, en la mentalidad del evangelista, la indicación temporal *aún* o *todavía*. Esa nueva comprensión de Jesús con la ayuda del Espíritu Santo para

Invita a todos los oyentes vivir en la confianza en Dios. Fuerza, claridad y entusiasmo deben brotar de tus palabras.

Más aún, nos gloriamos **hasta** de los sufrimientos,
 pues **sabemos** que el sufrimiento **engendra** la paciencia,
 la paciencia engendra la virtud **sólida**,
 la virtud sólida **engendra** la esperanza,
 y la esperanza **no defrauda**,
 porque Dios **ha infundido** su amor en nuestros corazones
 por medio del **Espíritu Santo**,
 que **él mismo** nos ha dado.

EVANGELIO Juan 16:12–15

Lectura del santo Evangelio según san Juan

Evita el tono de nostalgia. Es confianza lo que Jesús quiere infundir en sus discípulos. Enfatiza la función del Espíritu que irá guiando hasta la verdad plena.

En aquel tiempo, Jesús dijo a sus discípulos:
 "**Aún** tengo **muchas** cosas que decirles,
 pero **todavía** no las pueden comprender.
Pero **cuando venga** el Espíritu de verdad,
 él los **irá guiando** hasta la verdad **plena**,
 porque no hablará **por su cuenta**,
 sino que dirá lo que **haya oído**
 y les anunciará las cosas **que van a suceder**.
Él me **glorificará**,
 porque **primero** recibirá de mí
  lo que les vaya **comunicando**.
Todo lo que tiene el Padre **es mío**.
Por eso he dicho que **tomará** de lo mío
 y se lo comunicará **a ustedes**".

Crea un sentido de balance en tu entonación de tal manera que se sienta la íntima relación entre Jesús y el Espíritu. Esto es clave para entender sintiendo esa comunión en el ser de Dios.

los discípulos no ha de quedar encerrada en el periodo temporal entre la resurrección y Pentecostés. El Espíritu Santo sigue obrando en la fe y la misión de la Iglesia en nuestros días. El Espíritu anuncia en forma nueva la obra de Cristo en nuestra historia. No es independiente del Padre o del Hijo, pero es también Dios. El Espíritu nos guía a la comunión con Dios en plenitud, Padre, Hijo y Espíritu Santo. Es preciso hacer un esfuerzo en nuestra mente y nuestro corazón para aceptar y comprender esta intimidad, diferencia y relación del Dios-comunión. La doctrina de la Santísima

Trinidad tiene aquí uno de sus puntos de partida, pero es una elaboración posterior. De ahí que es recomendable escuchar a Jesús y su promesa del Espíritu hecha realidad ya desde entonces. Antes que proyectar nuestras inquietudes personales al texto.

Ciertamente, el Dios trinitario es un don y un desafío para la humanidad y para la Iglesia. En esta imagen de Dios la unidad, el diálogo y la comunión son modos de salvación mediante los cuales el Espíritu nos revela con claridad todo lo de Jesús. Y dicha revelación viene dada justamente desde la

realidad de los hombres y mujeres más afligidos (Jer 15:17), es decir, desde la perspectiva de la salvación.

EL CUERPO Y LA SANGRE DE CRISTO

I LECTURA   Génesis 14:18–20

Lectura del libro del Génesis

En **aquellos** días, Melquisedec, **rey** de Salem,
 presentó **pan y vino**, pues era sacerdote del Dios **altísimo**,
 y **bendijo** a Abram, diciendo:
 "Bendito sea Abram de parte del Dios altísimo,
 creador de cielos y tierra;
 y bendito sea el Dios altísimo,
 que entregó a tus enemigos en tus manos".

Y Abram le dio el diezmo de todo lo que había rescatado.

Proclama con tono solemne y respetuoso este intercambio de dones entre Melquisedec y Abram. Ayuda a la comunidad a sentir el valor de la bendición y el respeto mutuo.

Para meditar

SALMO RESPONSORIAL   Salmo 110:1, 2, 3, 4

R. Tú eres sacerdote eterno, según el rito de Melquisedec.

Oráculo del Señor a mi Señor:
 "Siéntate a mi derecha,
 y haré de tus enemigos
 estrado de tus pies". **R.**

Desde Sión extenderá el Señor
 el poder de tu cetro:
 somete en la batalla a tus enemigos. **R.**

"Eres príncipe desde el día de tu nacimiento,
 entre esplendores sagrados;
 yo mismo te engendré, como rocío,
 antes de la aurora". **R.**

El Señor lo ha jurado y no se arrepiente:
 "Tú eres sacerdote eterno,
 según el rito de Melquisedec". **R.**

I LECTURA En este breve y solemne episodio aparece Melquisedec, cuyo nombre significa "mi rey es justo", rey-sacerdote cananeo cuyo Dios es venerado en Salem, como alusión a Jerusalén. Recordemos que también que un día los israelitas habrán de asimilar a grupos cananeos al conquistar la tierra prometida y aquí hay sin duda un hilo para descubrir la intención del autor del Génesis. Nos quiere decir que Jerusalén y el templo, que el rey y el sacerdote tienen un origen muy antiguo y digno. La relación entre Abram y Melquisedec es de bendición y respeto mutuo teniendo como signo principal el pan, el vino y el diezmo.

De hecho, en el Nuevo Testamento se ve aquí una clara alusión a la persona de Jesús y al sentido de su sacerdocio específicamente. El uso más abundante de esta figura sacerdotal de Cristo lo tiene la carta a los Hebreos (5–7) en donde el pan y el vino ofrecidos por Melquisedec simbolizan la entrega de Jesús y el signo de la eucaristía en su cuerpo y su sangre. Dicha línea de comprensión e interpretación es también confirmada por los primeros cristianos, especialmente en sus representantes y líderes como son los Padres de la Iglesia, san Clemente de Alejandría y san Justino entre otros para quienes los dones de Melquisedec son una prefiguración de los signos de la ultima cena.

La venida del Hijo de Dios al mundo inaugura un giro total en la historia de la salvación. A partir de Cristo, de su persona, su entrega en la cruz y su resurrección, el pecado ha sido derrotado de raíz y la gracia de redención ha sido otorgada de una vez por todas a la humanidad. La obra de Cristo tiene para los cristianos un símbolo profundo y efectivo que es la eucaristía mediante la cual

II LECTURA   1 Corintios 11:23–26

Lectura de la primera carta del apóstol san Pablo a los corintios

Hermanos:
Yo **recibí** del Señor **lo mismo** que les **he transmitido:**
  que el **Señor Jesús**, la noche en que iba a ser **entregado**,
  tomó **pan** en sus manos,
  y pronunciando la **acción de gracias**, lo **partió** y dijo:
  "**Esto** es **mi cuerpo**, que se entrega **por ustedes**.
  Hagan **esto** en memoria **mía**".

Lo mismo hizo con el cáliz, después de cenar, **diciendo:**
  "**Este** cáliz es la **nueva** alianza que se sella **con mi sangre**.
  Hagan esto en memoria mía **siempre** que beban **de él**".

Por eso, **cada vez** que ustedes comen de **este** pan
  y beben de **este** cáliz,
  proclaman **la muerte** del Señor, **hasta** que vuelva.

EVANGELIO   Lucas 9:11–17

Lectura del santo Evangelio según san Lucas

En aquel tiempo,
Jesús habló del **Reino de Dios** a la multitud
  y **curó** a los enfermos.

Cuando **caía** la tarde, los **doce** apóstoles se acercaron a decirle:
  "**Despide** a la gente para que vayan a los pueblos y caseríos
  a buscar alojamiento y comida,
  porque **aquí** estamos en un lugar solitario".
Él les contestó: "Denles **ustedes** de comer".
  Pero ellos le replicaron:
  "No tenemos más que **cinco** panes y **dos** pescados;

Toma en cuenta la puntuación para que voz y entonación resuenen con claridad y solemnidad.

Después de una breve pausa proclama esta segunda parte haciendo del párrafo final una oportunidad para concluir con un todo envolvente de toda la lectura.

Con un sentido de naturalidad ordinaria narra este milagro manteniendo el vínculo entre lo ordinario de la situación y lo extraordinario de la acción de Jesús.

---

nos alimentamos de su presencia real y efectiva para vivir a plenitud y enfrentar las fuerzas contrarias a los valores del reino.

II LECTURA El apóstol Pablo está recordando y llamando la atención a la comunidad de Corinto sobre el significado y la fuerza de la Cena del Señor en cuanto a la caridad, la justicia y la solidaridad. Y no es una opinión personal de Pablo. Él está completamente seguro de que esto es una auténtica tradición cristiana de ahí que insista en esta enseñanza como algo que ha sido recibido y transmitido. Y todo tiene

como punto central al Señor Jesús, tanto el pasado histórico ("la noche en que iba a ser entregado") como el futuro escatológico ("hasta que vuelva"). En Cristo se celebra y actualiza el sentido de la salvación que celebramos y actualizamos en la eucaristía.

A diferencia de otros relatos, Pablo pone en este las palabras desoladoras de aquella noche en que fue entregado, haciendo clara referencia a la traición y tergiversación de la persona de Jesús y su mensaje. Aludiendo así a la gravedad del asunto en el que algunos miembros de esta comunidad incurren guardando para ellos mismos (indi-

vidualismo eucarístico) lo que en Jesús es entrega a los demás. "Cada vez que" se celebra la eucaristía se celebra la obra de Cristo, y cada vez que en la comunidad se dan relaciones de respeto, amor y solidaridad, la eucaristía se está haciendo vida.

EVANGELIO El ministerio de Jesús en Galilea se cierra con una serie de actos y afirmaciones a través de las cuales Jesús deja en claro los valores del reino en línea de la misión de la comunidad de discípulos. El milagro de la multiplicación de los panes y pescados cierra dicho minis-

Con tono muy sincero pronuncia estas palabras después de haber incluido a la comunidad con tu mirada y ahora en tus palabras.

a no ser que vayamos **nosotros** mismos
a **comprar** víveres para **toda** esta gente".
Eran como **cinco mil** varones.

Entonces Jesús dijo a sus discípulos:
"**Hagan** que se sienten en grupos como de cincuenta".
Así lo hicieron, y **todos** se sentaron.
Después Jesús tomó **en sus manos**
los **cinco** panes y los **dos** pescados,
y **levantando** su mirada al cielo,
pronunció sobre ellos una oración **de acción de gracias**,
los partió y los fue dando a los discípulos,
para que **ellos** los distribuyeran **entre la gente**.

Comieron **todos** y se **saciaron**,
y de lo que **sobró** se llenaron **doce** canastos.

Asegúrate de que la comunidad visualice a la comunidad organizándose y a Jesús actuando en medio de ellos. Así finalizas con serenidad y a satisfacción.

terio. Es, además, el único milagro narrado por los cuatro evangelios. Los evangelistas relacionan este milagro con la pasión de Jesús de ahí que, al interpretarlo, se vea en esta narración el sentido sacrificial de la eucaristía.

Para captar el sentido simbólico del milagro conviene recordar el detalle de alimentar a una multitud en un lugar desértico y hacer memoria de los milagros del éxodo en donde Dios alimenta a su pueblo. De hecho, la indicación de tiempo "cuando caía la tarde" hay que asociarla con que es tiempo de comer y la gente realmente tenía hambre.

El símbolo queda claramente sintetizado en los gestos de Jesús al *tomar*, *dar gracias*, *bendecir* y *repartir*. Acciones que el evangelista apuntala en un claro sentido eucarístico de su relato, mientras que los doce canastos, de acuerdo a la mentalidad apocalíptica de la época, nos inducen a ver una representación del pueblo de Dios.

Dicho milagro de Jesús parece estar más destinado a los discípulos y a la comunidad que lee el evangelio que a los mismos comensales de esa tarde. Y con toda razón, pues es a la comunidad de discípulos de entonces y de ahora que nos toca hacer carne

y realidad el misterio del Cuerpo y la Sangre de Cristo. La participación en la eucaristía dominical es un parteaguas de nuestra fe viva y nuestra vida hecha carne en lo ordinario de la vida con los de más y para los demás. Cuerpo de Cristo, comunión, eucaristía, acción de gracias, justicia y paz, todos en una sola vida, la vida del cristiano.

XIII DOMINGO
DEL TIEMPO ORDINARIO

La lectura es pintoresca y fácil de seguir. Nota que el párrafo central lleva todo el peso del desarrollo, y acentúa sin exageraciones.

La acción es dramática y vivaz. No aceleres tu lectura.

Se cuenta el desenlace. No te precipites en la lectura.

I LECTURA   1 Reyes 19:16, 19–21

Lectura del primer libro de los Reyes

En **aquellos** tiempos, el Señor le dijo a Elías:
"**Unge** a Eliseo, el hijo de Safat,
originario de Abel-Mejolá,
para que **sea profeta** en lugar tuyo".

Elías partió luego y **encontró** a Eliseo, hijo de Safat,
que estaba **arando**.
Delante de él trabajaban **doce** yuntas de bueyes
y él trabajaba con la **última**.
Elías pasó junto a él y le echó **encima** su manto.
Entonces Eliseo **abandonó** sus bueyes,
corrió detrás de Elías y le dijo:
"**Déjame** dar a mis padres el beso de despedida
y te **seguiré**".
Elías le contestó:
"Ve y **vuelve**,
porque **bien** sabes lo que **ha hecho** el Señor contigo".

Se fue Eliseo,
se llevó los dos bueyes de la yunta, los **sacrificó**,
asó la carne en la hoguera que hizo con la madera del arado
y la **repartió** a su gente para que se la comieran.
Luego se levantó,
siguió a Elías y se puso **a su servicio**.

| I LECTURA | La revelación de Dios es misteriosa, permanente y a veces se condensa en la historia humana en un instante de la vida. Si en el Éxodo (33: 18–23), el poder transformador de Dios se deja ver en formas de viento huracanado, terremoto y fuego, en el caso de Elías, el profeta tildado de fogoso e impetuoso, el Señor se revela en brisa suave y tenue. Perseguido por la reina Jezabel, Elías tuvo que alejarse de la gran ciudad, cruzar el desierto y subir, como Moisés, hasta la gran montaña para ahí encontrarse con este susurro de Dios apenas audible.

Hoy, vemos a Elías cumpliendo la tarea de ungir profeta a Eliseo; será su sucesor. Asistimos a una transición del liderazgo profético. Pero la figura de Elías es muy descollada. No se le puede considerar un profeta menor entre el pueblo de Israel ni en la tradición cristiana. De hecho, es el padre del profetismo y precursor del Día de Yahveh, día de juicio y de salvación; pero también aparecerá junto a Jesús y Moisés, en la escena de la transfiguración (Mateo 17:1–13).

Eliseo se vuelve aprendiz de profeta; comienza a hacer esa experiencia totalizante del discipulado profético con Elías. Adivina-mos que esos rasgos se proyectan en la vocación y exigencia de los discípulos narrada por el evangelio de Marcos (1:16–20). La escena nos da una lección importante. Una vez que ha sido elegido y cubierto con el manto que representa la posesión y la dignidad profética, lo deja todo con generosidad, determinación y sabiduría. Eliseo era un hombre rico, y se entiende entonces que rompa con su vida anterior, al sacrificar lo que tiene (doce yuntas de bueyes y el arado) en favor del pueblo; ha recibido una nueva identidad y misión, a la que se entregará totalmente.

Para meditar

SALMO RESPONSORIAL Salmo 16:1–2a y 5, 7–8, 9–10, 11

R. Tú, Señor, eres el lote de mi heredad.

Protégeme, Dios mío, que me refugio en ti;
   yo digo al Señor: "Tú eres mi bien".
El Señor es el lote de mi heredad y mi copa;
   mi suerte está en tu mano. **R.**

Bendeciré al Señor, que me aconseja
   hasta de noche me instruye internamente.
Tengo siempre presente al Señor,
   con él a mi derecha no vacilaré. **R.**

Por eso se me alegra el corazón,
   se gozan mis entrañas,
   y mi carne descansa serena,
porque no me entregarás a la muerte,
   ni dejarás a tu fiel conocer la corrupción. **R.**

Me enseñarás el sendero de la vida,
   me saciarás de gozo en tu presencia,
   de alegría perpetua a tu derecha. **R.**

II LECTURA   Gálatas 5:1, 13–18

Lectura de la carta del apóstol san Pablo a los gálatas

Hermanos:
   Cristo nos ha liberado para que seamos **libres**.
Conserven, pues, la libertad
   y **no se sometan** de nuevo al yugo de la esclavitud.
Su **vocación**, hermanos, es la libertad.
Pero **cuiden** de no tomarla como pretexto
     para **satisfacer** su egoísmo;
   antes bien, **háganse** servidores los unos de los otros **por amor**.
Porque **toda** la ley se resume en un **solo** precepto:
   Amarás a tu prójimo como a ti mismo.
Pues si ustedes se muerden y devoran **mutuamente**,
   acabarán por **destruirse**.
Los **exhorto**, pues,
   a que **vivan** de acuerdo con las **exigencias** del Espíritu;
     así no se dejarán **arrastrar**
   por el **desorden egoísta** del hombre.
Este desorden está **en contra** del Espíritu de Dios,
   y el Espíritu está en contra de **ese desorden**.

La lectura tiene el núcleo del Evangelio. Imprímele gozo a esta declaratoria de libertad y de entrega al servicio de los hermanos.

El precepto del amor ofrécelo a la asamblea como algo en el que todos participamos.

Los cristianos hoy, experimentamos quizá los *llamados* de Dios, y presentimos lo que significan, pero rehuimos abrazarlos con libertad y responsabilidad. ¿Cómo ejercemos nuestro llamado profético, recibido en las aguas bautismales? Pertenecemos a un pueblo profético, la Iglesia.

II LECTURA Pablo fue un apasionado del Evangelio, como testifica la Carta a los Gálatas, que deja ver ese carácter. Y hay razón para que dicha pasión aflore pues está a punto de perder las comunidades que él mismo fundó. En su ausencia, han

llegado otros misioneros, también cristianos, a quienes la tradición ha catalogado como *judaizantes*. Ellos traen cartas autorizadas de Jerusalén, a cuya cabeza estaba Santiago. Ellos buscan re-evangelizar o corregir las comunidades formadas por personas venidas del paganismo, pues lo que Pablo les dejó como legado no corresponde a una *recta* comprensión del Evangelio, dirían.

Resaltemos que, gracias a esa situación problemática, hemos aprendido más de la realidad del cristianismo primitivo y de la persona de Pablo, que elabora aquí otro tema central en la vida cristiana. El Apóstol

establece que lo más importante no es la circuncisión (judaizantes) o la no circuición sino la nueva condición del que sigue a Jesús cuya nota principal es la libertad (v. 1) de vivir bajo la guía del Espíritu Santo (vv. 13–25). Y el verdadero sentido de la libertad no es lo ilimitado, como algunos pudiesen esperar; es el estar sujeto al amor que es la expresión máxima de toda ley y costumbre. Toda comunidad que descuida el cuidado de la vida en su interior no tiene otro destino que desaparecer.

Entendamos el planteamiento de Pablo. No se trata de la disyuntiva "o ley o

Ensaya estas líneas finales para que el "querrían" quede bien pronunciado.

Y esta oposición es **tan radical**,
que les **impide** a ustedes hacer lo que **querrían** hacer.
Pero si los **guía** el Espíritu,
ya **no están** ustedes bajo el **dominio** de la ley.

EVANGELIO   Lucas 9:51–62

Lectura del santo Evangelio según san Lucas

El texto no es banal, inicia con un enfoque exigente. Adopta la gravedad en tu porte.

Cuando ya se **acercaba** el tiempo
en que **tenía** que salir de este mundo,
Jesús tomó la **firme** determinación
de emprender el viaje **a Jerusalén**.
Envió mensajeros por delante
y ellos fueron a una aldea **de Samaria**
para conseguirle **alojamiento**;
pero los samaritanos **no quisieron** recibirlo,
porque **supieron** que iba a Jerusalén.
Ante esta **negativa**,
sus discípulos **Santiago y Juan** le dijeron:
"**Señor**, ¿quieres que hagamos bajar **fuego** del cielo
para que **acabe** con ellos?"
Pero Jesús se volvió hacia ellos y **los reprendió**.

Acelera al leer las palabras de los discípulos para hacer notoria su incomprensión.

Mira a la asamblea como buscando al anónimo espotáneo que plantea su deseo de seguir a Jesús.

Después se fueron a **otra** aldea.
Mientras iban de camino, **alguien** le dijo a Jesús:
"Te **seguiré** a dondequiera que vayas".
Jesús le respondió:
"Las zorras tienen **madrigueras** y los pájaros, **nidos**;
pero el **Hijo** del hombre
no tiene en dónde reclinar la cabeza".

libertinaje", sino de optar o por "la ley o por el Espíritu", aunque, posteriormente, habrá quienes pretendan suavizar esto hablando del *espíritu* de la ley.

El planteamiento de Pablo es claro. La Ley con sus regulaciones y mandatos es algo exterior a la persona, y por más que sea *interiorizada* termina esclavizando al individuo porque lo somete a obrar por obligación, no por convicción profunda. El Espíritu, en cambio, es un dinamismo interno (ver Romanos 8:14) que propicia la libertad y responsabilidad y es, en el fondo, más exigente que la ley misma con sus normas.

Sus oponentes buscan resolver el planteamiento de Pablo predicando a Cristo y la Ley, Pablo en cambio seguirá señalando el camino del amor como la mejor expresión de la fidelidad a Dios.

EVANGELIO La lectura contiene dos núcleos narrativos; el de la subida a Jerusalén (vv. 51–56) y el de las tres escenas del seguimiento de Jesús (vv. 57–62). El verso con el que da inicio la segunda parte es la primera de varias observaciones esparcidas en la ruta a la capital (Lucas 9:57; 13:22; 17:11; 19:11, 28,

41). Teófilo, el escucha de la narración, va con el grupo.

La actitud de Jesús en su caminar implica muerte y resurrección; camina con plena consciencia y decisión. Como dice el evangelista, Jesús literalmente "endureció el rostro". Detalle que reclama la vena profética del siervo de Isaías (50:7), de Ezequiel (2:6) y del mismo Jeremías (1:18). Esto viene secundado, entre otras cosas, por el detalle de enviar a alguien por delante a prepararle alojamiento, pero también en la actitud vengativa del par de discípulos, hasta cierto punto justificable, pero que no han entendi-

Eleva el tono de voz en la línea final.

A otro, Jesús le dijo: "**Sígueme**".
Pero él le respondió:
"**Señor**, déjame ir primero a **enterrar** a mi padre".
Jesús le replicó:
"Deja que los muertos **entierren** a sus muertos.
Tú, ve **y anuncia** el Reino de Dios".

Otro le dijo:
"**Te seguiré**, Señor;
pero déjame primero **despedirme** de mi familia".
Jesús le contestó:
"El que **empuña** el arado y mira **hacia atrás**,
no sirve para el Reino de Dios".

do casi nada de la ruta de Jesús. A ampliar esto vienen los cuadros del seguimiento.

Encontramos enseguida las actitudes y exigencias necesarias para seguir a Jesús (vv. 57–62). Y, en este punto conviene poner atención a los tres conceptos sobresalientes en esta sección. Pensemos en lo que significan seguir, "Hijo del hombre" y "reino de Dios". También pongamos atención en los personajes que, por ser anónimos y típicos (uno, otro y otro), nos ayudan a enfocarnos en lo más importante: el discipulado. El primero pide seguir a Jesús, pero se encuentra con que hay exigencias de renuncia;

el segundo es llamado por Jesús, pero tiene otras prioridades; el tercero quiere seguirle, pero Jesús le pone condiciones. En los tres casos sobresale la exigencia expresada en la prontitud, el desprendimiento y la disposición a padecer penalidades.

Ser discípulo de Jesús será siempre un caminar sin patria ni hogar permanente (ver Proverbios 27:8), pues, aunque el enterrar a los propios padres sea un deber sagrado (Génesis 35:29; Tobías 14:10–13) el asunto de Jesús es una vida nueva que no se limita a ésta ("nuestros muertos"), lo que se acabó se acabó (ver Hebreos 8:13) pues el que ara,

mira hacia el frente como el profeta Eliseo (1 Reyes 19:20). La mirada hacia atrás puede en algunos casos resultar en la fatalidad como sucedió a la mujer de Lot (Génesis 19:26).

En los años recientes se ha destapado un gran entusiasmo por el discipulado y la misión de los cristianos. Hoy Jesús nos confronta con la exigencia del desprendimiento (pobreza) y la disposición a padecer penalidades y agravios, por el Evangelio.

XIV DOMINGO DEL TIEMPO ORDINARIO

Es una visión esperanzadora y de auténtico gozo. Tu porte debe denotar esto mismo.

Nota que las palabras del Señor infunden certeza. Enfatiza el "yo" de Dios.

I LECTURA   Isaías 66:10–14

Lectura del libro del profeta Isaías

Alégrense con Jerusalén,
  gocen con ella **todos** los que la aman,
  alégrense de su alegría
    todos los que por ella **llevaron luto**,
  para que se **alimenten** de sus pechos,
  se llenen de sus consuelos
  y **se deleiten** con la **abundancia** de su gloria.

Porque **dice** el Señor:
  "Yo haré **correr** la paz sobre ella **como un río**
  y la **gloria** de las naciones
    como un torrente **desbordado**.
Como niños serán llevados en el regazo
  y **acariciados** sobre sus rodillas;
  como **un hijo** a quien su madre **consuela**,
  así los consolaré **yo**.
En Jerusalén serán ustedes **consolados**.

Al ver esto **se alegrará** su corazón
  y sus huesos **florecerán** como un prado.
Y los **siervos** del Señor **conocerán** su poder".

I LECTURA Los capítulos 56–66 pertenecen a la tercera parte del libro del profeta Isaías, de ahí que se le conozca como "Tercer Isaías". Esta sección reconocidamente continúa o prolonga las ideas y el estilo de Isaías para generaciones distanciadas por siglos; y aunque esto merece una explicación más amplia debido a la complejidad de las tradiciones que componen esa parte del libro, es necesario tener presente que este mensaje está cuajado para los que han vuelto del exilio en el siglo VI a. C. Por todos los ángulos que se le quiera ver, después del destierro hay mucho que reconstruir en la vida del pueblo; y no única ni necesariamente en el sentido geográfico o material (el templo, la ciudad y sus muros) sino sobre todo en el ámbito cultural, social, simbólico y espiritual (la comunidad).

El texto que leemos hoy presenta un bello y esperanzador cuadro de la restauración de la ciudad de Jerusalén. Ya antes dejó este profeta al lector con la imagen del parto sin dolor, y ahora como que prolonga eso mismo bajo el aspecto de la fecundidad o el florecimiento familiar. Este breve y hermoso oráculo se ubica en el campo de la familia para pintar el nacimiento simultáneo de todo un pueblo. Resalta su belleza si se le compara con el difícil nacimiento de los "doce padres" de las tribus (Génesis 30), en donde un nacimiento hasta cobró la vida de la madre (Génesis 35:16–21). Aquí en cambio todo es fácil, rápido y generoso.

El amor que hace saltar de gozo acaba con el duelo que aqueja al pueblo. Este recibe de Dios los cuidados de amor y vida al estilo de una madre. La frase que habla de que el Señor se desborda en generosidad estableciendo la paz y poniendo a la disposición del pueblo amado toda la riqueza del mundo, ha infundido torrentes de confianza

Para meditar

SALMO RESPONSORIAL   Salmo 66:1–3, 4–5, 6–7a, 16 y 20

R. Aclamen al Señor, tierra entera.

Aclamen al Señor, tierra entera;
  toquen en honor de su nombre,
  canten himnos a su gloria;
  digan a Dios:
  "¡Qué temibles son tus obras!" **R.**

Que se postre ante ti la tierra entera,
  que toquen en tu honor,
  que toquen para tu nombre.
Vengan a ver las obras de Dios,
  sus temibles proezas en favor
    de los hombres. **R.**

Transformó el mar en tierra firme,
  a pie atravesaron el río.
Alegrémonos con Dios,
  que con su poder gobierna eternamente. **R.**

Fieles de Dios, vengan a escuchar,
  les contaré lo que ha hecho conmigo.
Bendito sea Dios, que no rechazó mi súplica
  ni me retiró su favor. **R.**

II LECTURA   Gálatas 6:14–18

Lectura de la carta del apóstol san Pablo a los gálatas

Hermanos:
No permita Dios que yo **me gloríe** en algo
    que **no sea** la cruz de nuestro Señor Jesucristo,
  por el cual el mundo está **crucificado** para mí
  y yo para el mundo.
Porque en **Cristo Jesús**
    de nada vale el estar circuncidado o no,
  sino el ser una **nueva** creatura.

Para todos los que vivan **conforme** a esta norma
  y también para el **verdadero** Israel,
  la paz y la **misericordia** de Dios.
De ahora en adelante,
  que **nadie** me ponga más obstáculos,
  porque llevo **en mi cuerpo**
    la marca de los sufrimientos que **he pasado** por Cristo.

Hermanos,
  que la gracia de **nuestro** Señor Jesucristo
    esté con ustedes. **Amén.**

Presta voz a san Pablo, y con serena humildad avanza por estas líneas tan densas y avaladas por su experiencia apostólica.

Recorre con tu mirada a la comunidad al pronunciar estas palabras que son testimonio vivo del Apóstol.

Practica el tono perfecto para que la despedida sea afable. Haz la pausa que marca el punto y seguido.

en la liberación y edificación de muchos pueblos en el mundo.

Nosotros no podemos quedar como simple observadores y oyentes ante las palabras de Dios por boca del profeta. Estas mismas palabras retumban en las esquinas de todo el mundo donde quiere reinar la desgracia y la mala noticia. Agucemos el oído, levantemos la mirada, socialicemos las buenas noticias de Dios en medio de su pueblo. Hay mucho que cosechar, aun en los terrenos más áridos y desolados de nuestro pueblo y nuestra realidad.

II LECTURA Encontramos al final de la carta a los Gálatas una parte que es conclusión y despedida (6:11–18). En ella, Pablo mismo ha escrito unas letras más grandes con su propia mano remachando así el sentido personal de su escrito y la importancia del tema que ha venido tratando.

Asume una vez más la controversia, pero ahora aludiendo a una experiencia más personal (vv. 11–13) y afirmando la centralidad de la fe de aquellos que creen en Cristo (vv. 14–18). De lo único que es válido presumir, dice el Apóstol, es de haber asumido la cruz de Cristo como él mismo ha hecho. La alusión a las marcas en su cuerpo, más que aludir a lo físico, refiere al conjunto de padecimientos que implica el apostolado cristiano. Recordemos aquí el dato de que en la sociedad grecorromana el esclavo llevaba en su cuerpo la marca de su dueño como señal de pertenencia. Tanto para Pablo como para sus comunidades este dato refuerza el sentido de padecer por Cristo y por el evangelio como signo de entrega y pertenencia. Pablo se siente en todo momento siervo de Jesús (ver Romanos 1:1; Gálatas 1:10).

Evita la monotonía en este relato del envío. Te ayudará ir poniendo un tipo de énfasis en las actitudes y otro tipo, más ordinario, en las acciones.

EVANGELIO   Lucas 10:1–12, 17–20

Lectura del santo Evangelio según san Lucas

En aquel tiempo,
  Jesús **designó** a otros setenta y dos discípulos
  y los mandó por delante, de **dos en dos**,
  a **todos** los pueblos y lugares a donde pensaba ir,
  y les dijo:
"La cosecha es **mucha** y los trabajadores **pocos**.
Rueguen, por tanto, al dueño de la mies
  que **envíe** trabajadores a sus campos.
Pónganse en camino;
  yo los envío como **corderos** en medio de lobos.
No lleven ni dinero, ni morral, ni sandalias
  y **no** se detengan a saludar **a nadie** por el camino.
Cuando **entren** en una casa digan:
  'Que la paz **reine** en esta casa'.
Y si **allí** hay gente amante de la paz,
  el deseo de paz de ustedes, **se cumplirá**;
  si no, **no se cumplirá**.
Quédense en esa casa.
Coman y beban **de lo que tengan**,
  porque el trabajador **tiene derecho** a su salario.
No anden de casa en casa.
En **cualquier** ciudad donde entren y los reciban,
  coman **lo que les den**.
Curen a los enfermos que haya y **díganles**:
  'Ya se **acerca** a ustedes el Reino de Dios'.

Haz una pausa antes y después de esta afirmación central en la misión del discípulo: curar, como signo de cercanía del Reino de Dios.

El centro de la vida cristiana no debería quedar nunca reducido a las leyes, costumbres o normas. Su eje principal es una vida siempre nueva en Cristo. Este criterio mayor pone en su lugar todo lo demás, la circuncisión o no circuncisión, por ejemplo, pero hay tanto más que aquí podría caber. Abrazar la cruz, el sufrimiento y el cansancio por el evangelio es una constante en todo el evangelio de Pablo. Esta perspectiva fundamental le hizo acreedor a serias críticas y rivalidades y puede seguir sonando incómoda para quienes evaden la paradójica alegría de abrazar la cruz de Cristo en todo.

Tal vez sea en esta línea, la de la entrega y sufrimiento por el evangelio, donde los miembros de la Iglesia podremos encontrar la comunión que tanto anhelamos. En la familia, en la parroquia, en las organizaciones y grupos la cruz es antesala de la resurrección.

EVANGELIO La misión de los setenta o setenta y dos puede tener como telón de fondo el simbolismo numérico de las setenta naciones de Génesis 10 o el resultado de multiplicar por seis las doce tribus de Israel. Para Lucas el trabajo de estos

misioneros está relacionado con la cosecha de Dios, y el envío de dos en dos responde con toda seguridad a la necesidad de dar un testimonio creíble y válido (Deuteronomio 19:15; Números 35:30).

Ante todo, tenemos los criterios que establece Jesús (Lucas 10:1–12) para la misión y el misionero. En primer lugar, el enviado debe estar muy atento y despierto pues va como "cordero en medio de lobos". Esta metáfora es muy conocida en el mundo judío, está en la raíz de su origen e identidad. Los rabinos la usan para referirse al pueblo de Israel como una oveja en medio

Pero si entran en una ciudad **y no los reciben**,
  salgan por las calles y digan:
'Hasta **el polvo** de esta ciudad
  que se nos ha pegado a los pies nos lo sacudimos,
  en **señal de protesta** contra ustedes.

De todos modos, **sepan** que el Reino de Dios **está** cerca'.
Yo **les digo** que en el **día** del juicio,
  Sodoma será tratada con **menos** rigor que esa ciudad".

Los setenta y dos discípulos regresaron **llenos de alegría**
  y le dijeron a Jesús:
  "Señor, **hasta** los demonios se nos someten **en tu nombre**".

Él les contestó: "**Vi** a Satanás caer del cielo **como el rayo**.
A ustedes les he dado poder
    para **aplastar** serpientes y escorpiones
  y para vencer **toda** la fuerza del enemigo,
  y **nada** les podrá hacer daño.
Pero **no se alegren** de que los demonios se les someten.
Alégrense **más bien**
  de que sus nombres **están escritos** en el cielo".

Abreviada: *Lucas 10:1–9*

Las palabras sobre la verdadera alegría deben generar confianza, aunque sean correctivas. Resalta este valor con seguridad y aplomo.

---

de los setenta y dos lobos, es decir las naciones paganas. Esta advertencia sirve también para señalar el peligro que amenaza a Jesús en su camino a Jerusalén.

En segundo lugar, encontramos la prohibición o criterio de que los discípulos no son caminantes normales que "se aseguran" a sí mismos. Ellos, más bien, optan por la pobreza como signo de absoluta confianza en Dios y en la comunidad; criterio que también puede entenderse como expresión de libertad. No está por demás decir que la negación del saludo indica un sentido de urgencia al estilo profético (2 Reyes 4:29) y de

ningún modo respalda una actitud pedante o irrespetuosa, especialmente si consideramos que *el tercer criterio* es el ser mensajeros de la paz. La paz de Cristo que está siempre asociada a los signos de fraternidad, curación y liberación como signos de la presencia inmediata y permanente del reinado de Dios.

El evangelista toma el dato del regreso de los setenta y dos, para consignar que el gozo y la alegría alimentan la vitalidad del discípulo y que está llamado a disfrutar con madurez de la alegría de participar en el quehacer del reino.

Dios ha escrito nuestros nombres en esta misión y estos criterios resuenan en nuestra conciencia frente a la multitud de los otros valores que nos propone el mundo que nos rodea.

XV DOMINGO
DEL TIEMPO ORDINARIO

El tono es de entusiasta exhortación no de imposición.

Baja un poco el tono y pasa de la exhortación animada a la exposición serena y cordial que clarifica y da confianza.

Emboca estas líneas de manera que resalten las palabras en negrillas.

I LECTURA   Deuteronomio 30:10–14

Lectura del libro del Deuteronomio

En **aquellos** días,
  habló **Moisés** al pueblo y le dijo:
  "**Escucha** la voz del Señor, tu Dios,
  que te manda **guardar** sus mandamientos y disposiciones
    escritos en el libro de esta ley.
Y **conviértete** al Señor tu Dios,
  con **todo** tu corazón y con **toda** tu alma.

Estos mandamientos que te doy,
  no son superiores a tus fuerzas
    ni están **fuera** de tu alcance.
No están en el cielo, de modo que pudieras decir:
  '**¿Quién** subirá por nosotros al cielo
    para que **nos los traiga**,
  los escuchemos y **podamos** cumplirlos?'
Ni **tampoco** están al **otro** lado del mar,
  de modo que **pudieras** objetar:
  '**¿Quién** cruzará el mar por nosotros
    para que nos los traiga,
  los escuchemos y **podamos** cumplirlos?'
Por el contrario,
  todos mis mandamientos están **muy** a tu alcance,
  en tu boca y **en tu corazón**,
  para que **puedas** cumplirlos".

I LECTURA En este breve trozo del Deuteronomio, el escritor sagrado nos presenta un mensaje lleno de esperanza para lograr una vida plena en el cumplimiento de la Ley de Dios. Ello significa la conversión al Señor, pues una vez que él ha manifestado su voluntad a través de los mandatos de la alianza, cada israelita los conoce y los puede cumplir. Repetirlos o recitarlos tiene por objeto grabarlos en la memoria e irlos adentrando en la inteligencia y en el corazón. Semejante interiorización de la Ley de Dios que nos presenta el autor también se puede encontrar en otras

fórmulas (ver Salmo 139, Proverbios 30:4 y Baruc 3:29–30), pero son de sabor muy deuteronomista.

El pueblo de Israel sabe, por experiencia propia, que Dios ha tardado en hacer cumplir los castigos a los que el pueblo se ha hecho acreedor por faltar a la alianza y los acuerdos establecidos. Aun ahora que experimenta las consecuencias más graves de su infidelidad, como son el exilio y la destrucción del templo, recibe el don de su palabra y la posibilidad cercana de poderla cumplir sin necesidad de territorio o de templo. Está a su alcance sin pretexto alguno.

II LECTURA La Carta a los Colosenses, atribuida a san Pablo, tiene como uno de sus temas centrales el de Cristo redentor universal, por quien fueron creadas todas las cosas. Este magnífico himno cristológico es la puerta principal de la carta y servirá de referencia y fundamento para todo lo demás. Por ejemplo, la supremacía total de Cristo sirve de argumento al autor ante la hostilidad contra la fe y la Iglesia que directa o indirectamente se plantea en el ambiente. Un revoltijo de doctrinas, creencias y enseñanzas que al exte-

Para meditar

SALMO RESPONSORIAL   Salmo 69:14 y 17, 30–31, 33–34, 36ab y 37

R. Busquen al Señor, y revivirán sus corazones.

Mi oración se dirige a ti,
Dios mío, el día de tu favor;
   que me escuche tu gran bondad,
   que tu fidelidad me ayude.w
Respóndeme, Señor, con la bondad de
   tu gracia;
   por tu gran compasión, vuélvete
   hacia mí. **R.**

Yo soy un pobre malherido;
   Dios mío, tu salvación me levante.
Alabaré el nombre de Dios con cantos,
   proclamaré su grandeza con acción
   de gracias. **R.**

Mírenlo, los humildes, y alégrense,
   busquen al Señor, y revivirá su corazón.
Que el Señor escucha a sus pobres,
   no desprecia a sus cautivos. **R.**

El Señor salvará a Sión,
   reconstruirá las ciudades de Judá.
La estirpe de sus siervos la heredará,
   los que aman su nombre vivirán
   en ella. **R.**

O bien: *Salmo 19:8, 9, 10, 11*

II LECTURA   Colosenses 1:15–20

Lectura de la carta del apóstol san Pablo a los colosenses

Este himno es solemne y tiene trazos poéticos. Encuentra el ritmo, la cadencia y la armonía para que lo aprecie también la asamblea.

Cristo es la **imagen** de Dios invisible,
   el **primogénito** de **toda** la creación,
   porque en él tienen su **fundamento todas** las cosas creadas,
   del cielo y de la tierra, las visibles y **las invisibles**,
   sin **excluir** a los tronos y dominaciones,
   a los principados y **potestades**.
Todo fue creado **por medio de él y para** él.

Guíate por las negrillas para darle gravedad a algunas frases de la lectura.

Él existe **antes** que todas las cosas,
   y **todas** tienen su consistencia **en él**.
Él es también la **cabeza** del cuerpo, que es **la Iglesia**.
Él es el **principio**, el **primogénito** de entre los muertos,
   para que sea el primero **en todo**.

Porque Dios **quiso** que en Cristo habitara **toda plenitud**
   y **por él** quiso reconciliar consigo **todas** las cosas,
   del cielo y de la tierra,
   y darles **la paz** por medio de su sangre,
   derramada en la cruz.

---

rior e interior de la Iglesia falsean la verdadera fe en Cristo.

Pero la fe en Jesucristo expresada en este himno no es únicamente respuesta al ambiente. Es, ante todo, convicción y certeza de la comunidad cristiana que debe aprender a vivir la dimensión histórica y la dimensión celeste como dos caras de una sola realidad. Toda esa realidad tiene su base en Cristo. Él es la realidad, dirá el Apóstol.

El escritor de Colosenses aborda la primacía suprema de Cristo en primer lugar desde su naturaleza divina (vv. 15–17) y en

su cualidad de hombre y redentor (vv. 18–20), pero el sujeto de todo el himno, de esta alabanza, es el Hijo de Dios.

El concepto de imagen de Dios es clave para comprender este himno de alabanza. Y entiéndase por alabanza un canto que envuelve todo como ofrenda ante Aquel a quien se le reconocen grandeza y dignidad por encima de todo. Desde el principio, los cristianos, especialmente los llamados padres de la Iglesia, vieron que hay aquí una alusión al Génesis mirando a Cristo como el segundo Adán. Más aún, aquí se ve a Cristo como el Verbo en su preexistencia eterna,

en la línea de la literatura sapiencial (ver Sabiduría 7:25). No es que el Hijo tenga algunas cualidades o rasgos de Dios; es mediador y destinatario de la entera obra de la creación.

Por ser creaturas, participamos ya del Cristo mediador y destinatario de la creación; lo mismo nos lo asegura esa *imagen* de Dios que es nuestra dignidad. De tal modo que "en Cristo, por él y en él", como cantamos en la misa, se reanima también nuestra participación en el cuerpo y la cabeza de este cuerpo, que es la Iglesia. Hay que ampliar el concepto de Iglesia para no

EVANGELIO Lucas 10:27–37

Lectura del santo Evangelio según san Lucas

En aquel tiempo,
se presentó ante Jesús un **doctor** de la ley
para ponerlo **a prueba** y le preguntó:
"**Maestro**, ¿qué **debo** hacer para **conseguir** la vida eterna?"
Jesús le dijo:
"¿**Qué es** lo que **está escrito** en la ley? ¿Qué **lees** en ella?"
El doctor de la ley contestó:
"**Amarás** al Señor tu **Dios**, con **todo** tu **corazón**,
con **toda** tu **alma**,
con **todas** tus **fuerzas** y con **todo** tu **ser**,
y a tu **prójimo** como a **ti mismo**".
Jesús le dijo:
"Has contestado **bien**; si haces eso, **vivirás**".

La narración tiene dos fases. Inicia el avivado diálogo contagiado de verdadera inquietud.

Dale elocuencia y profundidad a tu voz en esta parte aprovechando la puntuación para poner en evidencia las acciones ante la persona en necesidad.

Dale relevancia y sinceridad a la afirmación de Jesús marcando el contraste con la doblez del doctor que busca esquivarse.

reducir ni malentender el alcance y amplitud de la primacía de Cristo y su obra redentora. La Carta a los Efesios, hermana de esta Carta a los Colosenses, hará un énfasis especial en la realidad eclesial de este cuerpo de Cristo en el mundo.

San Juan Crisóstomo comenta respecto a este texto que Cristo es "el primero dondequiera: el primero arriba, el primero en la Iglesia, porque es la cabeza; en la resurrección, el primero". Nosotros, en nuestro reconocimiento de esta primacía de Cristo, no añadimos ni quitamos nada; más bien nos ubicamos a nosotros mismos. Démosle a

Cristo su lugar en nuestra vida y encontraremos el nuestro en la historia, en la Iglesia y en nuestras relaciones con los demás.

EVANGELIO En este diálogo entre Jesús y el entendido de la Ley, el evangelista Lucas nos ofrece la parábola que solamente él ha conservado, la del buen samaritano.

El tema anterior (Lucas 10:21–22) sobre la humildad, la sabiduría y la prudencia como actitudes propias de los discípulos de Jesús, encuentra aquí una extensión y aplicación profundas en la misericordia ante el

caído en el camino sin pretexto de raza, religión o condición social. A ese hay que acercarse para ser prójimo.

La pregunta viene en el modo acostumbrado, siguiendo la Ley (Deuteronomio 4:1; 5:33; 8:1; 16:20) con el criterio de que para obtener la vida hay que cumplir y obedecer. El que obedece no se equivoca; se equivoca el que manda, dice un pensamiento popular en nuestros días. En esa conversación típica, donde el discípulo pregunta y el maestro va guiando hacia la respuesta, Jesús corrige sin reproche cambiando y ampliando el horizonte de una vida perpetua en

La pregunta preconclusiva debe sonar con claridad antes los ojos de los presentes. Y ponle fuerza y potencia a la invitación de Jesús.

El doctor de la ley, **para justificarse,**
    le preguntó a Jesús: "¿Y **quién es** mi prójimo?"
Jesús le dijo:
    "Un hombre que bajaba por el camino de Jerusalén a Jericó,
    cayó en manos de unos ladrones, los cuales **lo robaron,**
    lo hirieron y lo dejaron **medio muerto.**
Sucedió que por el **mismo** camino bajaba un **sacerdote,**
    el cual **lo vio** y pasó **de largo.**
De **igual** modo, un **levita** que pasó por ahí,
    lo vio y **siguió adelante.**
Pero un **samaritano** que iba de viaje, al verlo,
    se **compadeció** de él, se **le acercó,**
    ungió sus heridas con aceite y vino y se las vendó;
    luego lo puso sobre su cabalgadura,
    lo llevó a un mesón y **cuidó de él.**
Al día siguiente sacó **dos denarios,**
    se los dio al dueño del mesón y le dijo:
    '**Cuida** de él y lo que gastes de más, te **lo pagaré** a mi regreso'.

¿**Cuál** de estos tres
    te parece que **se portó** como prójimo
        del hombre que fue asaltado por los ladrones?"
El doctor de la ley le respondió:
    "El que tuvo **compasión** de él".
Entonces Jesús le dijo:
    "**Anda** y **haz tú** lo mismo".

---

un mundo nuevo. La herencia que el maestro de la Ley tiene en mente no es la herencia a la que Jesús invita. Aquella busca heredar la tierra, la de Jesús es heredar el cielo. Aquella es cumplimiento del mandato; esta, la de Jesús, es superación de la Ley.

Notemos la sinceridad del maestro de la Ley. También notemos su sabiduría porque responde correctamente al sintetizar los 613 preceptos rabínicos en los dos capitales: amor a Dios y al prójimo (Deuteronomio 6:5; Levítico 19:18), otro tanto hace Jesús en san Mateo (12:28; 22:27–29).

Ante la respuesta de Jesús el letrado busca escabullir por medio de la pregunta casuística y retórica que muchos tienen en mente a la hora de poner el amor en acción. "¿Quién es mi prójimo?". Jesús prefiere ilustrar su respuesta con una parábola en vez de enredarse en discusiones sin fin.

Pongamos atención a los personajes, ante todo en este hombre cualquiera del que no se indica patria ni religión ni oficio ni condición social ni si es santo o pecador. Es el caído en el camino, y punto. Su única identidad es que ha sido víctima y necesita ayuda. Luego está el samaritano, este cismático o medio pagano cuya sola presencia es casi un insulto para los fieles judíos, pero que se ha ganado en la tradición cristiana el título de "buen samaritano". Y también están estos dos funcionarios del culto a quienes tanto preocupa el cumplimiento de los preceptos divinos, pero que pasan de largo.

XVI DOMINGO
DEL TIEMPO ORDINARIO

El relato rezuma calidez y misterio. Todos deben sentir a través de lo que escuchan.

Aumenta la velocidad de la lectura para coincidir con la diligencia de Abram; es como mantener la solicitud del anfitrión.

I LECTURA   Génesis 18:1–10

Lectura del libro del Génesis

Un día,
  el Señor se le apareció **a Abraham** en el encinar de Mambré.
Abraham estaba sentado en la entrada de su tienda,
  a la hora del calor **más fuerte**.
Levantando la vista,
  vio **de pronto** a tres hombres que estaban de pie **ante él**.
Al verlos,
  se dirigió a ellos **rápidamente** desde la puerta de la tienda,
  y **postrado** en tierra, dijo:
  "**Señor mío**, si he hallado gracia a tus ojos,
  te ruego que no pases junto a mí sin detenerte.
Haré que traigan un poco de agua
    para que se laven los pies
  y **descansen** a la sombra de estos árboles;
  traeré **pan** para que **recobren** las fuerzas
  y después **continuarán** su camino,
  pues **sin duda** para eso han pasado junto a su siervo".

Ellos le contestaron:
  "Está bien. **Haz** lo que dices".
Abraham entró **rápidamente** en la tienda donde estaba Sara
  y le dijo:
  "**Date prisa**, toma **tres** medidas de harina,
  amásalas y cuece unos panes".

Luego Abraham **fue corriendo** al establo,

I LECTURA   Notemos que en la antigüedad era muy común este tipo de leyenda ejemplar de dioses con rostro humano que circulan en el mundo poniendo a prueba la capacidad de acogida por parte de los mortales. Y de eso dependerá el que sean premiados o castigados. Al respecto recordemos, en el mundo bíblico, también el episodio de Pablo y Bernabé en Listra (Hechos 14).

El autor desarrolla el tema aplicándolo al patriarca Abraham y a su esposa Sara quien, por cierto, es la más activa en la hospitalidad brindada por Abraham. Pero la in-

tención del escrito rebasa la edificación moral. Su generosidad tiene un largo alcance en la historia de la salvación.

Es preciso resaltar que ni Abraham ni Sara saben con quién están tratando. Este detalle aumenta el impacto de esta prueba. Sólo ve, aunque tal vez intuya que hay algo más, a tres caminantes acalorados y necesitados, a quienes ofrece generosa y humildemente la bienvenida. Ellos tres representan a la divinidad que, en la medida que hablan, va revelando su identidad y la bendición que traen consigo.

Ni el lector de entonces ni nosotros ignoramos lo que estos ancianos ignoraban. El escritor lo sabe. Nosotros también deberíamos aprender de la actitud de esta pareja y del profundo y largo alcance que tiene nuestra vida frente a los demás dentro del plan salvífico de Dios.

II LECTURA   El Apóstol expone aquí el sentido del sufrimiento en su propio ministerio apostólico y que culmina todo lo que está por venir, justamente por ser apóstol. Todo, absolutamente todo,

escogió un ternero y se lo dio a un criado
  para que lo matara y **lo preparara**.
Cuando el ternero estuvo asado,
  tomó **requesón y leche** y lo sirvió **todo** a los forasteros.
Él permaneció **de pie** junto a ellos, bajo el árbol,
  mientras comían.
Ellos le preguntaron:
  "**¿Dónde** está Sara, **tu mujer?**"
Él respondió:
  "**Allá**, en la tienda".
Uno de ellos le dijo:
  "Dentro de un año **volveré** sin falta
    a visitarte por **estas** fechas;
  para **entonces**, Sara, tu mujer, habrá tenido **un hijo**".

Imprime un tono firme y solemne a la promesa con que cierra el relato. Como dejando a la misma asamblea a la espera del resultado.

Para meditar

SALMO RESPONSORIAL   Salmo 15:2–3ab, 3cd–4ab, 5

R. Señor, ¿quién puede hospedarse en tu tienda?

El que procede honradamente
  y práctica la justicia,
  el que tiene intenciones leales
  y no calumnia con su lengua. **R.**

El que no hace mal a su prójimo
  ni difama al vecino,
  el que considera despreciable al impío
  y honra a los que temen al Señor. **R.**

El que no presta dinero a usura
  ni acepta soborno contra el inocente.
El que así obra nunca fallará. **R.**

II LECTURA   Colosenses 1:24–28

Lectura de la carta del apóstol san Pablo a los colosenses

Hermanos:
Ahora **me alegro** de sufrir **por ustedes**,
  porque **así** completo
    lo que falta a la pasión de Cristo en mí,
  por el **bien** de su cuerpo, que es **la Iglesia**.

Como si la comunidad supiera de tus propias luchas, transmite un sentido de fraternidad en tus palabras. Sincero y sereno, hermánate.

encuentra su sentido cabal en Cristo, muerto y resucitado.

Cuando menciona que "completa la pasión de Cristo", Pablo no está indicando que falte algo a la obra redentora. Él se refiere a lo que falta de la Iglesia y de su propia persona en cuanto testimonio de la cruz de Cristo, en favor de los creyentes; es decir, para que la obra de redención se vea terminada, debe mostrar los frutos de la resurrección. Conforme el discípulo entrega su vida por la misión, se va verificando el misterio acogido por la fe, y que hace de su vida el verificativo del misterio pascual.

Se trata de un proceso personal, pero ante todo eclesial que va desvelando la grandiosa verdad del plan salvador de Dios en la persona de Jesús. De esto se trata; de ir conociendo lo realizado en Cristo y verificarlo en la vida de los creyentes. Pablo descarta de este modo todo el *otro* dinamismo de predicación y enseñanza promovido por los falsos maestros en aquella comunidad de Colosas, que entendían que, por estar salvados, lo corpóreo nada importa, y que solamente lo espiritual se envuelve en la obra de salvación. Finalmente, entendamos que los desafíos de Pablo "son de Pablo", así

como los nuestros son propios al mismo tiempo que se suman a los de todo el cuerpo (la Iglesia) y su cabeza (Cristo). Cristo es primero (ver Colosenses 1:14–20), pero Dios actúa por medio de todos y a través de todo. Dios llama para trabajar y pelear (1:29), enfrentando el sufrimiento (1:24) y participando en el cumplimiento del proyecto de salvación (1:25). Por ahí va el tono del secreto escondido, del misterio de salvación que está revelándose a todos por vía de la Iglesia (ver Efesios 3:4–7). Este don de Dios no es precisamente información. Es sobre todo gracia y participación de la gloria de Dios.

Inevitable que la asamblea piense en el ministerio eclesial. Agradecido por tu propia vocación al servicio, prepara bien esta lectura.

Por disposición **de Dios**,
yo he sido constituido **ministro** de esta Iglesia
para predicarles por entero **su mensaje**,
o sea, el designio **secreto**
que Dios ha mantenido **oculto** desde siglos y generaciones
y que ahora **ha revelado** a su pueblo santo.

Dios **ha querido** dar a conocer **a los suyos** la gloria y riqueza
que **este designio** encierra para los paganos, es decir,
que Cristo **vive** en ustedes
y es la **esperanza** de la gloria.
Ese mismo Cristo es el que **nosotros** predicamos
cuando corregimos a los hombres
y los instruimos **con todos** los recursos de la sabiduría,
a fin de que **todos** sean **cristianos perfectos**.

Devuelve con entusiasmo a todos los presentes la buena noticia de haber sido llamados. Concluye con fuerza y claridad.

EVANGELIO   Lucas 10:38–42

Lectura del santo Evangelio según san Lucas

La atmósfera es íntima y cálida. Procura mostrar esto mismo en tu proclamación.

En aquel tiempo,
entró Jesús en un poblado,
y una mujer, llamada **Marta**, lo recibió en su casa.
Ella tenía una hermana, llamada **María**,
la cual **se sentó** a los pies de Jesús
y se puso **a escuchar** su palabra.
Marta, entre tanto, se **afanaba** en diversos quehaceres,
hasta que, acercándose a Jesús, le dijo:
"**Señor**, ¿no te has dado cuenta de que mi hermana
me ha **dejado sola** con todo el quehacer? Dile **que me ayude**".

Marca cierta diferencia entre las palabras de Marta con sentido de urgencia y las de Jesús llenas de aplomo y claridad.

El Señor le respondió:
"Marta, Marta, **muchas** cosas te preocupan y te inquietan,
siendo así que **una sola** es necesaria.
María escogió la **mejor** parte y **nadie** se la quitará".

EVANGELIO La lectura de la visita de Jesús a casa de Marta y María es parte de la instrucción más amplia de Jesús acerca de la oración (Lucas 10:38—11:13). No se trata de oponer la vida contemplativa a la vida activa. Dicha separación o contraposición, además de ser un mal entendido de nuestros tiempos, no está contemplada en la intención del evangelista. Lo que sí quiere dejar en claro es que la escucha de la Palabra de Jesús, la cercanía a su persona y su mensaje es fundamental en la vida cristiana. Gracias a esta escucha y cercanía,

la persona podrá distinguir entre lo necesario, lo importante y lo superfluo.

Contrario a la costumbre de la época, Jesús tiene discípulas en toda la extensión de la palabra. En la visita y el encuentro se recalca el sentido de la escucha atenta como relación y complemento del amor eficiente (parábola del buen samaritano). Sin menosprecio ni prejuicio debemos apreciar el detalle de Marta. Ella está ejerciendo la hospitalidad (Génesis 18:1–10), una de las buenas acciones más apreciadas en el judaísmo y en la que una buena comida es de suma importancia. Nos dice el evangelista

que María está "a los pies del Señor", haciendo referencia a la actitud propia del discípulo o discípula.

La lectura invita a elegir la "mejor parte" y a escuchar.

XVII DOMINGO DEL TIEMPO ORDINARIO

I LECTURA   Génesis 18:20–32

Lectura del libro del Génesis

En **aquellos** días, el Señor dijo:
  "El **clamor** contra Sodoma y Gomorra es **grande**
  y su pecado es **demasiado** grave.
Bajaré, pues, a ver si sus hechos **corresponden** a ese clamor;
  y si no, **lo sabré**".

Los **hombres** que estaban con Abraham
  se despidieron **de él** y se encaminaron hacia Sodoma.
Abraham se quedó ante el Señor y le preguntó:
  "¿**Será** posible que tú **destruyas** al inocente
  junto con el culpable?
Supongamos que hay **cincuenta** justos en la ciudad,
  ¿**acabarás** con todos ellos y **no perdonarás** al lugar
  en atención a esos **cincuenta** justos?
Lejos de ti tal cosa:
  matar al inocente **junto** con el culpable,
  de manera que la suerte del justo sea como la del malvado;
  eso **no puede ser**. El juez de **todo** el mundo ¿**no hará justicia?**"
El Señor le contestó:
  "Si **encuentro** en Sodoma **cincuenta** justos,
  perdonaré a **toda** la ciudad en atención a ellos".

Abraham **insistió**:
  "Me he **atrevido** a hablar a mi Señor,
  yo que soy **polvo** y ceniza.

Con tono paternal deja ver la preocupación y cercanía de Dios para con la humanidad.

Nota que hay dos momentos. Con respeto y reverencia contagia el calor y la confianza a la asamblea.

I LECTURA   La reflexión o monólogo previo de Dios ("el Señor se decía cómo haré…") funciona como puente para la revelación y diálogo con el patriarca sobre la situación de Sodoma.

La humilde audacia del patriarca no tiene como meta el cambiar la voluntad de Dios sino mostrar la gran confianza e intimidad con Dios. Aclarado esto, notemos que también tenemos aquí un fuerte dilema ético-teológico. Ante la realidad del conflicto entre los muchos *malos* y los pocos, muy pocos *buenos* ¿qué habrá de hacer Dios?

Hay que evitar dos tendencias de interpretación de esta lectura. La primera es la pretensión de ver la justicia con un lente aritmético. Según la lectura, Bastan diez justos para evitar el castigo. Esto no quiere decir que en el caso de nueve u ocho el castigo era inevitable. De hecho, pudo haber mucho menos. El regateo entre Abraham y Dios no va por este tipo de contabilidad. Lo que quiere mostrar es más bien la buena voluntad y compasión de Abraham y la disposición de Dios para escuchar.

La segunda tendencia es ver la intervención de Abraham como un modo de poner en evidencia a un Dios potencialmente injusto. No caben esas vías.

También en la actualidad hay quienes identifican justicia con castigo sin posibilidad de perdón. Otros, los menos, la entienden como sinónimo de perdón. Unos comulgan con la oración de Abraham y otros la cambiarían radicalmente. La justicia de Dios sin duda alguna, sale avante de las trampas del poder y la venganza como castigo del culpable. Dios se guía por el perdón basado en el amor a los inocentes (ver Isaías 53; Romanos 5).

La insistencia de Abraham debe dejar el sabor de bondad. Con tono humilde y digno insiste con él.

Supongamos que faltan **cinco** para los cincuenta justos,
   ¿por **esos cinco** que faltan, destruirás **toda** la ciudad?"
Y le respondió el Señor:
   "**No** la destruiré, si encuentro allí **cuarenta y cinco** justos".

Abraham **volvió** a insistir:
   "**Quizá** no se encuentren allí más que **cuarenta**".
El Señor le respondió:
   "En atención a los cuarenta, **no lo haré**".

Abraham **siguió** insistiendo:
   "Que **no se enoje** mi Señor, si **sigo** hablando,
   ¿y si hubiera **treinta**?"
El Señor le dijo:
   "**No lo haré**, si hay **treinta**".

Abraham insistió **otra vez**:
   "Ya que me he **atrevido** a hablar a mi Señor,
   ¿y si se encuentran **sólo** veinte?"
El Señor respondió:
   "En atención a **los veinte, no** la destruiré".

Con cierto tono de pena arroja la última insistencia del patriarca y cierra con fuerza cordial la respuesta de un padre que escucha y responde con amor.

Abraham **continuó**:
   "**No se enoje** mi Señor, hablaré sólo **una vez más**,
   ¿y si se encuentran **sólo diez**?"
Contestó el Señor:
   "Por **esos diez**, **no destruiré** la ciudad".

Para meditar

SALMO RESPONSORIAL   Salmo 138:1–2a, 2bc–3, 6–7ab, 7c–8

R. Cuando te invoqué, Señor, me escuchaste.

Te doy gracias, Señor, de todo corazón;
   porque has oído las palabras de mi boca.
Delante de los ángeles tañeré para ti,
   me postraré hacia tu santuario. **R.**

Daré gracias a tu nombre, por tu
   misericordia y tu lealtad.
Cuando te invoqué, me escuchaste,
   acreciste el valor en mi alma. **R.**

El Señor es sublime, se fija en el humilde,
   y de lejos conoce al soberbio.
Cuando camino entre peligros,
   me conservas la vida;
   extiendes tu izquierda contra la ira de
   mi enemigo. **R.**

Y tu derecha me salva.
El Señor completará sus favores conmigo:
Señor, tu misericordia es eterna,
   no abandones la obra de tus manos. **R.**

II LECTURA El bautismo es la expresión más elocuente de lo que significa ser cristiano: vivir con Cristo. Él es todo. Nada ni nadie puede competir con Cristo. El bautismo cristiano es un baño ritual que ejecuta la dinámica de muerte y vida de Cristo, con imágenes de sepultura y renacimiento. Cuando el creyente se somete a él, nada se sustrae de la vida nueva, porque la vida no es fragmentaria, sino totalizante.

En esta breve lectura percibimos resonancias del himno cristológico de Colosenses 1:15–20 y de los atributos de Cristo redentor, que nos ha librado de la muerte, perdonado nuestros pecados y ha vuelto innecesaria la circuncisión.

La circuncisión es el signo visible de pertenencia al pueblo de Dios, y de ser miembro de la alianza y beneficiario de la salvación (Éxodo 12:44, 48–49). El escritor insiste en que es el bautismo lo que nos incorpora a la muerte y resurrección de Cristo (ver Romanos 6:1–11). La circuncisión incorporaba al judío a la descendencia de Abraham y a la vida histórica y cultural de un pueblo, el judío. El bautismo, en cambio, como sello indeleble de la fe, nos incorpora a la vida del Resucitado. Él condonó la deuda pendiente que por la imposibilidad de cumplir las estipulaciones legales se hacía impagable ante Dios. Cristo acabó con eso.

Este avance en la forma de entender y pertenecer al pueblo de Dios, la Iglesia, retoma el corazón del evangelio de Jesús adaptándole a los nuevos desafíos socioculturales y enfrentando las barreras nacionalistas que limitaban el acceso a Dios y a la comunidad conformada en torno a Cristo y su estilo de vida.

Este mensaje llega lleno de esperanza viene a vigorizar la identidad cristiana, pues

Renueva en tu corazón la gracia del bautismo y desde allí pronuncia esta lectura. La asamblea debe notar cómo valoras tu identidad bautismal.

II LECTURA   Colosenses 2:12–14

Lectura de la carta del apóstol san Pablo a los colosenses

Hermanos:

Por el bautismo fueron ustedes **sepultados** con Cristo
  y también **resucitaron** con él,
    mediante **la fe** en el poder de Dios,
    que lo **resucitó** de entre los muertos.

Ustedes estaban **muertos** por sus pecados
  y **no pertenecían** al pueblo de la alianza.
Pero él les dio una **vida nueva** con Cristo,
  perdonándoles **todos** los pecados.
Él **anuló** el documento que nos era contrario,
  cuyas cláusulas **nos condenaban**,
  y lo eliminó **clavándolo** en la cruz de Cristo.

Frasea cuidadosamente estas líneas.

EVANGELIO   Lucas 11:1–13

Lectura del santo Evangelio según san Lucas

Un día, Jesús estaba **orando** y cuando terminó,
  uno de sus discípulos le dijo:
    "Señor, **enséñanos** a orar, como Juan enseñó a sus discípulos".

Entonces Jesús les dijo: "Cuando oren, **digan**:
  'Padre, **santificado** sea tu nombre,
  venga tu Reino,
  danos hoy nuestro pan de **cada** día
  y **perdona** nuestras ofensas,
  puesto que **también** nosotros perdonamos
    a todo aquel que nos ofende,
  y no nos dejes **caer** en tentación'".

Rememora quién te enseñó a orar. Con regocijo profundo retoma esas raíces ante la asamblea.

Busca el modo de que el Padrenuestro resuene fresco y espiritual, como entregado por el mismo Jesús para ti y para todos.

ofrece, por medio de nuestra unidad y cohesión, el testimonio vivo de ser parte de un cuerpo, cuya cabeza es Cristo. Cada generación tiene la responsabilidad de distinguir entre lo esencial del evangelio y lo periférico.

EVANGELIO Jesús fue en todo momento ejemplo de oración (Lucas 3:21; 5:16; 6:12; 9:29), y en la lectura de hoy se nos ofrece la oración del Padre Nuestro con sus cinco peticiones. Esta sección del camino a Jerusalén en el Evangelio de san Lucas, indica que el discípulo no puede ir tras de Jesús si no es orando. Sin oración no hay discipulado.

Este breve texto se compone de una introducción narrativa (v. 1), el Padrenuestro (vv. 2–4) y dos peticiones en relación a la gloria de Dios y tres apuntando a las necesidades humanas y una exhortación a orar (vv. 5–13) en forma de dos ejemplos con sus consecuencias.

La oración invoca a Dios como *Padre*. Esta forma se encuentra vinculada con toda seguridad a la costumbre de Jesús de referirse así a Dios, denotando familiaridad e intimidad, lo que difícilmente ocurría en el modo israelita que se refería a él como Señor o Dios de Israel. La frase de "santificado seas" introduce un motivo escatológico (Isaías 29:23) que establece el atributo más propio de Dios, su santidad. De allí nace la exigencia de que los fieles correspondan haciendo ver ese ligamen de santidad con Dios su Padre. Enseguida se pide "la venida del reino" que corresponde al anuncio de la Buena Noticia Cristo Jesús, su núcleo central. Pedimos luego el "pan cotidiano" que refiere tanto al alimento cotidiano como al escatológico (de mañana), que nos hace pensar en la totalidad de lo que necesitamos

Después de la breve pausa avanza la parábola con tono más cotidiano. Son ejemplos de la vida diaria que todos conocen.

También les dijo:
   "**Supongan** que alguno de ustedes
      tiene un amigo que viene a **medianoche** a decirle:
   '**Préstame**, por favor, **tres** panes,
   pues un amigo **mío** ha venido **de viaje**
   y no tengo **nada** que ofrecerle'.
Pero **él** le responde desde dentro:
   '**No** me molestes.
No puedo levantarme a dártelos,
   porque la puerta **ya está cerrada**
   y mis hijos y yo estamos **acostados**'.
Si el otro **sigue** tocando,
   yo les **aseguro** que, aunque no se levante
      a dárselos por **ser su amigo**,
   sin embargo, por su molesta **insistencia**,
   sí se levantará y le dará **cuanto** necesite.

Nota cómo van por pares las frases. Búscales el ritmo apropiado. Eleva el tono para concluir las preguntas.

Así también les digo a ustedes:
Pidan y se les dará, **busquen** y encontrarán,
   toquen y **se les abrirá**.
Porque quien pide, **recibe**;
   quien busca, **encuentra**, y al que toca, **se le abre**.
¿**Habrá** entre ustedes **algún** padre que,
   cuando su hijo le pida **pan**, le dé **una piedra**?
¿O cuando le pida **pescado** le dé una **víbora**?
¿O cuando le pida **huevo**, le dé un **alacrán**?
Pues, si ustedes, que son **malos**,
   saben dar **cosas buenas** a sus hijos,
      ¿**cuánto más** el Padre celestial dará **el Espíritu** Santo
         a quienes **se lo pidan**?"

para ser verdaderamente hijos de ese Padre del Cielo, como Jesús muestra.

La frase sobre el perdón de los pecados ha sido muy debatida en cuanto a su sentido. ¿De dónde viene el perdón solicitado, de Dios o del hombre? ¿Nos perdona Dios porque nosotros perdonamos a nuestros ofensores? El "como nosotros perdonamos" no es comparativo sino causal; expresa una condición que los rabinos conocían muy bien: sólo quien perdona a su hermano puede solicitar el perdón de Dios. Ese imperativo se impone a la hora de presentar la ofrenda (ver Mateo 5:23, 24).

El primer ejemplo o parábola supone una situación de emergencia que se presenta a un amigo que recurre a otro cuando recibe una visita inesperada; aun con notoria incomodidad para todos los involucrados, aquello se resuelve gracias a la insistencia, de modo que el aforismo infunde esperanza de conseguir lo que se necesita. En el segundo ejemplo se toman figuras familiares. Jesús quiere revelarnos al Padre (Lucas 10:22) y su don más necesario para que podamos vivir como hijos de Dios, el Espíritu Santo (Juan 14:17; Hechos 2:33; 5:32; Efesios 1:7). Urge que se lo pidamos.

La oración es la actitud profunda y continua de todo discípulo, hijo del Padre celestial. Orar rebasa el mecanicismo repetitivo únicamente si nos presenta tal cual somos frente a Dios. En el Padrenuestro encontramos resumidas las convicciones y deseos del discípulo de Cristo; es como la columna de toda espiritualidad cristiana. En su centro está la misericordia de Dios que le da vida. El Padrenuestro es la oración de la Iglesia, la que encapsula su tarea y su anhelo más profundo.

XVIII DOMINGO DEL TIEMPO ORDINARIO

I LECTURA   Eclesiastés 1:2; 2:21–23

Lectura del libro del Eclesiastés (Cohélet)

Todas las cosas, **absolutamente** todas, son **vana** ilusión.
Hay quien se agota **trabajando**
   y pone en ello **todo** su talento,
    su ciencia y su habilidad,
   y tiene que **dejárselo todo** a otro que **no lo trabajó**.
Esto es **vana** ilusión y **gran** desventura.
En efecto, ¿**qué** provecho saca el hombre
    de **todos** sus trabajos y afanes bajo el sol?
De día **dolores**, **penas** y **fatigas**; de noche **no descansa**.
¿No es **también eso** vana ilusión?

En esta palabra inspirada hay mucha sinceridad, no desesperación. Asegúrate de transmitir lo primero como aviso de un sabio.

Refuerza la desventura de la persona y su afán, con las preguntas; déjalas como revoloteando en el aire, para que los presentes les busquen acomodo.

Para meditar

SALMO RESPONSORIAL   Salmo 90:3–4, 5–6, 12–13, 14 y 17

R. Señor, tú has sido nuestro refugio de generación en generación.

Tú reduces el hombre a polvo,
   diciendo: "Retornen, hijos de Adán".
Mil años en tu presencia son un ayer,
   que pasó;
   una vela nocturna. **R.**

Los siembras año por año,
   como hierba que se renueva:
   que florece y se renueva por la mañana,
   y por la tarde la siegan y se seca. **R.**

Enséñanos a calcular nuestros años,
   para que adquiramos un corazón sensato.
Vuélvete, Señor, ¿hasta cuándo?
Ten compasión de tus siervos. **R.**

Por la mañana sácianos de tu misericordia,
   y toda nuestra vida será alegría y júbilo.
Baje a nosotros la bondad del Señor
   y haga prósperas las obras de
    nuestras manos. **R.**

I LECTURA La mirada aguda del Cohélet revela el absurdo de la falta de equidad en el mundo, esa que la muerte desnuda.

La muerte es la medida de las cosas y de todo afán humano. Nada queda. El hombre se resiste al vacío. Ese vacío empuja a buscar algo más allá que al autor se le escapaba todavía, y que los aires griegos llevarán hasta Palestina también; la idea de la inmortalidad. Ahora, el escritor pone en entredicho un modo muy tradicional de ver la vida y la fe en el Antiguo Testamento: que el justo es premiado y el pecador castigado.

Pero el Cohélet anota que no es así, y explora más allá de lo consabido. Indaga y sopesa lo razonable.

La inmortalidad y la vida después de la muerte tienen que llevarnos a dimensionar el valor de nuestros afanes. ¿Cuál es el sentido de nuestros esfuerzos y tareas? ¿Perseguimos un bien que trasciende la muerte, o lo limitamos al sepulcro?

II LECTURA Con el capítulo tres se inicia la amplia sección moral de la Carta a los Colosenses (3:1–4:1), Lo dicho anteriormente no fue una invitación a una vida cristiana romántica y sin compromiso. Al contrario, el ser y renacer en Cristo libera al cristiano de toda obligación impuesta, pero primeramente le infunde un fuerte dinamismo interior que lo capacita para vivir su nueva condición de hijo en el Hijo.

La lista de acciones y comportamientos mortales a vencer por el cristiano es más ilustrativa que exhaustiva. Esos vicios llevan a la muerte, pues no reflejan otra cosa que la idolatría que anida en el corazón humano. El cristiano, sin embargo, tiene la capacidad para detestarlos y desterrarlos de su vida.

II LECTURA Colosenses 3:1–5, 9–11

Lectura de la carta del apóstol san Pablo a los colosenses

Con gran entusiasmo y convicción exhorta a la asamblea a centrar su corazón y su vida. Tu actitud habla al par de tus palabras.

Hermanos:
Puesto que ustedes **han resucitado** con Cristo,
   busquen los bienes **de arriba**, donde está Cristo,
   sentado a la **derecha** de Dios.
Pongan **todo** el corazón en los bienes **del cielo**,
   no en los de la tierra, porque **han muerto**
   y su vida **está escondida** con Cristo **en Dios**.
Cuando se manifieste **Cristo**, **vida** de ustedes,
   entonces **también** ustedes
     se manifestarán gloriosos **juntamente** con él.

Con tono directo y claro dirígete a la comunidad como si estuvieses hablando a una sola persona.

Den muerte, pues, a **todo** lo malo que hay en ustedes:
   la fornicación, **la impureza**, las pasiones **desordenadas**,
   los malos deseos y la avaricia, que es una forma de **idolatría**.
No sigan **engañándose** unos a otros;
   despójense del modo de actuar del **viejo** yo
   y **revístanse** del nuevo yo,
   el que se va renovando conforme va adquiriendo
     el **conocimiento** de Dios, que lo creó a su **propia imagen**.

La conclusión es pausada y serena; baja la velocidad y aumenta la calidez de la última línea.

En este orden **nuevo**
   ya **no hay** distinción entre judíos y **no judíos**,
   israelitas y **paganos**, bárbaros y **extranjeros**,
   esclavos **y libres**,
   sino que Cristo es **todo** en todos.

El autor presenta dos criterios aquí. El primero es el *conocer* a Cristo, en el sentido de solidarizarse con él, a fin de experimentar todo su poder salvífico. Esto implica la segunda fase de su misterio pascual que consiste en vivir y practicar la nueva *justicia*, segundo criterio. Ambos son centrales para el cristiano.

| EVANGELIO | Nos parece muy claro que, para Jesús, el sentido de la vida no se encuentra en las riquezas, y mucho menos en las actitudes equivocadas que de ahí se desprenden, como son la

vanidad y la codicia que, combinadas, vuelven necia a la persona. San Lucas engarza estos cuadros ejemplares de Jesús, al respecto; son cuatro momentos interconectados entre sí.

Primero encontramos el diálogo de Jesús con "uno de la multitud", es decir con cualquiera de todos, dándole así un sentido abierto, sin excluir a nadie. En un segundo momento viene la advertencia contra la codicia, asunto que Lucas ilustra con la actitud del hermano menor, pero que toma mucho más sentido con la parábola que viene en seguida. El relato parabólico con el que ilus-

tra la insensatez del rico, no está tomado estrictamente de la vida diaria. En este relato se atisban algunos de los temas de la literatura sapiencial tales como la brevedad de la vida y la necedad de la avaricia. Finaliza con una enseñanza breve para los oyentes que, en realidad se refiere directamente a los discípulos.

Tal vez tenga razón la persona que reclamaba la parte de la herencia que le correspondía (ver Génesis 21:10; Jueces 11:2) y hasta suena razonable suponer tal cosa. Una gran cantidad de cristianos sensatos le darían la razón. Pero lo central aquí es dar-

EVANGELIO   Lucas 12:13–21

Lectura del santo Evangelio según san Lucas

En aquel tiempo,
> hallándose **Jesús** en medio de una multitud, un hombre le dijo:
> "**Maestro**, dile a mi hermano que **comparta** conmigo
>> la herencia".
Pero Jesús le contestó:
> "**Amigo**, ¿**quién** me ha puesto como **juez**
>> en la distribución de herencias?"

Y dirigiéndose a la multitud, dijo:
> "**Eviten** toda clase de avaricia,
> porque la vida del hombre
>> **no depende** de la abundancia de los bienes que posea".

Después les propuso esta **parábola**:
> "Un hombre **rico** obtuvo una **gran** cosecha y se puso a pensar:
> '¿**Qué haré**, porque no tengo ya
>> en **dónde** almacenar la cosecha?
Ya sé lo que voy a hacer:
> **derribaré** mis graneros y construiré otros **más grandes**
>> para **guardar** ahí mi cosecha y **todo** lo que tengo.
Entonces podré decirme:
> Ya tienes bienes acumulados para **muchos años**;
> **descansa**, come, bebe y date a la **buena vida**'.
Pero Dios le dijo:
> '¡**Insensato**! Esta misma noche vas a **morir**.
¿**Para quién** serán **todos** tus bienes?'
Lo **mismo** le pasa al que amontona riquezas para **sí mismo**
> y no se hace **rico** de lo que **vale** ante Dios".

Visualiza el todo de la lectura y nota las partes que la componen. Dale una entonación a cada una de ellas.

Haz contacto con la multitud en esta parte. Esto del dinero y los bienes a nadie deja impasible.

Estas palabras son fuertes en todo sentido: eleva el tono y dales profundidad. No alejes la mirada de la página hasta que pronuncies la fórmula litúrgica.

---

nos cuenta que Jesús no ha venido para resolver pleitos y problemas de intereses respecto a los bienes materiales. Él prefiere ir a la raíz de todo lo que empobrece las situaciones humanas y termina por esclavizar la vida de las personas, pues las somete a las cosas.

La riqueza nunca ha sido ni será un seguro de vida (ver Salmo 49) y este rico del ejemplo embona perfectamente con el asunto de la confianza en las riquezas (Proverbios 11:28). El monólogo interior del personaje deja en claro lo que el ideal de su vida es comer, beber y disfrutar (ver Jere-

mías 22:15), esperanzado en una larga vida de gozo y descanso sin preocupación alguna. Su horizonte, aunque parece amplio, es muy chato y limitado (Sabiduría 2:1–9). Dios mismo responde adivinando los pensamientos y planes interiores haciéndole ver el gran error en que vive y ha de morir, perdiendo a fin de cuentas esta vida y la otra.

Rico es quien, con lo que tiene, no descuida a su hermano. Alejarse del prójimo necesitado es alejarse de Dios mismo. Necedad probada. Abrir la mano al hermano es un camino que conoce muchas veredas. La Iglesia entera, todos los bautizados, está

llamada a realizar el ideal del Reinado de Dios en la sociedad moderna. No basta ya dar limosna; es preciso una ingeniería socioeconómica que redistribuya los bienes de manera equitativa y no los acumule en manos de unos cuantos. La parábola de Jesús es tanto una advertencia individual como un reclamo social que hay que atender cuanto antes.

XIX DOMINGO
DEL TIEMPO ORDINARIO

I LECTURA   Sabiduría 18:6–9

Lectura del libro de la Sabiduría

La noche de la **liberación** pascual
    fue anunciada **con anterioridad** a nuestros padres,
para que se **confortaran**
    al **reconocer** la firmeza de las promesas
    en que habían **creído**.

Tu pueblo **esperaba** a la vez la **salvación** de los justos
    y **el exterminio** de sus enemigos.
En efecto, con aquello mismo
    con que **castigaste** a nuestros adversarios
    nos **cubriste** de gloria a tus elegidos.

Por eso,
    los **piadosos** hijos de un pueblo **justo**
    celebraron la Pascua en sus casas,
    y de **común acuerdo** se impusieron esta ley sagrada,
    de que **todos** los santos participaran **por igual**
    de los bienes y de los peligros.
Y ya desde entonces
    cantaron los himnos de nuestros padres.

La idea no es muy fácil de captar. Identifica la oración principal, y a partir de allí distribuye los acentos de las frases.

Este párrafo se dirige a Dios. Es como una oración meditando la historia.

Echa mano a tu tradición de fe y procura identificar a la asamblea con ese pueblo de santos, al que también perteneces.

I LECTURA La noche de la que aquí se cuenta es el prototipo de toda liberación humana. Es la noche de la Pascua, que está claro que refiere al paso del mar Rojo, que significó el exterminio de los opresores y la salvación de los fieles, y que se resume en el acontecimiento del éxodo (ver Éxodo 14:27–28).

Aquella noche marcó el inicio del proceso de liberación de un pueblo del cual el mismo autor se siente parte; sus antecesores son "nuestros padres", los patriarcas han engendrado una familia multi-generacional venerada. Esa familia es "tu pueblo"

(Sabiduría 18:7), le dice a Dios. Ese pueblo ha experimentado la salvación por parte de Dios y esto es lo que constituye el hecho fundante de su identidad. Es un pueblo llamado a la libertad y a confirmar la solidez de las promesas divinas, en la noche liberadora. De ese acontecimiento toma su referencia toda la historia de la salvación que va a culminar en Cristo. Lo que escuchamos hoy es una reflexión de fe para las familias que viven en la diáspora judía, muy probablemente en Alejandría de Egipto, a las que se les exhorta a afianzarse en la fe en el Dios de los padres.

Así como los israelitas festejan esta experiencia fundante de salvación con la cena pascual desde entonces, también los cristianos, a partir del misterio pascual de Cristo, aceptan, entienden y celebran la liberación. La cena pascual de Cristo, nuestra eucaristía, está vinculada a estas raíces, como también lo está, desde los tiempos antiguos cuando se hizo la promesa de salvación a los patriarcas (ver Génesis 15:13–14; 46:3–4). El sacramento y la dimensión sacramental de la historia adquieren en la liberación del pueblo y en el acontecimiento de Cristo la plenitud de sentido.

Para meditar

SALMO RESPONSORIAL   Salmo 33:1 y 12, 18–19, 20 y 22

R. Dichoso el pueblo que el Señor se escogió como heredad.

Aclamen, justos, al Señor,
   que merece la alabanza de los buenos.
Dichosa la nación cuyo Dios es el Señor,
   el pueblo que él se escogió
      como heredad. **R.**

Los ojos del Señor están puestos en sus fieles,
   en los que esperan su misericordia,
   para librar sus vidas de la muerte
   y reanimarlos en tiempo de hambre. **R.**

Nosotros aguardamos al Señor:
   él es nuestro auxilio y escudo;
   que tu misericordia, Señor, venga
      sobre nosotros,
   como lo esperamos de ti. **R.**

II LECTURA   Hebreos 11:1–2, 8–19

Lectura de la carta a los hebreos

Hermanos:
La fe es la forma de **poseer**, ya desde ahora, lo que **se espera**
   y de **conocer** las realidades que **no se ven**.
Por ella fueron alabados nuestros mayores.

Por **su fe**, Abraham, **obediente** al llamado de Dios,
   y **sin saber** a dónde iba,
   partió hacia la tierra que habría de recibir como **herencia**.
Por **la fe**,
   vivió **como extranjero** en la tierra prometida,
   en tiendas de campaña,
   como Isaac y Jacob, **coherederos** de la **misma** promesa
      después de él.
Porque ellos **esperaban** la ciudad
   de sólidos cimientos,
   cuyo arquitecto y constructor **es Dios**.

El horizonte de la lectura es muy amplio. Apóyate en las negrillas y ve identificando las partes distintas por su contenido. Hay unas que anuncian lo que será desarrollado y otras que retoman lo dicho.

Nota el enunciado y lo que deriva de él. Ese vínculo ayudará a la comunidad a captar lo práctico de la fe. Nota el balance que se busca con la fe de Sara también.

En aquella noche oscura de liberación (v. 6) ante la cual reaccionan de manera distinta los liberados (v. 9) y los opresores (vv. 10–13) se sembró la semilla de todo proceso de dignidad de los pueblos históricos del mundo llamados a ser pueblo de Dios, de nadie más.

La lectura nos invita a reconocer la obra salvífica de Dios en la historia antes y ahora y a ser parte de ella en la acción litúrgica y en la acción sociopolítica; esa es nuestra vocación total.

II LECTURA El capítulo once de la epístola a los Hebreos es una amplia exposición sobre la fe tratada desde diversos aspectos. La lectura de hoy pone atención en la fe de los antepasados, en las raíces. Después de una doble afirmación central, va exponiendo la fe y su sentido, a partir de la experiencia de los venerables personajes del Antiguo Testamento, poniendo en relevancia su riqueza y su fuerza que sirven de modelo para todas las generaciones futuras.

El conjunto de ejemplos está encabezado por la figura de Abraham (ver Génesis 12–50), y con toda razón pues su fe está en el origen de las promesas divinas que le llevaron a superar todo tipo de pruebas. Cada uno de los ejemplos es introducido mediante la fórmula "por la fe". Esta se entiende no como un elemento del pasado y reducido al individuo, sino como algo encarnado en la historia de un pueblo mediante la persona y sus relaciones con los demás. Esa fe se prolonga y alimenta a las sucesivas generaciones, gracias a su densidad histórica. Esa fe, por tanto, está impulsando al futuro en la medida en que preña el presente, que es lo que destaca en la homilía de este escrito.

Por **su fe**, Sara, aun siendo **estéril**
   y a pesar de su **avanzada** edad, pudo **concebir** un hijo,
porque **creyó** que Dios habría de ser **fiel** a la promesa;
y así, de un **solo** hombre, ya anciano,
nació una descendencia **numerosa**
      como las estrellas del cielo
      e **incontable** como las arenas del mar.

Todos ellos murieron **firmes** en la fe.
No alcanzaron los bienes **prometidos**,
   pero **los vieron** y los saludaron con gozo **desde lejos**.
Ellos **reconocieron** que eran extraños
   y peregrinos en la tierra.
Quienes hablan **así**,
   dan a entender **claramente** que van **en busca** de una patria;
   pues si hubieran **añorado** la patria de donde **habían salido**,
   habrían estado a tiempo de **volver** a ella todavía.
Pero ellos **ansiaban** una patria mejor: **la del cielo**.
Por eso Dios **no se avergüenza** de ser llamado **su Dios**,
   pues les tenía preparada **una ciudad**.

Por **su fe**, Abraham, cuando Dios le puso **una prueba**,
se dispuso a **sacrificar** a Isaac, su hijo **único**,
garantía de la promesa,
porque Dios le había dicho:
   De Isaac nacerá la descendencia que ha de llevar tu nombre.
Abraham **pensaba**, en efecto,
   que Dios tiene **poder** hasta para **resucitar** a los muertos;
   por eso le fue devuelto Isaac,
   que se **convirtió** así en un **símbolo** profético.

Abreviada: *Hebreos 11:1–2, 8–12*

Este párrafo pide un tono diferente, más sereno. Haz contacto visual con la comunidad y siéntete en comunión con ella.

Haz brevísima pausa en los dos puntos previos a la cita bíblica; luego recita la unidad de una sola exhalación.

Podemos distinguir cuatro momentos en los que se va desenvolviendo esta reflexión sobre la fe, prototipo de la nuestra. El primer cuadro nos llega con el ejemplo del patriarca Abraham. Su fe lo llevó a escuchar, confiar y ponerse en camino hacia una tierra prometida de la que nada sabía. Tomando en cuenta su condición personal y la situación geográfica, el autor del relato nos está llevando a recordar que la fe es definitivamente algo que desafía nuestra lógica, nuestro sentido común y nuestras propias fuerzas.

En el segundo momento se resalta que, por la fe, Abraham, junto con Isaac y Jacob, vivió como forastero en la tierra prometida pues, al parecer, buscaba algo mejor que eso. Mucha tinta se ha derramado para interpretar este aspecto como un desapego al mundo terrenal, pero puede con toda seguridad referirse más bien a la cualidad de la fe que siempre está en camino, en búsqueda.

En una tercera instantánea de la fe, tenemos a Abraham que, *junto* con Sara, y en virtud de su fe, son capaces de engendrar el principio de lo que será un pueblo numeroso. En esta línea el *milagro* de la fe es que, sin saber el alcance de nuestra vida hacia el futuro, debemos estar bien seguros de que el presente no agota la vida. La fe produce frutos insospechados para nosotros; debemos mantener esa apertura a las sorpresas que Dios nos tiene destinadas en su designio de salud.

El cuarto momento es aquel en el que la fe de Abraham llega a su cúspide, al obedecer el mandato de Dios para hacer algo que, aparentemente iba contra la misma promesa y el don otorgado a la pareja: el sacrificio de su hijo Isaac. Ni Dios es sádico ni la fe es absurda, pero muchas veces quizá tengamos que ir en contra de nuestra propia lógica, sobre todo en dirección con-

EVANGELIO   Lucas 12:32–48

Lectura del santo Evangelio según san Lucas

Con cierta urgencia en tu tono, pero sobre todo con ternura, ve haciendo estos exhortos de Jesús.

En aquel tiempo, Jesús dijo a sus discípulos:
    "**No temas**, rebañito mío,
        porque **tu Padre** ha tenido a bien darte el Reino.
    Vendan sus bienes y **den** limosnas.
    Consíganse unas bolsas que **no se destruyan**
        y **acumulen** en el cielo un tesoro que **no se acaba**,
        allá donde **no llega** el ladrón,
        ni carcome la polilla.
    Porque donde **está** su tesoro, **ahí** estará su corazón.

Aumenta la velocidad y la intensidad en este párrafo.

    Estén listos, con la túnica **puesta** y las lámparas **encendidas**.
    Sean **semejantes** a los criados
        que **están esperando** a que su señor **regrese** de la boda,
        para **abrirle** en cuanto llegue y toque.
    Dichosos aquellos
        a quienes su señor, al llegar, **encuentre** en vela.
    Yo **les aseguro** que se recogerá la túnica,
        los **hará sentar** a la mesa y **él mismo** les servirá.
    Y si **llega** a medianoche o a la madrugada
        y los **encuentra** en vela, **dichosos** ellos.

Alarga la primera línea y adopta un tono más sereno, como invitando a la asamblea a la reflexión.

    Fíjense en esto:
        Si un padre de familia
            supiera a qué hora va a venir el ladrón,
        estaría **vigilando**
            y **no dejaría** que se le metiera por un boquete en su casa.
    Pues también ustedes **estén** preparados,
        porque a la hora en que **menos** lo piensen
            vendrá el Hijo del hombre".

---

traria a la de la lógica que nos marca un mundo adverso a Dios.

El autor termina poniendo en la mente de Abraham la fe en la resurrección que empata con la del judaísmo posterior y de los primeros cristianos. Aclarando explícitamente que esto es un símbolo. A nosotros nos corresponde abrazar la experiencia de Abraham y Sara contemplando la fe que Dios suscita en ellos; pero también indagar en los contornos de la nuestra y de la fe de nuestros padres, con la que hacemos nuestro camino como familia, comunidad y pueblo de Dios. Permitamos que la fe nos mueva.

EVANGELIO La lectura del evangelio de hoy abre con el tema de la confianza en Dios que genera responsabilidad y erradica el miedo del discípulo atento y concentrado. El rebaño de Jesús, que es pequeño al principio por el número deberá ser *pequeño* siempre por su actitud de humildad y servicio, para recibir el reino como un don de Dios. Bajo ese signo, de confianza y gratuidad deberá estar enfocado en la tarea de erradicar la miseria al interior de la comunidad, como se ha venido diciendo en los evangelios de los domingos anteriores.

La pequeñez y apertura son condiciones del reino anunciado por Jesús, que van aunadas a la solidaridad comunitaria que san Lucas recuerda continuamente como esencial al ser y quehacer de la Iglesia (ver Hechos 4:32–35; 5:12–16). Y no es una visión en el aire sino que tiene rasgos concretos de desprendimiento y generosidad hacia los más necesitados. Sólo quien nada posee puede aceptar el don del reino. El reino entonces viene a ser gratitud absoluta, no una conquista o merecimiento. Allí, en la gratitud absoluta, se finca la confianza

La intervención de Pedro aviva el relato.
No la desaproveches.

Entonces **Pedro** le preguntó a Jesús:
  "¿Dices esta parábola **sólo** por nosotros o **por todos**?"
El Señor le respondió:
  "**Supongan** que un administrador,
  puesto por su amo **al frente** de la servidumbre,
  con el encargo de repartirles a su tiempo los alimentos,
  se porta con **fidelidad y prudencia**.
Dichoso este siervo,
  si el amo, a su llegada,
  lo encuentra **cumpliendo** con su deber.
Yo les aseguro que lo pondrá al frente **de todo** lo que tiene.
Pero si este siervo piensa:
  'Mi amo **tardará** en llegar'
  y empieza a **maltratar** a los criados y a las criadas,
  a comer, a beber y **a embriagarse**,
  el día menos pensado y a la hora **más inesperada**,
  llegará su amo y lo castigará **severamente**
  y le hará correr **la misma suerte** que a los hombres **desleales**.

El servidor que, **conociendo** la voluntad de su amo,
  no haya preparado ni hecho **lo que debía**,
  recibirá **muchos** azotes;
  pero el que, **sin conocerla**,
  haya hecho algo **digno de castigo**, recibirá **pocos**.

Al que **mucho** se le da, se le **exigirá** mucho,
  y al que **mucho** se le confía, se le exigirá **mucho más**".

Abreviada: *Lucas 12:35–40*

Esta frase final es poderosa y exigente.
Procura marcarla con la pausa previa.

y el agradecimiento que la comunidad experimenta día con día.

El exhorto a mantener las lámparas encendidas alude justamente a ese "estar listos" y alerta, como el israelita que "al ceñirse" la cintura se prepara para hacer lo que haya que hacer sin desviarse o retrasarse por ninguna otra distracción (ver Éxodo 12:11; 1 Pedro 1:3). Se aguarda a su señor. Se trata de otra cualidad eclesial que consiste en la disponibilidad a servir, y entender que el que viene es el Señor Jesús. El propio Jesús se identifica con los pobres. Por eso el servicio a los pobres es quizá el distintivo más propio de la comunidad eclesial.

En medio de la comparación con la irrupción del ladrón, se escucha a Pedro, como representante del grupo; pregunta si estas enseñanzas de Jesús se han de aplicar a los líderes comunitarios o a todos.

La respuesta de Jesús va envuelta en la figura del mayordomo, es decir, alguien que ejerce un liderazgo menor, que, por su fidelidad a lo encomendado, se ve recompensado con algo inaudito: administrador general de los bienes de su señor. Lo contrario sucede con un líder abusivo y desleal.

Con la figura del siervo, Jesús alarga su enseñanza respecto a los líderes de la comunidad. No gozan de impunidad. El justo juez retribuirá proporcionalmente a las faltas o delitos cometidos.

LA ASUNCIÓN DE LA VIRGEN MARÍA, MISA DE LA VIGILIA

I LECTURA   1 Crónicas 15:3–4, 15–16; 16:1–2

Lectura del primer libro de las Crónicas

En aquellos días,
   David **congregó** en Jerusalén a **todos** los israelitas,
   para **trasladar** el arca de la alianza
      al lugar que le **había preparado**.
Reunió también a los **hijos** de Aarón y a los **levitas**.
Esto cargaron en hombros los travesaños sobre los cuales
      estaba colocada el arca de la alianza, tal como lo
      había mandado
      Moisés, por orden del Señor.

David **ordenó** a los jefes de los levitas
   que entre los de su tribu nombraran **cantores**
      para que **entonaran** cantos festivos,
   acompañados de arpas, cítaras y platillos.

Introdujeron, pues, el arca de la alianza
   y la **instalaron** en el centro de la tienda
      que David le **había preparado**.
Ofrecieron a Dios **holocaustos** y sacrificios **de comunión**,
   y cuando David **terminó** de ofrecerlos,
   bendijo al pueblo en **nombre** del Señor.

Proclama con un sentido festivo esta lectura; así ayudarás a la asamblea a unificar en la alabanza a Dios los diversos sentimientos y significados que albergan en su corazón.

Tras la pausa pronuncia las indicaciones de David con estilo reposado como quien organiza la procesión.

Culmina con emoción y entusiasmo la entrada solemne del arca ayudando a que todos se sientan en un ambiente de bendición.

I LECTURA   Esta página bíblica describe la procesión solemne en la que se traslada el arca de la alianza que estaba en una tienda móvil al templo, ese lugar sagrado preparado por el rey David. Este evento es de gran importancia, pues representa un tipo de coronación o celebración nacional centralizada. Hay mucha solemnidad y el autor del relato no oculta su afición por la liturgia, la figura de David y la participación de los sacerdotes-ministros.

Según el cronista, una de las empresas más importantes de David fue la de construir un templo a Dios cuyo símbolo principal habría de ser el arca de la alianza, donde se custodiaban las tablas de la Ley, y otros objetos de la salida de Egipto. Dicha arca que desde el Sinaí se hospedaba en una tienda y acompañaba al pueblo en su caminar, luego podía salir a los distintos territorios de las tribus, donde se resguardaba por un tiempo y luego volvía a su santuario; el de Silo, fue el último. Esa arca ahora tiene un lugar fijo en el templo, donde el pueblo habrá de acudir para celebrar y alabar. Este giro en la forma de entender y celebrar la presencia de Dios es un parteaguas en la historia de la salvación de Israel. De ahora en adelante es el rey David y sus sacerdotes quienes protagonizan, guían, la procesión que representa la presencia de Dios con todos en Jerusalén.

Es muy importante entender aquí el sentido del arca de la alianza. Esta pequeña caja que albergaba un documento en donde se estipulaba el pacto de Dios con su pueblo se encuentra un símbolo importantísimo de un amor, fidelidad y compromiso mutuo. La liturgia cristiana recuerda esta arca y esta alianza a la luz de la Virgen María quien albergó en su seno al Hijo de Dios,

Para meditar

SALMO RESPONSORIAL   Salmo 131:6–7, 9–10, 13–14

R. Levántate, Señor, ven a tu mansión; ven con el arca de tu poder.

Oímos que estaba en Efratá,
   la encontramos en el Soto de Jaar:
entremos en su morada,
postrémonos ante el estrado de
   sus pies. **R.**

Que tus sacerdotes se vistan de gala,
   que tus fieles vitoreen.
Por amor a tu siervo David,
   no niegues audiencia a tu Ungido. **R.**

Porque el Señor ha elegido a Sión,
   ha deseado vivir en ella:
"Ésta es mi mansión por siempre;
   aquí viviré porque lo deseo". **R.**

II LECTURA   1 Corintios 15:54–57

Lectura de la primera carta del apóstol san Pablo a los corintios

Esta lectura pide un ritmo y cadencia apropiada. Especialmente desde "hermanos" hasta los puntos ante de la afirmación central que debe ser como una declaración lapidaria.

Hermanos:
Cuando nuestro ser **corruptible** y mortal
   se revista de incorruptibilidad e inmortalidad,
   entonces **se cumplirá** la palabra de la Escritura:
La muerte ha sido aniquilada por la victoria.
   ¿Dónde está muerte, tu victoria?
   ¿Dónde está, muerte, tu aguijón?
El **aguijón** de la muerte es el **pecado**
   y la **fuerza** del pecado es **la ley.**
Gracias a Dios,
   que nos **ha dado** la victoria por nuestro Señor **Jesucristo.**

Este segmento final tiene dos partes: una de certeza conclusiva y la otra de acción de gracias que corona en Jesucristo. Ve elevando el volumen de voz hasta terminar en forma ascendente.

signo y realidad de la nueva alianza de Dios con la humanidad.

| II LECTURA | El apóstol Pablo combina y adapta aquí una cita del profeta Isaías (25:8) y del profeta Oseas (13:14), para mostrar el poder de Dios venciendo a la muerte para favorecer a su pueblo, que está sufriendo bajo la amenaza de ser aniquilado, se trataría de una destrucción inminente.

La muerte es una sombra que acompaña a todos los humanos la vida entera, pero es justamente desde la vida desde donde se asume y ha de superar esta oscura realidad. San Pablo toma en cuenta la experiencia bautismal del cristiano para convertir en afirmación rotunda de salvación lo que vislumbraban los poetas y profetas hebreos. En Cristo la muerte queda aniquilada y desterrada desde su raíz más profunda, el pecado, y en su vehículo más eficaz, la ley.

La solemnidad de la Asunción de María es una celebración que llena de alegría y de esperanza a toda la Iglesia. Ella nos da la fuerza para vivir enfrentando el miedo a la muerte en sus manifestaciones más ordinarias y al mismo tiempo más peligrosas, a saber: el miedo, el temor y la desconfianza que nos pueden ensombrecer la vida, volvernos personas tristes, insensibles y poco solidarias. La comunidad cristiana, bajo el manto de la Virgen María y gracias a la victoria redentora de Cristo, es capaz de vencer la muerte que encierra el pecado en todas su formas y artimañas, preparándose de este modo a dar en paz el paso definitivo a Dios.

| EVANGELIO | Este breve relato se concentra en la dicha de hacer la voluntad de Dios. Es una bienaventuranza

---

EVANGELIO   Lucas 11:27–28

Lectura del santo Evangelio según san Lucas

En **aquel** tiempo, mientras Jesús hablaba a la multitud,
   una mujer del pueblo, **gritando**, le dijo:
   "**¡Dichosa** la mujer que te llevó **en su seno**
   y cuyos pechos te **amamantaron!**"
Pero Jesús le respondió:
   "Dichosos **todavía más** los que **escuchan** la palabra de Dios
   y la ponen **en práctica**".

Nota que la lectura tiene una nota sorpresiva. Subraya las negrillas para enfatizar la voz de la mujer. Haz un breve silencio para acusar el efecto de sus palabras.

Aunque es un correctivo respetuoso, enfatiza el "todavía más" para fijar la mirada en lo capital.

---

o declaración de felicidad que incluye todas las demás bienaventuranzas y envuelve a toda la persona. La dice una mujer del pueblo, muy posiblemente una madre. Nos parece como que ella presta voz a toda la humanidad que felicita a María por haber escuchado y cumplido, o dejar que se cumpliera la palabra prometida por Dios. La bienaventuranza que esta mujer lanza a Jesús se antoja mucho más significativa en el cuerpo del evangelio si consideramos que justamente acaba de ser acusado de actuar como representante de Satanás (11:15). Por su parte, sin rechazar la afirmación de esta mujer sobre el don más preciado que es la maternidad, Jesús pone en el centro lo capital: escuchar y vivir la palabra de Dios.

Ya en otra ocasión (Lucas 8:19–21) se había tocado este tema cuando los discípulos le avisan que su familia le busca y él responde en modo semejante: "Mi madre y mis hermanos son los que escuchan la palabra de Dios y la ponen en práctica".

María encarna perfectamente la definición del creyente pues es ella la primera en escuchar, aceptar y encarnar la palabra de Dios. De allí que la Iglesia la venera como la primera discípula en quien, desde su maternidad, la palabra de Dios se hace vida para el mundo. Por eso es venerada como madre y modelo de fe por todos nosotros.

LA ASUNCIÓN DE LA VIRGEN MARÍA, MISA DEL DÍA

I LECTURA   Apocalipsis 11:19; 12:1–6, 10

Lectura del libro del Apocalipsis del apóstol san Juan

Se **abrió** el templo de Dios en el cielo
   y **dentro** de él se vio el **arca** de la alianza.
Apareció entonces **en el cielo** una figura **prodigiosa**:
   una mujer **envuelta** por el sol,
   con la luna **bajo sus pies**
   y con una corona de **doce** estrellas en la cabeza.
Estaba **encinta** y a punto de **dar a luz**
   y **gemía** con los dolores del parto.

Pero apareció también en el cielo **otra** figura:
   un **enorme** dragón, color de fuego,
   con **siete** cabezas y **diez** cuernos,
   y una corona en **cada una** de sus siete cabezas.
Con su cola
   barrió la tercera parte de las estrellas del cielo
   y las **arrojó** sobre la tierra.
Después se detuvo **delante** de la mujer que iba a dar a luz,
   para **devorar** a su hijo, en cuanto éste **naciera**.
La mujer dio a luz un **hijo varón**,
   destinado a gobernar **todas** las naciones
      con cetro **de hierro**;
   y su hijo fue llevado **hasta Dios** y hasta su trono.
Y la mujer **huyó** al desierto, a un lugar **preparado** por Dios.

Las imágenes son vivas y asombrosas. La mujer es una reina celeste. Acompaña a tu voz con los tonos adecuados, que resalten la majestad y reverencia, pero sin exageraciones dulzonas; ella está en trance de alumbrar.

El dragón es terrible y sus acciones violentas. Marca la pausa antes de la solemne y potente declaratoria celeste.

I LECTURA   Los escritos del tipo de apocalipsis buscan consolar o dar ánimo a grupos o comunidades perseguidos, o en profundas crisis. Los cristianos primeros fueron perseguidos localmente, y esto trajo muchos cuestionamientos. Eran un grupo minoritario y nuevo, por lo que resultaban incriminados de cualquier desgracia que cayera sobre la población. En algunos lugares eran castigados y hasta ejecutados, dependiendo de la inquina de los jueces y sus poblaciones. A principios del siglo segundo de nuestra era, la religión imperial estaba en su apogeo en la parte oriental del Imperio, con capital en Éfeso, donde asientan las tradiciones nuestro libro.

El Apocalipsis de san Juan recurre a signos y símbolos para poderse comunicar. No había libertad de expresión. Las ideas de los grupos cristianos y su discurso eran considerados perniciosos, pues a las autoridades les parecían subversivas e inmorales; entonces, las ideas cristianas eran revolucionarias.

El monoteísmo cristiano no toleraba el culto a los dioses falsos que protegían las ciudades del Imperio. Si alguien no rendía culto en los tiempos y lugares establecidos, provocaba la cólera de los dioses, y ellos castigaban la ciudad. Proclamar a Cristo como rey era insania para la sinagoga y rebeldía para el gobierno imperial. Los cristianos reprobaban la prostitución, se mantenían con una sola mujer y tenían reuniones secretas, ágapes a los que nadie podía acceder sin haber juramentado atenerse a su credo. Todo esto hacía sospechosos a los cristianos que se vieron perseguidos social y políticamente. Por eso, los profetas cristianos debieron recurrir a los medios que los judíos perseguidos y oprimidos habían estado usando desde tres

Entonces **oí** en el cielo una voz **poderosa**, que decía:
   "**Ha sonado** la hora de la victoria de nuestro Dios,
   de su dominio y de su reinado, y **del poder** de su Mesías".

Para meditar

SALMO RESPONSORIAL   Del salmo 44

R. De pie, a tu derecha, está la reina.

Hijas de reyes salen a tu encuentro.
De pie, a tu derecha, está la reina,
   enjoyada con oro de Ofir. **R.**

Escucha, hija, mira y pon atención:
   olvida a tu pueblo y la casa paterna;
   el rey está prendado de tu belleza;
   ríndele homenaje, porque él es
   tu señor. **R.**

Entre alegría y regocijo
   van entrando en el palacio real.
A cambio de tus padres, tendrás hijos,
   que nombrarás príncipes por toda
   la tierra. **R.**

II LECTURA   1 Corintios 15:20–27

Lectura de la primera carta del apóstol san Pablo a los corintios

Hermanos:
Cristo **resucitó**,
   y resucitó como la **primicia** de **todos** los muertos.
Porque si por **un hombre** vino la muerte,
   también por un hombre vendrá **la resurrección** de los muertos.

En efecto, así como en Adán **todos** mueren,
   así **en Cristo** todos **volverán** a la vida;
   pero cada uno **en su orden**:
   primero **Cristo**, como primicia;
   después, a la hora de su **advenimiento**,
   los que **son de Cristo**.

La lectura puede ser confusa si no respeta la puntuación. Nota las palabras que llevan el peso del argumento y dales el tono adecuado.

Nota que hay tres órdenes, aunque el tercero va acomodado en el parágrafo siguiente. Hilvánalos en tu lectura.

---

siglos antes, para sostener y compartir su credo, y que anclaron en el género de literatura que llamamos apocalíptica.

La lectura de hoy describe una de las visiones culminantes del libro, que pertenece al sonar de la séptima trompeta, que causa la aparición del arca de la alianza y la figura de la mujer encinta y luego la del dragón. El arca de la alianza, rezaban las tradiciones judías respectivas, había sido llevada al cielo para evitar su profanación en manos paganas, pero habría de aparecer en los días de la consolación, es decir, cuando Dios enviara a su Mesías para rescatar a su pueblo. La

batalla entre el indefenso pueblo de Dios, la mujer, y el dragón, corresponde a esos días, en los que la comunidad de fieles tiene que buscar refugio hasta el momento oportuno, cuando Dios envíe a su Mesías a reinar sobre la tierra. Ahora son los días de parto y la angustia. Pero la victoria es segura, porque la consolación está muy próxima, tanto, que la voz celeste ya proclama la victoria de Dios e inaugurado el reinado de su Mesías.

La Iglesia ha leído en la mujer con rasgos celestes no sólo una figura del pueblo mesiánico sino la de María de Nazaret, fortín contra los embates del mal, por su ma-

ternidad virginal. Su asunción al cielo es garantía del triunfo sobre la corrupción del pecado, y fuerza para los fieles acosados por los enemigos de Cristo.

II LECTURA A los cristianos corintios les inquietaba lo que ocurriría con ellos después de morir. La inquietud iba aunada a su credo escatológico, que asegura que con la resurrección de Cristo han iniciado los tiempos finales de la historia humana, a la que le resta solamente la manifestación del Mesías. Ahora estamos en ese ínterin o transición expectante mientras se

Baja la velocidad de tu lectura, para que la audiencia note lo imponente de la descripción. Subraya palabras como "todos", "último", "todo", "bajo".

Enseguida será la consumación,
    cuando, después de haber **aniquilado todos** los poderes del mal,
    Cristo **entregue** el Reino a su Padre.
Porque él **tiene** que reinar
    hasta que el **Padre** ponga bajo sus pies a **todos** sus enemigos.
El **último** de los enemigos en ser **aniquilado**, será **la muerte**,
    porque **todo** lo ha **sometido** Dios **bajo** los pies de Cristo.

EVANGELIO   Lucas 1:39–56

Lectura del santo Evangelio según san Lucas

Este párrafo pone el marco a la lectura. Nota los tonos diferentes en cada sección, para que acomodes tu ánimo a cada una.

En aquellos días,
    María se encaminó **presurosa**
        a un pueblo de las montañas de Judea,
    y entrando en la casa de Zacarías, **saludó** a Isabel.
En cuanto ésta **oyó** el saludo de María,
    la creatura **saltó** en su seno.

Inicia con tono natural, pero elévalo un poco para acompañar a Isabel en las aclamaciones e interrogaciones. Luego recupera la naturalidad.

Entonces Isabel quedó **llena** del Espíritu Santo,
    y levantando la voz, **exclamó:**
        "**¡Bendita** tú entre las mujeres y **bendito** el **fruto** de tu vientre!
¿Quién soy **yo** para que la **madre** de mi Señor **venga** a verme?
Apenas llegó tu saludo a mis oídos,
    el niño **saltó** de gozo **en mi seno.**
Dichosa tú, que **has creído,**
    porque **se cumplirá**
        cuanto te fue **anunciado** de parte del Señor".

Entonces dijo **María:**
"Mi alma **glorifica** al Señor
    y mi espíritu se llena de júbilo en Dios, mi salvador,
    porque *puso sus ojos en la humildad de su esclava.*

---

cumplen todos los requerimientos. Pero para los cristianos no hay dudas, porque el bautismo y la eucaristía los hacen participar ya de la era definitiva, cuando todas las oposiciones al reinado de Cristo hayan sido aniquiladas. Ese será el punto culminante. Lo que urge es mantenerse fieles al Evangelio.

Para argumentar el cambio profundo de la era nueva, Pablo se vale de un parangón. En el primer humano, Adán, la humanidad entera se vio sentenciada a la muerte. Este dato es irrefutable para un teólogo judío. E igualmente irrefutable para uno cristiano es que, en Cristo, primogénito de la nueva creación, todos resucitan. Esa resurrección se entiende en sentido corporal, y no simplemente como la cualidad humana que asemeja a los hombres a los dioses olímpicos, la inmortalidad del alma postulada por algunos filósofos griegos. Pablo habla desde su bagaje teológico fariseo. El cristiano se incorpora a Cristo resucitado desde el bautismo, y por eso participa ya de los bienes escatológicos.

La asunción de María Virgen expresa también la fe en la resurrección de Cristo. Ella, decimos, en cuerpo y alma ha sido llevada junto a Dios. Esto muestra el valor que nuestra humanidad, limitada y vulnerable, tiene en el misterio de la redención. Por eso también, la Iglesia habla de que la salvación implica al hombre íntegro. Dios ha preservado la integridad de María Virgen llevándola al cielo.

EVANGELIO La lectura se compone sustancialmente de un cuadro narrativo que lleva a María de su casa en Nazaret a la casa de Zacarías en la serranía de Judá, una recepción exultante de Isabel, la esposa de Zacarías, y un extenso himno puesto en labios de María. Cierra la perícopa

Identifica las acciones de Dios y enfatiza las frases pertinentes. Son fuertes y no cabe aminorar el tono.

Desde ahora me llamarán **dichosa todas** las generaciones,
  porque ha hecho **en mí grandes cosas** el que **todo** lo puede.
Santo es su nombre
  y su misericordia llega de generación en generación
    a los que lo temen.

Ha hecho **sentir** el poder de **su brazo:**
  dispersó a los de corazón **altanero,**
  destronó a los potentados
  y exaltó a los humildes.
A los hambrientos los colmó de bienes
  y a los ricos los despidió **sin nada.**

Alarga la primera línea, porque ella carga el sentido de las acciones de Dios.

Acordándose de su misericordia,
  vino en ayuda de Israel, su siervo,
  como lo **había prometido** a nuestros padres,
  a Abraham y a su descendencia **para siempre".**

María permaneció con Isabel unos **tres** meses
  y luego **regresó** a su casa.

con María —tres meses después, justo antes del nacimiento de Juan— de vuelta en su casa, es decir, donde inició el relato.

El encuentro de María con Isabel pone en escena a dos mujeres, cuyos embarazos certifican que las promesas de la salvación de Dios están comenzando a cumplirse. Las palabras de María son conocidas como el Magníficat, que es una alabanza a Dios por el singular embarazo, la futura maternidad, y dar el sentido del mismo. Este evento es entendido como una liberación o salvación y una "obra grande" en María. Estas expresiones rememoran el lenguaje del Éxodo,

cuando Dios liberó a su pueblo de la esclavitud egipcia "con brazo fuerte y mano extendida", lo que será evocado.

Lo que Dios se apresta a hacer, María lo ve ya cumplido, y lo atribuye a la misericordia operativa del Señor. Dios se ha acordado de sus fieles, "los que lo temen", es decir, los humildes y los que padecen hambre; les restaura en dignidad y sacia sus necesidades. Esta es una proeza de la santidad de Dios que favorece a los que la sociedad tiene por deleznables y prescindibles.

En la asunción de la Virgen María tenemos la confianza de que Dios ha engrandecido a los más pobres y vulnerables, para enaltecerlos a su lado. Lo ha hecho su brazo, que es tan poderoso que no admite que la corrupción se adueñe de la que llevó en su seno al Autor de la vida. Esta celebración de toda la Iglesia nos asegura que lo acontecido en la Madre de Jesús es un anticipo de lo que Dios hará con todo el Cuerpo de Cristo, su pueblo redimido.

XX DOMINGO
DEL TIEMPO ORDINARIO

I LECTURA   Jeremías 38:4–6, 8–10

Lectura del libro del profeta Jeremías

Durante el sitio de Jerusalén,
  los jefes que tenían **prisionero** a Jeremías dijeron al rey:
"Hay que **matar** a este hombre,
  porque las cosas que dice
    desmoralizan a los guerreros
    que quedan en esta ciudad
  y a **todo** el pueblo.
Es **evidente** que **no busca** el bienestar del pueblo,
  sino su **perdición**".

Respondió el rey Sedecías: "Lo tienen ya **en sus manos**
  y el rey **no puede nada** contra ustedes".
Entonces ellos tomaron a Jeremías y,
  descolgándolo con cuerdas,
  lo echaron en el **pozo** del príncipe Melquías,
  situado en el patio de la prisión.
En el pozo no había agua, sino **lodo**,
  y Jeremías quedó **hundido** en el lodo.

Ebed–Mélek, el etíope, oficial de palacio,
  fue a ver al rey y le dijo:
"**Señor**, está **mal** hecho
  lo que **estos** hombres hicieron con Jeremías,
  arrojándolo al pozo, donde va a **morir** de hambre".
Entonces el rey **ordenó** a Ebed–Mélek:

El relato es muy dramático. Frasea bien la acusación que se formula, porque de allí depende el resto.

Haz una breve pausa en el punto señalado. La aclaración sobre el pozo viene después.

Imprime fuerza a las palabras del etíope.

I LECTURA En el siglo VII a. C., el pequeño reino de Judá se encontraba entre la espada y la pared. Por un lado, la potencia emergente, Babilonia, le exigía sumisión y tributo de vasallaje, y por el otro, se los debía a Egipto, a quien ya le pagaba como súbdito. El rey está indeciso, porque sus antecesores han alineando sus lealtades con el reino del Nilo, pero los señores del norte aguardan pronta respuesta.

La opinión de los consejeros del rey se había uniformado en sentido contrario a la de Jeremías. Este era partidario de no resistirse y negociar con los caldeos, obviamente en términos de sujeción. Los consejeros alentaban la resistencia apoyados en que el ejército egipcio vendría al rescate de un momento a otro, pues ya solicitaron su socorro. El tiempo apremia y en la ciudad hasta escasea el agua. La lectura litúrgica omite la arenga de Jeremías al pueblo, diciendo que quien quiera sobrevivir habrá que entregarse a los caldeos; resistir significa morir.

El profeta fue acusado de traición a la patria por Sefatías y Godolías, de los principales consejeros, y es sentenciado a muerte. Encarcelado, lo meten a un pozo de fango para dejarlo morir. El rey es un pelele, sin voluntad propia en todo este asunto. Y esto mismo aprovecha un extranjero, el etíope eunuco del palacio, que consigue rescatar al profeta. El rescate, omitido en la lectura litúrgica, se hace con sogas hechas del vestuario del rey, lo que deja ver la terrible crisis que atraviesa la ciudad.

Jeremías es profeta reputado, y como tal un observador profundo de los eventos y de los aires que corren, en los que puede discernir la voz de Dios y su coherencia en orden a la salud del pueblo. Le importa que el pueblo sobreviva. Lo mismo arguyen los consejeros, entre los que había otros profe-

"Toma **treinta** hombres contigo
y saca del pozo a Jeremías, **antes** de que muera".

Para meditar

SALMO RESPONSORIAL   Salmo 40:2, 3, 4, 18

R. Señor, date prisa en ayudarme.

Yo esperaba con ansia al Señor;
    él se inclinó y escuchó mi grito. **R.**

Me levantó de la fosa fatal,
    de la charca fangosa;
    afianzó mis pies sobre roca,
    y aseguró mis pasos. **R.**

Me puso en la boca un cántico nuevo,
    un himno a nuestro Dios.
Muchos, al verlo, quedaron sobrecogidos
    y confiaron en el Señor. **R.**

Yo soy pobre y desgraciado,
    pero el Señor se cuida de mí;
    tú eres mi auxilio y mi liberación:
    Dios mío, no tardes. **R.**

II LECTURA   Hebreos 12:1–4

Lectura de la carta a los hebreos

Hermanos:
Rodeados, como estamos,
    por la **multitud** de antepasados nuestros,
    que dieron **prueba** de su fe,
    dejemos **todo** lo que nos estorba;
    librémonos del pecado que nos ata,
    para correr **con perseverancia**
        la carrera que tenemos por delante,
    fija la mirada en Jesús,
    autor y consumador de nuestra fe.
Él, en vista del gozo que se le proponía,
    aceptó la cruz, **sin temer** su ignominia,
    y por eso **está sentado** a la derecha del trono de Dios.

Mediten, pues, en el **ejemplo** de aquel
    que **quiso** sufrir tanta oposición
        de parte de los pecadores,
    y no se cansen **ni pierdan** el ánimo,
    porque **todavía** no han llegado a **derramar** su sangre
        en la lucha **contra** el pecado.

El exhorto tiene mucho fondo. Identifica las palabras clave y las frases que impulsan a la perseverancia para darles énfasis con la entonación.

El párrafo habla de Cristo como testigo eximio de la fe. Ten esto presente al recitar estas líneas.

tas. El rey debe sopesar los argumentos, no su número. Jeremías sabe que los vientos le son contrarios, pero no por eso se calla, ni renuncia a lo que tiene que decir, y lo hace sin componendas. Sufrió las consecuencias dolorosas de su fidelidad a la palabra del Señor que, en toda conciencia, entendía que debía pronunciar. El pueblo será llevado a la ruina por la insensatez del rey y la clase política que lo aconsejaba.

En varios sentidos Jeremías es figura de Jesús, pero la lectura de hoy subraya su compromiso inalienable con la palabra de Dios. Lo mismo vemos en Jesús. El carácter profético pertenece a los genes de la Iglesia, pueblo profético de Dios, del que todos los bautizados formamos parte.

II LECTURA Este fragmento de Hebreos exhorta a perseverar en la fe (ver Hebreos 10:19—13:21). El autor recién ha hecho desfilar toda una columna de campeones de la fe, cuyo culmen es Jesús, "autor y consumador" de la fe del pueblo cristiano. La condición para mantenerse firmes es desterrar el pecado, porque se trata de un lastre que, en la imagen del atleta que compite en el estadio, impide sostenerse en la carrera por la corona de la gloria. Los atletas competían desnudos en el estadio, sin ropa que les estorbara. Igual el cristiano, debe correr sin estorbos en pos de Cristo.

Lo que impide ir tras Cristo es el pecado, el cual consiste en amoldarse a los modos de ser del mundo para evitar la persecución. Los señalamientos sociales y judiciales exigen una fortaleza que sólo Cristo da. Vivir la fe cristiana dista de ser asunto fácil, como rezar un poco, pasarla bien y tirarse en la hamaca. Por el contrario, la fe cristiana exige un esfuerzo continuo en la fidelidad y una decisión que, de ser necesario,

La brevedad de la lectura pide imprimir mayor firmeza a las líneas.

Las palabras clave son "dividir" y "contra". Pronuncia estas frases con un ribete cortante, sin suavizar las frases.

EVANGELIO   Lucas 12:49–53

Lectura del santo Evangelio según san Lucas

En aquel tiempo, Jesús dijo a sus discípulos:
   "He venido a traer **fuego** a la tierra
      ¡y **cuánto** desearía que ya estuviera ardiendo!
Tengo que recibir un bautismo
      ¡y **cómo** me angustio mientras llega!

¿**Piensan** acaso que he venido a traer **paz** a la tierra?
De **ningún** modo.
No he venido a traer la paz, sino la **división**.
De aquí en **adelante**,
      de **cinco** que haya en una familia,
      estarán **divididos** tres contra dos y dos contra tres.
Estará dividido el padre **contra** el hijo,
      el hijo **contra** el padre,
      la madre contra la hija y **la hija** contra la madre,
      la suegra contra la nuera
      y **la nuera** contra la suegra".

no rehúya derramar la propia sangre por la causa de Cristo. Los campeones de la fidelidad, con Cristo a la cabeza, contemplan a los fieles para apoyarlos en su determinación. Los mártires de la fe contemplan a los nuevos cristianos. No están solos.

EVANGELIO En el camino a Jerusalén, Jesús va instruyendo a la comunidad discipular para que entienda el profundo implante apocalíptico que tiene la venida profética de Jesús. Su venida trae como un feroz incendio que purificará la tierra entera. Esta imagen del fuego asocia con

el Espíritu Santo, pero también con una destrucción total del mundo, lo que habla del rechazo del Evangelio que experimenta el predicador. La otra imagen es la del bautismo, que alude a su muerte violenta. La angustia de Jesús deja ver que conoce su destino profético, derivado del mismo rechazo a su mensaje. Los discípulos deben ser muy conscientes de que el Evangelio causa rechazo y odio a su causa. En la misma línea se acomodan los dichos que siguen.

El mensaje del Evangelio desajusta el estatus quo de las personas, en el seno más sagrado de la sociedad que es la familia.

Aceptar el Evangelio provoca disrupción incluso en las relaciones de sangre. A esto debe prepararse el discípulo. La comunidad eclesial debe recuperar la incomodidad de vivir ajustada y acomodada en el mundo. Su quehacer es incendiar, purificar y renovar con el Evangelio la tierra entera, al precio de su bautismo, es decir, de derramar la sangre por la causa de Cristo, como muchos mártires lo han hecho a lo largo de la historia. Hay que mirarlos y conocer sus causas para inspirarnos en ellas.

XXI DOMINGO DEL TIEMPO ORDINARIO

I LECTURA   Isaías 66:18–21

Lectura del libro del profeta Isaías

La lectura habla de un futuro que empalma con la asamblea. Pronuncia con solemne reverencia este oráculo, pero sin afectaciones.

Esto dice el Señor:
   "Yo vendré para **reunir** a las naciones de **toda** lengua.
Vendrán y **verán** mi gloria.
Pondré en medio de ellos **un signo**,
   y **enviaré** como mensajeros a algunos de los supervivientes
      hasta los países **más** lejanos y las islas **más** remotas,
   que no han oído hablar **de mí** ni han visto mi gloria,
   y ellos **darán** a conocer mi nombre **a las naciones**.

Marca la segunda parte de la comparación. Describe el movimiento como si se realizara ante tus ojos. Haz énfasis en el futuro.

Así como los hijos de Israel
      traen ofrendas al templo del Señor en vasijas limpias,
   así también mis mensajeros traerán,
   de **todos** los países, como **ofrenda** al Señor,
   a los **hermanos** de ustedes
      a caballo, en carro, en literas,
   en mulos y camellos,
      hasta **mi monte santo** de Jerusalén.
De entre ellos **escogeré** sacerdotes y levitas".

I LECTURA El universalismo de la salvación de Dios es sorprendente. El profeta contempla ahora la convocación que Dios hace a todos los pueblos de la tierra, incluso los más remotos, a contemplar su gloria, es decir, su salvación. Vendrán hasta Sión, donde previamente ha habido una purificación rigurosa para aniquilar toda perversidad. De entre los convocados, Dios se escoge unos mensajeros para ser sus misioneros entre todas las naciones. El listado omitido en la liturgia menciona a los destinatarios menciona a las naciones más remotas de occidente, tanto de Europa

como de África. Los misioneros llevan una señal que Dios mismo les ha impuesto, aunque no se dice cuál sea. Puede tratarse de la circuncisión, pero el horizonte es tan universal que los rasgos judaizantes hay que ponerlos en sordina. Quizá quepa pensar en la fe monoteísta que impulsa una ética o modo de vivir diferente, a tono con lo que se establece en los textos de la alianza nueva. Este evangelio que ellos proclaman causa una peregrinación universal hasta el monte santo. Es la peregrinación escatológica.

Otro rasgo de fuerte universalismo lo da la línea final con la que queda abolido el ligamen de sangre que marcaba a los servidores en el templo de Dios, levitas y sacerdotes. Esa demarcación de las tribus consagradas a Dios queda borrada.

De entre las naciones surge una ofrenda al único Dios. Es la oblación de la fe que ha sido abrazada por gentes que no conocían el nombre de Dios. Sus mensajeros, los apóstoles portadores de la señal, han dado a conocer a ese Dios, y ellos mismos son los oferentes, los que llevan a esas gentes hasta el templo de Dios. Así, anunciar el nombre de

Para meditar

SALMO RESPONSORIAL   Salmo 117:1, 2

R. Vayan por todo el mundo y prediquen el Evangelio.

O bien: **R. Aleluya.**

Alaben al Señor, todas las naciones,
   aclámenlo, todos los pueblos. **R.**

Firme es su misericordia con nosotros,
   su fidelidad dura por siempre. **R.**

II LECTURA   Hebreos 12:5–7, 11–13

Lectura de la carta a los hebreos

No olvides la pausa luego de anunciar la lectura.

Hermanos:
Ya se han **olvidado** ustedes de la exhortación
   que Dios les **dirigió**, como a hijos, diciendo:
*Hijo mío, no **desprecies** la **corrección** del **Señor**,
   ni te **desanimes** cuando te **reprenda**.
Porque el Señor corrige a los que **ama**,
   y da **azotes** a sus hijos **predilectos**.*
Soporten, pues, la corrección,
   porque Dios los trata **como a hijos**;
   ¿y qué padre hay que **no corrija** a sus hijos?

Alarga estas dos frases finales, resaltando lo positivo de la corrección.

Es cierto que de momento
   ninguna corrección nos causa alegría,
   sino **más bien** tristeza.
Pero **después** produce, en los que la recibieron,
   frutos **de paz** y **de santidad**.

Identifica las formas verbales y haz contacto visual con la asamblea en cada una de ellas.

Por eso, **robustezcan** sus manos cansadas
   y sus rodillas vacilantes;
   caminen por un camino plano,
   para que el cojo ya no se tropiece,
   sino **más bien** se alivie.

Dios es una tarea sacerdotal, superior a los sacrificios sobre el altar. El peregrinaje escatológico universal es meta de todo creyente que conoce el nombre de Dios.

San Pablo entendió este texto vinculado a su propia vida y a su quehacer (Romanos 15:16). La ofrenda de las naciones consiste en el reconocimiento del único Dios, vivo y verdadero, que resucitó a Jesús de entre los muertos.

II LECTURA La corrección es parte de la educación. Educar es conducir y se corrige para enmendar vicios o

pasos que pueden terminar en una vida desgraciada. Corrige el que tiene experiencia, el que tiene el camino andado. En una sociedad patriarcal, corresponde al padre de familia corregir. Antes se corregía golpeando y castigando. Hoy reprobamos esa forma de castigo como corrección pedagógica, pero hasta no hace muchas generaciones era aceptable. Sin embargo, antes, el castigo debía ser limitado, o sea no dañar al educando, al tiempo que debía disuadirlo de una conducta errada; tenía que ser provechoso.

El autor adopta esos principios de su tradición y los trasplanta a Dios, padre de la

comunidad de creyentes. Los males que los cristianos padecen tienen que verse bajo ese prisma de la corrección. Está leyendo Proverbios 3:11–12. Los fieles no han de desanimarse ni sentirse odiados ni reprobados por Dios; están siendo reprendidos porque gozan de su amor y predilección.

La corrección no despierta en el castigado sentimientos o actitudes positivas, sino negativas. A nadie le agradan represiones ni azotes; son amargos. Por eso el retórico exhorta a tomarlos con sabiduría. Las correcciones buscan evitar males mayores, pero, ante todo, buscan producir en los cristianos

EVANGELIO   Lucas 13:22–30

Lectura del santo Evangelio según san Lucas

En aquel tiempo,
Jesús iba **enseñando** por ciudades y pueblos,
mientras se encaminaba **a Jerusalén**.
Alguien le preguntó:
"Señor, ¿**es verdad** que son **pocos** los que se salvan?"

Jesús le respondió:
"**Esfuércense** por entrar por la puerta, que es **angosta**,
pues yo les **aseguro**
que muchos **tratarán** de entrar
y **no podrán**.
Cuando el **dueño** de la casa se levante de la mesa
y **cierre** la puerta, ustedes se quedarán **afuera**
y se pondrán a tocar la puerta, diciendo:
'¡Señor, **ábrenos**!'
Pero **él** les responderá:
'**No sé** quiénes son ustedes'.

Entonces le dirán con **insistencia**:
'Hemos comido y bebido **contigo**
y tú **has enseñado** en nuestras plazas'.
Pero él **replicará**:
'Yo **les aseguro** que **no sé** quiénes son ustedes.
Apártense de mí, **todos** ustedes los que hacen el mal'.
Entonces llorarán ustedes y se **desesperarán**,
cuando vean a Abraham, a Isaac, a Jacob
y a **todos** los profetas en el Reino de Dios,
y ustedes se vean echados **fuera**.

Vendrán **muchos** del oriente y del poniente,
del norte y del sur,
y participarán **en el banquete** del Reino de Dios.
Pues los que ahora son **los últimos**, serán **los primeros**;
y los que **ahora** son los primeros, **serán** los últimos".

El primer párrafo es clave. Distínguelo del resto, para que se ver la conexión entre las partes de la respuesta de Jesús.

No hagas una pausa muy prolongada respecto al párrafo previo. No pierdas la conexión entre ambos.

Al llegar a esta parte, extiende tu mirada por la asamblea, e inclúyela en tu proclamación.

frutos positivos, paz y santidad. Lo que implica que las discusiones y disensiones en el seno de la comunidad están causando desánimos y cansancio, además de que modelan la vida al estilo de los incrédulos, es decir, sin el afán por la santidad que Dios requiere de sus elegidos.

EVANGELIO El evangelio agrupa tres asuntos que confluyen como reacción a la pregunta por si son pocos los que se salvan. La salvación aparece como algo difícil de conseguir, pero no porque el pueblo escogido sea pequeño o poco numeroso, sino porque la dinámica de la salud de Dios no se ajusta a los modos humanos.

La imagen de la salvación adopta la de un banquete real. Para participar de este no cuenta pertenecer a esta o aquella nación. El criterio de pertenencia no puede validar el "obrar el mal". Los "operadores de iniquidad" de los que habla el texto griego son personas que están al servicio de intereses opuestos a los de Dios. Es el hacer lo que determina la participación en la salud, y no otra cosa. Hacer el bien está al alcance de todas las personas, y las hermana con los padres y profetas del reino. Es un rasgo universal.

El segundo resorte para la salud es paradójico. Los sitios de privilegio serán ocupados por los despreciados y marginados, los últimos. Estos tienen asegurado su lugar en el banquete. La comunidad cristiana tiene que colocar en su horizonte de vida este llamado de Jesús que camina a Jerusalén. Lo que nos hace familiares de Dios es hacer el bien y, como él, poner en el centro de nuestra atención a los que ahora son últimos. No hay que ir muy lejos para dar con ellos. Ellos nos abrirán la puerta estrecha.

XXII DOMINGO
DEL TIEMPO ORDINARIO

Nota cómo van pareadas las frases, para que tengan esa entonación.

I LECTURA Eclesiástico 3:19–21, 30–31

Lectura del libro del Eclesiástico (Sirácide)

Hijo **mío**, en tus asuntos procede **con humildad**
　　y te amarán **más** que al hombre dadivoso.
Hazte tanto **más pequeño** cuanto **más grande** seas
　　　y **hallarás** gracia ante el Señor,
　　porque **sólo él** es poderoso
　　y **sólo** los humildes le dan gloria.

No hay remedio para el hombre orgulloso,
　　porque ya está **arraigado** en la maldad.
El hombre **prudente** medita **en su corazón**
　　　las sentencias de los otros,
　　y su gran anhelo es **saber escuchar**.

Páusate para distinguir entre las dos figuras, el orgulloso y el prudente.

Para meditar

SALMO RESPONSORIAL Salmo 68:4–5ac, 6–7ab, 10–11

R. Preparaste, oh Dios, casa para los pobres.

Los justos se alegran,
　　gozan en la presencia de Dios,
　　rebosando de alegría.
Canten a Dios, toquen en su honor,
　　alégrense en su presencia. **R.**

Padre de huérfanos, protector de viudas,
　　Dios vive en su santa morada.
Dios prepara casa a los desvalidos,
　　libera a los cautivos y los enriquece. **R.**

Derramaste en tu heredad,
　　oh Dios una lluvia copiosa,
　　aliviaste la tierra extenuada;
　　y tu rebaño habitó en la tierra
　　que tu bondad, oh Dios,
　　preparó para los pobres. **R.**

I LECTURA El Sirácide es una amplia compilación de diversos saberes y emergió durante la crisis cultural causada por la helenización, es decir, la implantación de los modos de pensar y vivir griegos que le daban unidad al mundo, y que fueron imponiéndose con las conquistas de Alejandro Magno. Aquella modernidad deslumbraba a las nuevas generaciones de jóvenes, aunque significaba un ataque a los usos y costumbres que procedían de la Ley con la que se regía la vida personal y social judía. En defensa de los valores patrios, el sabio echa mano de las tradiciones ances-

trales para dar rumbo y firmeza al caminar en la vida, lo que se consigue cumpliendo los preceptos divinos, y no por otras vías. De ese marco cultural viene la lectura.

El texto litúrgico se configura en dos momentos; uno en discurso directo, y el segundo en discurso indirecto.

El sabio contrapone la humildad y el orgullo con sus respectivas consecuencias. La humildad es el modo propio de andar en la vida, lo que es contrario a la fama y al engreimiento que tanto buscan ciertos jóvenes y gente inmadura afanada en hacerse notar y ser tenida en importancia. La mo-

destia como estilo de vida nace de la conciencia de vivir continuamente delante del Señor. No aconseja el sabio victimizarse ni apocarse, sino vivir con realismo, con la conciencia clara de quién se es y con quién se trata; dar a las cosas su justa y verdadera dimensión, sin engrandecerlas. Solamente Dios es grande y poderoso; esto lo reconocen los humildes en su modo de vivir, y así lo glorifican.

Escuchar es la divisa de los que se apegan a la sabiduría. Escuchar tiene como consecuencia modificar la conducta, aprender para la vida. La sabiduría no consiste en acu-

II LECTURA   Hebreos 12:18–19, 22–24

Lectura de la carta a los hebreos

La lectura puede resultar poco clara a los oyentes si no se entona debidamente. Ubica el verbo principal, y a partir de allí frasea.

Hermanos:
Cuando ustedes se **acercaron** a Dios,
   no encontraron **nada material**, como en el Sinaí:
   ni fuego **ardiente**, ni oscuridad, ni tinieblas,
   ni huracán, **ni estruendo de trompetas**,
   ni palabras pronunciadas por aquella voz
      que los israelitas **no querían** volver a oír nunca.

Haz contacto visual con la asamblea en esta parte que debe ser dicha con entusiasmo. Habla de nuestra liturgia cristiana.

Ustedes, en cambio,
   se han acercado a Sión,
   el monte y la ciudad del **Dios viviente**,
   a la Jerusalén **celestial**,
   a la reunión festiva de **miles y miles** de ángeles,
   a la asamblea de **los primogénitos**,
   cuyos nombres están escritos **en el cielo**.
Se han acercado a Dios,
   que es el juez de **todos** los hombres,
   y a los espíritus de los justos
      que **alcanzaron** la perfección.
Se han acercado **a Jesús**,
   el **mediador** de la nueva alianza.

---

mular conocimientos; consiste en vivir bien, en armonía con todos y con todo; allí tiene su lugar la escucha, el vivir atento a los demás. Lo escuchado impulsa a vivir mejor cada día.

En una cultura cultura ruidosa y grandilocuente, el cristiano tiene que volver a la raíz, a caminar en la presencia de Dios. Sin humildad no hay salvación.

II LECTURA El autor coloca una comparación ante sus escuchas para que aprecien dónde están respecto a Dios. La condición de los cristianos es comparada con la del pueblo introducido en la alianza del Sinaí. Por eso habla de acercarse, que tiene un tinte litúrgico, pues había que cumplir con determinados requerimientos para aproximarse al santuario, la casa de Dios, y participar en el culto.

El culto sinaítico se reproducía en el templo de Jerusalén con sus figuras y ritos. Aquel acercamiento fue a lo material, apunta el autor. Todos tienen claro, que aquello no es lo óptimo ni definitivo. Las voces del Sinaí aterrorizaron a los israelitas, al punto de no quererlas escuchar más. No es eso lo que los cristianos han experimentado con su acercarse a la Sión celeste.

La liturgia cristiana mediante lo material de signos y símbolos nos conduce a Dios, al Dios que genera vida. Ante él se hace fiesta y se congrega la asamblea celeste; ángeles y primogénitos rescatados conforman el culto cristiano. Es una asamblea judicial también, en la que Dios imparte justicia y da vida a los justos, hombres santos que cumplen a perfección su voluntad. Y en esa asamblea judicial, Jesús, el justo por excelencia, hace la mediación. Pero Jesús también es el objeto del acercarse. A él apelan

EVANGELIO   Lucas 14:1, 7–14

Lectura del santo Evangelio según san Lucas

La lectura retrata imágenes muy conocidas a todos. Las líneas iniciales deben quedar muy claras para los desarrollos siguientes.

Un sábado, Jesús fue a comer
en casa de uno de **los jefes** de los fariseos,
y éstos estaban **espiándolo**.
Mirando cómo los convidados **escogían** los **primeros** lugares,
les dijo esta parábola:

La parábola son consejos picantes a los fariseos. No los cargues de severidad innecesaria. Es lo cotidiano.

"Cuando te **inviten** a un banquete de bodas,
no te sientes en el lugar **principal**,
no sea que haya **algún otro** invitado **más importante** que tú,
y el que los invitó **a los dos** venga a decirte:
'**Déjale** el lugar a éste',
y **tengas** que ir a ocupar, **lleno** de vergüenza,
el **último** asiento. Por **el contrario**, cuando te inviten,
ocupa el **último** lugar, para que,
cuando **venga** el que te invitó, te diga:
'Amigo, **acércate** a la cabecera'.
Entonces te verás **honrado**
en presencia **de todos** los convidados.
Porque el que se engrandece a sí mismo, **será humillado**;
y el que se humilla, **será engrandecido**".

El cambio de interlocutor debe notarse. En la pausa haz contacto visual con la asamblea. Nota que la parte final puedes clausurarla en elevación, sin disminuir la velocidad.

Luego dijo al que lo había invitado:
"Cuando des una comida o una cena,
no invites a tus amigos, ni a tus hermanos,
ni a tus parientes, ni a **los vecinos ricos**;
porque **puede ser** que ellos te inviten **a su vez**,
y con eso quedarías **recompensado**.
Al contrario,
cuando des un banquete, invita **a los pobres**,
a los lisiados, a los cojos **y a los ciegos**;
y así serás **dichoso**, porque ellos **no tienen** con qué pagarte;
pero ya se **te pagará**, cuando **resuciten** los justos".

---

los creyentes en el juicio para integrarse a la asamblea litúrgica celeste que celebra en la tierra.

EVANGELIO Los banquetes eran ocasión de mostrarse socialmente. Comían juntos los iguales. Las enseñanzas de Jesús en esta ocasión son punzantes, pues reprueban las maneras como se procede en esas exhibiciones. El Maestro de Nazaret ha sido invitado a codearse con el gremio fariseo, pero la comunión que debía mostrarse en ese banquete de santidad brilla por su ausencia porque los fariseos lo

espían. Es decir, no son amigos; son adversarios y competidores, no sólo de Jesús sino de unos con otros. Si la tradición siguió transmitiendo esas enseñanzas es porque eran útiles en medios cristianos, donde la Eucaristía es el banquete por excelencia.

La búsqueda de honores es enfermiza; denota falta de conciencia de la propia identidad, pues considera a los demás inferiores. Esto no es cristiano. La identidad personal y social va aparejada con la humildad y la verdad. Los honores, si los hubiera, serán meros aditamentos a la verdad de la vida.

La comunión entre los comensales es lo fundamental en un banquete. Por eso, Jesús propone el principio del reino: solidarizarse con los excluidos, con esas personas que nunca son invitadas ni a banquetes ni a nada cultual. Jesús quiere que en ellos se gaste el dinero; es como tirar el dinero. Jesús asegura, sin embargo, que ese dinero dado a los pobres es seguro de resurrección. Ningún honor es mayor que ese.

XXIII DOMINGO DEL TIEMPO ORDINARIO

I LECTURA   Sabiduría 9:13–19

Lectura del libro de la Sabiduría

¿**Quién** es el hombre que puede **conocer**
   los designios de Dios?
¿**Quién** es el que puede saber lo que el Señor **tiene dispuesto?**
Los pensamientos de los mortales son **inseguros**
   y sus razonamientos **pueden** equivocarse,
   porque un cuerpo **corruptible** hace **pesada** el alma
   y el **barro** de que estamos hechos **entorpece** el entendimiento.

Con dificultad conocemos lo que hay sobre la tierra
   y a **duras penas** encontramos lo que **está** a nuestro alcance.
¿**Quién** podrá **descubrir** lo que hay en el cielo?
¿**Quién conocerá** tus designios, si **tú** no le das la sabiduría,
   enviando tu santo espíritu desde lo alto?

Sólo con esa sabiduría
   lograron los hombres **enderezar** sus caminos
   y **conocer** lo que te agrada.
Sólo con esa sabiduría se salvaron, Señor,
   los que te agradaron **desde** el principio.

Cada párrafo tiene un acento propio. Conviene que la proclamación no sea precipitada para que cada oración gramatical sea bien comprendida.

Alarga estas dos líneas, pero aumenta la velocidad en las preguntas.

Con serenidad y aplomo marca las dos sentencias del párrafo.

I LECTURA Era aquélla, una época en la que las ciencias desbordaban conocimientos, la tecnología estaba más y más disponible a los consumidores, los espectáculos estaban a la orden del día, el comercio acercaba los bienes necesarios y los cosméticos, la construcción parecía incansable, las rutas comunicación y las aduanas se veían abarrotados de caravanas mercantes y viajeros que traspasaben las fronteras territoriales y culturales irremediablemente. El progreso global estaba allí, a los ojos de todos. Era la época helenística. La vida moderna seducía a los jóvenes que no encontraban en los usos y costumbres de sus padres, razones suficientes para dar rumbo a sus propias vidas.

Sabiduría, escrito probablemente en Alejandría de Egipto en las décadas del 50 al 30 a. C. y en griego, busca poner la cambiante realidad en su verdadera dimensión. ¿Qué nos depara el futuro? ¿Hay manera de saberlo? El provenir está oculto en el cielo, lejos de la mente humana.

En una época en la que los logros parecen ilimitados, se desliza la pregunta por la estatura del ser humano. El hombre es grande, pareciera ser el consenso. Con todo, la ciencia humana no tiene forma de emparejar a la sabiduría divina, la que mueve la historia. El sabio considera que el alma sería capaz de acceder a la sapiencia divina, de no verse lastrada por lo material. Ella no puede subir hasta Dios y traer el tesoro de su saber. No puede subir al más allá y bajar.

Hay, sin embargo, una vía para que el hombre se haga del saber divino: que Dios le otorgue su espíritu. Ese espíritu de sabiduría es el que guia a la persona a vivir agradando a Dios. Y para mostrar eso, el sabio se voltea a mirar la historia de la salvación de su

Para meditar

SALMO RESPONSORIAL   Salmo 90:3–4, 5–6, 12–13, 14 y 17

R. Señor, tú has sido nuestro refugio de generación en generación.

Tú reduces el hombre a polvo, diciendo:
"Retornen, hijos de Adán".
Mil años en tu presencia
    son un ayer, que pasó;
    una vela nocturna. **R.**

Los siembras año por año,
    como hierba que se renueva:
    que florece y se renueva por la mañana,
    y por la tarde la siegan y se seca. **R.**

Enséñanos a calcular nuestros años,
    para que adquiramos un corazón sensato.
Vuélvete, Señor, ¿hasta cuando?
Ten compasión de tus siervos. **R.**

Por la mañana sácianos de tu misericordia,
    y toda nuestra vida será alegría y júbilo.
Baje a nosotros la bondad del Señor
    y haga prósperas las obras de
    nuestras manos. **R.**

II LECTURA   Filemón 9–10, 12–17

Lectura de la carta del apóstol san Pablo a Filemón

Querido hermano:
Yo, **Pablo**, ya anciano y ahora, **además**,
    prisionero por la causa de Cristo Jesús,
    quiero **pedirte** algo en favor de **Onésimo**, mi hijo,
    a quien he **engendrado** para Cristo **aquí**, en la cárcel.

Te lo envío. **Recíbelo** como a mí mismo.
Yo hubiera querido **retenerlo** conmigo,
    para que **en tu lugar** me atendiera,
    mientras estoy **preso** por la causa del Evangelio.
Pero no he querido hacer **nada** sin tu consentimiento,
    para que el favor que me haces no sea como **por obligación**,
    sino por tu **propia** voluntad.

La carta pide un favor no exige. Dale tono comedido y delicado pero no pedigüeño a tu lectura.

Separa un tanto la primera línea del resto. Pero nota que es un fino reproche el que hace Pablo.

---

pueblo, mostrando que quien es fiel a los mandamientos divinos sortea todas las desgracias que se abaten sin anunciarse. Dios protege al hombre que ajusta su saber y su obrar a lo que Dios quiere.

Nuestra época está también repleta de ciencia y tecnología que parecen no tener límites y que ofrecen la felicidad a las personas. Pero pronto caemos en la cuenta de que esto no es así, porque la insatisfacción regresa. El hombre tiene hambre y sed de Dios, y sólo su Espíritu puede satisfacerlo a plenitud. Es sabio el que se mueve por el divino Espíritu.

II LECTURA Filemón es una carta de recomendación que Pablo remite con el propio Onésimo que se había escapado de su amo. Onésimo era un esclavo, cuyo nombre significa *útil*. No sabemos porqué huyó, pero fue a refugiarse con Pablo que estaba en prisión. Pablo lo bautizó allí mismo, pero no lo retuvo consigo, sino que lo remite a Filemón, líder de la iglesia doméstica. En la retórica desliza un reproche a Filemón. Su esclavo ha estado cumpliendo una obligación que él tendría que haber cumplido. Pablo busca forzar el espíritu de Filemón.

La solicitud de Pablo pone en claro que la fe en Cristo Jesús hermana a los bautizados. En el mundo de la época la divisoria social más fuerte era entre libres y esclavos. Los esclavos eran "cosas animadas", o sea no tenían derecho alguno. La esclavitud no estaba determinada por el color de la piel, como en el sistema esclavista que las cristiandades europeas impusieron en nuestro continente. La esclavitud en la sociedad grecorromana del siglo ɪ provenía de causales como las deudas impagadas, ser cautivo de guerra o invasión, o para vender el propio trabajo. El amo era dueño de vida y hacienda

Tal vez él fue apartado de ti por un breve tiempo,
a fin de que lo recuperaras para **siempre**,
pero ya no como **esclavo**,
sino como **algo mejor** que un esclavo,
como hermano **amadísimo**.
Él ya lo es **para mí**. ¡**Cuánto** más **habrá** de serlo para ti,
no **sólo** por su calidad de hombre,
sino de **hermano** en Cristo!
Por tanto, si me **consideras** como compañero tuyo,
recíbelo como a **mí mismo**.

EVANGELIO   Lucas 14:25–33

Lectura del santo Evangelio según san Lucas

En aquel tiempo,
caminaba con Jesús una **gran** muchedumbre
y él, volviéndose a sus discípulos, les dijo:
"Si alguno **quiere** seguirme
y no me **prefiere** a su padre y a su madre,
a su esposa y a sus hijos,
a sus hermanos y a sus hermanas,
más aún, a **sí mismo**, no puede ser mi discípulo.
Y el que no carga su cruz **y me sigue**,
no puede ser mi discípulo.

Porque, ¿**quién** de ustedes, si quiere **construir** una torre,
no se pone **primero** a calcular el costo,
para ver si tiene **con qué** terminarla?
No sea que, después de haber **echado** los cimientos,
no pueda acabarla y todos los que se enteren
comiencen a burlarse de él, diciendo:
'Este hombre **comenzó** a construir y **no pudo** terminar'.

Con renovado entusiasmo eleva el tono un tanto en este párrafo, pero baja la velocidad para dejar la lectura.

Con todo adusto pronuncia estos párrafos. Páusate en las comas para que el fraseo cale en la asamblea.

Haz contacto visual con la asamblea al pronunciar las preguntas.

del esclavo. Impensable que un amo considerara como su igual a un esclavo. Claro, hay que considerar que lo estipulado corresponde a generalizaciones que no siempre se verifican con punto y coma. La realidad siempre es más amplia y compleja que nuestras descripciones.

Pablo pide más. Hace de Onésimo su enviado personal: "Recíbelo como a mí mismo". Filemón estaba en deuda con Pablo porque había sido bautizado por él. La deuda de la fe en Cristo no hay manera de que sea cubierta, porque representa el mayor de todos los bienes: la salud eterna.

"El cristiano es otro Cristo", anotará siglos después san Gregorio de Nisa.

La emergencia de los Derechos Humanos en los últimos siglos ha llevado a abolir todo tipo de esclavitud, porque la dignidad de los seres humanos es incontestable, y por esta se lucha y trabaja incansablemente en muchos frentes. Hay muchas fuerzas que la amenazan; entre nosotros, el mercado es una muy poderosa. Pero el cristiano, apoyado en su fe bautismal y en la doctrina social de la Iglesia, no puede más que extender a la vida diaria su compromiso para que todos

y cada uno de los hijos de Dios, pueda recibir el pan cotidiano.

EVANGELIO La ruta a Jerusalén ha iniciado varios capítulos atrás, en 9:51, pero san Lucas va a dejar constancia de que el camino a Jerusalén es un tópico discipular, no un dato anecdótico. "Camino" será llamada la fe cristiana y la comunidad que se forma, en algunos lugares (ver Hechos 9:2; 18:25; 19:9). El camino de Jesús a Jerusalén está marcado por la cruz y la gloria. Obviamente esto envuelve

¿O qué rey que va a **combatir** a otro rey,
    no se pone **primero** a considerar si será capaz
        de salir con **diez mil** soldados
        al encuentro del que viene **contra** él con **veinte mil**?
Porque si no, cuando el otro esté **aún lejos**,
    le enviará una embajada
        para **proponerle** las condiciones de paz.

Así pues,
    cualquiera de ustedes que no renuncie **a todos** sus bienes,
    no puede ser mi discípulo".

Baja la velocidad de lectura y siéntete solidario con la comunidad de fe.

al grupo de discípulos a los que dirige las palabras que componen el evangelio de hoy.

Las condiciones del seguimiento son claramente planteadas por Jesús. El discipulado supone moverse detrás del Maestro, y ello implica desarraigo total. El seguidor ha de poner toda su atención en el Mesías y no en la familia, y ni siquiera en sí mismo. Cristo es el valor absoluto y único en la vida discipular. No admite competidores. Cargar la cruz es asumir el costo del discipulado. No hay manera de disimular esto, porque sería llamar a engaño. Pero el seguimiento no es un programa de estoicismo ejemplar o de martirio abnegado, ya que todo esto tiene una sola razón: ser epifanía del reino de Dios. De allí lo absoluto de Jesús. Sin el reino, Jesús puede ser un mártir admirable, pero no manifestación del Dios de la vida.

Los dos ejemplos siguientes buscan calar en la conciencia del discípulo para pulsar si efectivamente cuenta con los elementos necesarios para ese proyecto exigente de vida. La torre es imagen de fortaleza y de vigilancia. Es una edificación de alto costo. No hay lugar para lo superficial, porque la vida está en juego. Tampoco caben distracciones porque se trata de una batalla en la que hay que ser sagaz y decidido. La guerra es imagen del riesgo de la vida que está en juego.

Las palabras de Jesús se dirigen a toda la comunidad de bautizados, a la Iglesia entera. No hay que entenderlas como si fueran dirigidas a los clérigos o a las religiosas solamente. De ninguna manera. El seguimiento de Jesús es de cada bautizado. Jesús llama a colaborar con su proyecto de reino con todas las fuerzas disponibles. El camino a Jerusalén, es decir, a la gloria mesiánica, pasa por el vaciamiento total de uno mismo, para que Dios sea todo en todos.

XXIV DOMINGO
DEL TIEMPO ORDINARIO

I LECTURA   Éxodo 32:7–11, 13–14

Lectura del libro del Éxodo

La lectura tiene el tono de un debate acusatorio. Mantén la aspereza en la acusación que Dios formula.

En aquellos días, dijo el Señor a **Moisés**:
     "Anda, **baja** del monte, porque **tu pueblo**,
     el que **sacaste** de Egipto, se ha **pervertido**.
No tardaron en desviarse
     del camino que yo les había **señalado**.
Se han **hecho** un becerro de metal,
     se han **postrado** ante él
     y le han ofrecido **sacrificios** y le han dicho:
     '**Éste** es tu dios, Israel; es el que te **sacó** de Egipto' ".

El Señor le dijo **también** a Moisés:
     "**Veo** que éste es un pueblo de cabeza **dura**.
Deja que mi ira se encienda contra ellos **hasta consumirlos**.
De ti, en cambio, haré **un gran pueblo**".

Las palabras de Moisés no tienen el tono previo. Ahora suaviza también la expresión de tu rostro.

Moisés **trató** de aplacar al Señor, su Dios, diciéndole:
     "**¿Por qué** ha de encenderse tu ira, Señor,
     contra este pueblo **que tú** sacaste de Egipto
     con **gran** poder y **vigorosa** mano?
Acuérdate de Abraham, de Isaac y de Jacob, siervos tuyos,
     a quienes juraste **por ti mismo**, diciendo:
     '**Multiplicaré** su descendencia
     como las estrellas del cielo
     y les daré en posesión **perpetua**
     toda la tierra que les **he prometido**' ".

I LECTURA   Dios liberó a los hebreos esclavizados en Egipto, para hacerlos pueblo suyo. Después de una prodigiosa victoria sobre los poderes opresores, por mano de Aarón, María y Moisés, él lo va conduciendo por el desierto hacia una tierra de libertad y dignidad. Hay muchos tropiezos y momentos de crisis, en los que Moisés es el caudillo más destacado en esa epopeya. A lo largo de ese camino de liberación que van forjando, el pueblo va a ir conociendo quién es Dios, y lo que significa ser pueblo de su propiedad, como quedó establecido en la alianza. Pero ese camino no estaba trazado, ni fue un desfile triunfal; estuvo lleno de crisis terribles. Hoy escuchamos un segmento de la más complicada ellas, pero otros detalles pueden seguirse en el texto bíblico de Éxodo 32–34.

Lo escuchado en la lectura comienza como una notificación de Dios a Moisés, que se encuentra en lo alto de la montaña, no junto al pueblo que se ha quedado al pie del monte sagrado. El pueblo se ha fabricado un becerro de oro y se lo ha autoimpuesto cual dios. Ese es el dato, pero la lectura conlleva tres aspectos que conviene resaltar.

Lo primero que salta a la vista es que Dios se distancia del pueblo y se lo adjudica a Moisés; es como si toda la obra de liberación fuera asunto del mediador. Hay una repulsa de lo hecho por los israelitas. El becerro fabricado fue mediación sacerdotal de Aarón. La divinidad representada en un toro era algo común entre aquellos pueblos que veían en él un símbolo de vitalidad por su fuerza y fecundidad. Obviamente no consideraban que la imagen fuera la divinidad misma, sino una mera representación de sus atributos mayores. Los cultos de fertilidad eran muy populares en las religiones

Y el Señor **renunció** al castigo
con que había **amenazado** a su pueblo.

Para meditar

SALMO RESPONSORIAL   Salmo 51:3–4, 12–13, 17 y 19

R. Me levantaré y volveré donde mi padre.

Misericordia, Dios mío, por tu bondad,
por tu inmensa compasión borra mi culpa;
lava del todo mi delito,
limpia mi pecado. **R.**

Oh Dios, crea en mí un corazón puro,
renuévame por dentro con espíritu firme;
no me arrojes lejos de tu rostro,
no me quites tu santo espíritu. **R.**

Señor, me abrirás los labios,
y mi boca proclamará tu alabanza.
Mi sacrificio es un espíritu quebrantado;
un corazón quebrantado y humillado
tú no lo desprecias. **R.**

II LECTURA   1 Timoteo 1:12–17

Lectura de la primera carta del apóstol san Pablo a Timoteo

Con ánimo de fortalecer a un líder en su tarea, hay que infundir entusiasmo con clara serenidad.

Querido hermano:
Doy gracias a aquel que me **ha fortalecido**,
a nuestro Señor Jesucristo,
por haberme considerado **digno** de confianza
al ponerme a su servicio,
a mí, que antes fui **blasfemo**
y **perseguí** a la Iglesia con violencia;
pero Dios tuvo misericordia **de mí**,
porque en mi incredulidad obré **por ignorancia**,
y **la gracia** de nuestro Señor
se **desbordó** sobre mí, al darme la fe y el amor
que **provienen** de Cristo Jesús.

Haz contacto visual con la asamblea al pronunciar la primera línea.

Puedes **fiarte** de lo que voy a decirte
y aceptarlo **sin reservas**:
que Cristo Jesús vino **a este mundo**
a **salvar** a los pecadores,
de los cuales yo soy **el primero**.

---

cananeas, y fueron siempre una amenaza a la fe yahvista, estipulada en el primero de los mandamientos de la alianza. Lo que está en juego es que la corrupción se ha infiltrado en la fe mediante aquellos que debieran ser sus guardianes. El pueblo atribuye la obra de liberación a alguien que no es Dios. En eso consiste el pecado de idolatría.

El segundo aspecto es la mediación de Moisés. Moisés no acepta el abandono de Dios ni se adueña del pueblo, antes bien reitera que el pueblo es de Dios y que él ha sido quien lo ha sacado de Egipto con manifestaciones imponentes de su poder. Al en-

viado divino no le hace ilusión volverse en padre de una nación. Ni considera el ofrecimiento y apela a la memoria. Recuerda los hechos, y también las promesas que Dios va a dejar truncas, en caso de llevar a cabo lo que se propone: destruir al pueblo idólatra. El cumplimiento de las promesas a los padres fue lo que empujó el proyecto y la ejecución del éxodo. Moisés apela al honor divino para preservar la vida del pueblo que ha delinquido. Y eso es lo único que queda en pie, la fidelidad de Dios.

Lo tercero es el resultado. Dios renunció al castigo, o lo que es lo mismo, perdonó

al pueblo gracias a la mediación mosaica. Por eso es que la obra de Moisés es tan preponderante en la vida del pueblo, porque consiguió la misericordia divina, por decirlo así. El pueblo no cambia, pero Dios sí; el Dios compasivo es el que mantiene al pueblo en vida. La figura de Moisés anticipa la de Cristo, mediador de la alianza definitiva, que le da vida al pueblo entero.

II LECTURA El fragmento litúrgico es una confesión inusitada, y que por lo mismo es uno de los ingredientes que levanta dudas sobre la autenticidad paulina

Pero Cristo Jesús **me perdonó**,
   para que **fuera yo** el primero
      en quien él manifestara **toda** su generosidad
   y sirviera yo de **ejemplo**
      a los que habrían de creer **en él**,
   para obtener **la vida eterna**.

Al Rey eterno, **inmortal**, invisible, **único** Dios,
   honor y gloria por los siglos de los siglos. **Amén**.

EVANGELIO   Lucas 15:1–32

Lectura del santo Evangelio según san Lucas

En aquel tiempo, se acercaban a Jesús
   los **publicanos** y los **pecadores** a escucharlo;
   por lo cual los fariseos y los escribas
      murmuraban entre sí:
   "Este **recibe** a los pecadores y **come** con ellos."

Jesús les dijo entonces esta parábola:
"**¿Quién** de ustedes, si tiene **cien** ovejas y se le pierde **una**,
   no deja las noventa y nueve **en el campo**
   y va en busca de la que se le perdió **hasta encontrarla**?
Y una vez que la encuentra,
   la carga sobre sus hombros, lleno de alegría,
   y al llegar a su casa,
   reúne a los amigos y vecinos y les dice:
   'Alégrense conmigo,
   porque ya encontré la oveja que se me había perdido'.
Yo les aseguro
   que **también** en el cielo habrá **más alegría**
      por un pecador que **se arrepiente**,
   que por noventa y nueve justos, que **no necesitan** arrepentirse.

Alarga esta línea que menciona el ejemplo paulino.

Conviene visualizar las distintas secciones de la lectura, para adoptar la velocidad más conveniente en cada una.

Dale realce a la comparación con el cielo, pero sin dramatismo.

---

del escrito. Timoteo habría sido un muy cercano colaborador del Apóstol y no se ven razones suficientes para lo que expone. El escritor quiere que el escucha salga edificado con esta acción de gracias.

Pablo da gracias a Dios por haberlo elegido para el apostolado, cuando no había ni la más remota posibilidad de que así sucediera. Pablo, dice, era ignorante, un violento perseguidor de la Iglesia y blasfemo. Más que descripciones de la realidad histórica, ambos delitos hay que entenderlos como aquello que lo incapacitaba para ser promo-

tor del Evangelio. Pero todo cambia gracias a la misericordia divina.

La misericordia divina cristaliza en dos dones extraordinarios para el Apóstol: la fe y el amor de Cristo Jesús. La fe de Cristo es lo que enseguida se dice; que Cristo vino al mundo para salvar a los pecadores. Esta es una confesión de fe que reconoce la necesidad en la que se encuentra el hombre sin Dios, el mundo, pero también el sentido de la obra de Cristo Jesús. No es una venida judicial, antes bien redentora. La fe es algo digno de confianza, o sea algo firme y que sustenta, en este caso el quehacer o apostolado pau-

lino, y, en el nuestro, la vida cristiana. Al amor de Cristo Jesús, complementariamente, corresponde la respuesta o la reacción del hombre redimido al reconocer esa venida de Cristo. La fe dice lo que hay en el corazón, y de allí surge la alabanza o doxología que cierra nuestra lectura.

Dios nos ha redimido por amor y ese amor tiene en Pablo también su evidencia. El Apóstol dice que Dios lo ha perdonado. Este perdón no es fruto del trabajo realizado a lo largo de muchos años y en muchas comunidades o iglesias, sino de la gracia o gratuidad amorosa de Cristo Jesús. En un

Esta parábola es más breve y puede leerse a menor velocidad.

¡Y qué mujer hay,
   que si tiene **diez** monedas de plata y pierde una,
   no enciende luego una lámpara y **barre** la casa
   y la **busca** con cuidado hasta **encontrarla**?
Y cuando la encuentra,
   reúne a sus amigas y vecinas y les dice:
   '**Alégrense** conmigo,
   porque **ya encontré** la moneda que se me **había perdido**'.
Yo les **aseguro**
   que así **también** se alegran los ángeles de Dios
   por un **solo** pecador que se arrepiente".

La pausa debe notarse. La parábola es amplia, por lo que pide agilizar el ritmo.

También les dijo esta parábola:
"Un hombre tenía **dos** hijos,
   y el **menor** de ellos le dijo a su padre:
   'Padre **dame** la parte que me toca de la herencia'.
Y él **les repartió** los bienes.

No muchos días después,
   el hijo **menor**, juntando **todo** lo suyo,
   se fue a un país **lejano** y allá **derrochó** su fortuna,
   viviendo de una manera **disoluta**.
Después de malgastarlo **todo**,
   sobrevino en aquella región una **gran hambre**
   y él empezó a pasar **necesidad**.
Entonces fue a pedirle trabajo a un habitante de aquel país,
   el cual lo mandó a sus campos a **cuidar cerdos**.
Tenía ganas de **hartarse** con las bellotas que comían **los cerdos**,
   pero **no lo dejaban** que se las comiera.

La reflexión del hijo menor pide bajar la velocidad e incluso el volumen de la voz. Imprime fuerza en la resolución.

Se puso entonces a reflexionar y se dijo:
   '**¡Cuántos** trabajadores en casa de mi padre tienen pan **de sobra**,
   y yo, aquí, me estoy muriendo **de hambre**!
Me levantaré, **volveré** a mi padre y le diré:
   Padre, he pecado contra el cielo y **contra ti**;
   ya **no merezco** llamarme **hijo tuyo**.
Recíbeme como a uno de tus trabajadores'.

---

designio misterioso, al pecador y violento perseguidor, Dios lo pone de ejemplo de su generosidad para que todos vengan a creer en la salvación que ahora oferta.

Pablo ya es una figura del pasado, pero a ella recurren los cristianos para enfrentar las situaciones nuevas que pueden desviar o debilitar la fe y el amor cristianos. La tradición de la Iglesia en eso consiste, pues conserva y transmite los ejemplos de los héroes de la fe, para poderlos imitar cuando las circunstancias son adversas. La gracia de Dios es el más firme sostén.

EVANGELIO En la trama del evangelio, las parábolas agrupadas en este capítulo forman parte de los materiales ajustados al peregrinaje de Jesús a Jerusalén (Lucas 9:51—19:27). En esta parte del camino, fariseos y escribas van a ir adquiriendo el perfil de antagonistas del Maestro y sus enseñanzas. En esta ocasión, este grupo doble se mira contrastado por los de "publicanos y pecadores", es decir, dos grupos de gente autoexcluida de la alianza que cohesionaba al pueblo; sin embargo, Jesús se solidariza con ellos, se convierte en su anfitrión y comparte comidas; en una palabra, es su amigo (ver Lucas 7:34).

"Publicanos" se les llama a los que colaboraban con el Imperio Romano cobrando impuestos a la población para sostener el estatus quo; eran traidores a la patria, por así decir. Por oficio, estaban alineados con los enemigos del pueblo. *Pecadores* se consideraba a todos los que no se atenían a las prescripciones de pureza que dictaba el sistema de salvación asentado en el templo de Jerusalén, y que tenía en escribas y fariseos a sus promotores más fervientes y piadosos. En tanto que estos se acercan a Jesús

Imprime entusiasmo a las palabras del padre disponiendo la fiesta.

Enseguida se puso en camino hacia la casa de su padre.
Estaba todavía **lejos**,
    cuando su padre **lo vio** y se enterneció **profundamente**.
Corrió hacia él,
    y **echándole** los brazos al cuello, lo **cubrió** de besos.
El muchacho le dijo:
    '**Padre**, he pecado contra el cielo y **contra ti**;
    ya **no merezco** llamarme **hijo tuyo**'.

Pero el padre les dijo a sus criados:
    '**¡Pronto!**, traigan la túnica más rica y **vístansela**;
    pónganle un anillo en el dedo y **sandalias** en los pies;
    traigan el becerro gordo y **mátenlo**.
Comamos y **hagamos una fiesta**,
    porque este hijo mío estaba **muerto** y ha **vuelto a la vida**,
    estaba **perdido** y lo hemos **encontrado**'.
Y empezó el banquete.

El hijo **mayor** estaba en el campo, y al volver,
    cuando se acercó a la casa, **oyó** la música y los cantos.
Entonces llamó a uno de los criados y le preguntó qué pasaba.
Éste le contestó:
    'Tu hermano **ha regresado**,
    y tu padre mandó matar el **becerro gordo**,
    por haberlo recobrado **sano y salvo**'.
El hermano mayor **se enojó** y no quería entrar.

Salió entonces el padre **y le rogó** que entrara;
    pero él replicó:
    '¡Hace **tanto** tiempo que te sirvo,
    sin desobedecer **jamás** una orden tuya,
    y tú no me has dado **nunca** ni un cabrito
        para comérmelo con mis amigos!
Pero **eso sí**, viene ese **hijo tuyo**,
    que **despilfarró** tus bienes con **malas** mujeres,
    y tú **mandas matar** el becerro gordo'.

Con dureza, pero sin insolencia en el tono, estas palabras expresan una profunda verdad, aunque insuficiente.

Las palabras del padre son amables y compasivas también para el hijo; hazlas cálidas.

para someterlo a escrutinio, los despreciados se aproximan para escucharlo. Este trasfondo narrativo es el que da ocasión a la tripleta de parábolas proclamadas hoy, que dejan ver lo que significa el Evangelio de Dios en Cristo Jesús.

Las tres parábolas son bastante conocidas, la de la oveja perdida, la de la moneda perdida y la del hijo perdido. Las tres tienen un canon común de pérdida, búsqueda, hallazgo y fiesta. En cuanto a la pérdida se evidencia una progresión: una oveja de cien, una moneda de diez y un hijo de dos. Si bien los primeros dos ejemplos son breves y

muestran el equilibrio de varón-mujer que Lucas procura sostener en su narración, el tercero es mucho más amplio y subraya lo insustituible, pues ¿con qué se sustituye a un hijo? También se diferencia en la búsqueda, es notorio que el padre no sale a buscar al hijo perdido. En este caso la vía al hallazgo o reencuentro la señala el hambre y la recorre el hijo perdido que a su vez recupera lo perdido.

Jesús involucra a sus escuchas desde la pregunta inicial de la trilogía: "¿Quién de ustedes...?" y en la comparación de la alegría celeste: "Yo les aseguro que...". Esta

comparación no aparece al término de la tercera parábola, que explícitamente habla de un banquete, porque el auditorio debe repetirla de memoria para caer en la cuenta de por qué Jesús "recibe a los pecadores y come con ellos". Recordemos que uno de los pilares de la piedad eran los ayunos, a los que escribas y fariseos eran afectos. No hay alegría conjunta, fiesta, sin comida ni bebida. Los banquetes de Jesús con los excluidos de la alianza son signos de la alegría celeste porque un pecador se vuelve a Dios. De esa fiesta están invitados a participar todos, principalmente aquellos que "han

El padre repuso:

'Hijo, tú **siempre** estás conmigo y **todo** lo mío es **tuyo**.
Pero era **necesario** hacer fiesta y **regocijarnos**,
   porque este **hermano tuyo** estaba **muerto**
   y ha **vuelto** a la vida, estaba **perdido** y lo hemos **encontrado**'".

Abreviada: *Lucas 15:1–10*

servido sin desobedecer jamás una orden". Ellos deben festejar la misericordia del Padre de la casa.

La misericordia de Dios mantiene los brazos siembre abiertos a la reconciliación y la alegría. Choca a algunos que el padre no pronuncia ni un reproche, ni pone al hijo recuperado en cuarentena. ¿Qué imagen tenemos de Dios y de su proyecto de vida para nosotros? Quizá reprobamos su generosidad y nos resistimos a su actitud. De ser así, necesitamos leer las parábolas otra vez. No hay ni asomo de reproche, ni de gestos penitenciales. Dejemos de mirarnos para mirarlo a él. El dinamo de esa fiesta lo expresan las palabras del padre de la parábola al mayor de los hijos. Se trata de una resurrección que los cristianos miran como la causa y fundamento de su modo de vivir. ¿De qué se alegra Dios? ¿En qué nos alegramos sus hijos? Las puertas están abiertas.

XXV DOMINGO DEL TIEMPO ORDINARIO

I LECTURA   Amós 8:4–7

Lectura del libro del profeta Amós

Escuchen esto los que buscan al pobre
    sólo para arruinarlo
y andan diciendo:
"**¿Cuándo** pasará el descanso del primer día del mes
    para **vender** nuestro trigo,
    y el descanso **del sábado**
    para **reabrir** nuestros graneros?"
Disminuyen las medidas,
    aumentan los precios,
    alteran las balanzas,
    obligan a los pobres a venderse;
    por un **par de sandalias** los compran
    y hasta venden **el salvado** como trigo.

El Señor, gloria de Israel, **lo ha jurado:**
"No olvidaré **jamás ninguna** de estas acciones".

La lectura es dura, pero no necesariamente en el tono de voz. Silabea bien la segunda línea, porque da el tono del resto.

No lo señala el texto, pero la retahíla de delitos dila como si fuera otro parágrafo.

Eleva un tanto el tono de voz para finalizar la lectura; como dejando algo pendiente.

I LECTURA El del norte era un reino próspero y pujante gracias a sus buenas tierras de cultivo y a tener acceso fácil a las grandes vías que conectaban a Egipto con las ciudades de Mesopotamia y con las ciudades de la costa. El flujo de mercancías y de personas traía importantes derramas económicas al reino, así como riesgos a su fe y sus costumbres delineadas en la Ley del Señor. Era la época de Jeroboam II, y una piadosa élite empresarial hacía y deshacía a su mejor conveniencia en aquellos lares, sin que les importara un bledo la justicia que Dios exi-

gía de sus fieles. Recordemos que los templos eran los espacios donde las gentes se encontraban y comerciaban. El templo era garante de pesas y medidas, lo mismo que de los tratos y convenios entre habitantes y fieles; los templos regulaban y velaban porque el comercio en sus atrios fuera justo.

La lectura del día proviene de la sección de las visiones que anuncian el juicio de Dios sobre su pueblo, y están acompañadas de las denuncias de los crímenes que acarrean la condena divina. El foco son los pobres. Amós era hombre simple, del campo, y seguramente llevaría sus produc-

tos a vender al mercado de la ciudad, para hacerse de otros bienes indispensables, aceite, trigo, harina, telas, sandalias, vasijas y otros enseres. Así se volvió sensible a lo que sucedía en el norte, donde el lujo y las excentricidades eran groseras. Unos cuantos eran escandalosamente ricos, en tanto que la gran mayoría era lastimosamente pobre. Pero no es asunto de buena o mala suerte, ni de laboriosidad o pereza, la situación de unos y otros. Los ricos se enriquecen a costa de los pobres; los buscan para explotarlos y esclavizarlos. No es eso lo que estipula la Ley de Dios. Amós nota que la justicia está

Para meditar

SALMO RESPONSORIAL   Salmo 113:1–2, 4–6, 7–8

R. Alaben al Señor que ensalza al pobre.

O bien: **R. Aleluya.**

Alaben, siervos del Señor,
　alaben el nombre del Señor.
Bendito sea el nombre del Señor,
　ahora y por siempre. **R.**

El Señor se eleva sobre todos los pueblos,
　su gloria sobre los cielos.
¿Quién como el Señor, Dios nuestro,
　que se eleva en su trono
　y se abaja para mirar
　al cielo y a la tierra? **R.**

Levanta del polvo al desvalido,
　alza de la basura al pobre,
　para sentarlo con los príncipes,
　los príncipes de su pueblo. **R.**

II LECTURA   1 Timoteo 2:1–8

Lectura de la primera carta del apóstol san Pablo a Timoteo

El tono inicial de la carta es solemne, pero no hay que recargarlo.

Te ruego, hermano, que **ante todo**
　　se hagan **oraciones**, plegarias, **súplicas**
　y acciones de gracias por **todos** los hombres,
　y en particular, por los **jefes** de Estado
　y las demás autoridades,
　　para que **podamos** llevar una vida tranquila y **en paz**,
entregada a Dios y respetable **en todo sentido**.

La fraseología es rebuscada, por lo que hay que frasear apoyándose en la puntuación.

Esto es bueno y **agradable a Dios**, nuestro salvador,
　pues él quiere que **todos** los hombres se salven
　y **todos** lleguen al conocimiento **de la verdad**,
　porque no hay sino **un solo Dios**
　y un **solo mediador** entre Dios y los hombres,
　Cristo Jesús, hombre él también,
　que se **entregó** como rescate **por todos**.

corrompida, y que la piedad, el cumplimiento de lo debido a Dios, ha quedado divorciada del mercado y de la equidad en cuanto a los bienes más necesarios. La vida de un pobre vale tanto como ¡un par de sandalias! El ídolo del tener, del comercio y de la ganancia detenta un imperio que reclama víctimas continuas, hasta el día de hoy; su presa primera son los pobres.

　El Dios de la alianza del Sinaí sacó a su pueblo de la esclavitud para hacerlo vivir en un marco de derecho equitativo, de respeto mutuo y donde la dignidad humana manifieste la imagen de Dios impresa en cada miem-

bro del pueblo. Todo, absolutamente todo, ha de contribuir a ese ideal de vida.

II LECTURA Los cuatro parágrafos que componen nuestra lectura litúrgica tienen por marco la oración. El escritor instruye a su delegado, Timoteo, a que se ore por todos los hombres, pero destaca a las autoridades de modo especial. Esto constituía el cañamazo fundamental del entramado sociopolítico del Imperio Romano.

　Recordemos que la religión pública era el cohesivo social más importante en aquel

mundo, pues aglutinaba a los más diversos cultos con sus variopintos fieles de las más dispares procedencias. De allí la urgencia de que, en las liturgias o cultos públicos a las divinidades locales e imperiales, se incluyeran explícitas impetraciones y loas a los gobernantes, que eran de alguna manera los ejecutores de los designios divinos y, por ende, exigían la fe o fidelidad de todos los fieles o súbditos. Esto era más evidente al oriente del Imperio que en la misma Roma. Las liturgias públicas y tradicionales expresaban el bien común, y no participar en ellas equivalía a ser impío, ateo y asocial. Los cris-

Él **dio testimonio** de esto a su debido tiempo
   y de esto yo he sido constituido,
digo la verdad y no miento,
   pregonero y apóstol para **enseñar** la fe y la verdad.

Quiero, pues, que los hombres,
   libres de odios y divisiones,
hagan oración **dondequiera** que se encuentren,
levantando al cielo sus manos puras.

Nota cuál es la frase principal y dale el tono debido a esta parte.

EVANGELIO   Lucas 16:1–13

Lectura del santo Evangelio según san Lucas

En aquel tiempo, Jesús dijo a sus discípulos:
   "Había una vez un hombre **rico** que tenía un administrador,
el cual fue acusado ante él de haberle **malgastado** sus bienes.
Lo llamó y le dijo:
   '¿Es cierto lo que me han dicho de ti?
Dame cuenta de tu trabajo,
   porque en adelante ya **no serás** administrador'.

Entonces el administrador se puso a pensar:
   '¿Qué voy a hacer **ahora** que me **quitan** el trabajo?
No tengo fuerzas para **trabajar** la tierra
   y me da vergüenza **pedir** limosna.
Ya sé lo que voy a hacer, para tener a alguien
     que me **reciba** en su casa, cuando me despidan'.

Entonces fue llamando **uno por uno**
   a los **deudores** de su amo.
Al primero le preguntó: '¿**Cuánto** le debes a mi amo?'
El hombre respondió: '**Cien** barriles de aceite'.
El administrador le dijo:
   'Toma tu recibo, **date prisa** y haz otro por **cincuenta**'.

La parábola está animada por una trama que se complica y un desenlace inesperado. Nota la súbita complicación del primer párrafo.

El momento es decisivo. Alarga la frase "uno por uno". Los escuchas captarán lo siguiente muy bien.

---

tianos se rehusaban a tomar parte en tales liturgias por considerarlas idolátricas. En esa línea cabe entender las recomendaciones que con autoridad apostólica se le dan al nuevo funcionario eclesial.

El Apóstol vincula esa práctica litúrgica con la voluntad divina de la salvación universal. Además de asentarse la fe en el único Dios, se afirma la mediación del único Señor, Cristo Jesús, por su condición humana. No hay lugar a equívoco alguno, pues ni el emperador ni su aparato median la salud de los hombres. Aquí se afirma la fe cristiana y se

impulsa a difundirla, porque es la verdad que salva.

La fe de la comunidad cristiana no excluye a los paganos o a los que no son miembros de la comunidad; por el contrario, tiene una dimensión inclusiva de universalidad. No cabe que los cristianos se separen de la sociedad, causando divisiones o sectarismos. Hay que orar por todos los promotores del bien común, pues es la manera de vivir honorablemente y en paz.

EVANGELIO En el camino a Jerusalén, Jesús va diseminando ense-

ñanzas sustantivas al grupo de sus seguidores, cuyo tema en esta parte se concentra en los bienes o riquezas, que son un auténtico obstáculo para el discipulado. La comunidad de la tercera generación cristiana ha integrado en su seno a algunos ricos ya, y debe ponerse a la escucha del Maestro, para orientar su práctica. La lectura del día se compone de una parábola y una tripleta de dichos relativos al dinero y su administración, que denotan orígenes diversos.

La parábola del administrador fraudulento pone en juego la imperiosa necesidad de hacer algo inaudito ante la **desgracia**

Luego preguntó al siguiente: 'Y tú, ¿**cuánto** debes?'
Este respondió: '**Cien** sacos de trigo'.
El administrador le dijo:
    'Toma tu recibo y haz **otro** por **ochenta**'.

El amo tuvo que **reconocer**
    que su mal administrador había procedido **con habilidad**.
Pues los que pertenecen a **este mundo**
    son **más hábiles** en sus negocios
      que los que pertenecen a la luz.

Y yo les digo:
    Con el dinero, tan lleno de **injusticias**,
    gánense amigos que, cuando ustedes mueran,
    los reciban **en el cielo**.

El que es **fiel** en las cosas pequeñas,
    también es fiel en **las grandes**;
    y el que es **infiel** en las cosas pequeñas,
    también es infiel **en las grandes**.
Si ustedes no son **fieles** administradores del dinero,
    tan lleno de injusticias,
    ¿**quién** les confiará los bienes **verdaderos**?
Y si no han sido fieles en lo que **no es** de ustedes,
    ¿**quién** les confiará lo que **sí es** de ustedes?

No hay criado que pueda servir **a dos amos**,
    pues **odiará** a uno y **amará** al otro,
    o se **apegará** al primero y **despreciará** al segundo.
En resumen,
    no pueden ustedes servir a Dios **y al dinero**''.

Abreviada: *Lucas 16:10–13*

El yo de Jesús es dominante. Haz contacto visual con la asamblea en las líneas siguientes. No abrevies las pausas entre los párrafos.

Nota cómo la idea se agudiza. Baja la velocidad conforme se acerca el final.

inminente. Es una parábola de juicio. El encargado no ha acrecentado los bienes de su señor y para colmo los ha dilapidado. Lejos de arrepentirse, negar el fraude o maquillarlo, el administrador hace una inteligente maniobra final que lo salvará de convertirse en jornalero o dedicarse a limosnear, pues ya es viejo, y el deshonor le volvería insoportable la vida. Se alista a una vida mejor, honorable y sin afanes. Esa maniobra es lo que alaba Jesús, no la deshonestidad del ecónomo, que no es "un hijo de la luz". Pese a ser un "hijo de este mundo", aquel hombre fraudulento ha sido capaz de ver lo que le

reporta salvarse, y no duda en ejecutarlo, incluso al costo de una nueva reprobación de parte de su amo. Eso es lo que Jesús quiere inculcar en sus discípulos: una claridad de mente y una resolución total para conseguir la salvación al costo que sea.

La recomendación capital de Jesús, en esta ocasión, no es que sus discípulos renuncien a todos los bienes; antes bien que sean inteligentes en usarlos, pues han de servirles para hacerse "amigos que los reciban en sus casas" al morir. Los pobres tienen en el cielo sus casas, como mostrará la parábola de Lázaro y el rico (Lucas 17). Esa

es la visión cristiana de los bienes, no acumularlos, sino administrarlos en beneficio de los empobrecidos.

El punto final de la lectura orilla al esclavo a elegir, ¿Dios o el dinero? Todos tratamos de salvar esa polaridad de mil y una maneras con artilugios y verdaderos ejercicios de desprendimiento, pero sigue siendo todo un reto hasta el día de hoy para la comunidad discipular. Tengamos presente siempre que hay una manera de capitalizar en el reino de Dios: invertir en los pobres.

XXVI DOMINGO DEL TIEMPO ORDINARIO

I LECTURA   Amós 6:1, 4–7

Lectura del libro del profeta Amós

Esto dice el Señor todopoderoso:
"¡Ay de ustedes, los que se sienten **seguros** en Sión
    y los que **ponen** su confianza
        en el **monte sagrado** de Samaria!
Se reclinan sobre divanes **adornados** con marfil,
    se **recuestan** sobre almohadones
        para **comer** los corderos del rebaño
    y las terneras en **engorda**.
Canturrean al son del arpa, **creyendo** cantar como David.
Se **atiborran** de vino,
    se ponen los perfumes **más costosos**,
        pero **no se preocupan** por las desgracias de sus hermanos.

Por eso irán al destierro **a la cabeza** de los cautivos
    y **se acabará** la orgía de los disolutos".

La lectura es una denuncia profética; pronúnciala con dureza, pero sin melodramas.

Silabea la frase causal para que se note que es consecuencia de todo lo previo.

I LECTURA El oráculo escuchado es un lamento sobre los piadosos del Norte y del Sur. Los montes del Garizim en Samaría y de Sión en Judá son sendos asientos de los santuarios nacionales, donde se da culto a Yahveh. Todo parece ir bien. Sin embargo, el profeta descubre una fe que contradice lo que el Dios de Israel demanda en la ley. Al acudir al culto, los fieles adquieren una seguridad que los hace sentir invulnerables; la prosperidad que viven es el sello divino de que van por el camino correcto. En esa situación se escucha la denuncia profética y el lamento que presagia la pérdida irreparable, la muerte inminente. El *ay* es un lamento profundo que un doliente profiere ante la muerte de un ser querido. Esto es lo que el profeta anticipa.

El problema es doble en apariencia. Por una parte, esos fieles pretextan su piedad para banquetear y llenarse el estómago con la carne de las víctimas sacrificadas, corderos y terneras, que eran las más preciadas sobre el altar del templo de Yahveh. Recordemos que los templos tenían recintos acomodados para celebrar la comunión ostentada en las ofrendas. Allí, sacerdotes y oferentes perfumados celebraban la comunión con Dios, reclinados en divanes ricos y suntuosos, adornados con marfil, corría el vino y las canciones. La liturgia está completa y llevada a la perfección; la vida anda bañada de piedad y religión.

Por otra parte, esos oferentes olvidan a sus hermanos en desgracia, es decir, a los empobrecidos. No tienen la menor solidaridad con los necesitados, de modo que esa comunión con Dios, tan suntuosa y exquisita, no alcanza a ser comunión con los hermanos. Así, la religión del Dios de Israel está corrompida de muerte. Por eso el lamento

Para meditar

SALMO RESPONSORIAL   Salmo 146:7, 8–9a, 9bc–10

R. Alaba, alma mía, al Señor.

O bien: **R. Aleluya.**

El mantiene su fidelidad perpetuamente,
  hace justicia a los oprimidos,
  da pan a los hambrientos.
El Señor liberta a los cautivos. **R.**

El Señor abre los ojos al ciego,
  el Señor endereza a los que ya se doblan,
  el Señor ama a los justos,
  el Señor guarda a los peregrinos. **R.**

Sustenta al huérfano y a la viuda
  y trastorna el camino de los malvados.
El Señor reina eternamente,
  tu Dios, Sión, de edad en edad. **R.**

II LECTURA   1 Timoteo 6:11–16

Lectura de la primera carta del apóstol san Pablo a Timoteo

La lectura incita a buscar las virtudes. Usa un tono amable y comedido.

Hermano:
Tú, como hombre de Dios,
  lleva una vida de rectitud, **piedad**, fe,
  amor, **paciencia** y mansedumbre.
Lucha en el noble combate **de la fe**,
  conquista la vida eterna a la que has sido **llamado**
  y de la que hiciste **tan admirable** profesión
    ante **numerosos** testigos.

El parágrafo es amplio y un tanto complejo. Frasea acorde a la puntuación, e identifica bien las frases principales.

Ahora, **en presencia** de Dios, que da vida a **todas** las cosas,
  y de **Cristo** Jesús,
  que dio tan admirable **testimonio** ante Poncio Pilato,
  te **ordeno** que **cumplas** fiel e irreprochablemente,
    todo lo mandado,
  hasta la venida de nuestro Señor Jesucristo,
  la cual **dará** a conocer a su **debido tiempo** Dios,
  el bienaventurado y **único** soberano,
  Rey de los reyes y **Señor** de los señores,
  el **único** que posee la inmortalidad,
  el que habita en una luz **inaccesible**
  y a quien **ningún** hombre ha visto **ni puede** ver.
  A él **todo** honor y poder **para siempre**.

profético y la anticipación del destino desgraciado que aguarda: el destierro, la ruina y desaparición del pueblo.

Esta lectura nos recuerda que la vida fiel a Dios se hace con la comunión completa, con él y con los hermanos en desgracia. Son estos los que nos señalan el verdadero nivel de la unión con Dios en nuestra vida, no la mera piedad individual. Sin esta solidaridad básica entre nosotros, la piedad es mentirosa.

II LECTURA La lectura de hoy proviene de la sección exhortativa de esta carta, reconocida entre las pastorales por estar dirigida a un pastor, Timoteo. La exhortación tiene una parte reprobatoria en la que el autor previene al joven pastor sobre los males y vicios que acechan a quienes no se atienen a la guía de la sana doctrina de la fe y buscan solo ganancias terrenales; de todo eso debe huir. La otra parte del exhorto se compone de una serie de recomendaciones sobre abrazar un género de vida acorde al liderazgo cristiano.

Trabajar las virtudes es algo que han de procurar tanto los líderes de la comunidad como todos los cristianos. A la cabeza de las virtudes está la justicia, que en nuestra lectura aparece como rectitud. La virtud no es algo que se dé automáticamente; es algo que el cristiano "persigue"; algo por lo que hay que afanarse inteligentemente. Supone, pues, un plan, una estrategia y un seguimiento perseverante. A este ejercicio virtuoso corresponde la profesión pública de fe, ante la comunidad creyente, que Timoteo ha hecho. El autor lo emula al testimonio de Cristo ante Poncio Pilato, que le costó la vida. El testimonio por la verdad es lo que se espera de todo cristiano, pero no menos de quien detenta el liderazgo en la fe.

EVANGELIO Lucas 16:19–31

Lectura del santo Evangelio según san Lucas

La lectura es amplia. Distingue sus partes y modera la velocidad de lectura en cada una de ellas.

En aquel tiempo, Jesús dijo a los fariseos:
  "Había un hombre **rico**,
    que se vestía **de púrpura** y telas **finas**
    y banqueteaba **espléndidamente** cada día.
  Y un **mendigo**, llamado Lázaro,
    yacía a la entrada de su casa **cubierto** de llagas
    y **ansiando** llenarse con las **sobras**
      que caían de la mesa del rico.
  Y **hasta** los perros se acercaban a **lamerle** las llagas.

Haz una pausa breve tras la muerte del rico, esperando que la asamblea la capte. Luego retoma la lectura.

Sucedió, pues, que **murió** el mendigo
    y los ángeles lo llevaron al **seno de Abraham**.
  Murió **también** el rico y lo enterraron.
  Estaba éste en el lugar **de castigo**,
    en medio de **tormentos**,
    cuando levantó los ojos y vio a lo lejos a **Abraham**
    y a **Lázaro** junto a él.

No aceleres en esta parte. Deja que el diálogo discurra con normalidad.

Entonces **gritó**: 'Padre Abraham, ten piedad **de mí**.
  Manda a Lázaro que moje en agua la **punta** de su dedo
    y me **refresque** la lengua,
    porque me torturan **estas llamas**'.
  Pero Abraham le contestó:
    'Hijo, **recuerda** que en tu vida recibiste **bienes**
      y **Lázaro**, en cambio, **males**.
  Por eso él goza **ahora** de consuelo,
    mientras que tú sufres **tormentos**.
  Además, entre ustedes y nosotros
      se abre un abismo **inmenso**,
    que **nadie** puede cruzar, ni hacia **allá** ni hacia **acá**'.

EVANGELIO En el camino a Jerusalén se ha venido tratando sobre los bienes materiales y la recta actitud que Jesús exige ante ellos. A nivel de la narración, la parábola está dirigida a los fariseos. Ellos conforman un grupo de piadosos reconocido por su ferviente promoción del cumplimiento de los preceptos de la ley de Moisés, muy apreciados por la población y creían en la resurrección de los muertos. A diferencia de los saduceos, en cuyas manos estaba la administración del templo, los fariseos creían en la vida de ultratumba.

El primer momento de la parábola es breve y tiene por escena la vida cotidiana de un rico. El segundo se escenifica en el más allá y se extiende con un intercambio dialogal, sostenido hasta el final de la parábola. El primer cuadro presenta a dos contrastados personajes: un rico anónimo, de alta clase social, que banquetea espléndidamente cada día, y Lázaro, un pordiosero, enfermo y que pasa hambre continuamente. Lázaro significa "Dios ayuda". El banquete es la expresión social más acabada de la identidad y prestancia de un ciudadano (llevaba una agitada vida social), en tanto que

vivir rodeado de perros es la condición más miserable para un ser humano. Los polos tensan toda la gama de situaciones que se mira en la sociedad humana. Ambos polos, sin embargo, coinciden en la muerte.

La muerte es descrita también polarizadamente, y con ella todo se invierte. Uno es llevado por los ángeles "al seno de Abrahán", en tanto que el otro fue sepultado. Pero el relato continúa hasta convertirse en la ventana para visualizar el verdadero entramado de la realidad. Ambos muertos, el rico se halla en una situación de tormentos, y Lázaro en una de delicia; este arriba, aquel

No eleves el tono en las palabras de Abrahán. Es un diálogo intenso, pero no un regaño y menos una amenaza.

El rico **insistió**:
'Te **ruego**, entonces, padre Abraham,
que mandes a Lázaro **a mi casa**,
pues me quedan allá **cinco hermanos**,
para que les **advierta**
y no acaben **también** ellos en este lugar de tormentos'.
Abraham le dijo:
'Tienen a Moisés y a los profetas; **que los escuchen**'.
Pero el rico **replicó**:
'No, padre Abraham. Si **un muerto** va a decírselo,
entonces sí se arrepentirán'.
Abraham **repuso**: 'Si **no escuchan** a Moisés y a los profetas,
no harán caso, ni aunque **resucite** un muerto'".

abajo. La inversión es definitiva. En el diálogo que sigue sale a relucir la fe.

El ahora atormentado solicita a "su padre" un favor excepcional, lo que Abrahán, padre de los creyentes niega, con dos motivos categóricos: la inversión de situaciones y la imposibilidad de cruzar la distancia entre el lugar de tormentos y el de las delicias. La dinámica de la inversión de situaciones corresponde al establecimiento de la justicia divina, ya anunciada en el Magníficat (Lucas 1:46–55), por ejemplo. Esta inversión escatológica es la que debe mover a escoger adecuadamente las opciones de

vida. Complementariamente, no basta tener por padre a Abrahán para acceder a la dicha definitiva. Al rico no se le desconoce su identidad filial, sigue siendo hijo, pero acá no tiene opciones para franquear lo que lo separa de sus hermanos, se agotaron con la muerte.

El rico solicita un nuevo favor que el Patriarca niega; quiere que vaya Lázaro a advertir a sus hermanos que le sobreviven, para que no terminen como él. La respuesta es categórica. Los vivos deben escuchar a Moisés y a los profetas, es decir, seguir las voces de la revelación de Dios.

La muerte y resurrección de Cristo impulsa el quehacer de todo cristiano. Si esta convicción es operante, debe mover al fiel a superar todo obstáculo y barrera que impide la solidaridad equitativa entre los hermanos. No cabe posponer la justicia para el más allá. Por eso, la Iglesia nos recuerda la palabra de Moisés y los profetas en cada asamblea litúrgica, y nos impulsa a llevar Buenas Nuevas a los pobres, a los enfermos y a los que no figuran en la sociedad. Ellos están allí, al alcance de la mano y nos urgen; mañana puede ser demasiado tarde.

XXVII DOMINGO DEL TIEMPO ORDINARIO

I LECTURA   Habacuc 1:2–3; 2:2–4

Lectura del libro del profeta Habacuc

¿**Hasta cuándo**, Señor, pediré auxilio,
    sin que me escuches,
    y denunciaré **a gritos** la violencia que reina,
    sin que vengas **a salvarme**?
¿**Por qué** me dejas ver la injusticia
    y **te quedas mirando** la opresión?
Ante mí no hay más que **asaltos y violencias**,
    y **surgen** rebeliones y desórdenes.

El Señor me respondió y me dijo:
    "**Escribe** la visión que te he manifestado,
    ponla clara en tablillas
        para que se pueda **leer** de corrido.
Es **todavía** una visión de algo **lejano**,
    pero que viene corriendo y **no fallará**;
    si se tarda, **espéralo**, pues llegará **sin falta**.
El malvado **sucumbirá** sin remedio;
    el justo, en cambio, **vivirá** por su fe".

Las preguntas son apremiantes y llevan el peso del reclamo. No las pases con ligereza ni rapidez.

Nota como retrasa la frase de la vida; las frases previas deben alimentar cierto suspenso.

I LECTURA El libro de Habacuc abre con lamentos por la injusticia reinante que se mira castigada por la invasión de los caldeos que desagua en una visión que deja una brizna de esperanza. En el libro, sigue una serie de ayes o lamentos contra los que oprimen y perpetran injusticias, y concluye con una extensa invocación a Dios, que se amplifica describiendo la inminente teofanía o manifestación de su poder justiciero. Para nuestra lectura litúrgica se escogió de la parte inicial, el lamento por la injusticia y la visión esperanzadora.

Lo que el profeta lamenta es la ausencia o desinterés de Dios ante la maldad rampante e irrefrenable que padece el profeta. El profeta es el termómetro de la sociedad. La maldad adopta formas perturbadoras tales como la violencia, la opresión, la rapiña, los pleitos y la rebelión. La vida se vuelve imposible, y no se ve cómo pueda cambiar la situación. La solución viene de fuera, es drástica y dolorosa como se mira en la segunda parte de la lectura.

La certeza de la visión no deja lugar a equívocos; queda escrita. ¿Cuándo ocurrirá lo descrito? No se especifica, pero todos deben conocerla. La descripción de lo que vendrá es catastrófico: la invasión caldea. Los que perpetran la violencia demuestran no confiar en Dios, aunque creen conocerlo. Ellos se apoyan en sus propias fuerzas; aplastan a los débiles, no creen en Dios. Con destrucción se erradica la violencia. En esta situación, los malvados no tienen futuro, pero el justo vivirá. El profeta asegura que el pueblo podrá sobrevivir apoyado en la fe o confianza en Dios.

Las palabras de Habacuc son muy actuales, pues urgen la regeneración del tejido social en todos los niveles. Sin confianza no

271

Para meditar

SALMO RESPONSORIAL   Salmo 95:1–2, 6–7, 8–9

R. Ojalá escuchen hoy la voz del Señor: "No endurezcan el corazón".

Vengan, aclamemos al Señor,
   demos vítores a la Roca que nos salva;
   entremos a su presencia dándole gracias,
   aclamándolo con cantos. **R.**

Entren, postrémonos por tierra,
   bendiciendo al Señor, creador nuestro.
Porque él es nuestro Dios,
   y nosotros su pueblo,
   el rebaño que él guía. **R.**

Ojalá escuchen hoy su voz:
"No endurezcan el corazón como en Meribá,
   como el día de Masá en el desierto;
   cuando vuestros padres me pusieron
     a prueba
y me tentaron, aunque habían visto
   mis obras". **R.**

II LECTURA   2 Timoteo 1:6–8, 13–14

Lectura de la segunda carta del apóstol san Pablo a Timoteo

Querido hermano:
Te recomiendo que **reavives** el don de Dios
   que recibiste cuando te **impuse** las manos.
Porque el Señor **no** nos ha dado un espíritu **de temor**,
   sino de **fortaleza**, de amor y de moderación.

No te avergüences, pues,
   de **dar testimonio** de nuestro Señor,
   ni te avergüences **de mí**, que estoy preso **por su causa**.
Al contrario, **comparte** conmigo los sufrimientos
   por la **predicación** del Evangelio,
sostenido por la fuerza de Dios.
Conforma tu predicación
   a la **sólida** doctrina que recibiste de mí acerca de la fe
y el amor
   que tienen su **fundamento** en Cristo Jesús.
Guarda este tesoro con la ayuda del **Espíritu Santo**,
   que habita **en nosotros**.

El tono ha de ser de calidez y de interés cariñoso, como el de un padre orientando a su hijo. Adopta el ritmo de la puntuación.

La oración se alarga, pero busca en este punto hacer contacto visual con la asamblea.

---

hay futuro. La justicia es el germen de la confianza; esta cementa las relaciones equitativas entre las personas y los pueblos. La fe es el camino de la vida.

II LECTURA La Segunda Carta a Timoteo tiene como marco canónico el de las cartas pastorales paulinas. Así se les llama porque su principal interés consiste en fundamentar el oficio de los líderes o pastores de las comunidades cristianas de la segunda generación, retomando la figura de Pablo y aduciendo su autoridad. La Segunda Carta a Timoteo tiene la forma de

un testamento. A Timoteo lo conocemos por ser uno de los colaboradores cercanos del Apóstol, ahora destinatario de la carta. En los dos segmentos de la lectura que escuchamos hoy, el autor anima al joven líder de la comunidad cristiana a que cumpla cabalmente la encomienda que le ha sido confiada.

El primer párrafo urge a Timoteo a reavivar el don recibido mediante la imposición de las manos de parte del propio autor. No da tiempo ni lugar de ese gesto; sin embargo, lo conocemos por la tradición judía que lo repetía para delegar jurídicamente una

encomienda sobre una persona. Posteriormente, ese fue un gesto de "ordenación rabínica". O sea, un gesto para declarar que alguien estaba autorizado para interpretar válidamente las Escrituras y guiar a una comunidad de fe. En la lectura de hoy, esa imposición parece expresar la comunión en el espíritu de Dios, que no se caracteriza por la cobardía o miedo, sino por la fortaleza, el amor y la sapiencia.

El líder de la comunidad debe cultivar su nexo con la tradición, es decir, con Cristo Jesús y sus testigos, para alinearse en esa fila de mártires del Evangelio. Justo en esto

EVANGELIO   Lucas 17:5–10

Lectura del santo Evangelio según san Lucas

En aquel tiempo, los apóstoles dijeron al Señor:
    "**Auméntanos** la fe".
El Señor les contestó: "Si tuvieran fe,
    aunque fuera **tan pequeña** como una semilla de mostaza,
    podrían decir a ese árbol frondoso:
    '**Arráncate** de raíz y **plántate** en el mar', y los **obedecería**.

¿**Quién** de ustedes, si tiene un siervo que **labra** la tierra
    o **pastorea** los rebaños,
    le dice cuando éste regresa del campo:
    '**Entra** enseguida y **ponte** a comer'?
¿No le dirá **más bien**:
    '**Prepárame** de comer y disponte **a servirme**,
    para que **yo** coma y beba; **después** comerás y beberás tú'?
¿Tendrá acaso que **mostrarse agradecido** con el siervo,
    porque éste cumplió **con su obligación**?

Así **también** ustedes,
    cuando hayan **cumplido** todo lo que se les mandó, digan:
    'No somos más que **siervos**,
    sólo hemos hecho lo que **teníamos** que hacer'".

El evangelio busca sacudir las buenas conciencias. No suavices las palabras de Jesús para que su espíritu guíe a la asamblea en su respuesta.

Las preguntas llevan el desarrollo. Acentúa apropiadamente elevando el tono al final de cada una de ellas para que los escuchas complementen con la respuesta.

Puedes hacer contacto visual con la asamblea antes de las palabras entrecomilladas. Recuerda no dejar el ambón antes de escuchar la respuesta litúrgica de la asamblea y del beso al Evangeliario.

---

se manifiesta el don recibido. Su predicación, por lo mismo, se ha de afianzar en la enseñanza sana de la fe y el amor de Cristo Jesús, este es el referente absoluto de todo liderazgo cristiano.

EVANGELIO La lectura del día está precedida de unos dichos sobre el escándalo y el perdón con los que Jesús orienta a su comunidad discipular. El espíritu de fondo es el de la radicalidad. El procedimiento contra el escándalo busca erradicarlo, echando al mar al que lo provoca, es decir, negándole el acceso a la

resurrección. Perdonar tampoco tiene límites, es asunto absoluto. Si las exigencias del seguimiento de Jesús son tan radicales, no hay manera de cumplir con ellas. De allí la solicitud de un "aumento de fe".

La fe es la única vía para que los discípulos de Jesús conformen una comunidad que refleje el reino de Dios. Por mínima que parezca, la fe consigue de Dios lo inconcebible: que un árbol se trasplante en el mar. Una pizca de fe es lo que se necesita para captar la obediencia, erradicar el escándalo y perdonar siempre. Otra muestra ofrece Jesús con la parábola del siervo fiel.

La comparación aducida enseña que la fidelidad de un esclavo a lo que se le ha encomendado no es causa de gracia (chárin) o buena voluntad de parte de su señor. Los discípulos fieles, pues, no han de esperar algo a cambio de su fidelidad en seguir a Jesús; el seguirlo es ya benevolencia divina.

En nuestro medio hay un gran afán por reconocimientos y ser tomados en cuenta. La lectura de hoy nos pide atender a la fidelidad radical al evangelio, y buscar distinguirnos solamente en eso: en ser fieles a la palabra de Jesús.

XXVIII DOMINGO
DEL TIEMPO ORDINARIO

I LECTURA   2 Reyes 5:14–17

Lectura del segundo libro de los Reyes

En aquellos días,
 Naamán, el general del ejército de Siria,
  que estaba **leproso**,
 se bañó **siete** veces en el Jordán,
 como le había dicho **Eliseo**, el hombre de Dios,
 y su carne quedó **limpia** como la de un niño.

Volvió con su comitiva a donde estaba el hombre de Dios
  y se le presentó diciendo:
 "**Ahora sé** que no hay más Dios que el **de Israel**.
Te pido que **aceptes** estos regalos de parte de tu siervo".
Pero Eliseo contestó:
 "**Juro** por el Señor, en cuya presencia estoy,
  que no aceptaré **nada**".
Y por más que Naamán **insistía**, Eliseo **no aceptó** nada.

Entonces Naamán le dijo:
 "Ya que te niegas, **concédeme** al menos
  que me den unos sacos con tierra de **este** lugar,
 los que puedan llevar un par de mulas.
La usaré para **construir** un altar al Señor, **tu Dios**,
  pues a **ningún** otro dios
   volveré a ofrecer más sacrificios".

El relato es popular y sabroso. Dale volumen a tu voz apoyándola desde el diafragma y apóyate en la puntuación, para la velocidad. La audiencia gusta de distinguir nombres y lugares.

Prepara bien el propósito de Naamán en las frases finales; son el culmen del relato.

I LECTURA Naamán es un general extranjero que había sido enviado por el rey de Aram al rey de Israel para ser curado de su lepra. Aquello era imposible, por lo que el rey de Israel había tomado aquello como un pretexto para guerrear con él y anexarse su territorio, hasta que uno de sus súbditos le aconsejó remitir el enfermo a Eliseo, el hombre de Dios. Lo que escuchamos hoy es la secuencia a la entrevista entre el hombre de Dios y el general. La curación y la reacción agradecida de aquel extranjero.

La lepra era una enfermedad incurable hasta hace poco tiempo, por eso es un milagro patente lo ocurrido. El milagro se lleva a cabo siguiendo al pie de la letra las prescripciones de Eliseo, el hombre de Dios. Ordena una seguidilla de siete baños rituales en el Jordán, el río que marca los límites de la tierra de Israel, a la que sólo se entra en estado de pureza ritual. El septenario de baños implica completez, pues la semana dice relación a todo el tiempo de la persona, que queda así purificada de toda culpa y contacto pecaminoso por contacto con los muertos o por haber dado culto a ídolos, los

dioses extranjeros. El resultado es extraordinario, una carne repugnante queda transformada en una carne infantil, una creatura. Es como un nuevo nacimiento. Aquel enemigo extranjero está listo para unirse a la congregación de culto y de la alianza, excepto por la circuncisión, que habría de ser un ingrediente indispensable para una integración total.

El agradecimiento que muestra Naamán toma la forma de regalos a Eliseo; el profeta no los acepta porque esto podría confundir sobre el autor del milagro. Es Dios, y no el profeta, el autor de la salud.

Para meditar

SALMO RESPONSORIAL   Salmo 98:1, 2–3ab, 3cd–4

R. El Señor revela a las naciones su justicia.

Canten al Señor un cántico nuevo,
　porque ha hecho maravillas.
Su diestra le ha dado la victoria,
　su santo brazo. **R.**

El Señor da a conocer su victoria,
　revela a las naciones su justicia:
　se acordó de su misericordia y su fidelidad
　en favor de la casa de Israel. **R.**

Los confines de la tierra han contemplado
　la victoria de nuestro Dios.
Aclama al Señor, tierra entera;
　griten, vitoreen, toquen. **R.**

II LECTURA   2 Timoteo 2:8–13

Lectura de la segunda carta del apóstol san Pablo a Timoteo

La memoria de la fe pronúnciala con gozo interno. Interioriza primero estas verdades y ofrécelas con convicción.

Querido hermano:
Recuerda **siempre** que Jesucristo, descendiente de David,
　resucitó de entre los muertos,
　conforme al Evangelio que **yo predico.**
Por **este** Evangelio sufro hasta **llevar cadenas,**
　como un malhechor;
　pero la **palabra** de Dios **no está** encadenada.
Por eso lo sobrellevo **todo** por amor a los elegidos,
　para que **ellos** también alcancen en Cristo Jesús **la salvación,**
　y **con ella,** la gloria **eterna.**

Ritma las frases de esta sección. Nota el cambio en las frases finales; están en presente; alarga estas dos líneas.

Es **verdad** lo que decimos:
　"Si morimos con él, **viviremos** con él;
　si nos mantenemos firmes, **reinaremos** con él;
　si **lo negamos,** él también **nos negará;**
　si le somos infieles, él **permanece fiel,**
　porque **no puede** contradecirse **a sí mismo".**

Esas ofrendas o dones del general sólo podrán ser aceptados si vienen de un fiel israelita, porque es lo único que puede presentarse al altar o al santuario que lo alberga. Luego cambiaría la normativa. El general lo entiende; no es y no puede hacerse miembro del pueblo de Dios, y entonces solicita un favor para mantenerse ligado al Dios de Israel. Con la tierra que se lleva a su país hará un altar para poder sacrificar al único Dios verdadero. Esta profesión de fe monoteísta sale de los límites del país. Naamán es un convertido a la fe de Israel y un auténtico misionero.

Nuestro mundo requiere de signos y símbolos que nutran la vida y la espiritualidad de manera coherente y profunda. Los sacramentos hacen esto en nuestro entorno cristiano; no son mágicos. Es necesario que sus gestos, palabras y sentidos sean claros y explícitos, de manera que recuperen su sentido para la vida de los fieles, porque para eso han sido creados, para unirnos en la alianza con Dios como pueblo suyo.

II LECTURA   La liturgia de hoy prosigue la lectura de la Segunda Carta a Timoteo, colocándonos frente a

unas líneas fundamentales de la confesión cristiana. La lectura inicia con una memoria que no puede perderse: la resurrección de Cristo y su significado para los creyentes. Por el otro el testimonio apostólico por esa verdad sustantiva, y su sentido. Predicación y predicador van enlazados.

La resurrección de Cristo Jesús constituye el núcleo de la predicación apostólica. Esta predicación trae consecuencias para el predicador. El Apóstol acusa esto diciendo que está "en cadenas"; al prisionero se le encadenaba. De allí toma la inspirada frase

EVANGELIO Lucas 17:11–19

Lectura del santo Evangelio según san Lucas

Mírate entre el grupo de necesitados de la salud de Dios. De esa condición da el tono y el volumen de voz para esta proclamación.

En aquel tiempo, cuando **Jesús** iba de camino **a Jerusalén**,
    pasó entre Samaria y Galilea.
Estaba **cerca** de un pueblo,
    cuando le salieron al encuentro **diez** leprosos,
    los cuales se detuvieron **a lo lejos**
    y **a gritos** le decían:
    "Jesús, maestro, **ten compasión** de nosotros".

Sin autoritarismo, pronuncia la orden de Jesús.

Al verlos, Jesús les dijo:
"Vayan a presentarse **a los sacerdotes**".
Mientras iban de camino, quedaron **limpios** de la lepra.

Uno de ellos, al ver que **estaba curado**,
    regresó, alabando a Dios **en voz alta**,
    se **postró** a los pies de Jesús y le dio **las gracias**.
Ése era **un samaritano**.
Entonces dijo Jesús: "¿No eran **diez** los que quedaron **limpios**?
¿**Dónde están** los otros nueve?
¿No ha habido **nadie**, fuera de este **extranjero**,
    que **volviera** para dar gloria a Dios?"
Después le dijo al samaritano:
    "**Levántate** y vete. Tu fe **te ha salvado**".

Al pronunciar la última frase, haz contacto con la asamblea, para que se mire receptora de la salvación.

---

de que "la palabra de Dios no está encadenada", aunque tiene muchos enemigos.

En el párrafo segundo se recoge un cuarteto de frases condicionales con sus complementos. Tiene ritmo y quizá fuera un himno. Su referencia puede ser el bautismo cristiano, con un exhorto a perseverar firmes en la vida cristiana, a pesar de los padecimientos que conlleva.

La vida cristiana está sellada por el misterio pascual de Cristo, muerte y resurrección. Cercenar un aspecto de él es distorsionarlo y corromper la verdad revelada.

EVANGELIO El samaritano agradecido es la muestra de cómo los no judíos reciben la salud que Dios ofrece; dan gracias y alaban a Dios.

Entre los datos que surcan el relato lucano está el que la fe se manifiesta de maneras diferentes. El grupo de enfermos suplica y se sabe escuchado, porque de otra manera queda inexplicada su reacción. Hacen algo sin sentido. Van a la inspección sin mirarse limpios. Pero se fían de la palabra de Jesús. El sacerdote era quien autorizaba la reinserción social de los excluidos. La lógica se mira rebasada (algo similar ocurre en

los relatos de san Juan). De la fe verificada brotan la gratitud y la alabanza. Este testimonial no repara en que si anda el camino en sentido contrario la lepra retornará. La salud obtenida es irreversible, y genera alabanza incontenible. Y esto es lo que Jesús elogia.

La tarea de la comunidad cristiana consiste en obedecer la palabra de Cristo de tal modo que los beneficiados alaben a Dios por sus beneficios. La salud que Dios ofrece en Cristo ha de llegar a todos. En esto estriba la gloria de Dios.

XXIX DOMINGO DEL TIEMPO ORDINARIO

I LECTURA Éxodo 17:8–13

Lectura del libro del Éxodo

Cuando el pueblo de Israel
  caminaba a través del desierto,
  llegaron los **amalecitas** y lo atacaron en Refidim.
Moisés dijo entonces a **Josué**:
  "**Elige** algunos hombres y sal **a combatir** a los amalecitas.
Mañana, yo me colocaré en lo **alto** del monte
  con la vara de Dios **en mi mano**".

Josué **cumplió** las órdenes de Moisés
  y **salió** a pelear **contra** los amalecitas.
Moisés, Aarón y Jur subieron a **la cumbre** del monte,
  y sucedió que,
  cuando Moisés tenía las manos **en alto**, dominaba **Israel**,
  pero cuando **las bajaba**, Amalec **dominaba**.

Como Moisés **se cansó**,
  Aarón y Jur lo hicieron **sentar** sobre una piedra,
  y colocándose **a su lado**, le **sostenían** los brazos.
Así, Moisés pudo mantener **en alto** las manos
  hasta la puesta del sol.
Josué **derrotó** a los amalecitas y **acabó** con ellos.

El relato es atractivo. Hazlo ágil y dale el tono apropiado a las partes discursivas.

Procura eslabonar bien este párrafo con las últimas líneas del previo; juntos forman una unidad de pensamiento.

I LECTURA La lectura del peregrinaje del pueblo de Dios por el desierto tiene un sentido pedagógico; los hebreos liberados van a ir aprendiendo el costo de la libertad y lo que significa la pertenencia a Dios, su libertador. Ese aprendizaje se hace no sin riesgos y descalabros. El episodio del Éxodo que escuchamos hoy cuenta el enfrentamiento que los israelitas tuvieron con los amalecitas, un pueblo seminómada del desierto del sur, dedicado al bandidaje y que fue enemigo enconado de Israel, y que le habría de costar a Saúl el trono por violar el anatema (ver 1 Samuel 15:18ss.).

A la batalla Moisés envía a Josué, su mando militar, mientras él, Aarón y Jur se pondrán en oración sobre el monte. En la oración Moisés ocupa el sitio central. Tiene el cayado consigo y mantiene las manos elevadas. Este gesto lo deja ver como el intercesor por antonomasia ante Dios. Sus acompañantes, sin embargo, juegan un papel fundamental para que la victoria caiga del lado israelita. En cierto sentido, puede decirse, que la perseverancia en la oración no es sustentable con las solas fuerzas del individuo, pues requiere del apoyo de su en-

torno, en este caso, de quienes sostienen los brazos del intercesor.

El episodio ilustra la fuerza de la oración, y que sólo a ella se atribuye la victoria que Dios concede sobre las fuerzas adversarias. Extender las manos al cielo es una expresión de la fe que espera todo de allí, y Dios responde. La constancia en la oración es clave para que esta se convierta en una actitud de vida. Cuando se aprende a orar con la boca y a pronunciar bien las palabras, se enfatiza que esas palabras hagan camino al corazón y de allí surjan. Repetirlas tiene el riesgo de volver aquello en algo mecánico

Para meditar

SALMO RESPONSORIAL   Salmo 121:1–2, 3–4, 5–6, 7–8

R. El auxilio me viene del Señor que hizo el cielo y la tierra.

Levanto mis ojos a los montes:
 ¿de dónde me vendrá el auxilio?
El auxilio me viene del Señor,
 que hizo el cielo y la tierra. **R.**

No permitirá que resbale tu pie,
 tu guardián no duerme;
 no duerme ni reposa
 el guardián de Israel. **R.**

El Señor te aguarda a su sombra,
 está a tu derecha;
 de día el sol no te hará daño,
 ni la luna de noche. **R.**

El Señor te guarda de todo mal,
 él guarda tu alma;
 el Señor guarda tus entradas y salidas,
 ahora y por siempre. **R.**

II LECTURA   2 Timoteo 3:14—4:2

Lectura de la segunda carta del apóstol san Pablo a Timoteo

Querido hermano:
Permanece **firme** en lo que **has aprendido**
 y se te ha confiado,
 pues **bien sabes** de quiénes lo aprendiste
 y desde tu infancia
 estás familiarizado con la **Sagrada Escritura**,
 la cual **puede darte** la sabiduría que,
 por la fe **en Cristo Jesús**, conduce a la **salvación**.

Toda la Sagrada Escritura está **inspirada** por Dios
 y es **útil** para enseñar, para **reprender**,
 para **corregir** y para educar en la virtud,
 a fin de que el hombre de Dios **sea perfecto**
 y esté **enteramente** preparado para **toda** obra buena.

En **presencia** de Dios y de Cristo Jesús,
 que ha de venir **a juzgar** a los vivos y a los muertos,
 te pido **encarecidamente**,
 por su advenimiento y por su Reino,
 que **anuncies** la palabra;
 insiste a tiempo y a **destiempo**;
 convence, reprende y exhorta
 con **toda** paciencia y sabiduría.

Se trata de consejos muy importantes para la vida de la comunidad. Adopta un tono serio, pero nada de regaño ni altisonancias. Lleva el ritmo pausado, pero no pesado.

Nota las negrillas y apóyate en ellas para los énfasis. Localiza las frases principales y dales relevancia.

cuando no se toma conciencia de lo que se hace. Repetirlas con renovada conciencia va modelando una actitud del fiel que nos ayuda a ir poniéndonos en las manos de Dios con entrega mayor.

II LECTURA Las cartas a Timoteo, junto con la dirigida a Tito, son conocidas como "cartas pastorales" por estar destinadas a individuos que tienen el liderazgo en la comunidad cristiana, y por contener directrices para que ejerzan bien ese liderazgo. En esta ocasión se apremia a que recurran a las Escrituras para mostrar

la sana doctrina ante los embates de los herejes, de tinte gnostizante, que sembraban dudas entre los fieles.

Las Escrituras son la memoria escrita de la relación entre Dios y su pueblo. Timoteo conoce las Escrituras desde su infancia. Esto se entiende porque entre los judíos así sucedía. Pero lo fundamental del dato es que ellas son capaces de dar la sabiduría que conduce a la salvación. Los cristianos interpretan las Escrituras con el prisma de su fe cristológica. Por eso no basta conocer lo escrito si no se es capaz de ubicarlo en el marco de la historia de la salvación cuyo

culmen es Cristo. Sin el marco salvífico, el saber escriturario no es sino información erudita. La sabiduría, por el contrario, implementa otros aspectos de la vida.

Las Escrituras sirven para enseñar, corregir, reprender y educar en la virtud. Estas son las funciones de un auténtico pedagogo. No son un fin en sí mismas, tienen por meta conducir al creyente a obrar el bien; disponerlo "para toda obra buena". Y en esto estriba la sabiduría. Cuando el saber no desemboca en la vida, en el día a día de nada sirve. Así, las Escrituras, lo mismo que

---

EVANGELIO　Lucas 18:1–8

Lectura del santo Evangelio según san Lucas

En aquel tiempo,
　　para **enseñar** a sus discípulos
　　la **necesidad** de orar siempre
　　y **sin desfallecer**,
　　Jesús les propuso **esta** parábola:

"En cierta ciudad había **un juez**
　　que **no temía** a Dios **ni respetaba** a los hombres.
Vivía en aquella misma ciudad **una viuda**
　　que acudía a él **con frecuencia** para decirle:
　　'**Hazme** justicia contra mi adversario'.

Por **mucho** tiempo, el juez **no le hizo caso**,
　　pero después se dijo:
　　'Aunque **no** temo a Dios **ni** respeto a los hombres,
　　sin embargo, por la **insistencia** de esta viuda,
　　voy a hacerle **justicia**
　　　　para que **no me siga** molestando'".

Dicho esto, Jesús comentó:
"Si **así** pensaba el juez **injusto**,
　　¿creen ustedes acaso que Dios no hará justicia **a sus elegidos**,
　　que **claman** a él **día y noche**, y que los hará **esperar**?
Yo les digo que les hará justicia **sin tardar**.
Pero, cuando **venga** el Hijo del hombre,
　　¿**creen** ustedes que **encontrará fe** sobre la tierra?"

---

la fe en Cristo Jesús, cuando no se verifican en lo cotidiano, no cumplen su función.

EVANGELIO　Orar sin desfallecer es una necesidad de fe para todo discípulo. Jesús se vale de una parábola para inculcar esta verdad. La parábola, sin embargo, guarda otros acentos más.

　　Un acento prominente en la parábola es el de la tensión entre justicia e iniquidad. Un juez que se tiene por medida de la justicia es inicuo. La justicia tiene como referencia a Dios y los hombres. No es absoluta. Es siempre relacional para que la equidad

tenga lugar. Frente a él una viuda que clama por justicia continuamente. El motivo nunca se dice. La viuda es víctima de la iniquidad de un tercero, que se queda en el anonimato, lo mismo que el asunto de la querella. La insistencia de la viuda, sin embargo, acaba por imponérsele al juez que no mira más que por sí mismo. Así de importante es el ser insistentes en la oración.

　　Otro acento es el del contexto literario. El hilo temático con lo previo ha sido la fe que por minúscula que sea, consigue lo impensable. El cierre de la parábola de hoy es similar. Si nadie clama por justicia, ¿habrá

modo de que la fe se mantenga? La justicia cultiva la fe y la fe impulsa a la justicia. Esto queda claro en el tercer acento.

　　La parábola versa sobre la venida del Hijo del Hombre que se retrasa. La comunidad no puede abandonar la súplica por la justicia pronta, que Dios derrama sobre sus elegidos. En medio de la injusticia que padece la comunidad cristiana, no puede abandonar la oración que la fe alimenta por la justicia pronta. La fe de la comunidad tiene verificación no en el cielo sino en la justicia que se implanta ya sobre la tierra.

XXX DOMINGO DEL TIEMPO ORDINARIO

I LECTURA   Eclesiástico 35:15–17, 20–22

Lectura del libro del Eclesiástico (Sirácide)

Adopta un tono mesurado y sereno, como el de un padre instruyendo a sus hijos.

El Señor es un **juez**
que **no se deja** impresionar por **apariencias**.
No menosprecia **a nadie** por ser pobre
y **escucha** las súplicas del oprimido.
No desoye los gritos angustiosos del huérfano
ni las quejas **insistentes** de la viuda.

Haz contacto visual con la asamblea. Mantén el tono moderado y apoya tu voz desde el diafragma.

Quien **sirve** a Dios con **todo** su corazón **es oído**
y su plegaria **llega** hasta el cielo.
La oración del humilde **atraviesa** las nubes,
y mientras él no obtiene **lo que pide**,
permanece **sin descanso** y no desiste,
hasta que el Altísimo **lo atiende**
y el justo juez **le hace justicia**.

Para meditar

SALMO RESPONSORIAL   Salmo 34:2–3, 17–18, 19 y 23

R. Si el afligido invoca al Señor, él lo escucha.

Bendigo al Señor en todo momento,
su alabanza está siempre en mi boca;
mi alma se gloría en el Señor:
que los humildes lo escuchen
y se alegren. **R.**

El Señor se enfrenta con los malhechores,
para borrar de la tierra su memoria.
Cuando uno grita, el Señor lo escucha
y lo libra de sus angustias. **R.**

El Señor está cerca de los atribulados,
salva a los abatidos.
El Señor redime a sus siervos,
no será castigado quien se acoge a él. **R.**

I LECTURA El Sirácida o Libro de Jesús ben Sirá que se transmitió en la Biblia griega, es la traducción del escrito hebreo, hecha en Alejandría hacia el 132 a. C. por el nieto de su autor. El libro conoce la armazón tripartita de la Biblia judía, Torah, Profetas y Escritos, y es considerado un libro de sabiduría, porque contiene máximas y reflexiones sobre el hombre, la naturaleza, Dios, y aquello que es necesario observar para llevar una vida honorable y grata a Dios. El nombre de "Eclesiástico" refiere al uso oficial del libro en la Iglesia; fue recibido como inspirado.

Escuchamos una breve meditación sobre Dios en relación con sus fieles, particularmente los pobres y humildes. Para esta lectura, el liturgo ha entresacado tres afirmaciones en negativo, que dicen cómo es juez Dios; los datos contrastan, se quiera o no, con lo que se observa en los jueces corruptos de la ciudad. La lectura se completa con un párrafo sobre la oración.

Corresponde al juez impartir justicia, no el quedar bien con alguien. Dios, el juez imparcial, no se deja llevar por lo que impresiona a la gente. Lo que ha de dictaminar el curso de la sentencia es la verdad y no los amplios ropajes ni las joyas relucientes, ni la fama, ni la ampulosa retórica de los abogados. Dios mira la angustia, la queja, la súplica de los pobres, los huérfanos y las viudas que no elaboran un discurso brillante. Otro tanto ha de hacer el juez incorruptible; prestar oído a los oprimidos para indagar la verdad y sentenciar en consecuencia.

La segunda parte versa sobre la oración. El pobre no puede pagarse abogados que defiendan su causa, pero tiene a Dios. A él recurre. Destaca la insistencia del pobre ante el juez supremo, Dios. Es la insistencia la que arranca la justicia al cielo.

II LECTURA　2 Timoteo 4:6–8, 16–18

Lectura de la segunda carta del apóstol san Pablo a Timoteo

El tono es afectuoso e íntimo, aunque grave. Es la despedida del Apóstol y no hay que aligerar el momento.

Querido hermano:
Para mí **ha llegado** la hora del sacrificio
　y **se acerca** el momento de mi partida.
He luchado **bien** en el combate,
　he corrido hasta la meta,
　he perseverado en la fe.
Ahora **sólo espero** la corona merecida,
　con la que el Señor, justo juez, me premiará **en aquel día**,
　y no solamente **a mí**,
　sino a **todos aquellos** que esperan
　　con amor
　　su **glorioso** advenimiento.

La confianza debe prevalecer. Tras el reproche, alarga las frases de la confianza en Dios.

La **primera** vez que me defendí ante el tribunal,
　nadie me ayudó.
Todos me abandonaron.
Que **no** se les tome en cuenta.
Pero el Señor estuvo **a mi lado**
　y **me dio fuerzas** para que, por mi medio,
　se proclamara **claramente** el mensaje de salvación
　y lo oyeran **todos** los paganos.
Y fui **librado** de las fauces del león.
El Señor me **seguirá** librando de **todos** los peligros
　y me llevará **salvo** a su Reino celestial.
A él la gloria por los siglos de los siglos. **Amén.**

No es la retórica ni la prestancia social la que mueve al Señor, sino su reiterada necesidad. Las necesidades de los pobres están allí, ante nuestros ojos, y esperan respuesta justa, pronta y que restablezca la equidad.

II LECTURA A la Segunda Carta a Timoteo se le reconoce como el "testamento espiritual de Pablo", pues la habría escrito desde la prisión mientras aguardaba ser procesado. En aquel entonces habría dado las directivas conservadas en las "cartas pastorales", las de Tito y Timoteo. En la lectura del día, los versos entresacados muestran el balance hecho por el propio Apóstol, de su vida dedicada al Evangelio, y cómo se enfila con decisión al destino que el Señor le tiene preparado. Los pastores o líderes de la comunidad han de imitar tanto su forma de vida consagrada al Evangelio, como la forma de morir, donde aparece la grandeza de su trayectoria. En la antigüedad, no había mayor honor que el de un hombre confrontando la muerte con entereza. Ese era el hombre cabal, perfecto.

Pablo habla de la entrega de su vida en términos de *libación* o *derramarse* y de *disolución* con los que alude a su muerte. La libación era un rito sacro sacrificial, con el que se simboliza la entrega total, pues consiste en derramar un líquido sobre el altar o apurarlo si es bebible como signo de un pacto. Por su parte, el *disolverse* tiene también el sentido de retornar o volver a un sitio de partida. El Apóstol ha empeñado toda su vida en el Evangelio, y va confiado a comparecer ante Dios para participar de su gloria. Ni asomo de temor ni de presunción; la corona de gloria corresponde a todos los creyentes que perseveren en la fe.

Pasa luego el Apóstol a reprochar el abandono de todos sus colaboradores al

El relato es llamativo y capta la atención sin problema, pero el primer párrafo es sustancial.

Apóyate en las negrillas para darle hondura a las frases. Marca la pausa del párrafo, como si fuera el punto final. Luego retoma la lectura.

EVANGELIO   Lucas 18:9–14

Lectura del santo Evangelio según san Lucas

En aquel tiempo, Jesús dijo esta parábola
      sobre algunos que se tenían **por justos**
   y **despreciaban** a los demás:

   "**Dos hombres** subieron al templo **para orar**:
   uno era **fariseo** y el otro, **publicano**.
El fariseo, **erguido**, oraba así en su interior:
      '**Dios mío**,
      te doy gracias porque **no soy** como los **demás hombres**:
      ladrones, injustos y adúlteros;
      tampoco soy como **ese** publicano.
Ayuno **dos** veces por semana
      y pago el **diezmo**
      de **todas** mis ganancias'.

El publicano, en cambio, se quedó **lejos**
      y **no se atrevía** a levantar los ojos al cielo.
Lo único que hacía era **golpearse** el pecho, diciendo:
      'Dios mío, **apiádate** de mí, que **soy un pecador**'.

Pues bien, yo les **aseguro**
      que **éste** bajó a su casa **justificado y aquél no**;
      porque **todo** el que se enaltece **será humillado**
      y el que **se humilla** será **enaltecido**".

momento de su primer proceso, pero afirma la cercanía de Dios en aquella prueba de la fe. Es la misma imagen del proceso y ajusticiamiento de Jesús de Nazaret, a quien todo evangelizador ha de imitar. Allí el evangelizador es testigo de Cristo. La certeza de que el encuentro con el Señor es inminente culmina con una alabanza doxológica. Todo está en su lugar y el Apóstol está dispuesto a partir, de esta manera también es modelo para todo creyente.

EVANGELIO Jesús retrata a dos personajes fácilmente identificables por su auditorio, para que cada escucha se mire reflejado en los rasgos de ellos. Los coloca en oración, es decir, delante de Dios, en el templo, que era el sitio a donde todos los piadosos acudían a orar, en los tiempos debidos. Se trata de una tipificación, o sea que la descripción exagera los rasgos para que sean más prominentes al auditorio. Fariseos y publicanos son los extremos de la piedad o religiosidad de la población judía, pero que tiene correspondencias también en el mundo griego.
   La mayoría de la población no se identifica enteramente ni con los fariseos, que están ennegrecidos en nuestros escritos canónicos, pero que eran altamente apreciados por la población porque representaban el ideal de piedad judía, ni con los publicanos, que eran vituperados por ser colaboracionistas. Jesús quiere enfocar lo que justifica al hombre ante Dios, lo que lo coloca en recta relación con él y, necesariamente, con sus congéneres, porque la unión con Dios no va separada de la comunión con los demás.

TODOS LOS SANTOS

I LECTURA   Apocalipsis 7:2–4, 9–14

Lectura del libro del Apocalipsis

Es una lectura grandiosa, imponente.
Despliega su potencial ante la asamblea.
No se necesita dramatizar. La lectura ya lo es.

Yo, Juan, vi a un **ángel** que **venía** del oriente.
Traía consigo el **sello** del **Dios vivo** y gritaba con voz **poderosa**
   a los **cuatro ángeles** encargados de hacer daño
  a la tierra y al mar.
  Les dijo:
  "**¡No hagan daño** a la tierra,
    ni al **mar**, ni a los **árboles**,
  hasta que terminemos de **marcar** con el **sello**
    la frente de los **servidores** de nuestro **Dios**!"
Y pude oír el **número** de los que habían sido **marcados**:
  eran ciento **cuarenta** y **cuatro mil**,
  procedentes de **todas** las **tribus** de Israel.

Identifica las frases que le dan bastedad
a la visión; alárgalas.

Vi luego una **muchedumbre** tan grande,
  que **nadie** podía contarla.
Eran individuos de **todas** las **naciones y razas**,
  de **todos los pueblos y lenguas**.
Todos estaban **de pie**, delante del **trono** y del **Cordero**;
  iban **vestidos** con una túnica **blanca**;
  llevaban **palmas** en las **manos** y **exclamaban**
    con voz poderosa:
  "La **salvación** viene de nuestro **Dios**,
  que está **sentado** en el **trono**, y del **Cordero**".

I LECTURA   El Apocalipsis de san Juan es un escrito de revelación, o sea de "descubrimientos" que buscan clarificar el sentido de los acontecimientos presentes y futuros, comprendidos en la historia de la salvación de Dios. Esas revelaciones se ofrecen en el formato de un mensaje escrito al modo de cartas a siete iglesias locales, y luego en un librito con siete sellos, cuyo contenido se va a ir dando dramáticamente a conocer conforme el Cordero degollado vaya rompiendo los sigilos o sellos. Cada sello tiene unos contenidos específicos, y catastróficos, que implican dos dimensiones: una cósmica y celeste donde las verdaderas potencias y realidades están en juego; y otra terrestre donde repercuten las de arriba. Sólo conociendo lo que arriba sucede, lo terrenal adquiere sentido. Esa es la conexión entre cielo y tierra, y entre unos acontecimientos y otros, que el libro explaya a la comunidad creyente que debe perseverar en su fe. El vidente, el profeta Juan, ha tenido acceso a lo que sucede en el cielo, y de esas visiones y audiciones trata su obra.

La lectura de hoy forma parte del sexto sello, que, entre otras cosas, incluye cataclismos y también esta escena de los salvados. De estos hay el grupo de los sellados de Israel y el de la multitud incontable. Estos dos grupos se suman a los coros angélicos y a los ancianos en la liturgia celeste.

La lectura inicia con la orden del ángel de oriente indicando a los cuatro ángeles que suspendan el inminente castigo sobre la tierra, el mar y los árboles, hasta que termine de sellar a los servidores de Dios. El número de sellados resulta de multiplicar el número de tribus de Israel por doce mil. Es símbolo de totalidad. Se trata de todos los israelitas que se han mantenido fieles a la

Dale vivacidad a este diálogo. Eleva la voz y enfatiza las palabras en negrillas.

Y todos los **ángeles** que estaban alrededor del **trono**,
de los **ancianos** y de los **cuatro** seres **vivientes**,
cayeron rostro en tierra delante del trono
y **adoraron** a **Dios**, diciendo:
"**Amén**. La alabanza, la gloria, la sabiduría,
la acción de gracias, el **honor**, el poder y la **fuerza**,
se le **deben** para **siempre** a nuestro **Dios**".

Entonces uno de los ancianos me preguntó:
"¿**Quiénes** son y de **dónde** han venido
los que llevan la **túnica blanca**?"
Yo le respondí:
"**Señor mío**, **tú** eres quien lo **sabe**".
Entonces él me **dijo**:
"Son los que han **pasado** por la gran **persecución**
y han **lavado y blanqueado** su **túnica**
con la sangre del **Cordero**".

Para meditar

SALMO RESPONSORIAL   Salmo 24:1–2, 3–4ab, 5–6
R. Este es el grupo que busca tu rostro, Señor.

Del Señor es la tierra y cuanto lo llena,
 el orbe y todos sus habitantes:
 él la fundó sobre los mares,
 él la afianzó sobre los ríos. **R.**

¿Quién puede subir al monte del Señor?
¿Quién puede estar en el recinto sacro?
El hombre de manos inocentes y
 puro corazón,
 ni jura contra el prójimo en falso. **R.**

Ese recibirá la bendición del Señor,
 le hará justicia el Dios de salvación.
Este es el grupo que busca al Señor,
 que viene a tu presencia, Dios de Jacob. **R.**

alianza con Dios. Luego vienen los que no proceden de Israel.

La incontable multitud con palmas en las manos es de procedencia universal; no hay un pueblo o cultura que esté ausente en este tributo a Dios y al Cordero. La palma es símbolo de victoria, en este caso de la definitiva. Los servidores son los mártires resucitados que dan testimonio de su fe victoriosa. Esta visión consuela y anima a los miembros de la comunidad de creyentes que padece persecución y opresión por causa de su fe.

Hoy día, la mayoría de los cristianos no son mártires, no ha "lavado y blanqueado sus vestiduras con la sangre del Cordero", porque nuestras sociedades han sido cristianizadas. Esta cristianización, sin embargo, no debe restar a la fe la profundidad y lucidez propias del Evangelio, pues muchas veces parece haberlo domesticado, tornándolo inofensivo. Hoy, la sangre del Cordero y el testimonio de los mártires nos llaman a un testimonio que busque la gloria imperecedera y no la de los hombres.

II LECTURA La Primera Carta de san Juan hace una breve exposición de las condiciones necesarias para la experiencia de la fe a nivel comunitario, las comunidades juánicas. Es a ese nivel donde la experiencia de Dios o se verifica, o se disipa como humo. Lejos de ser un solitario en el mundo, el discípulo de Jesús es miembro de una comunidad de vida compartida. Allí, la experiencia cristiana se forja con tres ingredientes necesarios.

La base de la fe cristiana es el amor de Dios. Lo primero que el hombre requiere para entablar una relación con Dios es reco-

II LECTURA   1 Juan 3:1–3

Lectura de la primera carta del apóstol san Juan

Queridos hijos:
Miren cuánto **amor** nos ha tenido el **Padre**,
    pues no sólo nos **llamamos** hijos de **Dios**, sino que lo **somos**.
Si el **mundo** no nos reconoce,
    es porque **tampoco** lo ha **reconocido** a él.

Hermanos míos,
    ahora **somos hijos** de Dios,
    pero aún **no** se ha **manifestado** cómo seremos al fin.
Y ya sabemos que, cuando él se **manifieste**,
    vamos a ser **semejantes** a él,
    porque lo **veremos** tal cual es.

Todo el que tenga **puesta** en Dios esta **esperanza**,
    se **purifica** a sí **mismo** para ser tan puro como **él**.

EVANGELIO   Mateo 5:1–12a

Lectura del santo Evangelio según san Mateo

En aquel tiempo,
    cuando Jesús vio a la **muchedumbre**,
    subió al monte y se sentó.
Entonces se le acercaron sus **discípulos**.
Enseguida comenzó a **enseñarles**, y los dijo:

"**Dichosos** los pobres de **espíritu**,
    porque de ellos es el **Reino** de los **cielos**.
Dichosos los que **lloran**,
    porque serán **consolados**.

El tono es paternal y comunica una gran verdad que da gusto compartir. Sintoniza internamente con los contenidos de la lectura.

Nota lo cordial e íntimo de estas líneas. No son afirmaciones doctrinales ni autoritativas, sino el compartir la fe desde la propia experiencia de vida.

Hay tres momentos en la lectura. El relato inicia en el tono acostumbrado, pero procura que la línea discipular sea percibida.

Adopta un tono consecuente con el contenido. Dale profundidad y apoyo a tu voz desde el diafragma, no desde el cuello.

nocer su amor. Sin esto no hay fe, ni conversión. Porque la fe no es un asentimiento ciego a una verdad trascendente, sino la respuesta humana a la presencia amable y reconocida de Dios. Esta base es insustituible. De allí que el autor explique que nuestra filiación necesariamente implica el inconmensurable amor de Dios: somos hijos de Dios, y de aquí pende el resto.

El cristiano es para el mundo un extraño. Esta extrañeza se manifiesta en persecución y odio. Por "mundo" se entiende aquí la humanidad cerrada a Dios y endiosada en sí misma; autosuficiente. El cristiano

tiene el deber de su fe, de evidenciar la maldad de las formas mundanas de proceder y vivir. Ese mundo ha rechazado a Dios y a su enviado, no puede ahora abrazar al creyente. La fe cristiana alimenta el dinamismo de confrontar la avaricia, lujuria y arrogancia del mundo. Sin esto, la fe cristiana pierde su incidencia histórica y termina por convertirse en opio, como un célebre pensador denunciaba.

El tercer elemento es la fuerza transformadora de la fe. Si externamente el odio o la persecución del mundo motivan el testimonio profético, a nivel interno, la fe obliga

al creyente a vivir en proceso de purificación. Purificarse significa vivir incontaminados del mundo, alertar todas las potencias para que los criterios del mundo no perviertan el proceder y modos de vida de los hijos de Dios. Esa fuerza de purificación procede de la palabra recibida de Dios, pues ella confronta la propia inmundicia e impulsa a "asemejarse a él".

EVANGELIO A sus seguidores, Jesús les da la visión que informa su modo de vida a imitar. Vivir al estilo de Jesús

Al inicio de esta serie levanta tus ojos del evangeliario para hacer contacto visual con la asamblea en general, no con un grupo particular.

Dichosos los **sufridos**,
  porque **heredarán** la **tierra**.
Dichosos los que tienen **hambre** y **sed** de **justicia**,
  porque serán **saciados**.
Dichosos los **misericordiosos**,
  porque **obtendrán misericordia**.
Dichosos los **limpios** de **corazón**,
  porque **verán** a Dios.
Dichosos los que **trabajan** por la **paz**,
  porque se les **llamará** hijos de **Dios**.
Dichosos los **perseguidos** por causa de la **justicia**,
  porque de ellos es el **Reino** de los **cielos**.

Dichosos serán ustedes cuando los **injurien**,
  los **persigan** y **digan** cosas falsas de ustedes **por** causa **mía**.
Alégrense y salten de contento,
  porque su **premio** será **grande** en los **cielos**".

es una experiencia de dicha, de bienaventuranza, de vida divina, a fin de cuentas.

Las bienaventuranzas de san Mateo, que suman ocho más una, encabezan el Sermón del monte. Comienzan por proclamar felices a personas que experimentan situaciones de desgracia que las tienen postradas y en necesidad: pobreza, llanto, despojo y victimizados. Estas situaciones son algo permanente, no de un momento. Son personas olvidadas y que no figuran socialmente. No tienen quién vele por ellas ni sus intereses. Jesús, sin embargo, les hace

saber que esto no es así. Dios está pendiente de ellas y está actuando en su favor.

También encontramos otra serie de bienaventuranzas que habla de actitudes o disposiciones personales que se manifiestan y causan transformaciones: misericordia, transparencia, colaboradores en la paz. Esta serie de ocho bienaventuranzas más una, cubre figuradamente todos los ámbitos de la vida humana, de pobres y de ricos. Son los pobres, sin embargo, "la niña de los ojos" del Señor, porque con ellos inicia la proclama del Evangelio del Reino.

Los santos son personas cuya vida resplandece con la santidad de Dios, porque obran como él; son auténticos hijos de Dios. Ellos se distinguen por imitar a Jesús en su día a día. Unos pocos son los que están en los altares, pero son muchísimos más los que caminan por las calles soportando injurias e injusticias por la causa del Evangelio de Cristo Jesús. A esta causa hay que sumarse para transformar el mundo en casa de todos los hijos de Dios. A esto nos invita la voz de la liturgia en este día

CONMEMORACIÓN DE TODOS LOS FIELES DIFUNTOS

I LECTURA   Sabiduría 3:1–9

Lectura del libro de la Sabiduría

Las almas de los justos están en las **manos** de Dios
    y no los alcanzará **ningún tormento.**
Los insensatos **pensaban** que los justos habían muerto,
    que su salida de este mundo era una **desgracia**
    y su salida de entre nosotros, una completa **destrucción.**
Pero los justos están en **paz.**

La gente **pensaba** que sus sufrimientos eran un **castigo,**
    pero ellos esperaban **confiadamente** la inmortalidad.
Después de **breves** sufrimientos
    recibirán una **abundante** recompensa,
    pues Dios los puso a **prueba**
y los halló **dignos** de sí.
Los probó como **oro** en el crisol
    y los aceptó como un holocausto **agradable.**

En el día del juicio **brillarán** los justos
    como **chispas** que se propagan en un cañaveral.
Juzgarán a las naciones y **dominarán** a los pueblos,
y el Señor **reinará** eternamente sobre ellos.

Los que confían en el Señor comprenderán la verdad
y los que son **fieles** a su amor permanecerán a su lado,
porque **Dios ama** a sus elegidos y cuida de ellos.

Haz notar a quién pertenecen los pensamientos que se expresan en cada segmento.

El sufrimiento humano convoca también opiniones contrarias. Resalta las voces diferentes.

El futuro es luminoso. Refresca tu tono y dale mayor volumen a esta parte. No te precipites en la lectura. Guarda los puntos y dale entonación a cada frase.

I LECTURA El libro de la Sabiduría de Salomón hace un recuento de los argumentos que esgrimen los impíos para justificar su proceder. Esos argumentos tienen dos pilares. Primero, el hombre acaba al morir, no hay sobrevivencia ni inmortalidad alguna. Segundo pilar de su pensar es que Dios no se inmiscuye en los asuntos humanos. A partir de allí avanzan sus lemas de vida. El sabio, alimentado en las tradiciones de las Escrituras de Israel interpretadas con los anteojos de las filosofías griegas, rebate esos postulados que socavan los cimientos del pueblo de Dios.

En la lectura de hoy aparecen los raciocinios de los insensatos, de una parte, y de los piadosos, de la otra. Se reflexiona sobre la muerte de los justos. Para unos se trata de la peor desgracia, porque los justos han muerto sin "gozar la vida"; habrían vivido inútilmente. Justos son los que apegan su vida a la rectitud y a la voluntad de Dios expresada en sus mandamientos. Estuvieron en este mundo sin entregarse a las apetencias que gobiernan la vida de la mayoría de los hombres. Los impíos consideran así la muerte, porque con ella se acaba toda posibilidad de disfrute. Nada hay peor que eso.

Los justos, por el contrario, no se motivan para vivir con los placeres del tener, sentir, o poder. Para ellos, la muerte es puerta a la unión definitiva con Dios. El sabio usa una metáfora muy significativa: "están en las manos de Dios", "están en paz". Llevan una vida segura, no sujeta a los avatares caprichosos del tiempo. Ellos han vivido para Dios y prosiguen viviendo con él tras la muerte. Son ellos quienes confrontan a las naciones en el juicio.

La muerte es el punto de quiebre para adoptar una forma de vida que trascienda lo inmediato, lo egoísta, lo que reporte

Para meditar

SALMO RESPONSORIAL   Salmo 23:1–3, 4, 5, 6

R. El Señor es mi pastor, nada me falta.

O bien: **R. Aunque camine por cañadas oscuras, nada temo, porque tu vas conmigo.**

El Señor es mi Pastor, nada me falta:
   en verdes praderas me hace recostar;
   me conduce hacia fuentes tranquilas
   y repara mis fuerzas. **R.**

Me guía por el sendero justo,
   por el honor de su nombre.
Aunque camine por cañadas oscuras,
   nada temo, porque tu vas conmigo.
   tu vara y tu cayado me sosiegan. **R.**

Preparas una mesa ante mí,
   enfrente de mis enemigos;
   me unges la cabeza con perfume,
   y mi copa rebosa. **R.**

Tu bondad y tu misericordia
   me acompañan todos los días de mi vida,
   y habitaré en la casa del Señor por años
   sin término. **R.**

II LECTURA   Romanos 5:5–11

Lectura de la carta del apóstol san Pablo a los romanos

Hermanos:
La esperanza **no defrauda**
   porque Dios ha **infundido** su amor en nuestros corazones
   por medio del **Espíritu Santo**, que él mismo nos ha dado.

En efecto, cuando todavía no teníamos **fuerzas**
   para salir del pecado,
Cristo murió por los **pecadores** en el tiempo señalado.
Difícilmente habrá alguien que **quiera** morir por un justo,
   aunque puede haber alguno
   que esté **dispuesto** a morir por una persona
      sumamente buena.
Y la **prueba** de que Dios nos ama está en que Cristo **murió**
   por nosotros,
   cuando aún éramos **pecadores**.

---

ganancia, la de la comunión con Dios. Esto es lo que valida la forma de vivir.

II LECTURA La condición pecadora acompaña al ser humano toda su existencia; somos pecadores. La Buena Nueva, sin embargo, nos asegura que Dios nos ha dado la fuerza necesaria para vivir sin pecar, es decir, para vencer las inclinaciones naturales del *yo* que no mira más que por su propio engreimiento y ventaja. Ese don que Dios nos da es Cristo, entregado a la muerte y resucitado. Entregado por los pecadores, y resucitado por ellos.

Esto es lo que tiene que ver el hombre delante suyo; no es un evento desgraciado de las circunstancias de la historia sino el don de Dios. Este don es la muestra más grande de su amor por nosotros.

Las fuerzas para salir del pecado nos vienen de Cristo Jesús. Los cristianos somos gente reconciliada, no enemiga de Dios. El pecado es lo que coloca al hombre en enemistad con Dios. El pecado significa darle la espalda a Dios y a su don. Su don es extraordinario porque no se ajusta a nuestros modos de hacer las cosas. Pablo apunta que a lo mucho "habrá alguien que quiera morir

por un justo". Esto lo hemos visto alguna vez en la historia nuestra, como en el caso del padre Kolbe, pero no es común. Por un pecador o criminal, nadie va a entregarse. Por eso, Pablo apunta, lo que Dios ha obrado con la sangre de Cristo es la prueba más irrefutable de su amor por nosotros.

Los cristianos somos hijos de Dios reconciliados en la muerte y resurrección de Cristo. Esto es lo que tenemos que grabar profundamente en nuestra conciencia y obrar en consecuencia.

Los fieles difuntos, a quienes celebramos con toda la Iglesia, ya han participado

Con mayor razón, ahora que ya hemos sido **justificados**
    por su sangre,
    seremos **salvados** por él del castigo final.
Porque, si cuando **éramos** enemigos de Dios,
    fuimos **reconciliados** con él por la muerte de su Hijo,
    con mucho más razón, estando **ya** reconciliados,
    recibiremos la **salvación** participando de la vida de su Hijo.
Y no sólo esto, sino que también nos **gloriamos** en Dios,
    por medio de nuestro **Señor** Jesucristo,
    por quien hemos **obtenido** ahora la reconciliación.

O bien: *Romanos 6:3–9*

EVANGELIO   Juan 6:37–40

Lectura del santo Evangelio según san Juan

En **aquel** tiempo,
    Jesús dijo a la **multitud**:
"**Todo aquel** que me da el **Padre** viene hacia **mí**;
    y al que **viene** a mí **yo** no lo echaré **fuera**,
    porque he **bajado** del **cielo**,
    no para hacer **mi voluntad**,
    sino la **voluntad** del que **me envió**.

Y la **voluntad** del que **me envió**
    es que **yo no pierda nada** de lo que **él** me ha **dado**,
    sino que lo **resucite** en el **último día**.
La **voluntad** de mi Padre **consiste** en que **todo** el que vea al **Hijo**
    y **crea en él**,
    tenga **vida eterna** y yo lo **resucitaré** en el **último día**".

Es un segmento difícil de seguir, por lo que no hay margen de error a la hora de frasear y dar el tono debido en cada sección. Esmérate en esto.

Nota el encadenamiento entre los dos párrafos, y enfatiza las frases tocantes a la resurrección.

en la muerte de Cristo, pero aguardan sólo el fruto de la gloria final. Con ellos nos uniremos como un único pueblo de salvación al final de los tiempos.

EVANGELIO El Discurso del pan de vida, que san Juan elabora a partir de la alimentación de los cinco mil varones, va a avanzar planteando exigencias mayores hasta culminar en la deserción de casi todos los escuchas, excepto los Doce. Lo proclamado hoy se enfoca en los resultados que obtiene quien sabe discernir las señales que hace Jesús. Comprender lo que

Jesús hace y dice crea una comunión de vida con el Hijo del Hombre que no es otra cosa que la unión con el Padre y con el Hijo.
La bajada del Enviado celeste obedece a un objetivo particular, que tiene que ver con que los oyentes se encaminen hacia Jesús. Esta manera de hablar implica dos cosas; rememora el lenguaje del discipulado, porque caminar en pos de alguien implica buscarlo y seguirlo, pero también evoca la meta de toda peregrinación judía: el único santuario, donde todos se unen en comunión con Dios. Si tomamos en cuenta que el entero capítulo tiene como marco la Pascua

judía, esto cobra mayor sentido. El espacio de la salvación no es más el templo de Jerusalén, sino la humanidad del Hijo, "el santuario de su cuerpo" (Juan 2:21).
Enseguida habla de la resurrección de los creyentes. Estando el creyente "en Cristo", la pascua de Cristo le transforma necesariamente, porque le da vida imperecedera. El creyente, justamente por su unión con Cristo, tiene garantizada la resurrección del día escatológico. Para que esto suceda, tiene que aprender a *ver*, es decir, a discernir las señales que hace Jesús.

XXXI DOMINGO
DEL TIEMPO ORDINARIO

Es una meditación compleja en forma de oración. Distingue las secciones para que la asamblea no se desligue y abandone la secuencia.

Este párrafo está ligado a lo previo. Importa que la acentuación marque esa continuidad.

I LECTURA   Sabiduría 11:22—12:2

Lectura del libro de la Sabiduría

Señor, **delante** de ti,
   el mundo **entero**
      es como un **grano** de arena en la balanza,
   como **gota** de rocío mañanero,
   que cae sobre la tierra.

Te compadeces **de todos**,
   y aunque puedes destruirlo **todo**,
   aparentas **no ver** los pecados de los hombres,
   para darles ocasión **de arrepentirse**.
Porque tú amas **todo** cuanto existe
   y no aborreces **nada** de lo que has hecho;
   pues si hubieras aborrecido **alguna** cosa,
   no la **habrías creado**.

¿Y cómo podrían seguir existiendo las cosas,
   si **tú** no lo quisieras?
¿Cómo habría podido conservarse algo **hasta ahora**,
   si tú no lo hubieras llamado **a la existencia**?

Tú perdonas **a todos**, porque todos **son tuyos**,
   Señor, que **amas** la vida,
   porque tu espíritu **inmortal**, está en **todos** los seres.

I LECTURA El sabio pondera la grandeza de Dios y la pequeñez del mundo. Al hombre del mundo helenista, el mundo le parecía inabarcable, no se le conocía término. Cada día había novedades traídas por comerciantes y rarezas que llegaban de tierras ignotas, innombrables hasta ayer. El sabio alejandrino, por su fe monoteísta y creacionista, afirma algo contundente: que el mundo nuestro es apenas como una gota del rocío matinal ante la grandeza de Dios. Esta idea se nos va imponiendo ahora mismo cuando los límites del universo todavía no aparecen a las sondas espaciales que lo surcan. A ese Dios, incomparablemente inmenso, el creyente le habla con confianza filial.

Lo más remarcable es la compasión divina de cara a la maldad humana. Mientras que los dioses griegos eran coléricos y caprichosos, el Dios de los judíos es alguien lleno de paciente misericordia. Hasta los pecados humanos relega para que el pecador pueda arrepentirse. Dios no quiere destruir a sus creaturas ni se arrepiente de haberlas hecho. Por el contrario, las ama entrañablemente. Esta percepción es optimista en toda la línea, y se hace cuando cundían ideas de que lo material era malo, y arrastraba a las almas con sus pasiones tras los vicios y egoísmos que imperaban en la sociedad. La maldad está a la vista, pero Dios no va a aniquilar al pecador; quiere que caiga en la cuenta de sus malas obras y se vuelva a su Creador.

Otro ángulo de la manifiesta bondad divina es la misma existencia del mundo. Todas las creaturas, animadas e inanimadas, por haber salido de las manos del Creador, poseen un sello o marca que es su dignidad existencial. Conforme a ella, habrá que establecer las relaciones con ellas. Es una re-

Baja la velocidad en esta parte. El desarrollo va llegando al culmen. A la frase final hay que darle mayor profundidad.

Por eso a los que caen,
  los vas corrigiendo **poco a poco**,
  los **reprendes** y les traes a la memoria **sus pecados**,
  para que **se arrepientan** de sus maldades
  y crean **en ti**, Señor.

Para meditar

SALMO RESPONSORIAL Salmo 145:1–2,8–9, 10–11, 13cd–14

R. Bendeciré tu nombre por siempre jamás, Dios mío, mi rey.

Te ensalzaré, Dios mío, mi rey;
  bendeciré tu nombre por siempre jamás.
Día tras día, te bendeciré
  y alabaré tu nombre por siempre jamás. **R.**

El Señor es clemente y misericordioso,
  lento a la cólera y rico en piedad;
  el Señor es bueno con todos,
  es cariñoso con todas sus criaturas. **R.**

Que todas tus criaturas te den gracias,
  Señor,
  que te bendigan tus fieles;
  que proclamen la gloria de tu reinado,
  que hablen de tus hazañas. **R.**

El Señor es fiel a sus palabras,
  bondadoso en todas sus acciones.
El Señor sostiene a los que van a caer,
  endereza a los que ya se doblan. **R.**

II LECTURA 2 Tesalonicenses 1:11—2:2

**Lectura de la segunda carta del apóstol san Pablo
  a los tesalonicenses**

Hermanos:
Oramos **siempre** por ustedes,
  para que Dios
  los haga **dignos**
    de la vocación a la que los **ha llamado**,
  y con **su poder**, lleve a efecto **tanto** los **buenos** propósitos
    que **ustedes** han formado,
  como lo que **ya han emprendido** por la fe.
Así **glorificarán** a nuestro Señor Jesús
  y él los glorificará **a ustedes**,
  en la medida en que **actúe** en ustedes
    la gracia de nuestro Dios y de Jesucristo, el Señor.

No es fácil de seguir el hilo de la exposición. Nota cómo se hilan las frases unas con otras e identifica las conjunciones para dar el tono adecuado a la fraseología.

---

lación diferenciada. A pesar de la maldad reinante, el mundo subsiste porque Dios ama a sus creaturas; todas son obras de sus manos, y esto se colige del mundo subsistente. El sabio afirma algo atrevido: que el espíritu inmortal de Dios está en todos los seres. El texto griego vincula esta afirmación a lo subsiguiente con una causal, "por eso, a los que caen...", y se explaya en la pedagogía del perdón divino. La idea de la inmortalidad del espíritu humano era muy disputada en círculos religiosos, incluido el propio judaísmo, aun en tiempos de Jesús. Si el hombre tiene en cuenta la inmortalidad de su espíritu, estará mejor dispuesto a volverse a Dios, su Creador.

II LECTURA Los tesalonicenses son una comunidad de creyentes cristianos en un medio griego; ellos provienen del paganismo, pero han abrazado la fe en Cristo Jesús. No poseen el trasfondo cultural que un medio judío transmitía a los cristianos provenientes del judaísmo palestino. Pensemos en el conocimiento de las Escrituras, por ejemplo, y en el marco de los principios éticos, que representan el medio *natural* para asimilar la figura de Jesús y sus enseñanzas, lo mismo que los eventos pascuales. De allí que el autor de esta carta se vea precisado a exponer lo que ha sucedido con los creyentes a partir de su bautismo.

El bautismo es punto de llegada y de partida de la vocación cristiana. Los creyentes han cobrado conciencia de la elección o llamada divina a la salud y han respondido. Los propósitos de ajustar la vida a los mandamientos divinos no se hicieron en el aire; un proceso de discernimiento y ejercitación debió precederlo, para poder acceder a las aguas bautismales y conformar la comunidad de fe. Tras el bautismo, la gracia de Dios

El tema cambia. Observa los elementos que desbaratan toda especulación y dale fuerza a las frases negativas.

Por lo que toca a **la venida** de nuestro Señor Jesucristo
    y a nuestro encuentro **con él**,
    les rogamos que **no se dejen perturbar** tan fácilmente.
No se alarmen ni por **supuestas** revelaciones,
    ni por palabras o cartas **atribuidas** a nosotros,
    que los induzcan a pensar
        que el día del Señor **es inminente**.

EVANGELIO   Lucas 19:1–10

Lectura del santo Evangelio según san Lucas

El relato es vivo y entretenido. No hay que hacerlo pesado ni solemne innecesariamente.

En aquel tiempo,
Jesús entró en **Jericó**, y al ir atravesando la ciudad,
    sucedió que un hombre llamado **Zaqueo**,
    jefe de publicanos y **rico**, trataba de conocer a Jesús;
    pero la gente **se lo impedía**,
    porque Zaqueo era de **baja** estatura.
Entonces **corrió** y se subió a un árbol
    para **verlo** cuando pasara por ahí.
Al llegar a ese lugar, Jesús **levantó** los ojos y le dijo:
    "Zaqueo, **bájate** pronto,
    porque **hoy** tengo que hospedarme **en tu casa**".

Este momento es de espontaneidad y prontitud. Marca el contraste con el murmullo.

Él bajó **enseguida** y lo recibió **muy contento**.
Al ver esto, comenzaron **todos** a murmurar diciendo:
    "Ha entrado a hospedarse en casa **de un pecador**".

Zaqueo, poniéndose de pie, dijo a Jesús:
    "**Mira**, Señor, voy a dar a los pobres **la mitad** de mis bienes,
    y si he defraudado a alguien, le restituiré **cuatro** veces más".

Dale mayor volumen a las palabras de Jesús.

Jesús le dijo:
    "**Hoy** ha llegado la salvación **a esta casa**,
    porque **también él** es hijo de Abraham, y el Hijo del hombre
    ha venido **a buscar** y **a salvar** lo que se había **perdido**".

---

ha fortalecido a los cristianos, que han de buscar vivir agradando a Dios, y no perturbados por otras cosas. Esto es lo que el autor apunta.

Entonces como ahora, la segunda venida de Cristo pertenece al núcleo de la fe cristiana, y la profesamos e imploramos en cada acción litúrgica para incentivar la perseverancia en la vocación primera. No hay que alentar otras revelaciones ni perturbarse por vaticinios catastrofistas que pululan día tras día. La Iglesia es comunidad escatológica, porque vive en presencia de Dios, igual que todo cristiano, y en camino a la plenitud.

EVANGELIO El episodio de Zaqueo es punto de llegada de las repetidas instrucciones, pronunciamientos y ejemplos del uso de los bienes en el seguimiento de Jesús. Jericó señalaba la última etapa, una decisiva, en la subida de Jesús a Jerusalén, donde se habría de verificar "su salida" (9:31). Lo que sucede en la casa de Zaqueo, un publicano, ilustra que la salvación de Dios está al alcance de los ricos también, y que acoger a Jesús impulsa a la solidaridad y a vivir los requerimientos de la alianza.

Los bienes materiales tienen una hipoteca social, como enseña la Iglesia en su doctrina social. Esa hipoteca obliga a los cristianos a la solidaridad responsable tanto como a la promoción del bien común y al desarrollo sustentable. Estos renglones no son ajenos al discipulado; son concomitantes a él. Nuestra participación en la muerte y resurrección de Cristo nos obliga a vivir en la alianza nueva con Dios y con los demás. Hoy es el día de la conversión.

XXXII DOMINGO DEL TIEMPO ORDINARIO

I LECTURA   2 Macabeos 7:1–2, 9–14

Lectura del segundo libro de los Macabeos

El relato es bastante dramático. En el primer período haz énfasis en el cuestionamiento al rey, y muestra la firmeza del mártir en sus palabras.

En aquellos días,
    arrestaron a **siete** hermanos junto con su madre.
El rey Antíoco Epífanes los hizo azotar
    para **obligarlos** a comer carne de puerco,
    prohibida por la ley.
Uno de ellos, hablando **en nombre**
    de todos, dijo:
    "¿Qué quieres saber de nosotros?
Estamos **dispuestos** a morir
    antes que quebrantar la ley de nuestros padres".

El rey se **enfureció** y lo mandó **matar**.
Cuando el **segundo** de ellos estaba para morir,
    le dijo al rey:
    "**Asesino**, tú nos **arrancas** la vida presente,
    pero el rey del universo nos **resucitará** a una vida eterna,
    puesto que morimos por **fidelidad** a sus leyes".

No bajes la velocidad de la lectura. El testimonio del tercer mártir es elocuente de por sí.

Después comenzaron a burlarse del **tercero**.
Presentó la lengua como se lo exigieron,
    extendió las manos **con firmeza** y declaró **confiadamente**:
    "De Dios **recibí** estos miembros
    y por **amor** a su ley los desprecio,
    y de él espero **recobrarlos**".

I LECTURA   Las conquistas de Alejandro, emperador macedonio y alumno del filósofo Aristóteles, echaron a andar en el mundo conocido un proyecto de globalización cultural, en la que hablar griego fue la punta de lanza. Se trataba de unificar las más diversas culturas orientales bajo la perspectiva griega; a esto se le llama la helenización. Se trataba de sacar a los pueblos de su barbarie y encauzarlos por el camino del progreso urbano y educativo. Con la lengua se diseminaban los modos de pensar y de organizar los pueblos y sus sociedades, por nada decir del comercio y las relaciones internacionales. El sueño era que todos los pueblos pudieran convivir bajo una misma manera de pensar y de sentir y configuraran "una casa común". En cuanto a Judea, el paso de la administración persa a manos de los macedonios significó no pocos reajustes dolorosos para sus habitantes que, a lo largo del siglo y medio siguiente, tuvieron que tomar partido o por los regentes de Egipto o por los de Antioquía, que se disputaban constantemente el dominio de la zona, y padecer las consecuencias.

Los sucesores de Alejandro impulsaron con mayor o menor fuerza aquel proceso de dominación que representaba abdicar los usos y costumbres patrios para abrazar los griegos. Judea se resistió a aquella modernización y los grupos más radicales se resistieron hasta tomar las armas, iniciando la guerra santa que conocemos como la revuelta macabea. La persecución de gobernantes y administradores de Antíoco IV Epífanes, no se hizo esperar, y en ese marco histórico social de la primera mitad del siglo segundo, es que hay que situar la lectura escuchada, que cuenta el ajusticiamiento de

El rey y sus acompañantes
    quedaron **impresionados** por el valor
    con que aquel muchacho **despreciaba** los tormentos.

Una vez muerto éste,
    sometieron al **cuarto** a torturas semejantes.
Estando ya para expirar, dijo:
    "**Vale** la pena morir a manos de los hombres,
    cuando se tiene la **firme esperanza**
    de que Dios nos resucitará.
Tú, en cambio, **no resucitarás** para la vida".

Nota la diferencia en el discurso que pronuncia el mártir; dale profundidad al tono en las frases que hablan de la esperanza futura.

Para meditar

SALMO RESPONSORIAL   Salmo 17:1, 5–6, 8b y 15

R. Al despertar me saciaré de tu semblante Señor.

Señor, escucha mi apelación
    atiende a mis clamores,
    presta oído a mi súplica,
    que en mis labios no hay engaño. **R.**

Mis pies estuvieron firmes en tus caminos,
    y no vacilaron mis pasos.
Yo te invoco porque tú me respondes,
    Dios mío;
    inclina el oído y escucha mis palabras. **R.**

Guárdame como a las niñas de tus ojos,
    a la sombra de tus alas escóndeme.
Yo con mi apelación vengo a tu presencia,
    y al despertar me saciaré de
    tu semblante. **R.**

II LECTURA   2 Tesalonicenses 2:16—3:5

**Lectura de la segunda carta del apóstol san Pablo
a los tesalonicenses**

Hermanos:
Que el **mismo** Señor nuestro, **Jesucristo**,
    y nuestro **Padre** Dios,
    que nos **ha amado** y nos ha dado **gratuitamente**
    un consuelo **eterno** y una **feliz** esperanza,
    conforten los corazones de ustedes
    y los dispongan a **toda clase** de obras buenas
    y de **buenas** palabras.

Con calidez pronuncia estas palabras que infunden fortaleza y robustecen a los desánimos.

---

una familia entera, compuesta de siete hijos con su madre. Con todo y sus trazos legendario, el relato ilustra lo que significa para un fiel judío su religión y el apego a la ley de sus padres.

Los ajusticiados son mártires por morir por su convicción religiosa, a la que no pueden renunciar. Dejan ver claramente que no se trata de preceptos (ni de ritos o ceremonias meramente exteriores), que bien podrían transgredir o sustituir por otros, pues en el cumplimiento y fidelidad de su religión les va la vida misma. El punto del conflicto, en la lectura de hoy, es dietético: la ingesta

de carne de cerdo, prohibida por la legislación postexílica (ver Levítico 11:7; Deuteronomio 14:8). Para los judíos el cerdo no cumplía con los requerimientos de pureza legal (pezuña hendida pero es omnívoro, no sólo herbívoro), por lo que no podía ser víctima sacrificial ni comerse privadamente.

Resalta en los discursos breves pero firmes de los acusados la fe en la resurrección, que se expresa como resurrección de la carne. Hay un contraste entre vida presente y vida eterna, entre morir ahora y resurrección futura. El Dios en el que creen es el Dios de la vida verdadera y es el verdade-

ro soberano universal, no Antíoco que se tiene por "manifestación divina", que eso significa su epíteto, asentado en la capital, Antioquía, desde donde gobierna oprimiendo y asesinando. Pero esta opresión no tiene la última palabra, ni siquiera en el peor de los escenarios posibles que es el desmembramiento de los fieles a manos de los más pérfidos impíos. La fe del creyente trasciende cualquier sufrimiento, porque su esperanza está puesta en el único Dios, y es el Dios de la vida.

La resurrección de los muertos es la recompensa definitiva que Dios otorga a los

Como si hubiera un cambio de tono, renueva el tono íntimo y firma de esta solicitud de oraciones.

Por lo demás, hermanos, **oren** por nosotros
para que la **palabra** del Señor se propague **con rapidez**
y sea recibida con honor,
como aconteció **entre ustedes.**
Oren **también**
para que Dios **nos libre** de los hombres **perversos y malvados**
que nos acosan, porque **no todos** aceptan la fe.

Identifica las palabras del discurso directo y haz contacto visual con la asamblea.

Pero el Señor, que **es fiel,**
les dará **fuerza** a ustedes y los **librará** del maligno.
Tengo **confianza** en el Señor de que **ya hacen** ustedes
y **continuarán** haciendo cuanto **les he mandado.**
Que el Señor **dirija** su corazón para que **amen** a Dios
y esperen **pacientemente** la venida de Cristo.

EVANGELIO   Lucas 20:27–38

Lectura del santo Evangelio según san Lucas

La exposición saducea es llamativa y se puede seguir fácilmente; no ralentices la lectura.

En aquel tiempo, se acercaron a Jesús algunos **saduceos.**
Como los saduceos **niegan** la resurrección de los muertos,
le preguntaron:
"**Maestro,** Moisés nos dejó escrito
que si alguno tiene un **hermano casado**
que muere **sin** haber tenido hijos,
se case con la viuda para **dar descendencia** a su hermano.
Hubo una vez **siete** hermanos,
el **mayor** de los cuales se casó y murió **sin dejar hijos.**
El segundo, el tercero y los demás, **hasta el séptimo,**
tomaron **por esposa** a la viuda
y **todos** murieron **sin** dejar sucesión.
Por fin murió también la viuda.
Ahora bien, cuando llegue la resurrección,
¿**de cuál** de ellos **será esposa** la mujer,
pues los siete **estuvieron** casados **con ella?**"

---

fieles que han valorado su ley y su voluntad por encima de la propia vida terrenal. La definitiva, la que ha de comandar todos sus deseos y decisiones es la vida eterna, la suerte que Dios reserva a sus fieles. A los impíos, por el contrario, no les aguarda la resurrección, como anota el cuarto de los mártires. Esta idea se irá desarrollando paulatinamente, hasta encontrar en el Apocalipsis expresión en "la muerte segunda", que es la aniquilación definitiva.

Conforme nos acercamos al final del año litúrgico, la Iglesia nos invita a reflexionar sobre nuestra fidelidad a los manda-

mientos de Dios, para robustecer nuestra esperanza. La resurrección de la carne, como recitaba el formulario del Credo, es la expresión de esa convicción profunda en la soberanía absoluta del Dios de la vida, que resucitó a Jesús, esperanza nuestra.

II LECTURA Las cartas paulinas tienen dos partes bastante definidas; en la primera se exponen los puntos doctrinales más relevantes de cara a las necesidades de la comunidad a la que se dirige el escrito, y en la segunda, que suele ser más breve, el autor exhorta a adoptar

comportamientos consonantes con las doctrinas ya expuestas. La lectura de hoy proviene de la parte con la que cierra la exposición doctrinal, motivada por la aparición del anticristo como condición para que la parusía se verifique, y que va a conducir a la parte parenética que arranca con 3:6.

La parte de la acción de gracias seleccionada para la liturgia del día es una súplica a Dios para que fortalezca a la comunidad en sus palabras y obras. El retraso de la parusía puede reblandecer el empuje cristiano inicial volverlo insípida a la comunidad, que

El discurso de Jesús tiene un desarrollo que culmina señalando la causa. Dale ese sentido como de crescendo en el argumento.

Jesús les dijo:

"En **esta** vida, hombres y mujeres **se casan**,
pero en la vida **futura**,
los que sean juzgados **dignos** de ella
y de la resurrección **de los muertos**,
no se casarán **ni podrán** ya morir,
porque serán como **los ángeles** e hijos de Dios,
pues **él** los habrá resucitado.

Este argumento es la cereza del pastel. Busca el tono mejor para cerrar la lectura y se quede la última frase en la asamblea.

Y que los muertos **resucitan**,
el **mismo** Moisés lo indica en el episodio de la zarza,
cuando llama al Señor, *Dios de Abraham, Dios de Isaac,
Dios de Jacob.*
Porque Dios **no es** Dios de muertos, **sino de vivos**,
pues para él **todos** viven".

O bien: *Lucas 20:27, 34–38*

se encuentra en un medio adverso. El remedio contra el desánimo es orar.

La comunidad ha de orar por la evangelización, tanto por los evangelizadores como por los destinatarios de la palabra de Dios. Es sintomático que no se les pida refuerzos o profetas que se sumen a ese trabajo. Pablo nunca solicitó misioneros ni profetas a las comunidades cristianas. No es problema de números sino de fidelidad. En la fidelidad de Dios se apoya la oración perseverante. Esto es lo que mantiene la esperanza en la próxima venida del Señor.

EVANGELIO El caso hipotético que los saduceos le presentan a Jesús niega la posibilidad de la resurrección de los muertos. Jesús responde aclarando que las condiciones de la vida futura no son las mismas que ahora rigen, sino las de los ángeles de Dios. Luego agrega el argumento escriturario: de vivos —no de muertos— es el Dios de Moisés.

La fe en la resurrección, aunque no sepamos a ciencia cierta los detalles de su realización, es el motor ético de la vida cristiana. Ella nos conduce a vivir constantemente en la presencia del Dios de la zarza,

el que nos llama a vivir en libertad y dignidad, "en éxodo", como invita el papa Francisco a todos los creyentes.

XXXIII DOMINGO DEL TIEMPO ORDINARIO

La lectura es breve pero intensa. Alarga la frase clave y separa los dos momentos.

I LECTURA   Malaquías 3:19–20

Lectura del libro del profeta Malaquías

"Ya viene **el día** del Señor, **ardiente** como un horno,
   y **todos** los soberbios y malvados serán **como la paja**.
El día que viene los **consumirá**,
   dice el Señor de los ejércitos,
   hasta no dejarles **ni raíz ni rama**.
Pero para ustedes, los que **temen** al Señor,
   brillará el sol de justicia,
   que les **traerá** la salvación en sus rayos".

Eleva tus ojos del libro, pero sin hacer contacto visual con un punto específico de la asamblea. Todos deben sentirse aludidos.

Para meditar

SALMO RESPONSORIAL   Salmo 98:5–6, 7–9a, 9bc

R. El Señor llega para regir la tierra con justicia.

Toquen la cítara para el Señor,
   suenen los instrumentos:
con clarines y al son de trompetas,
   aclamen al Rey y Señor. **R.**

Retumbe el mar y cuanto contiene,
   la tierra y cuantos la habitan;
aplaudan los ríos, aclamen los montes
   al Señor, que llega para regir la tierra. **R.**

Regirá el orbe con justicia
   y los pueblos con rectitud. **R.**

I LECTURA   El libro del profeta Malaquías cierra las Escrituras canónicas de Israel, aunque sus contenidos no son necesariamente los más recientes. Su contexto histórico es difícil de precisar, pero corresponde a la época posterior al exilio, entre los siglos v y iv a. C., con el Imperio Persa consolidándose y una organización local difícil de mantener, debido a que unos cuantos poderosos, una especie de oligarquía, controlan todo, hasta volverse una cleptocracia que depreda a la población con sus políticas y corrompe el derecho y la justicia. Los sueños de la reconstrucción nacional quedaban en nada. El profeta, o un grupo profético, levanta su voz para denunciar los atropellos, y anunciar la venida del Señor.

La venida del Señor es amenazante para los impíos; un fuego que devora todo. No hay escapatoria, y aquellos que depredan a la comunidad quedarán reducidos a cenizas. Al escuchar esto, aquellos que son las víctimas de la rapiña de los fuertes, no pueden más que desear que ese día llegue cuanto antes. Nada anhela tanto el pobre como verse libre de las opresiones que le impiden respirar.

Para los pocos fieles, la venida del Señor marcará una época nueva, un día radiante. El Señor trae la justicia que equivale a salvación. No hay vuelta de hoja, la salvación sin justicia es una mentira. El sol de justicia es calcinante para los malvados, pero calor de vida para los fieles del Señor. La imagen es cabal y en ella mira la comunidad cristiana reflejada su esperanza, cuando san Lucas recoja esas palabras atesoradas por los grupos de los pobres y necesitados.

El testimonio es en primera persona. Dale la seguridad y convicción de Pablo. La asamblea entiende muy bien de qué habla.

II LECTURA   2 Tesalonicenses 3:7–12

**Lectura de la segunda carta del apóstol san Pablo
a los tesalonicenses**

Hermanos:
Ya **saben** cómo **deben** vivir para **imitar** mi ejemplo,
　　puesto que, cuando estuve **entre** ustedes,
supe ganarme la vida y no dependí **de nadie** para comer;
　　antes bien, de día y de noche trabajé **hasta agotarme**,
　　para no serles **gravoso**.
Y no porque **no tuviera yo** derecho a pedirles el sustento,
　　sino para darles **un ejemplo** que imitar.
Así, cuando estaba entre ustedes, les decía una **y otra vez**:
　　"El que **no quiera** trabajar, que **no coma**".

La acusación es grave. No la aminores ni pases por ella con rapidez. Enfatiza las dos líneas finales.

Y ahora vengo a saber
　　que **algunos** de ustedes viven como **holgazanes**, sin
　　　　hacer **nada**,
　　y además, entrometiéndose **en todo**.
Les **suplicamos** a esos tales y les **ordenamos**,
　　de parte del **Señor Jesús**,
　　que se pongan **a trabajar** en paz
　　　　para ganarse **con sus propias manos** la comida.

EVANGELIO   Lucas 21:5–19

Lectura del santo Evangelio según san Lucas

Si fraseas con la debida entonación, la asamblea seguirá el hilo de los argumentos, sin dificultad. Esta lectura seduce porque la asamblea actualiza rápidamente lo escuchado.

En aquel tiempo, como **algunos** ponderaban
　　la **solidez** de la construcción del templo
　　y **la belleza** de las ofrendas votivas que lo adornaban,
Jesús dijo:
　　"Días vendrán en que **no quedará** piedra sobre piedra
　　　　de **todo** esto que están admirando;
　　todo **será destruido**".

II LECTURA El proverbio "A Dios rogando y con el mazo dando" dice que no hay que descuidar las realidades que nos rodean, ni porque lo único relevante sea el más allá, ni porque la venida del Señor sea tan inminente que no se vea sentido alguno en transformar el aquí y ahora. Esto último es el caso de algunos de Tesalónica que no quieren trabajar más, y han terminado siendo un lastre para los demás.

El ejemplo que Pablo ha dado es válido. Mientras evangelizaba a los tesalonicenses él trabajaba para no serles gravoso, aun cuando le asistía el derecho del predicador,

es decir, de que la comunidad le diera el pan y el abrigo necesarios para subsistir. Pablo fue muy cuidadoso en esto. La práctica misionera, sin embargo, pronto se convirtió en algo abusivo, y las comunidades cristianas debieron poner coto a los innumerables predicadores y misioneros que circulaban continuamente de comunidad en comunidad, y que se negaban a trabajar, porque argumentaban que estaban dedicados a estudiar la palabra de Dios. Ya las generaciones cristianas segunda y tercera debieron regular a los ministros, en el sentido de que únicamente podían andar en pares, quedarse solamente

un par de días en un lugar, comer y beber lo que había disponible, y proveerles a lo mucho con un par de sandalias. Si algún predicador pedía dinero, debían expulsarlo de la comunidad. También se volvió imperativo que visitaran a los enfermos, y que un par de representantes de la comunidad los llevaran a la siguiente comunidad, para autentificar que eran enviados genuinos. Estas y otras prácticas se ven reflejadas en los relatos de envío de los evangelios y de la literatura de las comunidades cristianas primeras. La venida del Señor no puede ser pretexto para la pereza ni para hacer de la

El tono es de advertencia, pero no de alarma. Modera el volumen de la voz.

Entonces le preguntaron:

"Maestro, ¿**cuándo** va a ocurrir esto
y **cuál** será la señal de que ya está **a punto** de suceder?"

Él les respondió:

"**Cuídense** de que **nadie** los engañe,
porque **muchos** vendrán usurpando mi nombre y dirán:
'**Yo soy** el Mesías. El tiempo **ha llegado**'.

Pero **no** les hagan caso.

Cuando oigan hablar de **guerras y revoluciones**,
que no los domine **el pánico**,
porque eso **tiene** que acontecer, pero **todavía** no es el fin".

Luego les dijo:

"Se **levantará** una nación contra otra y un reino **contra** otro.

En **diferentes** lugares habrá **grandes** terremotos,
epidemias y **hambre**,
y **aparecerán** en el cielo señales **prodigiosas** y terribles.

Pero **antes** de todo esto
los **perseguirán** a ustedes y los **apresarán**;
los llevarán a los tribunales y **a la cárcel**,
y los harán **comparecer** ante reyes y gobernadores,
por causa mía. Con **esto** darán testimonio **de mí**.

Grábense bien que **no** tienen que preparar de **antemano**
su defensa,
porque **yo** les daré palabras **sabias**,
a las que **no podrá** resistir ni contradecir
ningún adversario de ustedes.

La fidelidad al Evangelio de Cristo Jesús puede costar hasta los vínculos familiares. Nota que las dos frases finales son clave.

Los traicionarán **hasta** sus propios padres,
hermanos, parientes y amigos.

Matarán a algunos de ustedes y **todos** los odiarán por **causa mía**.

Sin embargo, no caerá **ningún** cabello de la cabeza de ustedes.

Si se mantienen **firmes, conseguirán** la vida".

---

predicación del Evangelio un *modus vivendi*. Pablo es tajante en esto. Por su parte, los rabinos, obligaron a que los maestros de las Escrituras tuvieran un oficio, para evitar que comerciaran con lo sacro.

El trabajo cotidiano, honesto y productivo, es la mejor manera de propagar el Evangelio del Señor y de anunciar su venida. Por un lado, esto acentúa la relevancia de la realidad que ha de ser transformada por el Evangelio de la muerte y resurrección de Cristo, y por el otro, el mundo laboral es donde los cristianos construyen puentes de

solidaridad con la humanidad entera. Para esto trabajamos cristianamente.

EVANGELIO El templo de Jerusalén era un portento de belleza y majestad. Jesús también debió quedar impresionado por aquel magnífico complejo de edificios. Sin embargo, esto no le impidió ver con claridad profética la suerte aciaga que pendía sobre ellos. Por eso Jesús quiere inculcar en sus discípulos la correcta actitud ante las ominosas adversidades que vienen.

Jesús advierte sobre la multiplicación de pretendientes mesiánicos que crearán la

atmósfera del fin inminente. Los seguidores de Jesús saben quién es el mesías, y no pueden dejarse engañar. Otro tanto vale para las catástrofes y conflagraciones internacionales. No pueden perturbarlos de su quehacer, que consiste en dar testimonio firme de la verdad del Evangelio ante tribunales e incluso ante la propia familia. Para el discípulo no es tiempo de esconder la cabeza ni acobardarse, sino de afianzar la fe en la protección divina.

NUESTRO SEÑOR JESUCRISTO, REY DEL UNIVERSO

La lectura es breve y atractiva; no le restes frescura ni espontaneidad.

I LECTURA   2 Samuel 5:1–3

Lectura del segundo libro de Samuel

En aquellos días, **todas** las tribus de Israel fueron a Hebrón
   a ver **a David**, de la tribu de Judá, y le dijeron:
   "**Somos** de tu **misma** sangre.
Ya desde **antes**, aunque Saúl **reinaba** sobre nosotros,
   tú **eras** el que **conducía** a Israel,
   pues **ya** el Señor te **había dicho**:
   'Tú serás **el pastor** de Israel, mi pueblo; **tú serás** su guía' ".

Así pues, los ancianos de Israel
   fueron a Hebrón a ver a David, **rey** de Judá.
David hizo con ellos un pacto **en presencia** del Señor
   y ellos **lo ungieron** como rey de **todas** las tribus de Israel.

Baja la velocidad de lectura. Dale un peso específico a las dos últimas líneas, porque comprimen todo lo narrado.

Para meditar

SALMO RESPONSORIAL   Salmo 122:1–2, 4–5
R. Vayamos con alegría al encuentro del Señor.

¡Qué alegría cuando me dijeron:
"Vamos a la casa del Señor"!
Ya están pisando nuestros pies
   tus umbrales, Jerusalén. **R.**

Allá suben las tribus,
   las tribus del Señor.
Según la costumbre de Israel,
   a celebrar el nombre del Señor.

En ella están los tribunales de justicia,
   en el palacio de David. **R.**

I LECTURA El relato que cuenta el ascenso de la figura pastoril de David culmina con la unción del rey de Hebrón en Judá como rey de Israel; el cuerpo de los ancianos, representativo de las tribus, reconoce que David ya era guía del pueblo ejército en vida de Saúl, el primer rey de todo el pueblo.

El pacto que sellan con David delante del Señor es una alianza sagrada, es decir, sellada con un banquete de una ofrenda a Dios que pasa en silencio. Hebrón significa "lugar del pacto". Allí, las tribus declaran unirse a David con una fórmula de unión

"somos hueso tuyo y carne tuya", que es idéntica a la de Adán al reconocer y unirse a Eva en un pacto doméstico. Lo mismo ocurre aquí. La versión litúrgica adopta esa doble frase como "somos de tu misma sangre", lo que a nuestros oídos suena a consanguinidad o miembros de una misma familia. Aquella era quizá la fórmula de recibir en casa a la nueva esposa que comenzaba a formar parte de las pertenencias de la casa en un clan familiar. El rey no es alguien extraño a su pueblo; es su pueblo el que lo adopta como su líder o pastor, que equivale

a rey. En una sociedad pastoril, aquella figura era muy querida y familiar.

La unción era un gesto público para colocar al ungido bajo la protección divina. Hebrón era un lugar sacro, donde estaban las tumbas de Abraham, Isaac y Jacob —junto con la de Adán— y sus respectivas consortes. Se remite, pues al ámbito sacro la función del monarca.

El rey no es un monarca absolutista; sus atribuciones vienen de la ley y las tradiciones del pueblo; a esto obedece la presencia de los ancianos. Él será el responsable del bienestar de los suyos, y quien los guíe

II LECTURA Colosenses 1:12–20

Lectura de la carta del apóstol san Pablo a los colosenses

Hermanos:
Demos gracias a Dios Padre,
  el cual nos ha hecho **capaces** de participar
    en la **herencia** de su pueblo santo,
  en el **reino** de la luz.

Él nos ha **liberado** del poder de las tinieblas
  y nos **ha trasladado** al Reino de su Hijo amado,
  por cuya sangre **recibimos** la redención,
  esto es, **el perdón** de los pecados.

Cristo es **la imagen** de Dios invisible,
  el **primogénito** de toda la creación,
  porque **en él** tienen su fundamento **todas** las cosas creadas,
  del cielo y de la tierra, las visibles y **las invisibles**,
  sin excluir a los tronos y dominaciones,
  a los principados y potestades.
Todo fue creado **por medio** de él y **para él**.

Él existe **antes** que todas las cosas,
  y **todas** tienen su consistencia **en él**.
Él es también la **cabeza** del cuerpo, que es **la Iglesia**.
Él es el **principio**, el **primogénito** de entre los muertos,
  para que **sea** el primero **en todo**.

Porque Dios **quiso** que en Cristo habitara **toda plenitud**
  y **por él** quiso reconciliar consigo **todas** las cosas,
  del cielo y de la tierra,
  y darles **la paz** por medio de su sangre,
  derramada en la cruz.

El tono es solemne y majestuoso. No engoles la voz. Hay que respetar la elocuencia propia de estas bellas líneas.

Esta parte dedicada a Cristo es rica en imágenes que hay que frasear sin prisas. Medita en la figura cósmica de Cristo.

Es el párrafo final y conclusivo. El tono es exultante pero sin exageraciones; tu gozo es profundo.

---

en tiempos de turbulencias económicas y sociales. El proyecto de nación que Israel quiere forjar será uno de convivencia pacífica y solidaria —no bélico ni commercial— en la que todos y cada uno de los participantes disponga de los satisfactores necesarios para vivir como miembros del mismo cuerpo.

II LECTURA En la atmósfera de Colosas pululaba un amplio elenco de seres angélicos y de potencias siderales ordenados en varias categorías y órdenes para determinar la suerte de los mortales.

Por eso era importante que la fe en Cristo Jesús y la obra de la redención se condensaran en líneas que retomaran esos conceptos y los subsumieran a la primacía del Resucitado.

Los beneficios de la salvación se expresan en términos de herencia; el trasfondo es bautismal y conocido de todos los colosenses. Los creyentes que no pertenecían al pueblo santo han sido trasladados al reino de la luz mediante el bautismo, por lo que ahora son coherederos. Con la imaginería pascual, el himno habla de la liberación del poder de las tinieblas, y de la señal de la

sangre que eximió a los primogénitos israelitas de perecer. El perdón de los pecados es otra expresión de la salvación.

De Cristo se canta su función en la creación y su preexistencia, pero también su primacía en la Iglesia, y su primogenitura en la nueva creación. Culmina el himno señalando la plenitud cósmica de Cristo, en el que Dios ha consumado la reconciliación con todas sus creaturas, gracias a su sangre derramada en la cruz.

Cuando la liturgia proclama a Cristo, Rey del Universo, se refiere al punto final del misterio de la revelación cristológica y a la

El drama del momento es grande. No hagas mayor énfasis en el fraseo, pero distingue los diferentes insultos que se pronuncian en los primeros párrafos.

Cambia el foco, aunque no el tono. La asamblea debe percibir la pregunta con agudeza.

Con absoluta reverencia y seguridad pronuncia la línea final. Nada de sobrecargar el tono.

EVANGELIO   Lucas 23:35–43

Lectura del santo Evangelio según san Lucas

Cuando Jesús estaba ya **crucificado**,
   las autoridades le hacían muecas, diciendo:
     "A **otros** ha salvado; que se salve **a sí mismo**,
     si **él es** el Mesías de Dios, el **elegido**".

También los soldados se **burlaban** de Jesús,
   y acercándose a él, le ofrecían **vinagre** y le decían:
     "Si **tú eres** el rey de los judíos, **sálvate** a ti mismo".
Había, en efecto, sobre la cruz,
   un letrero en griego, latín y hebreo, que decía:
     "**Este es** el **rey** de los judíos".

Uno de los malhechores crucificados
    insultaba a Jesús, diciéndole:
     "Si **tú eres** el Mesías, **sálvate** a ti mismo **y a nosotros**".
Pero el otro le reclamaba, **indignado**:
     "¿Ni siquiera **temes** tú a Dios estando en el **mismo** suplicio?
Nosotros **justamente** recibimos el pago de lo que hicimos.
Pero éste **ningún** mal ha hecho".
Y le decía a Jesús:
     "**Señor**, cuando llegues a tu Reino, **acuérdate** de mí".
Jesús le respondió:
     "Yo te **aseguro** que **hoy** estarás conmigo **en el paraíso**".

reconciliación cósmica en la resurrección de Jesús. La liturgia, con este himno, proyecta la confesión al punto primigenio, a ese sello que toda creatura posee porque procede también del primogénito de todas las cosas, por ser él imagen del Dios invisible. El *principio* y el *fin* de toda la creación, Cristo es rey porque Dios ha ordenado a él todas las cosas.

> **EVANGELIO** El año litúrgico concluye con la imagen de Jesús en cruz, aclamado y proclamado por la comunidad de creyentes Mesías y Rey al mundo entero.

El Mesías de Dios no anda los caminos trazados por las autoridades que tenían por misión fundamental discernir el camino del Señor. Al pie de la cruz, aquellos magistrados se mofan del Elegido, impotente de salvarse de la justicia que ellos administran. Otro tanto sucede con el grupo militar que ejecuta las decisiones legales.

Entre los que corren la suerte de Jesús uno lo vitupera y el otro percibe la injusticia. Allí, en palabras que rememoran las de Jesús a su grupo de discípulos, este lúcido criminal solicita la memoria de Jesús "cuando llegues a tu reino". ¡Lo ve en camino a recibir la corona! Y Jesús responde con el más preciado de los regalos. Esto es el proyecto de Dios que Jesús continúa realizando en medio de nosotros.

La fiesta de Cristo Rey muestra el camino que la comunidad creyente, la Iglesia, ha de recorrer en el seguimiento de Jesús. Un camino de dolor y fidelidad a Dios como lo marca el Evangelio, pero que induce a que Dios reine entre nosotros, como lo imploramos continuamente: "Venga tu reino".